SAINT THOMAS AND PLATONISM

A STUDY OF THE *PLATO* AND *PLATONICI* TEXTS
IN THE WRITINGS OF SAINT THOMAS

BY

Reverend R. J. HENLE, S.J.

A.B., A.M., S.T.L., PH.D.

THE HAGUE
MARTINUS NIJHOFF
1956

PRINTED IN THE NETHERLANDS

MARIAE

SEDI SAPIENTIAE

REGINAE

ET DOMINICI FILIORUM ET IGNATII

FAUSTISSIMO ANNO TUO

HOC QUALECUMQUE OPUS

GRATO ANIMO

DO AC DEDICO

AUTHOR'S PREFACE

The present work is substantially a dissertation presented to the Faculty of the Graduate School of the University of Toronto. While aware of the numerous imperfections of the work I have decided, on the urging of many colleagues, to publish it at this time because of the current relevance of the subject-matter and especially of the collection of texts.

I am happy to acknowledge my indebtedness to the faculty of the Pontifical Mediaeval Institute of Toronto and especially to the Reverend Ignatius Eschmann, O.P., who first suggested the idea of this study and whose encouragement and assistance brought it to completion. My thanks are due also to the Reverend George Klubertanz, S.J., and Mr. Paul Mathews, both of the Department of Philosophy of Saint Louis University, and, for invaluable secretarial assistance, to Mrs. Savina Tonella and Miss Agnes Kutz.

R. J. HENLE, S.J.

Saint Louis
December, 1954

TABLE OF CONTENTS

Part Two
BASIC STUDY OF THE TEXTS

GENERAL INTRODUCTION

Whitehead has said, 'The safest general characterization of the European philosophical tradition is that it consists of a series of footnotes to Plato.'[1] Whatever one may think of the accuracy of this remark, it does bear witness to the fact that Plato, in some way or other, is present in every Western philosophical discussion. Everyone recognizes in Plato an intellectual ancestor of whom we of the West are all heirs, from Speusippus who succeeded his uncle as head of the Academy to the last philosopher of the Sorbonne or Oxford or, even, of the University of California.

It would seem of first importance, therefore, to determine with precision the exact meaning and nature of Plato's own doctrine. Yet, there is no unanimity on this point; the interpretation of the Platonism of Plato himself is still a matter of discussion and debate.[2]

The problem is rendered even more difficult by the critique leveled against Plato by that great writer of footnotes (to follow Whitehead)[3] or, if you will, that co-founder of Western philosophy, Aristotle.[4] The opposition of Aristotle and Plato became a constant theme of commentators and thinkers. The strife between the two great Greeks was a disturbing fact and there have always been men who tried to reconcile Plato and Aristotle, to smooth away their differences and to unite their doctrines in a

[1] A.N. Whitehead, *Process and Reality*, p. 63.
[2] For various modern views see, for example, F. H. Anderson, *The Argument of Plato;* A. H. Armstrong, *An Introduction to Ancient Philosophy;* John Burnet, *Platonism;* Harold Cherniss, *The Riddle of the Early Academy;* Francis N. Cornford, *Before and after Socrates; Plato's Theory of Knowledge;* Kurt von Fritz, *Philosophie und Sprachlicher Ausdruck bei Demokrit, Plato und Aristoteles;* G. M. A. Grube, *Plato's Thought;* W. F. R. Hardie, *A Study in Plato;* Henry Jackson, *Plato and Platonism;* Paul Kucharski, *Les Chemins du Savoir dans les Derniers Dialogues de Platon;* W. Lutoslawski, *The Origin and Growth of Plato's Logic;* Paul Elmer More, *Platonism;* John H. Muirhead, *The Platonic Tradition in Anglo-Saxon Philosophy;* J. A. Stewart, *Plato's Doctrine of Ideas;* A. E. Taylor, *Platonism and Its Influence;* Edward Zeller, *Outlines of the History of Greek Philosophy.*
[3] Pegis, *St. Thomas and the Greeks*, p. 92, note 7.
[4] Cherniss, *Aristotle's Criticism of Plato and the Academy*, 'Foreword,' pp. ix-xxiv.

common fund of truth.[5] But the disturbing spectre of this original opposition has never been successfully exorcised from the philosophical tradition.

Moreover, in the Greek schools, Platonism seemed to develop into something other than itself, retaining somehow its original lineaments but wearing a new expression. We have thus come to speak of Neo-Platonism and thereby have set up a new problem of the relationship of this Neo-Platonism to the Platonism of Plato himself. In a sense this is a modern problem for, while the ancients spoke only of Plato and the *Platonici*, we distinguish within Greek thought a Neo-Platonic school.[6]

An additional complication was introduced when Christianity, becoming an embracive movement, began to enter classical culture. With no distinctive philosophical tradition of its own, it found in Greek thought what, at first sight at least, appeared to be a congenial and well adapted philosophy, that indeed of Plato and the Platonists.[7] They, of all the non-Christians, are closest to us, said Saint Augustine, and placed thus his formidable authority behind the Christian Platonic tradition.[8]

It was not only in the Greek commentators and scholiasts (maintained in the Eastern Empire until the fall of Constantinople) and in the Christian Fathers that Platonism moved on. The heritage of Greek thought was adopted by the Mohammedan conquerors and found a new development in the Arabian philosophers.[9]

The Christian tradition of the West, with little benefit of original writings either of Plato or of Aristotle, ever growing in complexity, brought Christian Platonism to the twelfth century and to its historic juncture with Arabian thought and the Aristotelian crisis of the thirteenth century.[10]

The great complexity, which this brief sketch reveals, makes

---

[5] A very recent effort in this direction is made by John Wild in *Plato's Theory of Man;* see especially pp. 12-22.
[6] Neither mode of designation seems wholly satisfactory to Klibansky: 'Second, the mediaeval Platonic tradition as a whole is much too complex to be described indiscriminately as either Platonism, as was formerly, or Neoplatonism, as is now, the rule,' *op. cit.*, p. 36.
[7] See Arnou, 'Platonisme des Pères,' *DTC*, XII, 2258-2392.
[8] St. Augustine, *De Civitate Dei*, VIII, 5 [A].
[9] Klibansky, *The Continuity of the Platonic Tradition*, pp. 14-18.
[10] Pegis, *Basic Writings of Saint Thomas Aquinas*, 'Introduction,' Vol. I, pp. xxxv-xlviii.

the study of the Platonic tradition a formidable business indeed.
Klibansky summarizes the complex problem thus:

> Second, the mediaeval Platonic tradition as a whole is much
> too complex to be described indiscriminately as either Platon-
> ism, as was formerly, or Neoplatonism, as is now, the rule. The
> first view fails to recognize the difference which separates every
> form of mediaeval Platonism from Plato's own thought. The
> second, a reaction against the first, commits the opposite error.
> Starting from a preconceived idea of 'mediaeval philosophy',
> regardless of the manifold and even conflicting trends of thought
> comprised in this abstraction, it soon finds a common denomi-
> nator for all elements related in any way to so-called Platonic
> studies. Some of these, it is true, reflect a conception which
> seems to come near to Plotinus' theory of emanation. Just as
> often, however, we find a kind of Platonism which is neither
> the doctrine of Plato nor that of Plotinus or Proclus, but, based
> on Hellenistic thought, nourished by the religious experience,
> Christian, Jewish or Islamic, of later centuries, and intimately
> fused with teachings from Stoic and other philosophies, is, in
> fine, something new and individual, difficult to bring under a
> simple heading. This complexity is evident, moreover, in every
> attempt to trace the history of a single Platonic or Neoplatonic
> doctrine in the Middle Ages, be it the theory of ideas or the
> conception of the created world as an image, picturing or
> mirroring the celestial world. And often behind a Neoplatonic
> interpretation, or combined perhaps with an exegesis of Hel-
> lenistic provenance, a purely Platonic element is to be found.[11]

Klibansky adds:

> The particular character of mediaeval Platonism and its place
> in the history of thought can only be judged adequately when
> the texts have been collected and edited.[12]

He proposed, therefore, a plan for a *Corpus Platonicum Medii
Aevi* which would provide materials for the study of the Platonic
tradition.[13]

Thus a new problem was set for the Christian student of the
history of ideas. For what is the theological or philosophical
meaning of this apparent shift in allegiance? What brought it

[11]   Klibansky, *op. cit.*, pp. 36-37.
[12]   *Ibid.*, p. 37.
[13]   *Ibid.*, p. 37; pp. 51-54.

about? What interpretation must be placed on the effort of
earlier Christian thinkers to employ Platonic philosophy in the
service of Christian wisdom? And, finally, what precisely was the
nature of the change itself?

As has been pointed out, all the complexity of the Platonic
tradition, intermingled with diverse elements of various theolo-
gies and other philosophies, swept into the thirteenth century
and into the crisis of Christian thought which characterized that
century. Here the Christian thinkers found themselves not only
heirs of their own maturing tradition but in possession also of the
systematic formulations of Arabian and Jewish thought as well
as of many of the original documents – long lost to the Latin
West – of Greek philosophy. And the Platonic tradition lived on
through the resulting crisis and maintained its continuity down
to the Renaissance.[14] But in the crisis, Christianity seemed to
make a second choice, turning from Plato to embrace Aristotle.

Now, Saint Thomas was the man who, more than any other,
effected the incorporation of Aristotle into Christian thought,
avoiding the extremes of Averroistic canonization as well as of
Augustinian condemnation.[15] In fact, the older histories of philosophy presented him as a Christian theologian who slavishly
took over the philosophy of Aristotle and forced it into the frame
of Christian Revelation.[16] This highly simplified and indeed false
picture of the position of Saint Thomas has now largely been
abandoned but the precise nature of his achievement and especially his relationship to previous thinkers is still under discussion.

Two of the earliest studies of his attitude towards Platonism
are Lipperheide's *Thomas von Aquino und die Platonische Ideenlehre*
and the articles of Ch. Huit in the *Annales de Philosophie Chreti-*

---

[14] *Ibid.*, pp. 35-36; Baeumker, 'Mittelalterlicher und Renaissance-Platonismus,' *Beitr.*, XXV, pp. 180-184.
[15] Pegis, *op. cit.*, pp. xxxix-xlviii.
[16] 'The philosophy of St. Thomas has no other aim than the faithful repro-
duction of the principles of the Lyceum.' 'His devotion to the Church and its
interests, his philosophical talents, which he employs in the service of Cathol-
icism, and his faith in the perfect harmony of the dogma and philosophical
truth as set forth in Aristotle make him the most typical doctor of the Church
after St. Augustine and St. Anselm.' Weber, *History of Philosophy*, pp. 191,
194.

enne.[17] Lipperheide's study was extremely limited and the investigation of Huit was superficially conducted and led to vague conclusions.

In his survey of Mediaeval Platonism (1916) Baeumker remarked:

> Ist so selbst die Thomistische Philosophie viel stärker von platonischen Elementen durchdrungen, als man bei dem Führer der aristotelischen Bewegung erwarten möchte...[18]

Likewise, most modern historians of mediaeval philosophy[19] and most writers on Thomism[20] have adverted, generally very briefly to be sure, to Platonic elements and influences within the doctrine of Saint Thomas.

Yet despite this general recognition of a Platonic problem within Saint Thomas' thought, there was, until quite recently, no thorough-going study of the problem. Within a few years, however, several scholars quite independently turned their attention to it and published important studies. Thus within a few

[17] Huit, 'Le platonisme au Moyen Age,' XX, pp. 324-333, 417-431, 489-514; XXI, pp. 31-47; 'Le platonisme au XII siecle,' XXI, pp. 160-184; 'Le platonisme au XIII siecle,' XXI, pp. 455-478; 'Le platonisme a la fin du Moyen Age,' XXII, pp. 26-47; and also *Les éléments platoniciens dans la doctrine de S. Thomas, Revue Thomiste,* XXX (1911).

[18] Baeumker, 'Der Platonismus in Mittelalter,' *Beitr.,* XXV, p. 174.

[19] Brehier, *La philosophie au moyen age,* pp. 323, 325; Coppleston, *A History of Philosophy,* Vol. II, pp. 308, 327, 344, 359, 376, 427, 562; Dagneau, *Histoire de la philosophie,* pp. 262, 263, 265, 269; De Wulf, *History of Mediaeval Philosophy,* pp. 322, 327, 337, 340; Fouillee, *Histoire de la philosophie,* pp. 207, 208; Fuller, *A History of Philosophy,* pp. 380-381, 383; Geny, *Brevis Conspectus Historiae Philosophiae,* pp. 132, 183, 184, 188, 195; Gilson, *La philosophie au moyen age,* pp. 527, 590; Haureau, *Histoire de la philosophie scholastique,* Part II, T. I, pp. 352, 389, 398, 409, 433; Hirschberger, *Geschichte der Philosophie,* pp. 396, 402-403, 404, 408, 418; Klimke, *Institutiones Historiae Philosophiae,* pp. 199, 202, 204, 205, 209; Rivaud, *Histoire de la philosophie,* pp. 103, 109, 110, 123, 131, 135, 140, 143; Taylor, *The Mediaeval Mind,* pp. 485, 493, 496, 499.

[20] Boyer, *Cursus Philosophiae,* Vol. I, pp. 29-30; Chenu, *Introduction a l'Etude de Saint Thomas d'Aquin,* pp. 50-51, 59, 93, 120, 159-160, 165-166, 260-261; Cresson, *Saint Thomas d'Aquin,* pp. 15-16, 18; De Bruyne, *S. Thomas d'Aquin,* pp. 31, 71-72, 81; DeFinance, *Etre et Agir dans la Philosophie de Saint Thomas,* pp. 47, 78, 122-123; Isaye, *La Theorie de la Mesure et l'existance d'un maximum selon Saint Thomas,* p. 109; Manser, *Das Wesen des Thomismus,* pp. 61, 63, 64-65, 99-100, 172, 562-563; Marechal, *Le Point de Depart de la Metaphysique,* p. 107, note 2; Maritain, *An Introduction to Philosophy,* pp. 98-99; Meyer, *The Philosophy of St. Thomas Aquinas,* pp. 19-20, 95, 258, 272-273, 276, 295-296, 326-327, 384-385, 390, 413, 517-518; Peillaube, *Initiation a la Philosophie de Saint Thomas,* pp. 21, 26-27, 32; Riedl, *The Nature of the Angels,* pp. 119, 147; Roland-Gosselin, *Le 'De Ente et Essentia' de S. Thomas d'Aquin,* pp. xxi, 5, note 2; Sertillanges, *S. Thomas d'Aquin,* T. I, pp. 18, 20; T. II, p. 107; Walz, *Saint Thomas Aquinas,* pp. 174-175.

years Santeler,[21] Isaye,[22] Geiger,[23] Fabro,[24] and Little[25] produced works involving the relationship of Saint Thomas and Platonism.[26]

The late Father Little undertook to establish that certain theses were '(1) Thomistic; (2) Platonic; (3) Non-Aristotelian; and (4) True.'[27] Among his conclusions, for example, is this: 'But whether wittingly or unwittingly, he [sc. Saint Thomas] taught a Platonic doctrine rejected by Aristotle when he taught participation.'[28] The work is not primarily a textual study; it includes a great deal of speculative development covering some of the broadest questions of philosophy.[29] Moreover, when texts are employed, their interpretation is certainly at times open to criticism and no elaborate effort is made to justify the interpretation given.[30]

Santeler, as the title of his work, *Der Platonismus in der Erkenntnislehre des Heiligen Thomas von Aquin*, indicates, studies the question within the problem of knowledge and more specifically with reference to the question of universals.[31] He concludes:

> Allein trotz allen Ansätzen nimmt der Heilige noch zuviel spezifisch Platonisches in sein System auf und zwar gerade das Entscheidende, die Unerkennbarkeit der Materie an sich.[32]

[21] *Der Platonismus in der Erkenntnislehre des Heiligen Thomas von Aquin.*
[22] *La Theorie de la Mesure et la Existence de Maximum.*
[23] *La Participation dans la Philosophie de S. Thomas d'Aquin.*
[24] *La Nozione Metafisica di Partecipazione secondo S. Tomaso d'Aquino.*
[25] *The Platonic Heritage of Thomism.*
[26] Dr. Anton C. Pegis contributed important articles: 'Cosmogony and Knowledge,' 'I. St. Thomas and Plato' (*Thought*, 18 [1943], pp. 643-664); 'II. The Dilemma of Composite Essences' (*Thought*, 19 [1944], pp. 269-290); 'III. Between Thought and Being' (*Thought*, 20 [1945], pp. 473-498). See also *St. Thomas and the Greeks.*
[27] *Op. cit.*, pp. xii-xiii.
[28] *Ibid.*, p. 286.
[29] *E.g.* see *op. cit.*, pp. 152-168.
[30] *E.g.* Little translates and comments *De Sp. Creat.*, 3, *c.*, as follows: " 'When enquiring into the truth of the world the method characteristic of the Platonists is to start with intelligible data, that of Aristotle to start with sensible data' says St. Thomas. In other words Aristoteleans tend to reason from things, Platonists from the thoughts of things. But it must be added that they reason from thoughts as from real data, not from what I am thinking about, which they may not consider real at all, but from the real fact of my thought of it. Aristotle therefore starts from material facts, Plato from spiritual facts. Hence it is likely though not certain that Aristotle will conclude rather to material truth, Plato to spiritual truth," *The Platonic Heritage of Thomism*, p. 36. The immediately subsequent context as well as parallel passages are ignored. The contrast is not between 'intelligible data' and 'sensible data.' See Part Two, Chapter IV.
[31] *Der Platonismus in der Erkenntnislehre des Heiligen Thomas von Aquin*, pp. 3-4.
[32] *Op. cit.*, p. 32.

This study also is conducted with limited references to the texts. In particular, total doctrinal contexts and especially parallel texts seem to be neglected.[33]

The most elaborate and perhaps the most scientifically constructed of all these studies is that of Geiger. Geiger, to be sure, is more concerned with establishing a synthesis of Thomism under the rubric of 'Participation' than with studying the Thomistic view of Platonism itself.[34] Yet, his procedure brings him face to face with this latter problem. But once again, Saint Thomas' basic view of the Platonic argument is rapidly displayed in dependence upon a limited number of texts.[35]

Fabro does not directly set the problem of Platonism for investigation; rather, his main purpose is to study the meaning and place of 'participation' in Thomism itself.[36] This, of course, brings him also to the question of Platonism and Saint Thomas' attitude towards it. Thus, his main conclusions bear on the structure of Thomism; however, he finds, too, a considerable Platonic influence and an increasingly benevolent attitude towards it on the part of Saint Thomas.[37] His work required painstaking research and displays a wide range of learning; yet, his use of texts raises doubts and makes imperative an equally painstaking critique in the light of Thomistic texts.[38]

---

[33] *E.g.* in establishing the basic critique of Platonism, Santeler refers only to *S.T.*, I, 84, 1, *c.*; *op. cit.*, p. 187.

[34] 'Au terme de ce travail, si nous essayons de dégager quelques conclusions générales, nous devrons dire tout d'abord que la philosophie de S. Thomas peut être appelée à juste titre une philosophie de la participation. La participation, surtout sous la forme d'une pure hiérarchie formelle, y joue un rôle de tout premier plan. L'univers, en sa structure la plus profonde, est essentiellement une participation de la Perfection Première et simple dont il procède. Il est avant tout le reflet et l'imitation d'un exemplaire absolument parfait, tout comme les individus n'étaient aux yeux de Platon que la participation à des Idées immuables,' *op. cit.*, p. 451.

[35] *Op. cit.*, pp. 85-105. (For a favorable review [Gaston Rabeau] see *Bull. Th.*, VI [1940-1942], pp. 30-44; J. H. Nicolas, O.P., offers severe criticisms in 'Chronique de Philosophie,' *Rev. Th.*, 48 [1948], pp. 555-564.)

[36] *Op. cit.*, pp. 347-349.

[37] *Op. cit.*, pp. 46-67.

[38] Thus Fabro adduces, in support of his thesis of an increasing benevolence towards Platonism, the following text: 'Sive dicamus quod universale sit unum in omnibus secundum *opinionem* nostram, sive quod sit aliquid separatum secundum opinionem Platonis, sicut *fortassis* non est verum,' *In IV Meta.*, 4 [C 584]. Fabro rests the weight of his thesis on the 'fortassis' (the underlining is his). The first point to note is that this phrase is precisely drawn from Aristotle: 'aut separabile ut forsan non est.' If there is doubt here, it is in Aristotle himself. But, secondly, St. Thomas himself noticed that this might appear

The conclusions of these studies as well as the judgments, previously referred to, of historians and scholars rest ultimately upon two decisive considerations: (1) a determination of the nature and meaning of Platonism and (2) a determination of the meaning of the relevant Thomistic texts. No estimate of the permanent contribution of these studies can be made except in the light of a full-scale exegesis of the relevant texts.

Yet, as far as can be discovered, no one has presented the complete textual materials for such an exegesis.[39] Everything, therefore, would seem to point to a need for such a presentation. Once this point is granted, the procedural problem becomes one of selecting a starting-point. It would seem obvious that a beginning should be made with the most formal, explicit and objective materials possible. Now it is a fact beyond all cavil that Saint Thomas reports doctrines, principles and arguments which he refers, explicitly and by name, to Plato and the Platonists. This fact is subject to completely objective control for one need only read his works to discover and isolate the Plato and *Platonici* texts. There are these texts and no others; they attribute these doctrines and no others to Plato and the *Platonici*; they record these criticisms or approvals and no others. Moreover, if Saint Thomas presents any formal and explicit concept and criticism of Plato and the Platonists, it seems reasonable to look for it, at least first, in his formal statements about them.

strange and himself explained the 'forsitan' in the *very next sentence* (which Fabro omits): 'Utitur tamen *adverbio dubitandi* quasi nunc supponens quae inferius probabuntur.' This is in accordance with St. Thomas' interpretation of Aristotle's method; cf. 'Quia vero Aristoteles locutus est hic de intellectu, supponendo opiniones aliorum, sicut jam patet; ne credatur quod ipse opinetur intellectum sic esse ut supposuit, ideo removet hoc dicens, quod 'Fortassis intellectus est aliquid divinius et impassibile,' idest aliquid altius et aliqua major potentia, et per consequens operatio ipsius animae, quam dicatur hic. Dicit autem 'fortassis' quia nondum hoc determinaverat, sed postea hoc in tertio ostendit. Unde patet quod supponendo loquitur,' *In* I *De An.*, 10 [P 166]; 'Et propter hoc omnia dicuntur esse in caelo sicut in ultimo continente, quia caelum fortassis est quod est totum continens. Dicit autem fortassis, quia nondum probatum est quod extra caelum nihil sit,' *In* IV *Phy.*, 7 [14]. See also *In Phy.*, III, 8 [5]; V, 1 [7]; VII, 6 [8]; *In* I *De An.*, 10 [P 150]; *In Meta.*, IV, 4 [C 584]; VII, 16 [C 1646]. Had Fabro quoted the full text, it would have offered no support to his thesis.

[39] In a doctoral dissertation (*References to Plato and the Platonici in the Summa Theologiae of St. Thomas Aquinas*) submitted to the University of Pittsburgh, Reverend Michael F. Carmody has collected and translated the texts of the *Summa Theologiae*. However, besides the limitation to a single work, the lack of source investigation and of broad doctrinal interpretation makes the work quite inadequate.

For these reasons, the starting-point and the first step in the present investigation was to collect all the Thomistic texts in which Plato and the *Platonici* were mentioned. This set of texts would constitute a contribution to the 'materials' of which Klibansky spoke, for, containing as it does all the explicit citations and reports of Platonism in Saint Thomas, it is a sort of Thomistic 'Corpus Platonicum.' By the same token it is in itself one of the 'moments' in the continuity of the Platonic tradition and so contributes to the study of the larger problem set by Klibansky.

This collection would also furnish one important series of texts in function of which the studies mentioned above must be examined and which is an important body of evidence for the problem raised by the assertions of the existence of Platonic elements within Saint Thomas' doctrine.

Moreover, this procedure has the advantage of temporarily by-passing one of the most difficult problems involved. We need not immediately and as a prior condition for the investigation determine an answer to the question, 'What is Platonism?' For the Platonism of these texts is self-defining; it is whatever Saint Thomas says it is. For if he anywhere states a conception of Platonism, one may reasonably expect to find it in his explicit and formal references. Moreover, this avoids the danger of setting up an abstraction of Platonism in contrast to the multiple concrete Platonisms. The Platonism to be discussed in this study will, therefore, be the Platonism described and criticized in the texts themselves.

Once the texts have been collected, the question of the sources from which Saint Thomas selectively drew his information at once arises. There was available to the Latin West in the thirteenth century only three works of Plato – the *Meno*, the *Phaedo*, and the *Timaeus*.[40] It is certain that Saint Thomas did not use either the *Meno* or the *Phaedo* and there is no convincing evidence that he was directly acquainted with either Cicero's or Chalcidius' translations of the *Timaeus*.[41] His knowledge of Plato and of Platonism came, therefore, certainly for the most part, from other

---

[40] Klibansky, *op. cit.*, pp. 27-28.
[41] The sources for St. Thomas' references to the *Meno* and *Phaedo* can be easily identified. The citations from the *Timaeus* are of two sorts, either standard and common quotations or references which can be found in the secondary source which St. Thomas is, in each case, obviously using.

sources, from that complex tradition which Klibansky has described. It is not impossible to discover with a relatively high degree of accuracy the sources for most of Saint Thomas' texts, though the task requires extensive investigation and comparison. Geiger has stated that the undertaking could be rather readily accomplished.[42] In our opinion, he underestimated the difficulty of the task; the fact, however, is that neither he nor anyone else has carried it out. This was the second step involved in this investigation and its achievement (at least in large part) constitutes a multiple contribution to the problems posed above. It makes possible a clarification of the continuity of the Platonic tradition as it touches Saint Thomas. At the same time, it provides a control for the reading of the Thomistic texts and aids in understanding his selection and use of the materials thus collected. It brings us thus to that immediate point of contact where his attitude towards his sources appears. Moreover, it offers an excellent laboratory experiment in the methodology of Saint Thomas and thus contributes to the very difficult problems involved in the correct reading of his texts.

With the texts collected and at least a sound beginning made in establishing their sources, a solid foundation is laid for studies in many directions. Obviously a single investigation cannot exhaust these materials. Consequently, as an initial study, we have followed the indications of the texts themselves and have examined what they appear to present as most basic, consistent and important. Since the investigation is thus based on the directions of the texts themselves and not of a general problem (like that of 'participation' or of 'universals') and is not governed by an effort to reconstruct positive parts of Thomistic thought, it is in a sense a new and independent approach to the problem. Therein lies its justification. For, because of this character, it will provide a somewhat independent norm for judging the conclusions of others (even where it agrees with them) and has within itself a primary evidence ultimately necessary for any sound conclusion. It does not retrace the lines of any previous study, nor does it advance speculation on the assumption of the correctness of any such study.

---

[42] *Op. cit.*, p. 10, note 4.

In fine, it will be a small but well-defined contribution to all the questions involved in the Platonic tradition and in the relationship of Saint Thomas to Platonism.

PART ONE

THE TEXTS

INTRODUCTION

An effort has been made to collect and list in this *Part One* every
text from the works of Saint Thomas in which the terms 'Plato'
or 'Platonici' occur.[1] The collection was made by searching the
works of Saint Thomas and checking the results against available
indices. All the certainly authentic works were included in the
survey, except the *Catenae Aurea*, the *De Secreto* and the *Officium de
festo Corporis Christi*.

One of the first problems encountered was that of arriving at
a proper division of the material into individual texts. In general,
it was attempted to maintain a balance between the requirements
of moderate length, of unity of context, and of intelligibility.
Obviously, in so wide a range of works differing in style, subject
and purpose, no hard and fast rules could be laid down, and, in
many cases, individual decisions verging on the arbitrary were
unavoidable.

Since the texts are intended to serve as the raw material for
study, it was decided to classify them in as neutral and material
a manner as possible. Consequently, the works of Saint Thomas
have been divided in groups according to general types; within
each group, the chronological order presented by Doctor Vernon
Bourke in his *Introduction to the Works of St. Thomas Aquinas*[2] (without, however, thereby indicating any formal judgment on the
problems of chronology involved) has been followed,[3] and, finally,
within each work, the texts are arranged in order of occurrence.
For convenience of reference, the texts within each work are

---

[1] Texts referring to Socrates were included when it was clear that St. Thomas
recognized Socrates as a dramatic character (thus frequently in the commentary on the *Politics*).
[2] pp. xii-xiv.
[3] However, the *Expositio in S. Pauli Epistolas* and the *Quaestiones Quodlibetas*
have been, respectively, kept together in the traditional arrangement.

numbered consecutively; thus, *In Sent.* [4] will refer to the fourth text listed under the *Commentaria in IV Libros Sententiarum.*

In addition, an effort was made to identify the sources of Saint Thomas' knowledge and these sources are placed immediately after each text. 'Source' is here understood to mean that work from which Saint Thomas himself drew his information and not, as often in the Leonine *Summa Theologiae*, the source in which an idea or fact first appeared historically. Thus, no reference is given, for example, to the *Hippias* of Plato when it appears that Saint Thomas read his information in a text of Aristotle. (In the case, however, of Greek works of which the Latin translation was unavailable, reference is made to the original.) There are several exceptions. Thus the *Timaeus* was available in a Latin translation and texts from it were so commonly quoted that it is impossible to determine the exact source; for these, therefore, references to Chalcidius' translation are given. For some other texts also which were in common use, references are given to other thirteenth century authors without any intention of identifying them as the precise source. Moreover, only those elements of the texts which are attributed to Plato or the *Platonici* have been traced to sources.

As a rule the sources have been indicated only by references; where, however, the text of the source seemed to have some special relevance, it has been quoted, and occasionally, for similar reasons a brief discussion has been included.

Where the elements of a text require a division according to different sources, this has been indicated by numerical divisions under the heading 'Source' referring to superior numbers in the text. The references to sources do not carry full bibliographical details; for these the general bibliography should be consulted. Where a particular edition is cited, the reference to it is enclosed in brackets with the edition indicated by an abbreviation. Thus,

Simplicius, *In L. De Caelo*, I, 2 [CG VII, 116.2–5]

refers to page 116, lines two to five, in the edition of Heiberg, volume VII in the *Commentaria in Aristotelem Graeca.*

There is again no rigid methodology which can be applied to the search for sources. Saint Thomas himself frequently gives explicit indications, but these must be used with caution.[4] Previous

---

[4] For example, in *In Sent.* [13] St. Thomas apparently refers directly to the Aristotelian text; comparison, however, reveals a close verbal resemblance

general work has also furnished invaluable assistance, particularly the source indications in the Ottawa edition of the *Summa Theologiae*. Some citations could be traced through parallels in editions of other mediaeval authors; thus, for example, the Quarrachi edition of Saint Bonaventure's *Commentary on the Sentences* was useful in this fashion. A thorough canvass of the works known to be available to Saint Thomas was also made. Thus the very excellent indices in the *Commentaria in Aristotelem Graecae* were extremely helpful for those commentaries which Saint Thomas used in translation.

The source materials presented here must be recognized to have many limitations. In general, the present state of scholarship with regard to the sources of Saint Thomas, mediaeval translations, chronology of works, and so forth, leaves open many problems and room for continuous research and clarification. In some cases, one can be almost certain that a given source is the one which lies, more or less proximately, back of the Thomistic text. In many cases, however, there remains always a degree of uncertainty, and the source must be proposed on a tentative basis. In some few cases no satisfactory or probable source has been located.

After the presentation of the texts and sources, there follows an *Analytic Index*. This is not a complete *index verborum et rerum* for the texts; it is rather an arrangement of the texts (by references, of course) according to those proper names (e.g. Porphyrius), key terms (e.g. *Participare*), doctrines (e.g. Immortality of the soul), principles (e.g. *Forma cogniti est in cognoscente per modum cogniti*), which are germane to the doctrinal and historical content of the texts in regard to Plato and the *Platonici*.

The *Index* is, therefore, a sort of general and preliminary formal ordering of the texts; it displays in a unified fashion under formal heads the doctrinal and factual interrelationship of their content. Its purpose is, therefore, to prepare the basis for the study conducted in *Part Two* as well as to render the texts themselves more manageable and useful in general.

In work of this sort obviously one cannot hope to claim definite completion. Limitations have already been indicated and it is

not to the Aristotelian text but to Averroes' comment. In *De Sp. Creat.* [1] St. Thomas seems to refer directly to St. Augustine for a text of the *Timaeus*. St. Augustine, however, in the text referred to, cites the *Timaeus* in Cicero's translation while St. Thomas' quotation depends upon Chalcidius' version.

with a full consciousness of these limitations and of the inevitable incompleteness that this list of texts and sources and the *Analytic Index* are presented – yet with the hope that they may provide a fundamental and complementary basis for extension and development of our understanding of the complex problems involved.

THE *PLATO* AND *PLATONICI* TEXTS AND SOURCES

1. COMMENTARIA IN IV LIBROS SENTENTIARUM

[1] *In* I *Sent.*, 1, 4, 1, *sol.*
Respondeo dicendum, quod, sicut supra dictum est, fruitio ponit quamdam delectationem in fine. Delectatio autem non potest esse nisi in cognoscente: propter quod Plato dixit, quod delectatio est generatio sensibilis in naturam; id est, quae sentitur naturae conveniens; et ideo cum creaturae insensibiles non cognoscant, non delectantur nec fruuntur.

Source: Nemesius, *De Nat. Hom.*, 42 [PG 40, 681]; Aristotle, *Eth.*, VII, 11 [1152b 13].

[2] *In* I *Sent.*, 3, 1, 4, *arg.* 1 *et ad* 1
Ad quartum sic proceditur. 1. Videtur quod philosophi naturali cognitione ex creaturis in Trinitatem devenerunt. Dicit enim Aristoteles: 'Et per hunc quidem numerum,' scilicet ternarium, 'adhibuimus nosipsos magnificare Deum unum eminentem proprietatibus eorum quae creata sunt.' Similiter etiam Plato loquitur multa de paterno intellectu, et multi alii philosophi.

Ad primum ergo dicendum, quod, secundum expositionem Commentatoris, Aristoteles non intendit Trinitatem personarum in Deo ponere; sed propter hoc quod in omnibus creaturis apparet perfectio in ternario, sicut in principio, medio et fine, ideo antiqui honorabant Deum in sacrificiis et orationibus triplicatis. Plato autem dicitur multa cognovisse de divinis, legens in libris veteris legis, quos invenit in Aegypto. Vel forte intellectum paternum nominat intellectum divinum, secundum quod in se quodam modo concipit ideam mundi, quae est mundus archetypus.

Source: Macrobius, *In Som. Scip.*, 1, 6, 8 [E 486]; 6, 20 [E 488]; 14, 5-6 [E 526]; 14, 15 [E 530]; 17, 11-13 [E 542]; St. Augustine, *De Civ. Dei*, X, 23 [B]; 24 [A]; 28 [C]; 29 [D]; *De Doct. Christ.*, II, 28, 43 [PL 34, 56]; Abelard, *Intro. ad Theol.*, I [PL 178, 1012-1013]; Albertus Magnus, *In* I *Sent.*, 3, F, 18, *arg.* 2 [B 25, 113]; *Meta.*, 1, 4, 12 [B VI, 82-83]; *De Quindecim Problem.*, I [*Phil. Belges* VII, 34]; Alexander Hal., *S.T.*, *Tr. Intro.*, 2, 3 [Q I, 18-19].

[3] *In* I *Sent.*, 8, 3, 1, *ad* 2
Ad secundum dicendum, quod Augustinus accipit large moveri, secundum quod ipsum intelligere est moveri quoddam et velle, quae proprie non sunt motus, sed comparatione. In hoc enim verificatur dictum Platonis qui dicit: 'Deus movet se,' sicut dicit Commentator, qui dicit quod Deus intelligit se et vult se: sicut etiam dicimus, quod finis movet efficientem. Vel dicendum, quod movet se in creaturarum productione, ut dictum est.

Source: Macrobius has a long discussion of the opposition between the 'Immobile First' of Aristotle and the 'self-moving soul' of Plato (*In Som. Scip.*, II, 14-16 [E 618-638]) but, in effect, decides the argument in favor of Plato. He does indeed limit the meaning of 'quidquid movetur, ab alio movetur' but he does not reconcile the terminology. Averroes, *In* VIII *Phy.*, *com.* 40 [Z 380]; Alexander Hal., *S.T.*, II, *Inq.* 4, *Tr.*, 3, *Q*. 1, *Tit.* 2, *Mem.* 2, *c.* 1, *a.* 1, *ad* 5 [Q II, 659].

[4] *In* I *Sent.*, 17, 1, 3, *arg.* 2
Item, sicut se habet forma substantialis ad esse naturae, ita charitas ad esse gratiae. Sed forma substantialis datur secundum capacitatem materiae, ut dicit Plato. Ergo et charitas datur secundum capacitatem naturae, quae per eam perficitur.

Source: This is apparently based upon the discussion of the *Timaeus*. Cf. 'Itaque consequenter cuncta sui similia, prout cujusque natura capax beatitudinis esse poterat, effici voluit.' (Interp. Chal., 10 [D II, 158]).

[5] *In* I *Sent.*, 17, 1, 4, *arg.* 2
Item, Philosophus dicit, contra Platonem, quod inconveniens est habere nos nobilissimos habitus, et nos lateant. Sed charitas est habitus nobilissimus. Ergo videtur quod ab habente certitudinaliter cognoscatur.

Source: Aristotle, *Post. Anal.*, II, 19 [99b 26-27].

[6] *In* I *Sent.*, 36, 2, 1, *ad* 1
Ad primum ergo dicendum, quod, sicut dicit Commentator, in XI Metaph., Plato et alii antiqui philosophi, quasi ab ipsa veritate coacti, tendebant in illud quod postmodum Aristoteles expressit, quamvis non pervenerint in ipsum: et ideo Plato, ponens ideas, ad hoc tendebat, secundum quod et Aristoteles posuit, scilicet eas esse in intellectu divino; unde hoc improbare Philosophus non intendit; sed modum quo Plato posuit formas naturales per se existentes sine materia esse.

Source: The content of this text is derived from Averroes. In the body of the article St. Thomas has indicated that, by substituting God for the 'motores orbium,' the philosophers can be said to witness to the Divine Ideas (Averroes, *In Meta.*, 12, *com.* 18, 305vI). *Com.* 4 [292C-D] contributes (1) that the Platonic ideas exist 'extra animam per se'; (2) that Aristotle put the universals in the intellect (not the Divine Intellect). The same passage refers to the *Tractatus Secundus* of the *Epitomes*. There a passage, relevant in content and expression, is to be found [367vM]: 'Praestant autem ipsi sensibili formam substantialem, qua fit intelligibile potentia per ipsam naturam, et per corpora caelestia, et tales formae sunt formae corporum caelestium, *et hoc est, quod quaerebant ponentes ideas et non attigerunt ipsum.*'

[7] *In* I *Sent.*, 36, 2, 3, *ad* 4
Ad quartum dicendum, quod accidentia etiam perfectum esse non habent; unde deficiunt a perfectione ideae: propter quod etiam Plato non posuit ideas accidentium, sed substantiarum tantum, ut I Metaph. dicitur. Tamen secundum quod esse habent per imitationem divinae

essentiae, sic essentia divina est eorum idea.

Source: Aristotle, *Meta.*, I, 9 [990b 27-29].

[8] *In* I *Sent.*, 37, 3, 1, *arg.* 6
Praeterea, philosophi etiam posuerunt operationes intelligentiarum esse circa ea quae sunt hic; nec tamen dixerunt intelligentiam in aliquo loco esse; immo Plato posuit ideas nec infra caelum nec extra caelum esse, quia in loco non sunt, ut in III Physic. dicitur. Ergo nec per operationem angeli in loco esse dicuntur.

Source: Aristotle, *Phy.*, III, 4 [203a 8-10].

[9] *In* I *Sent.*, 44, 1, 1, *arg.* 1
Ad primum sic proceditur. 1. Videtur quod Deus nullam creaturam meliorem facere potuerit quam sit: quia, secundum Dionysium et Platonem, optimi est optima adducere. Sed optimo nihil melius potest esse. Ergo his quae Deus fecit qui optimus est, nihil melius esse potest.

Source: At this point in the *Sentences* and on the same problem we find in Albertus Magnus (*In* I *Sent.*, 44, B, 2, *arg.* 1 *et* 2) and in St. Bonaventure (*In* I *Sent.*, 44, 1, 2, *contra* 1 and 2 [Q 784]) two objections. The first is said to derive from Dionysius and employs the citation 'optimi est optima adducere'; the second is from Plato and cites the common text of the *Timaeus*, 'Porro quia optimus est, ab optimo vero omnis invidia relegata erat.' Albertus Magnus answers both objections together; St. Bonaventure points up a relationship by making the *Timaeus* text present a reason for the Dionysian assertion (Plato addit rationem). In the *Summa Theologica* attributed to Alexander of Hales, the Dionysian text is used as an objection (I, 1, 4, 3, 1, *arg.* 3; *ad* 2 *et* 3 [Q 223-224]) and the *Timaeus* text appears in the answer to the immediately preceding objection. There were, therefore, two standard objections, closely connected, to this question. St. Thomas combines the two objections retaining both names but citing only the Dionysian text. The citation is drawn from Erigena's translation of the *De Divinis Nominibus*, 4, 19, οὔτε ἀγαθοῦ τὸ μὴ τἀγαθὰ παράγειν, 'neque optimi non optima adducere' (Dionysiaca, p. 243).

The *Timaeus* text is used by Abelard (in two places: *Theol. Christ.*, 5 [PL 178, 1324D]; *Intro. ad Theol.*, 3 [PL 178, 1094]) precisely to prove that God could not have created a better world.

[10] *In* I *Sent.*, 45, 1, 1, *ad* 3
Ad tertium dicendum, quod voluntas non movetur nisi a fine; finis autem voluntatis divinae est ipsa sua bonitas quae est idem quod voluntas secundum rem; et ideo non sequitur quod Deus sit movens motum, proprie loquendo, quia omne movens est aliud a moto. Sed forte propter hoc Plato posuit quod primum movens seipsum movet, inquantum cognoscit se et amat se, ut in VIII Phys. dicit Commentator; et hoc non nisi metaphorice dicitur, sicut etiam dicitur, quod finis movet.

Source: See *Source* under *In Sent.* [3].

[11] *In* II *Sent.*, 1, *Exp. text.*; *Divisio prim. p. et* 1, 1, *sol.*
'Plato namque tria initia existimavit.' Sciendum quod in hoc Plato

erravit, quia posuit formas exemplares per se subsistentes extra intellectum divinum,[1] et neque ipsas neque materiam a Deo esse habere.[2]

...secundo prosequitur errores, qui per auctoritates confirmantur, ibi: 'Plato[2] namque tria initia existimavit;' tertio concludit veritatem, ibi: 'Horum ergo et similium errorem Spiritus sanctus evacuans, veritatisque disciplinam tradens, Deum in principio temporum mundum creasse, et ante tempora aeternaliter extitisse significat.' Circa primum duo facit: primo tangit errorem Platonis; secundo errorem Aristotelis, ibi: 'Aristoteles vero duo principia dixit.' Circa primum facit duo: primo ostendit quomodo per auctoritatem Scripturae refellitur error Platonis, tum propter multitudinem principiorum, tum propter negationem creationis;...

...Tertius error fuit eorum qui posuerunt agens et materiam, sed agens non esse principium materiae, quamvis sit unum tantum agens: et haec est opinio Anaxagorae et Platonis:[2] nisi quod Plato superaddidit tertium principium, scilicet formas separatas a rebus, quas exemplaria dicebat;[1] et nullam esse causam alterius; sed per haec tria causari mundum, et res ex quibus mundus constat.[2]

Source: 1. Aristotle, *Meta.*, I, 9 [991a 20 - b 1]; VII, 8 [1033b 19 - 1034a 8]; XII, 5 [1071a 17-28].
2. St. Ambrose, *In Hexaem.*, I, 1 [PL 14, 123]; Chalcidius, *In Timaeum Platonis*, 298 [D II, 245]; Petrus Lombardus, *Sent.*, II, 1, 1.

[12] *In II Sent.*, 1, 1, 3, *arg.* 1
Sed anima rationalis exit in esse virtute intelligentiarum; unde Plato inducit Deum secundis diis dicentem: 'Fenus quod credidistis ad vos recipite;' et loquitur de anima rationali.

Source: Plato, *Timaeus*, interp. Chal., 16 [D II, 170]: '...foenus, quod credideratis, facta secessione animi et corporis, recipiatis.'

[13] *In II Sent.*, 1, 1, 5, *sol.*
Alii dixerunt quod res ab aeterno movebantur motu inordinato, et postea reductae sunt ad ordinem, vel casu, sicut ponit Democritus, quod corpora indivisibilia ex se mobilia casu adunata sunt ad invicem, vel a creatore, et hoc ponit Plato, ut dicitur in III Caeli et Mundi.

Source: Although St. Thomas refers directly to Aristotle, the text is based upon Averroes (*In L. De Caelo*, III, *com.* 11 [188E-F]): '...incoepit modo contradicere Platoni in hoc quod dixit quod mundus generatus fuit et quod corpora ex quibus est movebantur ante sine ordine, deinde induxit ea Deus ad ordinem quando fecit mundum.'

[14] *In II Sent.*, 1, 2, 4, *ad* 3
Ad tertium dicendum, quod propter hanc objectionem Plato posuit, ut Gregorius Nyssenus narrat quod anima est in corpore sicut motor in mobili, ut nauta in navi, et non sicut forma in materia; unde dicebat quod homo non est aliquid ex anima et corpore, sed quod homo est anima utens corpore;...

Source: Nemesius, *De Nat. Hom.*, 1 [PG 40, 505]; 2 [PG 40, 537]; 3 [PG 40, 593]; Aristotle, *De An.*, I, 2 [404a 23]; II, 1 [413a 9].

[15] *In II Sent.*, 1, 1, 4, *ad* 4
Alia opinio huic contraria fuit Platonis, qui posuit formas separatas,

quas vocavit ideas, esse inducentes formas in materiis: et quasi ad hanc opinionem reducitur opinio Avicennae qui dicit quod omnes formae sunt ab intelligentia, et agens naturale non est nisi praeparans materiam ad receptionem formae; et ista opinio procedit ex hoc quod vult unum-quodque generari ex suo simili, quod frequenter non invenitur in rebus naturalibus, sicut in his quae per putrefactionem fiunt; et etiam quia ponebat fieri per se terminari ad formam; et hoc non potest esse, quia per se fieri terminatur ad hoc quod habet esse, quod est terminus fac-tionis; et hoc est tantum compositum, non forma neque materia; unde forma non nisi per accidens generatur.

Source: Averroes, *In Meta.*, VII, *com.* 31 [180E - 181I]; XII, *com.* 18 [303E - 305vI].

[16] *In* II *Sent.*, 8, 1, 1, *sol.*
...quod tamen probabilius longe esset quam eos habere corpora aerea naturaliter unita, quod videtur Augustinus dicere; quamvis dicatur hoc non nisi ex hypothesi eum dixisse, ut utens positionibus Platonicorum, contra quos disputabat.

Source: St. Augustine, *De Civ. Dei*, VIII, 16; IX, 8; XXI, 10 [A-B].

[17] *In* II *Sent.*, 12, *Exp. Text.*
Terra autem erat inanis et vacua. Si intelligitur per terram materia informis, sic oportet exponi receptibilitas materiae quodammodo esse similis receptibilitati loci, inquantum in una materia manente succedunt sibi diversae formae, sicut in uno loco diversa corpora; propter quod Plato locum et materiam idem esse dixit, ut in IV Physic. dicitur:...

Source: Aristotle, *Phy.*, IV, 2 [209b 11-17].

[18] *In* II *Sent.*, 12, 1, 2, *sol.*
Doctrinae vero ordine, sicut patet in docentibus geometriam: quamvis enim partes figurae sine ordine temporis figuram constituant, tamen geometria docet constitutionem fieri protrahendo lineam post lineam: et hoc fuit exemplum Platonis, ut dicitur in principio Caeli et Mundi.

Source: Text refers to Aristotle, *De Caelo*, I, 10 [279b 33 - 280a 2] but explicit statement that this was Plato's example is found not in Aristotle but in Averroes (*In L. De Caelo*, I, *com.* 104 [71vF - 72I]).

[19] *In* II *Sent.*, 12, 1, 5, *ad* 2
Et praecipue hoc factum puto ad removendum antiquum errorem phi-losophorum, qui tempus posuerunt aeternum, praeter Platonem, ut in VIII Physic. dicitur.

Source: Aristotle, *Phy.*, VIII, 1 [251b 17-18].

[20] *In* II *Sent.*, 17, 1, 1, *sol.*
Horum autem omnium errorum et plurium hujusmodi unum videtur esse principium et fundamentum, quo destructo, nihil probabilitatis re-manet. Plures enim antiquorum ex intentionibus intellectis judicium rerum naturalium sumere voluerunt: unde quaecumque inveniuntur convenire in aliqua intentione intellecta, voluerunt quod communica-rent in una re: et inde ortus est error Parmenidis et Melissi, qui videntes ens praedicari de omnibus, locuti sunt de ente sicut de una quadam re, ostendentes ens esse unum et non multa, ut eorum rationes indicant in

I Physic. recitatae. Ex hoc etiam secuta est opinio Pythagorae et Platonis, ponentium mathematica et intelligibilia principia sensibilium: ut quia numerus invenitur in his et illis, quae communicant in numero, sicut in quadam essentia una; et similiter quia Socrates et Plato sunt homo, quod sit unus homo per essentiam, qui de omnibus praedicatur. Ex hoc etiam procedunt plures rationes Avicebronis in libro Fontis vitae, qui semper unitatem materiae venatur ex aequali communitate praedicationis. Ex hoc etiam derivatur opinio quae dicit unam essentiam generis esse in omnibus speciebus re, non tantum secundum rationem. Sed hoc fundamentum est valde debile: non enim oportet, si hoc est homo et illud homo, quod eadem sit humanitas numero utriusque, sicut in duobus albis non est eadem albedo numero; sed quod hoc similetur illi in hoc quod habet humanitatem sicut illud; et intellectus accipiens humanitatem non secundum quod est hujus, sed ut est humanitas, format intentionem communem omnibus: et ita etiam non est necessarium, si in anima est natura intellectualis et in Deo, quod sit eadem intellectualitas utriusque per essentiam, vel quod per quam eamdem essentiam utrumque dicatur ens.

Source: No precise parallel to this passage has been discovered. The language, however, suggests that it is inspired by Averroes. Cf. Averroes, *In Meta.*, I, *com.* 6 [8C; D; F]; *com.* 25 [17vK]; *com.* 27 [18D; F]; *com.* 47 [26E].

[21] *In* II *Sent.*, 17, 2, 2, *sol.*

... cujus erroris occasio fuit quod animam corpori uniri posuerunt quasi accidentaliter, sicut nautam navi, vel sicut hominem indumento, ut de Platone Gregorius Nyssenus narrat: unde dicebat, hominem esse animam corpore indutam;...

Source: Nemesius, *De Nat. Hom.*, 1 [PG 40, 505]; 2 [PG 40, 537]; 3 [PG 40, 593]; Aristotle, *De An.*, I, 2 [404a 23]; II, 1 [413a 9].

[22] *In* II *Sent.*, 18, 2, 3, *sol.*

Quidam enim philosophi, ut Plato, Avicenna et Themistius, posuerunt omnes animas a principio separato esse, quod quidem principium Plato ideam posuit, Avicenna intelligentiam agentem, et theologi, hanc viam tenentes, ipsum Deum. Ratio autem quae praedictos philosophos movit, ut Commentator narrat VII et XI Metaph., est sumpta ex animalibus putrefactis, quae etiam objiciendo tacta est: et similiter ex hoc quod in naturalibus nihil invenitur agens nisi forma accidentalis, ut calor et frigus, quorum actione non potest anima produci, cum nihil agat ultra suam speciem. Sed tamen advertendum est quod nullus philosophus inter animam sensibilem et alias formas substantiales distinxit quantum ad originem: quia praedicti philosophi omnes formas substantiales esse a principio separato posuerunt, tam animam sensibilem, quam formam lapidis vel ignis.

Source: This is a summary of Averroes, *In Meta.*, VII, *com.* 31 [180E - 181I]; cf. *ibid.*, XII, *com.* 18 [303E - 305vI].

[23] *In* II *Sent.*, 19, 1, 1, *sol.*

Secunda fuit Pythagorae et Platonis, qui, videntes incorruptionem animae, erraverunt in hoc quod posuerunt animas de corpore in corpus transire.

Source: Nemesius, *De Nat. Hom.*, 2 [PG 40, 580]; St. Augustine, *De Civ. Dei*, X, 30.

[24] *In* II *Sent.*, 20, 1, 2, *ad* 3
Delectatio autem non est per se ad generativam pertinens, sed ad sensitivam: quia, secundum definitionem Platonis, delectatio est generatio sensibilis in natura, id est naturae conveniens.

Source: Nemesius, *De Nat. Hom.*, 42 [PG 40, 681]; Aristotle, *Eth.*, VII, 11 [1152b 13].

[25] *In* II *Sent.*, 27, 1, 4, *arg.* 5
Praeterea, non est minor ordo justitiae apud Deum in distributione gratiae quam in distributione bonorum naturalium. Sed Plato dicit in Timaeo quod formae non dantur a datore, nisi secundum merita naturae. Ergo nec gratia infunditur nisi secundum merita recipientium.

Source: This is apparently based on the discussion of the *Timaeus*, interp. Chal., 10 [D II, 158].

[26] *In* III *Sent.*, 2, *Exp. text.*
'Errant igitur qui nomine humanitatis etc.' Per hanc proprietatem, quae ab eis humanitas dicitur, potest intelligi forma consequens partium compositionem, scilicet animae et corporis, in qua sicut in natura communi omnia individua communicant.
Forte enim qui hoc posuerunt, sapiebant opinionem Platonis, qui posuit formas universales in actu habere esse in natura praeter materiam. Sic enim secundum eum, ut Philosophus in I Meta. dicit, forma hominis erat sine carnibus et ossibus, et sine aliis partibus ejus; et talem humanitatem sine corpore et anima isti assumptam ponebant. Et contra tales Damascenus dicit: 'Neque eam quae nuda contemplatione consideratur, naturam assumpsit: non enim incarnatio esset, sed deceptio et fictio incarnationis.'

Source: The attribution of doctrine is commonplace. There seems, however, to be no precisely corresponding text either in the First Book or in any other book of the *Metaphysics*. In his *Commentary* St. Thomas makes a similar comment on two passages: (1) 'Similiter autem cum idea hominis separata nihil aliud habeat nisi ipsam naturam speciei, est essentialiter homo. Et propterea ab eo vocabatur per se homo. Socrates vero vel Plato, quia habet praeter naturam speciei principium individuans quod est materia signata, ideo dicitur secundum Platonem participare speciem.' (*In* I *Meta.*, 10 [C 155]). (2) '... ut intelligatur esse quaesitum utrum sit homo universalis praeter carnes et ossa, ex quibus particulares homines constituuntur.' (*In* VII *Meta.*, 7 [C 1427]).

[27] *In* III *Sent.*, 2, 1, 1, *quaest.* 3, *sed contra*
Ex hoc est aliquid assumptibile a Deo quod ad imaginem Dei est. Sed non potest dici quod totum universum sit ad imaginem, nisi forte poneretur totum universum animatum anima rationali, sicut Platonici posuerunt: quod a fide alienum est. Ergo universum non est assumptibile.

Source: Nemesius, *De Nat. Hom.*, 2 [PG 40, 579]; Plato, *Timaeus*, interp. Chal., 10 [D II, 159].

[28] *In* III *Sent.*, 2, 1, 3, *sol.* 2
Hoc autem videtur eis contigisse ex hoc quod credebant animam corpori

non uniri sicut formam, sed magis sicut indumentum, ut Plato dixit, secundum quod Gregorius Nyssenus narrat.

Source: Nemesius, *De Nat. Hom.*, 1 [PG 40, 506]; 3 [PG 40, 594].

[29] *In* III *Sent.*, 5, 3, 2, *sol.*

Una quae dicit quod anima unitur corpori sicut ens completum enti completo, ut esset in corpore sicut nauta in navi. Unde, sicut dicit Gregorius Nyssenus, Plato posuit quod homo non est aliquid constitutum ex anima et corpore, sed est anima corpore induta.

Source: Nemesius, *De Nat. Hom.*, 1 [PG 40, 505]; 2 [PG 40, 537]; 3 [PG 40, 593]; Aristotle, *De An.*, I, 2 [404a 23]; II, 1 [413a 9].

[30] *In* III *Sent.*, 22, 1, 1, *sol.*

Dicendum quod opinio fuit Magistri et etiam Hugonis de sancto Victore, quod Christus in illo triduo fuerit homo; sed ad hoc movebantur diversis viis.

Hugo enim dicebat quod tota personalitas hominis est in anima et ipsa erat homo proprie loquendo; et ideo anima post mortem potest dici homo non solum in Christo, sed etiam in aliis hominibus.

Haec autem positio non potest esse vera; quia postquam aliquid est completum in specie sua et personalitate, non potest ei advenire aliquid, ut componat cum eo naturam aliquam; sed vel adjungitur ei in persona, et non in natura, quod est singulare in Christo; vel adjungitur ei accidentaliter.

Unde ex hac positione sequitur quod vel ex anima et corpore non efficiatur una natura et sic anima non erit forma corporis, nec vivificabit corpus formaliter; vel iterum quod anima adjungatur corpori accidentaliter, ut nauta navi,[1] vel homo vestimento,[2] sicut dicebant antiqui philosophi; quorum Plato, ut Gregorius Nyssenus narrat, dicebat quod homo non est aliquid compositum ex anima et corpore; sed est [anima] utens corpore.[3]

Source: 1. Aristotle, *De An.*, II, 1 [413a 9].
  2. Nemesius, *De Nat. Hom.*, 3 [PG 40, 593].
  3. *Ibid.*, 1 [PG 40, 505].

[31] *In* III *Sent.*, 27, 1, 2, *ad* 3

Ad tertium dicendum quod delectatio causatur ex conjunctione convenientis. Conveniens enim adveniens perficit id cui advenit et quietat inclinationem in illud. Et haec quietatio secundum quod est percepta, est delectatio. Unde Plato dixit quod delectatio est 'generatio sensibilis,' idest incognita, 'in naturam,' idest connaturalis. Unde in his quae cognitionem non habent, non est delectatio aliquo modo.

Source: Nemesius, *De Nat. Hom.*, 42 [PG 40, 681]; Aristotle, *Eth.*, VII, 11 [1152b 13].

[32] *In* III *Sent.*, 33, 1, 2, *sol.* 1

Dicendum ad primam quaestionem quod sicut in naturalibus posuerunt quidam formas omnes existere in materia, et quod agens naturale extrahit eas de occulto ad manifestum, inquantum removet ea quae prohibebant formam illam apparere; ita etiam dixerunt quidam de habitibus animae. Unde Plato dixit quod omnes scientiae sunt in anima a natura, et addiscere non est aliud quam recordari.

Source: Aristotle, *Meta.*, I, 9 [993a 1-2]; *Post. Anal.*, II, 19 [99b 26-27];
St. Augustine, *De Trin.*, XV [PL 42, 1011].

[33] *In* IV *Sent.*, 12, 1, 2, *quaest.* 2, *arg.* 1 *et ad* 1
Ulterius. 1. Videtur quod non possint aliquid extrinsecum immutare
substantialiter. Generans enim debet esse simile generato. Sed omne
generatum est compositum ex materia et forma. Cum ergo accidentia
illa sint formae tantum, non possunt immutare generatum aliquid extra
se. Et hac ratione utitur Philosophus in VII Metaph. contra Platonem,
qui ponebat formas separatas esse causas generationis sensibilium.
Ad primum ergo dicendum, quod nos non ponimus omnino hujusmodi
qualitates separatas, sicut Plato ponebat formas naturales, cum ponamus pro subjecto id quod erat proximum subjectum eorum primo; et
ideo non est similis ratio hinc inde. Tamen hic etiam generans non est
omnino simile generato: quia generatum est substantia, generans autem
non. Sed hoc ideo contingit, quia, ut dictum est, hujusmodi qualitates
habent instrumentalem virtutem generandi. Generatum autem non
oportet quod assimiletur instrumento, sed principali generanti, ut dicit
Commentator in XI Metaph.: quia instrumentum non agit virtute sua
sed alterius, et illi assimilat, non sibi; unde generatio hic assimilatur
substantiae quae prius erat. Plato autem formas separatas non ponebat
instrumentalia generantia, sed primas causas generationis et principales.

Source: Aristotle, *Meta.*, I, 9 [991b 3-4]; VII, 8 [1033b 20-1034a 7].

[34] *In* IV *Sent.*, 43, 1, 1, *sol.* 3
Nec differt, quantum ad hoc, sive respondeat passivo principio activum
principium in natura respectu ultimae perfectionis, scilicet formae; sive
respectu dispositionis quae est necessitas ad formam ultimam, sicut est
in generatione hominis secundum positionem fidei; vel etiam de omnibus aliis secundum opinionem Platonis et Avicennae.

Source: Averroes, *In Meta.*, VII, *com.* 31 [180E - 181I]; XII, *com.* 18
[303E - 305vI].

[35] *In* IV *Sent.*, 44, 3, 3, *sol.* 2
Haec autem positio descendere videtur ab opinione Platonis, qui ponit
animam corpori conjungi sicut quamdam substantiam perfectam, in
nullo a corpore dependentem, sed solum sicut motorem mobili;[1] quod
patet ex transcorporatione quam ponebat.[2] Quia autem secundum
ipsum nihil movebat nisi motum, et ne abiretur in infinitum, dicebat
quod primum movens movet seipsum,[3] posuit quod anima erat se
ipsam movens;[4] et secundum hoc erat duplex motus animae; unus quo
movebatur a seipsa, alius quo movebatur corpus ab ea; et sic anima
habebat actum qui est videre,[5] primo in se ipsa, secundum quod movebat seipsam, et secundo in organo corporali, secundum quod movebat
corpus. Hanc autem positionem Philosophus destruit in I de Anima
ostendens quod anima non movet seipsam, et quod nullo modo movetur
secundum istas operationes quae sunt videre, sentire, et hujusmodi, sed
quod istae operationes sunt motus conjuncti tantum. Unde oportet
dicere, quod actus sensitivarum potentiarum nullo modo maneant in
anima separata, nisi forte sicut in radice remota.

Source: 1. Aristotle, *De An.*, I, 2 [404a 23]; II, 1 [413a 9]; Nemesius,
De Nat. Hom., 1 [PG 40, 505]; 2 [PG 40, 537]; 3 [PG 40, 593].

2. Nemesius, *De Nat. Hom.*, 2 [PG 40, 580].
3. Macrobius, *In Som. Scip.*, II, 14-16 [E 618-638]; Averroes, *In* VIII *Phy.*, *com.* 40 [Z 380]; Alexander Hal., *S.T.*, II, *Inq.* 4, *Tr.*, 3, *Q.* 1, *Tit.*, 2, *Mem.*, 2, *c.* 1, *a.* 1, *ad* 5 [Q II, 659].
4. Nemesius, *De Nat. Hom.*, 2 [PG 40, 537]; Aristotle, *De An.*, I, 2 [404b 29-30]; Macrobius, *In Som. Scip.*, II, 13, 6-12 [E 616.23-618.6]; cf. 3 above.
5. Nemesius, *De Nat. Hom.*, 6 [PG 40, 637]; *De Sp. et An.*, XIII [PL 40, 788]; St. Augustine, *De Genesi ad Lit.*, XII, 24 [PL 34, 475]. St. Thomas refers to this passage [*S.T.*, I, 77, 5, *arg.* 3 *et ad* 3].

[36] *In* IV *Sent.*, 44, 3, 3, *quaest.* 2, *ad* 2
Ad secundum dicendum, quod anima dicitur sentire per corpus, non quasi actus sentiendi sit animae secundum se, sed quia est totius conjuncti ratione animae, eo modo loquendi quo dicimus, quod calor calefaciat. Quod autem subjungitur, quod quaedam anima sentit sine corpore, ut timorem, et hujusmodi, intelligendum est sine exteriori corporis motu, qui accidit in actibus sensuum propriorum: non enim timor et hujusmodi passiones sine motu corporali contingunt. Vel potest dici quod Augustinus loquitur secundum opinionem Platonicorum, qui hoc ponebant, ut dictum est.

Source: Nemesius, *De Nat. Hom.*, 6 [PG 40, 637]; *De Sp. et An.*, XIII [PL 40, 788]; St. Augustine, *De Genesi ad Lit.*, XII, 24 [PL 34, 475].

[37] *In* IV *Sent.*, 49, 1, 1, *sol.* 4
Quidam enim dixerunt, quod de ratione humanae beatitudinis non erat perpetuitas absolute, sed perpetuitas respectu vitae hominis. Nec tamen in hac perpetuitate consideranda est immobilitas quae privaret potentiam ad immutationem, sed quae tantum privaret immutationis actum. Et haec fuit opinio Platonis, ut tangitur I Ethic. Posuit enim, illum hominem esse beatum in hac vita, cujus beatitudo continuatur usque ad mortem ipsius. Sed quia conditio hominis, quantumcumque perfecti, in hac vita mutari potest, et de contingenti futuro non possumus habere certum judicium; ideo de nullo homine ante mortem scire possumus, an sua perfectio continuetur sibi usque ad finem; sed in ejus fine sciri poterit, si usque ad finem continuata est; et ita nullus potest dici beatus nisi in morte sua. Hanc autem positionem Philosophus improbat: quia inconveniens est ponere quod aliquis debeat dici beatus quando non est, et quod non possit dici quando est. Si ergo beatitudo est in vita ista; si aliquis est beatus, dum vivit, beatus est; cum autem mortuus est, beatus non esset; et ita magis potest dici beatus cum vivit quam cum mortuus est.

Source: The opinion referred to is to be found in Aristotle, *Eth.*, I, 10 [1100a 10-11]. Aristotle, however, attributes it to Solon and this St. Thomas also does in his *Commentary*. The text is apparently mistaken; Vaticanus Latinus 758 [317ra] and 759 [261vb] have 'Solonis' and 'Salonis' respectively.

[38] *In* IV *Sent.*, 49, 3, 4, *quaest.* 4, *sed contra* 2
Praeterea, secundum Platonem, delectatio est generabilis natura. Sed

nulla generatio est optimum: quia generatio est motus ad perfectionem. Ergo nulla delectatio potest esse optimum.

Source: Nemesius, *De Nat. Hom.*, 42 [PG 40, 681]; Aristotle, *Eth.*, VII, 11 [1152b 13].

[39] *In IV Sent.*, 49, 3, 4, *sol.* 3
Alia fuit opinio Stoicorum et Platonicorum, qui ponebant, omnem delectationem esse malam.

Source: Aristotle, *Eth.*, X, 2 [1172b 28-29]: 'Tali utique existente ratione, et Plato interimit, quoniam non est delectatio per se bonum.' (text [P]).
    Cf. *ibid.* [1173a 15 - 1174b 15]. It should be noted that the Aristotelian text does not support the attribution of the extreme position to Plato. The discussion of the *Ethics* is complicated by the fact that Plato is saying that pleasure is not *per se bonum* or *quoddam perfectum*, not that all pleasures are evil. St. Thomas recognizes this fact in his own *Commentary* where he inserts a clarifying warning: 'Platonici enim quorum erat haec opinio quod delectatio non sit bonum, non ponebant quod delectatio sit malum simpliciter et secundum se, sed negabant eam esse bonum aliquid, inquantum est quoddam imperfectum vel impedimentum virtutis, sicut patet ex processu praemissarum rationum.' (*In VII Eth.*, 13 [P 1503]). A much more adequate statement appears in the *Summa Theologiae*: 'Dicendum quod Plato non posuit omnes delectationes esse malas, sicut Stoici; neque omnes esse bonas, sicut Epicurei; sed quasdam esse bonas, et quasdam esse malas; ita tamen quod nulla sit summum bonum vel optimum.' (*S.T.*, I-II, 34, 3, *c.*).

[40] *In IV Sent.*, 49, 3, 4, *quaest.* 4, *ad* 2 (*in contr.*)
Ad secundum dicendum, quod definitio illa Platonis non est conveniens, ut patet per Philosophum in VII et X Ethic. Non enim delectatio in generatione consistit, sed magis in esse generatum: tunc enim res potest habere propriam operationem, quae est delectationis causa, quando jam perfecta est; non autem quando est imperfecta, et in fieri.

Source: Nemesius, *De Nat. Hom.*, 42 [PG 40, 681]; Aristotle, *Eth.*, VII, 11 [1152b 13].

2. QUAESTIONES DISPUTATAE

De Veritate

[1] *De Ver.*, 3, 1, *arg.* 4
Praeterea, propter hoc improbatur a Philosopho opinio Platonis quam habuit de ideis, quia posuit formas rerum naturales existere sine materia.

Source: Aristotle, *Meta.*, I, 6 [987b 1-18].

[2] *De Ver.*, 3, 1, *arg.* 5 *et ad* 5
Praeterea, Philosophus improbat opinionem Platonis de ideis per hoc

quod ideae positae a Platone non possunt nec generare nec generari,
et ita sunt inutiles. Sed ideae, si ponantur in mente divina, non generantur, quia omne generatum est compositum; similiter nec generant,
quia, cum generata sint composita, et generantia sint similia generatis,
etiam oportet generantia esse composita. Ergo inconveniens est ponere
ideas in mente divina.

Ad quintum dicendum, quod ideae existentes in mente divina non sunt
generatae, nec sunt generantes, si fiat vis in verbo; sed sunt creativae
et productivae rerum; unde dicit Augustinus in lib. LXXXIII Quaestionum: 'Cum ipsae neque oriantur neque intereant, secundum eas
tamen informari dicitur omne quod oriri et interire potest.' Nec oportet
agens primum in compositione esse simile generato; oportet autem hoc
de agente proximo; et sic ponebat Plato ideas esse generationis principium proximum; et ideo contra ipsum procedit ratio praedicta.

Source: Aristotle, *Meta.*, I, 9 [991b 2-9]; VII, 8 [1033b 21 - 1034a 8];
(with reference to 'motion') XII, 6 [1071b 12-19].

[3] *De Ver.*, 3, 1, *c.*
Et ideo Plato refugiens Epicureorum opinionem, qui ponebant omnia
a casu accidere, et Empedoclis et aliorum qui ponebant omnia accidere
ex necessitate naturae, posuit ideas esse.

Source: The reason here alleged for the theory of Ideas seems to be
the result of interpretation. No similar instance in St. Thomas
or his sources has been found.

[4] *De Ver.*, 3, 4, *sed contra* 3
Praeterea, malum est privatio modi, speciei et ordinis, secundum
Augustinum. Sed ideas Plato species appellavit. Ergo malum non potest
habere ideam.

Source: (Among many others) Aristotle, *Meta.*, I, 6 [987b 7-18].

[5] *De Ver.*, 3, 5, *c.*
Respondeo. Dicendum, quod Plato, qui invenitur primo locutus fuisse
de ideis,[1] non posuit materiae primae aliquam ideam, quia ipse ponebat
ideas ut causas ideatorum; materia autem prima non erat causatum
ideae, sed erat ei causa. Posuit enim duo principia ex parte materiae,
scilicet magnum et parvum; sed unum ex parte formae, scilicet ideam.[2]

Source: 1. St. Augustine, *Oct. Tri. Quaes.*, 46.
2. Aristotle, *Meta.*, I, 6 [987b 18-21; 988a 8-14].

[6] *De Ver.*, 3, 7, *arg.* 4
Praeterea, in illis quae dicuntur per prius et posterius, non est accipere
ideam, sicut in numeris et figuris, secundum opinionem Platonis, sicut
patet in III Metaphys. et in I Ethic.; et hoc ideo quia primum est quasi
idea secundi. Sed ens dicitur de substantia et accidente secundum prius
et posterius. Ergo accidens non habet ideam.

Source: Aristotle, *Meta.*, III, 2 [999a 6-10]; *Eth.*, I, 2 [1096a 17-23].

[7] *De Ver.*, 3, 7, *c.*
Dicendum, quod Plato, qui primus introduxit ideas,[1] non posuit ideas
accidentium, sed solum substantiarum,[2] ut patet per Philosophum in I
Metaphys. Cuius ratio fuit, quia Plato posuit ideas esse proximas causas

rerum;[3] unde illud cui inveniebat proximam causam praeter ideam, non ponebat habere ideam;[4] et inde est quod ponebat, in his quae dicuntur per prius et posterius, non esse communem ideam, sed primum esse ideam secundi.[4] Hanc etiam opinionem tangit Dionysius imponens eam cuidam Clementi Philosopho, qui dicebat, superiora in entibus esse inferiorum exemplaria; et hac ratione, cum accidens immediate a substantia causetur, accidentium ideas Plato non posuit.[2]... Si autem large accipiamus ideam pro similitudine, sic utraque accidentia habent ideam distinctam in Deo, quia per se distincte considerari possunt; unde et Philosophus dicit in I Metaphysic., quod quantum ad rationem sciendi, accidentia debent habere ideam sicut et substantiae; sed quantum ad alia, propter quae Plato ponebat ideas, ut scilicet essent causae generationis et essendi,[3] ideae videntur esse substantiarum tantum.[2]

Source: 1. St. Augustine, *Oct. Tri. Quaes.*, 46.
2. Aristotle, *Meta.*, I, 9 [990b 27-29].
3. *Ibid.* [991b 3-5]; cf. *De Gen. et Cor.*, I, 9 [335b 9-16]: 'Sed hi quidem sufficientem existimaverunt causam esse ad generari specierum naturam; quemadmodum in Phaedone Socrates. Etenim ille, increpans alios quasi nihil dixissent, supponit quoniam entium haec quidem species, haec autem participativa specierum, et quoniam esse quidem unumquodque dicitur secundum speciem, generari autem secundum susceptionem et corrumpi secundum abjectionem, qua propter si haec vera sunt species existimant ex necessitate causas esse generationis et corruptionis.' [Spiazzi].
4. Aristotle, *Meta.*, III, 2 [999a 6-10]; *Eth.*, I, 2 [1096a 17-23].

[8] *De Ver.*, 3, 8, *c.*
Dicendum, quod Plato non posuit ideas singularium, sed specierum tantum;[1] cuius duplex fuit ratio.

Una, quia, secundum ipsum, ideae non erant factivae materiae, sed formae tantum in his inferioribus. Singularitatis autem principium est materia; secundum formam vero unumquodque singularium collocatur in specie; et ideo idea non respondet singulari inquantum singulare est, sed ratione speciei tantum.[2]

Alia ratio esse potuit, quia idea non est nisi eorum quae per se sunt intenta, ut ex dictis, art. praec., patet. Intentio autem naturae est principaliter ad speciem conservandam; unde, quamvis generatio terminetur ad hunc hominem, tamen intentio naturae est quod generet hominem. Et propter hoc etiam Philosophus dicit in XVIII de Animalibus, quod in accidentibus specierum sunt assignandae causae finales, non autem in accidentibus singularium, sed efficientes et materiales tantum; et ideo idea non respondet singulari, sed speciei. Et eadem ratione Plato non ponebat ideas generum, quia intentio naturae non terminatur ad productionem formae generis, sed solum formae speciei.[3]

Source: 1. The entire presentation of the *Metaphysics* of Aristotle makes ideas of singulars impossible. (Cf. Aristotle, *Meta.*, I, 6 [987b 1-18].)
2. Aristotle, *Meta.*, I, 6 [988a 8-13].
3. See *Source* under *In Meta.* [148].

[9] *De Ver.*, 4, 6, *sed contra* (2) and *ad* 2 (*in contra*)
Praeterea, sicut posuit Plato ideas rerum esse extra mentem divinam,[1]
ita nos in mente divina ponimus eas. Sed secundum Platonem, verius
erat homo separatus, homo, quam homo materialis; unde hominem
separatum per se hominem nominabat.[2] Ergo et secundum positionem
fidei verius sunt res in Verbo quam sint in seipsis.

Ad secundum dicendum, quod Plato in hoc reprehenditur quod posuit
formas naturales secundum propriam rationem esse praeter materiam,
ac si materia accidentaliter se haberet ad species naturales;[3] et secundum hoc species naturales vere praedicari possent de his quae sunt sine
materia. Nos autem hoc non ponimus; et ideo non est simile.

Source: 1. Aristotle, *Meta.*, I, 6 [987b 1-18].
2. *Ibid.*, III, 1 [995b 30-31]: 'Et utrum animal aut homo
principium et magis est quam singulare.' St. Thomas (*In
III Meta.*, 3 [C 356]): '... qui est principium secundum
Platonicos, et magis vere existens quam singulare.'
3. Aristotle, *Meta.*, VII, 10 [1036a 26 - 1037b 7].

[10] *De Ver.*, 5, 9, *c.*
Unde et alii, scilicet Platonici, reduxerunt in formas simplices et
separatas, sicut in prima principia: ex quibus, ut dicebant, erat esse
et generatio in istis inferioribus, et omnis proprietas naturalis.[1] Sed hoc
non potest stare. A causa enim eodem modo se habente est effectus
eodem modo se habens: formae autem illae ponebantur esse immobiles: unde oporteret ut semper generatio ab eis esset uniformiter in
istis inferioribus; contrarium tamen videmus ad sensum.[2]

Source: 1. Aristotle, *Meta.*, I, 9 [991b 2-3].
2. St. Thomas states this argument *In* I *Meta.*, 15 [C 226] and
refers (Cujus rationem hic non dicit sed *superius tetigit*, quia
videlicet ideae *non introducebantur* propter motum, sed magis
propter immobilitatem) apparently to Aristotle, *Meta.*, I,
6 [987a 29 - b 20].

[11] *De Ver.*, 8, 9, *c.*
Unde si angeli intellectus a rebus materialibus formas aliquas acciperet,
oporteret habere angelum potentias sensitivas, et ita habere corpus
naturaliter sibi unitum. Unde eiusdem sententiae esse videtur angelos
esse animalia, ut quidam Platonici posuerunt, et eos a rebus materialibus formas accipere; quod auctoritati sanctorum et rectae rationi
repugnat.

Source: St. Augustine, *De Civ. Dei*, VIII, 13 [A, B]; 14 [A]; 16 [A];
IX, 2 [B]; 8 [A]; 12 [A]; X, 1 [C].

[12] *De Ver.*, 10, 6, *c.*
Quidam enim, ut Platonici, posuerunt formas rerum sensibilium esse
a materia separatas,[1] et sic esse intelligibiles actu,[2] et per earum participationem a materia sensibili effici individua in natura;[3] earum vero
participatione humanas mentes scientiam habere.[4] Et sic ponebant praedictas formas esse principium generationis et scientiae,[5] ut Philosophus
narrat in I Metaph.

Sed haec positio a Philosopho sufficienter reprobata est; qui ostendit
quod non est ponere formas sensibilium rerum nisi in materia sensibili,

cum etiam nec sine materia sensibili in universali formae universales intelligi possint, sicut nec simus sine naso.[6]

Source: 1. Aristotle, *Meta.*, I, 6 [978b 1-18].
    2. For St. Thomas, an obvious inference from the immateriality of the Ideas. Cf. *S.T.*, I, 79, 3, *c*.
    3. Aristotle, *Meta.*, I, 6 [987b 1-18]; VII, 13-15 [1038b 1 - 1041a 5].
    4. See *Source* 2 under *S.T.* [56].
    5. *Generation*: Aristotle, *Meta.*, I, 9 [991a 8-11]; *knowledge*: *ibid.* [987b 1-8; 991a 12]; St. Augustine, *Oct. Tri. Quaes.*, 46.
    6. Aristotle, *Meta.*, VII, 10 [1034b 20 - 1035b 3]; VIII, 1-2 [1043a 29 - b 14].

[13] *De Ver.*, 10, 13, *arg.* 9
Item Augustinus narrat X de Civitate Dei quod Porphyrius philosophus posuit Deum Patrem, et Filium ab eo genitum; et in libro Confessionum II dicit, quod in libris quibusdam Platonis invenit hoc quod scriptum est in principio Evangelii Ioannis: 'In principio erat Verbum', usque 'Verbum caro factum est' exclusive; in quibus verbis manifeste ostenditur distinctio personarum.

Source: St. Augustine, *De Civ. Dei*, X, 23; *Conf.*, VII, 9. See also *Source* under *In Sent.* [2].

[14] *De Ver.*, 12, 5, *arg.* 5
Praeterea, sicut Plato dicit, 'optimi est optima adducere.' Sed prophetia convenientius est in homine bono quam in malo. Ergo cum Deus sit optimus, nunquam malis donum prophetiae dabit.

Source: See *Source* under *In Sent.* [9].

[15] *De Ver.*, 18, 7, *c.*
Quidam enim, ut Platonici, posuerunt quod anima ad corpus venit plena omnibus scientiis, sed nube corporis opprimitur, et impeditur ne scientia habita libere uti possit nisi quantum ad quaedam universalia; sed postmodum per exercitium studii et sensuum, huiusmodi impedimenta tolluntur, ut libere sua scientia uti possit: et sic discere dicunt esse idem quod reminisci.[1]

Quod si haec opinio vera esset, tunc oporteret dicere, quod pueri mox nati in statu innocentiae omnium scientiam habuissent, quia corpus illud in statu innocentiae illo erat omnino subditum animae, quia per molem corporis non potuisset anima ita opprimi ut suam perfectionem omnino amitteret.

Sed quia haec opinio procedere videtur ex hoc quod eadem ponitur natura angeli et animae, ut sic anima in sui creatione plenam scientiam habeat, sicut et intelligentia dicitur esse plena formis creata;[2] ratione cuius Platonici dicebant animas fuisse ante corpora,[3] et post corpus redire ad compares stellas, quasi quasdam intelligentias:[4] quae quidem opinio non est consona catholicae veritati, ideo secundum opinionem Aristotelis alii dicunt, quod intellectus humanus est ultimus in ordine intelligibilium, sicut materia prima in ordine sensibilium; et sicut materia secundum sui essentiam considerata nullam formam habet, ita intellectus humanus in sui principio est sicut tabula in qua nihil scriptum est, sed postmodum in eo scientia per sensus acquiritur virtute intellectus agentis.

Source: 1. Aristotle, *Meta.*, I, 9 [993a 1-2]; *Post. Anal.*, II, 19 [99b 26 - 27];
St. Augustine, *De Trin.*, XV [PL 42, 1011]; Boethius, *De
Con. Phil.*, III, *Metrum* XI [F 95.9-96.15]; Macrobius, *In
Som. Scip.*, I, 12, 7 [E 520.20-25]; *De Sp. et An.*, 1 [PL 40, 781].
2. *Liber de Causis*, 9 [B 173.18].
3. Nemesius, *De Nat. Hom.*, 2 [PG 40, 580]; St. Augustine, *De
Civ. Dei*, X, 30.
4. Macrobius, *In Som. Scip.*, I, 9, 1 [E 509.22-28]; 10 [E 511.28-
512.8]. The phrase 'compares stellas' occurs in Plato,
Timaeus, interp. Chal., 17 [D II, 171].

[16] *De Ver.*, 19, 1, *c.*
Et ideo alii dicunt, quod formae quibus anima separata intelligit, sunt
ei impressae a Deo ab ipsa sui creatione, per quas, secundum quosdam,
et nunc intelligimus; ita quod per sensus non acquiruntur animae
novae species, sed tantummodo excitatur anima ad species quas in se
habet intuendas, secundum quod Platonici dixerunt, qui volebant
quod addiscere nihil aliud erat nisi reminisci.

Source: Aristotle, *Meta.*, I, 9 [993a 1-2]; *Post. Anal.*, II, 19 [99b 26-27];
St. Augustine, *De Trin.*, XV [PL 42, 1011]; Boethius, *De Con.
Phil.*, III, *Metrum* XI [F 95.9-96.15]; Macrobius, *In Som. Scip.*,
I, 12, 7 [E 520.20-25]; *De Sp. et An.*, 1 [PL 40, 781].

[17] *De Ver.*, 21, 4, *c.*
Et ideo Platonici dixerunt, quod omnia sunt bona formaliter bonitate
prima non sicut forma coniuncta, sed sicut forma separata.

Ad cuius intellectum sciendum est, quod Plato ea quae possunt separari
secundum intellectum, ponebat etiam secundum intellectum esse separata;[1] et
ideo, sicut homo potest intelligi praeter Socratem et Platonem, ita
ponebat hominem esse praeter Socratem et Platonem, quem dicebat
per se hominem, et ideam hominis, cuius participatione Socrates et
Plato homines dicebantur.[2]

Sicut autem inveniebat hominem communem Socrati et Platoni, et
huiusmodi hominibus; ita inveniebat bonum esse commune omnibus
bonis, et posse intelligi bonum non intelligendo hoc vel illud bonum;
unde ponebat ipsum esse separatum praeter omnia bona particularia:
et hoc ponebat esse per se bonum, sive ideam, cuius participatione
omnia bona dicerentur; ut patet per Philosophum in I Ethic.[3]

Sed hoc differebat inter ideam hominis et ideam boni: quod idea
hominis non se extendit ad omnia; idea autem boni se extendit ad
omnia: nam ipsa idea boni est aliquod bonum. Et ideo oportebat
dicere, quod ipsum per se bonum esset universale omnium rerum
principium, quod Deus est.[4]

Unde sequitur secundum hanc opinionem, quod denominantur bona
ipsa bonitate prima, quae Deus est, sicut Socrates et Plato; sed secundum Platonem dicebantur homines participatione hominis separati,
non per humanitatem hominis inhaerentem.[5]

Et hanc opinionem secuti sunt Porretani aliquo modo. Dicebant enim,
quod de creatura praedicamus bonum simpliciter, ut cum dicitur:
Homo est bonus; et bonum addito aliquo, ut cum dicitur: Socrates est
bonus homo. Dicebant igitur, quod creatura dicitur bona simpliciter
non aliqua bonitate inhaerente, sed bonitate prima, quasi ipsa bonitas

absolute et communis esset bonitas divina; sed cum dicitur creatura bonum hoc vel illud, denominatur a bonitate creata; quia particulares bonitates creatae, sunt sicut ideae particulares secundum Platonem.

Sed haec opinio a Philosopho improbatur multipliciter: tum ex hoc quod quidditates et formae rerum insunt ipsis rebus particularibus, et non sunt ab eis separatae, ut probatur multipliciter in VII Metaph.;[6] tum etiam suppositis ideis: quia specialiter ista ratio non habet locum in bono, quia bonum non univoce dicitur de bonis, et in talibus non assignatur una idea secundum Platonem, per quam viam procedit contra eum Philosophus in I Ethic.[7]

Specialiter tamen quantum ad propositum pertinet, apparet falsitas praedictae positionis ex hoc quod omne agens invenitur sibi simile agere; unde si prima bonitas sit effectiva omnium bonorum, oportet quod similitudinem suam imprimat in rebus effectis; et sic unumquodque dicetur bonum sicut forma inhaerente per similitudinem summi boni sibi indita, et ulterius per bonitatem primam, sicut per exemplar et effectivum omnis bonitatis creatae. Quantum ad hoc opinio Platonis sustineri potest.

Source: 1. Aristotle, *Meta.*, I, 6 [987b 1-18].
2. *Ibid.*, VII, 14 [1039a 30-32]; *Eth.*, I, 6 [1096a 35 - b 3].
3. Aristotle, *Eth.*, I, 4; 6 [1095a 26-28; 1096a 22-23; 1096a 35 - b 3]; Boethius, *De Con. Phil.*, III, *Prosa* X [F 90.127-137]; *Prosa* XI [F 91-95]; Marcobius, *In Som. Scip.*, I, 2, 14 [E 471.9-19]; St. Augustine, *De Civ. Dei*, VIII, 6 [A-C]; 8 [F]; Dionysius, *De Div. Nom.*, 4, 1 [P 95-101]; 5, 1 [P 257]; 5, 3 [P 260].
4. Boethius, *De Con. Phil.*, III, *Prosa* X [F 90]; Macrobius, *In Som. Scip.*, I, 2, 14 [E 471.9-19]; St. Augustine, *De Civ. Dei*, VIII, 8 [F]; Dionysius, *De Div. Nom.*, 1, 5 [P 22-24]; 4, 1 [P 95-101]; 5, 4 [P 261].
5. See 2 above.
6. For the 'separation' see Aristotle, *Meta.*, I, 6 [987b 1-14].
7. Aristotle, *Eth.*, I, 6 [1096a 24-30].

[18] *De Ver.*, 21, 4, *ad* 3
Ad tertium dicendum, quod Augustinus in multis opinionem Platonis sequitur, quantum fieri potest secundum fidei veritatem;...

Source: In *S.T.*, I, 84, 5, *c.*, St. Thomas refers to St. Augustine, *De Doct. Christ.*, 40 [PL 34, 63]. Cf. St. Augustine, *De Civ. Dei*, VIII, 9; 10 [G].

[19] *De Ver.*, 22, 1, *arg.* 10
Praeterea, omne illud quod appetitur, quaeritur. Sed secundum Platonem nihil potest quaeri cuius cognitio non habetur: sicut si aliquis quaereret servum fugitivum, nisi eius notitiam habeat, cum invenit, se invenisse nesciret. Ergo illa quae non habent cognitionem boni, non appetunt ipsum.

Source: Cf. '... dubium autem hoc se habet nunc in modum. fieri non potest quin addisces aliquid, aut sciat illud aut ignoret: quia si scit, non est opus amplius, ut cognoscat ipsum: sin autem ignoret, quomodo cognoscet cum ipsum fuerit assecutus, quod est quaesitum suum? Puta in exemplo, si esset servus quem quereremus:... et propter hoc dubium posuit Plato quod disciplina est recordatio.' (Averroes, *In* I *Post. Anal., com.* 5 [24vF - 25A]).

[20] *De Ver.*, 23, 1, *ad* 7
Ad septimum dicendum, quod quando volitum est aliud a voluntate, volitum movet voluntatem realiter; sed quando volitum est idem voluntati, tunc non movet nisi secundum modum significandi. Et quantum ad hunc modum loquendi, secundum Commentatorem in lib. VIII Phys., verificatur dictum Platonis, qui dicebat, quod primum movens movet seipsum, in quantum scilicet intelligit et vult seipsum. Nec tamen quia vult creaturas, sequitur quod a creaturis movetur; quia creaturas non vult nisi ratione suae bonitatis, ut dictum est, in solut. ad 3 argum.

Source: Macrobius, *In Som. Scip.*, II, 14-16 [E 618-638]; Averroes, *In* VIII *Phy., com.* 40 [Z 380].

[21] *De Ver.*, 26, 4, *ad* 5
Ad quintum dicendum, quod delectatio et gaudium eodem modo differunt sicut tristitia et dolor: nam delectatio sensibilis habet ex parte corporis coniunctionem convenientis, ex parte vero animae sensum illius convenientiae; et similiter delectatio spiritualis habet quamdam rationalem coniunctionem convenientis cum convenienti, et perceptionem illius coniunctionis. Unde Plato definiens delectationem sensibilem, dixit, quod delectatio est sensibilis generatio in natura; Aristoteles vero definiens generaliter delectationem, dixit quod delectatio est operatio naturalis habitus non impedita.

Source: Nemesius, *De Nat. Hom.*, 42 [PG 40, 681]; Aristotle, *Eth.*, VII, 11 [1152b 13].

De Potentia Dei

[1] *De Pot.*, 1, 5, *arg.* 15
Praeterea, optimi est optima adducere, secundum Platonem, et sic Deus, cum sit optimus, optimum facit. Sed optimum cum sit superlativum, uno modo est. Ergo Deus non potest facere alio modo vel alia quam quae fecit.

Source: See Source under *In Sent.* [9].

[2] *De Pot.*, 3, 1, *ad* 2
Philosophus autem utitur hoc argumento, in generationibus naturalibus contra Platonicos, qui dicebant formas separatas esse naturalis generationis principia.

Source: Aristotle, *Meta.*, I, 9 [991a 11; b 2-3; 992a 25-26]; Averroes, *In Meta.*, VII, *com.* 31 [180E - 181I]; XII, *com.* 18 [303E - 305vI].

[3] *De Pot.*, 3, 5, *c.*
Posteriores vero philosophi, ut Plato, Aristoteles et eorum sequaces, pervenerunt ad considerationem ipsius esse universalis;[1] et ideo ipsi soli

posuerunt aliquam universalem causam rerum, a qua omnia alia in esse prodirent, ut patet per Augustinum.[2] Cui quidem sententiae etiam catholica fides consentit. Et hoc triplici ratione demonstrari potest: quarum prima est haec. Oportet enim, si aliquid unum communiter in pluribus invenitur, quod ab aliqua una causa in illis causetur; non enim potest esse quod illud commune utrique ex se ipso conveniat, cum utrumque, secundum quod ipsum est, ab altero distinguatur; et diversitas causarum diversos effectus producit. Cum ergo esse inveniatur omnibus rebus commune, quae secundum illud quod sunt, ad invicem distinctae sunt, oportet quod de necessitate eis non ex se ipsis, sed ab aliqua una causa esse attribuatur. Et ista videtur ratio Platonis, qui voluit, quod ante omnem multitudinem esset aliqua unitas non solum in numeris, sed etiam in rerum naturis.[3]

Source: 1. See the interpretation of *In Meta.* [29].
      2. St. Augustine, *De Civ. Dei*, VIII, 4 [F]; X, 31 [A-B].
      3. Dionysius, *De Div. Nom.*, 13, 2 [P 442]; Aristotle, *Meta.*, I, 6 [987b 1-18].

[4] *De Pot.*, 3, 8, *c.*

Formam vero, quam oportet fieri et non praesupponi, oportet esse ex agente qui non praesupponit aliquid, sed potest ex nihilo facere: et hoc est agens supernaturale, quod Plato posuit datorem formarum. Et hoc Avicenna dixit esse intelligentiam ultimam inter substantias separatas. Quidam vero moderni eos sequentes, dicunt hoc esse Deum... Nam, cum factum oporteat esse simile facienti, ex quo id quod factum est, est compositum, oportet id quod est faciens, esse compositum, et non forma per se existens, ut Plato dicebat; ut sic sicut factum est compositum, quo autem fit, est forma in materia in actum reducta; ita generans sit compositum, non forma tantum; sed forma sit quo generat: forma, inquam, in hac materia existens, sicut in his carnibus et in his ossibus et in aliis hujusmodi.

Source: Averroes, *In Meta.*, VII, *com.* 31 [180E - 181I]; XII, *com.* 18 [303E - 305vI].

[5] *De Pot.*, 3, 10, *c.*

Respondeo dicendum, quod sicut supra, art. 9, dictum est quorumdam opinio fuit, quod animae omnes simul creatae fuerunt extra corpus; cujus quidem opinionis falsitas potest ad praesens quatuor rationibus ostendi. Quarum prima est, quod res creatae sunt a Deo in sua perfectione naturali. Perfectum enim naturaliter praecedit imperfectum, secundum Philosophum. Et Boetius dicit quod, natura a perfectis sumit exordium. Anima autem non habet perfectionem suae naturae extra corpus, cum non sit per se ipsam species completa alicujus naturae, sed sit pars humanae naturae: alias oporteret quod ex anima et corpore non fieret unum nisi per accidens. Unde non fuit anima humana extra corpus creata. Quicumque autem posuerunt animas extra corpora fuisse antequam corporibus unirentur, aestimaverunt eas esse naturas perfectas, et quod naturalis perfectio animae non est esse in hoc quod anima corpori uniretur, sed uniretur ei accidentaliter, sicut homo indumento:[1] sicut Plato dicebat, quod homo non est ex anima et corpore, sed est anima utens corpore.[2] Et propter hoc omnes qui posuerunt animas extra corpora creari, posuerunt transcorporationem animarum;[3] ut sic anima exuta a corpore uno, alteri corpori uniretur, sicut homo exutus uno vestimento induit alterum.

Source: 1. Nemesius, *De Nat. Hom.*, 3 [PG 40, 593].
      2. *Ibid.*, 1 [PG 40, 505]; St. Augustine, *De Civ. Dei*, X, 30.
      3. Nemesius, *De Nat. Hom.*, 2 [PG 40, 580].

[6] *De Pot.*, 3, 10, *ad* 5

Ad quintum dicendum, quod Platonici ponebant naturam animarum per se esse completam, et accidentaliter corporibus uniri:[1] unde etiam ponebant transitum animarum de corpore ad corpus.[2] Ad quod ponendum praecipue inducebantur per hoc quod ponebant humanas animas immortales, et generationem nunquam deficere. Unde ad infinitatem animarum removendam, ponebant fieri quemdam circulum, ut animae prius exeuntes iterato unirentur.[3] Et secundum hanc opinionem, quae erronea est, Macrobius loquitur: unde ejus auctoritas in hac parte non est recipienda.[4]

Source: 1. Nemesius, *De Nat. Hom.*, 3 [PG 40, 593].
      2. *Ibid.*, 1 [PG 40, 505]; St. Augustine, *De Civ. Dei*, X, 30.
      3. Macrobius, *In Som. Scip.*, II, 13, 6-12 [E 616-617]; St. Augustine, *De Civ. Dei*, X, 30 [D-F].
      4. Macrobius, *In Som. Scip.*, I, 12, 2 [E 519.13-19].

[7] *De Pot.*, 3, 10, *ad* 15

Vel potest dici, quod ista diversitas non procedit ex diverso merito animarum, sed ex diversa dispositione corporum; unde et Plato dicebat, quod formae infunduntur a Deo secundum merita materiae.

Source: Plato, *Timaeus*, interp. Chal., 10 [D II, 158].

[8] *De Pot.*, 3, 14, *arg.* 7 *et ad* 7

Praeterea, plus potest facere Deus quam humanus intellectus possit intelligere; propter quod dicitur Luc. 1, 37: Non erit impossibile apud Deum omne verbum. Sed Platonici intellexerunt aliquid esse factum a Deo, quod tamen semper fuit; unde Augustinus dicit: De mundo, et de his quos in mundo deos a Deo factos, scribit Plato, apertissime dicit eos esse coepisse, et habere initium; finem tamen non habituros, sed per conditoris potentissimam voluntatem perhibet in aeternum esse mansuros. Verum id quomodo intelligat, Platonici invenerunt, non esse hoc, videlicet temporis, sed institutionis initium. Sicut enim, inquiunt, si pes ab aeternitate fuisset in pulvere, semper subesset vestigium: quod tamen a calcante factum nemo dubitaret: sic mundus semper fuit semper existente qui fecit; et tamen factus est. Ergo Deus potuit facere aliquid quod semper fuit.

Ad septimum dicendum, quod Platonici hoc intellexerunt, fidei veritatem non supponendo, sed ab ea alieni.

Source: St. Augustine, *De Civ. Dei*, X, 21 [A-B].

[9] *De Pot.*, 3, 16, *arg.* 17

Praeterea, secundum Platonem, optimi est optima adducere. Sed optimum non potest esse nisi unum. Cum igitur Deus sit optimus, ab eo non potest produci nisi unum.

Source: See *Source* under *In Sent.* [9].

[10] *De Pot.*, 3, 16, *c.*
Alii vero circa debitum causae finalis erraverunt, sicut Plato, et ejus sequaces. Posuit enim quod bonitati Dei ab eo intellectae et amatae debitum esset tale universum producere, ut sic optimus optimum produceret. Quod quidem potest esse verum, si solum quantum ad ea quae sunt respiciamus; non autem si respiciamus ad ea quae esse possunt. Hoc enim universum est optimum eorum quae sunt; et quod sit sic optimum, ex summa Dei bonitate habet. Non tamen bonitas Dei est ita obligata huic universo quin melius vel minus bonum aliud universum facere potuisset.

Source: See *Source* under *In Sent.* [9].

[11] *De Pot.*, 3, 18, *ad* 10
Creatura autem spiritualis non operatur ad creationem corporalium creaturarum, cum solius Dei sit creare. Unde et Commentator, imponit Platoni, quod dixerit, quod Deus primo creavit Angelos, et postea commisit eis creationem corporalium creaturarum.

Source: Averroes, *In Meta.*, XII, *com.* 44 [328F]; 'Hoc autem, quod Plato dixit in suis verbis obscuris, quod Creator creavit Angelos manu, deinde praecepit eis creare alia mortalia, et remansit ipse in quiete sine labore, non est intelligendum ad literam.'

[12] *De Pot.*, 4, 1, *ad* 2
Plato enim Scripturam Genesis videns, sic intellexisse dicitur numerum elementorum et ordinem ibi significari, ut terra et aqua propriis nominibus exprimantur. Aqua autem super terram esse intelligitur, ex hoc quod ibi scriptum est: Congregentur aquae in locum unum, et appareat arida. Supra quae duo, aerem intellexit in hoc quod dicitur: Spiritus Domini ferebatur super aquas, aerem nomine spiritus intelligens. Ignem vero in nomine caeli intellexit, quod omnibus supereminet.

Sed quia, secundum Aristotelis probationes, caelum igneae naturae esse non potest, ut ejus motus circularis demonstrat, Rabbi Moyses Aristotelis sententiam sequens, cum Platone in tribus primis concordans, ignem significatum esse dixit per tenebras, eo quod ignis in propria sphaera non luceat; et situs ejus declaratur in hoc quod dicitur: super faciem abyssi. Quintam vero essentiam nomine caeli significatam esse intelligit.

Source: St. Augustine, *De Civ. Dei*, VIII, 9 [B-E].

[13] *De Pot.*, 4, 1, *ad* 7
Si vero per terram intelligatur prima materia secundum opinionem Augustini, sic dicitur inanis per comparationem ejus ad compositum in quo subsistit; nam inanitas firmitati et soliditati opponitur; vacua vero per comparationem ad formas quibus ejus potentia non replebatur. Unde et Plato receptionem materiae comparavit loco, secundum quod in eo locatum recipitur. Vacuum autem et plenum proprie circa locum dicuntur.

Source: Aristotle, *Phy.*, II, 2 [209b 11-17]; Averroes, *In Phy.*, IV, *com.* 59 [Z 146H].

[14] *De Pot.*, 4, 2, *ad* 31
Dicitur autem vacua, quia potentia materiae per formam impletur;

unde Plato materiam dixit esse locum, quia receptibilitas materiae est
quodammodo similis receptibilitati loci, in quantum in una materia
manente succedunt sibi diversae formae, sicut in uno loco diversa
corpora: ideo ea quae sunt loci, similitudinarie de materia dicuntur;
et ita materia dicitur vacua, quia caret forma, quae implet capacitatem
et potentiam materiae.

Source: Aristotle, *Phy.*, II, 2 [209b 11-17]; Averroes, *In Phy.*, IV, *com.*
59 [Z 146H].

[15] *De Pot.*, 5, 1, *arg.* 5 *et ad* 5
Sed contra, omnis res generata habet esse per suam formam. Si ergo
causae inferiores generantes non sunt causae essendi, non erunt causae
formarum; et ita formae quae sunt in materia, non sunt a formis quae
sunt in materia secundum sententiam Philosophi, qui dicit, quod
forma quae est in his carnibus et ossibus, est a forma quae est in his
carnibus et ossibus: sed sequitur quod formae in materia sint a formis
sine materia, secundum sententiam Platonis, vel a datore formarum,
secundum sententiam Avicennae.

Et quia Platonici et Avicenna non ponebant formas de potentia
materiae educi, ideo cogebantur dicere quod agentia naturalia dis-
ponebant tantum materiam; inductio autem formae erat a principio
separato.

Source: Aristotle, *Meta.*, VII, 8 [1033b 19 - 1034b 2]; 13-15 [1038b 1-
1041a 5]; Averroes, *In Meta.*, VII, *com.* 31 [180E - 181I];
XII, *com.* 18 [303E - 305vI].

[16] *De Pot.*, 5, 1, *arg.* 14
Praeterea, Augustinus dicit, quod Deus fecit singula bona, simul autem
omnia valde bona: propter quod dicitur Genes. I, 31: Vidit Deus
cuncta quae fecerat, et erant valde bona. Ipsa ergo creaturarum universitas est valde bona et optima; optimi enim est optima adducere,
secundum Platonem in Timaeo. Sed melius est quod non indiget aliquo
exteriori ad sui conservationem, eo quod indiget. Ergo universitas
creaturarum non indiget aliquo exteriori conservante.

Source: See *Source* under *In Sent.* [9].

[17] *De Pot.*, 5, 10, *c.*
Positio autem praemissa procedit secundum opinionem illorum qui
dicunt, animam accidentaliter uniri corpori, sicut nautam navi, aut
hominem indumento. Unde et Plato dixit quod homo est anima
corpore induta, ut Gregorius Nyssenus narrat. Sed hoc stare non
potest; quia sic homo non esset ens per se, sed per accidens; nec esset
in genere substantiae, sed in genere accidentis, sicut hoc quod dico
vestitum, et calceatum.

Source: Aristotle, *De An.*, I, 2 [404a 23]; II, 1 [413a 9]; Nemesius,
De Nat. Hom., 1 [PG 40, 505]; 2 [PG 40, 537]; 3 [PG 40, 593].

[18] *De Pot.*, 6, 6, *arg.* 15 *et ad* 15
Praeterea, hoc idem videtur per Platonem, qui in Timaeo ponit esse
quoddam animal terrena soliditate firmatum, quoddam vero liquoribus
accommodatum, quoddam autem aeri vagum, aliud divinitate plenum;
quod non potest intelligi nisi Angelus. Ergo Angelus est animal; et sic
idem quod prius.

Et per hoc patet responsio ad decimumquintum quod procedit de opinione Platonis.

Source: Plato, *Timaeus*, interp. Chal., 15 [D II, 168]; 'Primum caeleste, plenum divinitatis: aliud deinde praepes aerivagum; tertium, aquae liquoribus accomodatum; quartum, quod terrena soliditas sustineret.'

[19] *De Pot.*, 6, 6, c.

Tertia autem ratio potest sumi ad hoc ex sententiis Platonicorum; oportet enim ante esse determinatum et particulatum, praeexistere aliquid non particulatum; sicut si ignis natura particulariter et quodammodo participative invenitur in ferro, oportet prius inveniri igneam naturam in eo quod est per essentiam ignis; unde, cum esse et reliquae perfectiones et formae inveniantur in corporibus quasi particulariter, per hoc quod sunt in materia receptae, oportet praeexistere aliquam substantiam incorpoream, quae non particulariter, sed cum quadam universali plenitudine perfectionem essendi in se habeat.[1]...

— — —

His opinionibus abjectis, Plato et Aristoteles posuerunt aliquas substantias esse incorporeas; et earum quasdam esse corpori conjunctas, quasdam vero nulli corpori conjunctas. Plato namque posuit duas substantias separatas, scilicet Deum patrem totius universitatis in supremo gradu; et postmodum mentem ipsius, quam vocabat paternum intellectum,[2] in qua erant rerum omnium rationes vel ideae, ut Macrobius narrat,[3] substantias autem incorporeas corporibus unitas ponebat multiplices; quasdam quidem conjunctas caelestibus corporibus, quas Platonici deos appellabant;[4] quasdam autem conjunctas corporibus aereis, quas dicebant esse daemones. Unde Augustinus in VIII de Civ. Dei introducit hanc definitionem daemonum ab Apulejo datam: Daemones sunt animalia mente rationalia, animo passiva, corpore aerea, tempore aeterna.[5] Et omnibus praedictis substantiis incorporeis ratione suae sempiternitatis gentiles Platonici dicebant cultum divinitatis exhibendum.[6] Ponebant etiam ulterius substantias incorporeas grossioribus terrae corporibus unitas, terrenis scilicet et aqueis, quae sunt animae hominum et aliorum animalium.[7] Aristoteles autem in duobus cum Platone concordat et in duobus differt... Si autem habent alias potentias (quod videntur Platonici sensisse de daemonibus,[8] dicentes eos esse animo passivos; cum tamen passio non sit nisi in parte animae sensitiva, ut probatur in VII Phys.), oportet quod tales substantiae corporibus organicis uniantur, ut actiones talium potentiarum per determinata organa exequantur... Sed in hoc certissime a doctrina tam Platonis quam Aristotelis, doctrina fidei discordat, quod ponimus multas substantias penitus corporibus non unitas, plures quam aliquis eorum ponat.

Source: 1. This applies Platonic participation to *esse*. See Dionysius, *De Div. Nom.*, 13, 2-3 [P 439-446]; Boethius, *De Con. Phil.*, III, *Prosa* 11 [F 91-95].

2. Macrobius, *In Som. Scip.*, I, 6, 8 [E 486]; 6, 20 [E 488]; 14, 5-6 [E 526]; 14, 15 [E 530]; 17, 11-13 [E 542]; St. Augustine, *De Civ. Dei*, X, 23 [B]; 24 [A]; 28 [C]; 29 [D]; *De Doct. Christ.*, II, 28, 43 [PL 34, 56]; Abelard, *Intro. ad Theol.*, I [PL 178, 1012-1013]; Albertus Magnus, *In* I

Sent., 3, *F*, 18, *arg.* 2 [B 25, 113]; *Meta.*, I, 4, 12 [B VI, 82-83]; *De Quindecim Problem.*, I [*Phil. Belges* VII, 34]; Alexander Hal., *S.T.*, *Tr. Intro.*, 2, 3 [Q I, 18-19].
3. Macrobius, *In Som. Scip.*, I, 2, 14 [E 471.9-14].
4. St. Augustine, *De Civ. Dei*, 12, 16 [C-D]; Plato, *Timaeus*, interp. Chal., 15 [D II, 169].
5. St. Augustine, *De Civ. Dei*, VIII, 16 [A]; IX, 8 [A]; 12 [A].
6. St. Augustine, *De Civ. Dei*, VIII, 12 [A]; 13 [B]; 14 [A]; 16; X, 1 [C].
7. St. Augustine, *De Civ. Dei*, VIII, 16 [B]; IX, 8 [B].
8. See 5 above.

[20] *De Pot.*, 6, 6, *ad* 1

Ad primum ergo dicendum, quod Augustinus in pluribus locis suorum librorum, quantum ad corpora Angelorum et daemonum, absque assertione utitur Platonicorum sententia. Unde et XXI de Civit. Dei utramque opinionem prosequitur de poena daemonum tractans, et eorum scilicet qui dicebant daemones aerea corpora habere, et eorum qui dicebant eos esse penitus incorporeos. Gregorius vero Angelum animal appellat, large sumpto animalis vocabulo pro quolibet vivente.

Source: St. Augustine, *De Civ. Dei*, XXI, 10 [A-B]: 'Nisi quia sunt quaedam sua etiam daemonibus corpora, sicut doctis hominibus uisum est, ex isto aere crasso adque umido... Si autem quisquam nulla habere corpora daemones adseuerat, non est de hac re aut laborandum operosa inquisitione aut contentiosa disputatione certandum.'

[21] *De Pot.*, 6, 6, *ad* 2

Ad secundum dicendum, quod Origenes in pluribus Platonicorum opinionem sectatur: unde hujus opinionis fuisse videtur quod omnes substantiae creatae incorporeae sint corporibus unitae; quamvis etiam hoc non asserat, sed sub dubitatione proponat, aliam etiam opinionem tangens.

Source: St. Augustine, *De Civ. Dei*, VIII, 16 [A-B]; IX, 8 [A; E].

[22] *De Pot.*, 6, 6, *ad* 18

Ad decimumoctavum dicendum, quod Porphyrius in hoc opinionem Platonis sequitur, quod deos nominat daemones;[1] quos ponebant animalia,[2] et etiam corpora caelestia.[3]

Source: 1. This doctrine of Porphyrius, 'the Platonist,' is found in the *De Civ. Dei* (among other places), X, 26 [D]. Yet Plato is said to have distinguished the *dei* and the *daemones* (*ibid.*, IX, 23 [A]).
2. St. Augustine, *De Civ. Dei*, VIII, 16 [A]; IX, 8 [A]; 12 [A].
3. Macrobius, *In Som. Scip.*, I, 14 [E 529]; Boethius, *In Isag.*, ed. sec., II, 5 [CSEL 48, 185.21-22]; III, 4 [CSEL 48, 209.1-2]; IV,6 [CSEL 48, 257.9-10]; 7 [CSEL 48, 259.19-21]; St. Augustine, *De Civ. Dei*, XIII, 16 [E].

[23] *De Pot.*, 9, 2, *ad* 1

.:. non enim est homo qui non sit aliquis homo, nisi secundum opinionem Platonis, qui ponebat universalia separata.

Source: Aristotle, *Meta.*, I, 6 [987b 1-14]; VII, 14 [1039a 24-33].

[24] *De Pot.*, 9, 7, *c.*

Respondeo dicendum, quod de uno et multo diversa inveniuntur, quae etiam apud philosophos fuerunt occasio diversa sentiendi. Invenitur enim de uno, quod est principium numeri, et quod convertitur cum ente; similiter invenitur de multo, quod pertinet ad quamdam speciem quantitatis, quae dicitur numerus, et iterum quod circuit omne genus, sicut et unum, cui videtur multitudo opponi.

Fuerunt ergo aliqui inter philosophos qui non distinxerunt inter unum quod convertitur cum ente, et unum quod est principium numeri, aestimantes quod neutro modo dictum unum aliquid super substantiam adderet; sed unum quolibet modo dictum significaret substantiam rei. Ex quo sequebatur quod numerus, qui ex unis componitur, sit substantia omnium rerum secundum opinionem Pythagorae et Platonis.

Source: See *Source* under *S.T.* [5].

[25] *De Pot.*, 10, 1, *c.*

Nam quidquid invenimus per se et in se operari quocumque modo, dicimus vivere; et per hunc modum Plato posuit, quod primum movens movet se ipsum.

Source: See *Source* under *In Sent.* [3].

De Spiritualibus Creaturis

[1] *De Sp. Creat.*, 1, *arg.* 18

Praeterea, Plato in Timaeo inducit Deum summum, loquentem diis creatis et dicentem: voluntas mea maior est nexu vestro; et inducit haec verba Augustinus in libro De civ. Dei. Dii autem creati videntur esse angeli. Ergo in angelis est nexus sive compositio.

Source: St. Augustine (*De Civ. Dei*, XIII, 16 [C, D]) expressly quotes Cicero's translation: '... nec erunt valentiora quam consilium meum, quod maius est vinculum ad perpetuitatem vestram, quam illa quibus estis... conligati...' (See also *ibid.*, XXII, 26 [B sq.].) St. Thomas seems to be using an abbreviation of Chalcidius' translation (15 [D II, 169]): '... quia voluntas mea major est nexus et vegetatior ad aeternitatis custodiam quam illa nexus vestri coagmenta...'

[2] *De Sp. Creat.*, 1, *ad* 18

Ad 18, dicendum quod Plato appellat deos secundos, non angelos sed corpora caelestia.

Source: St. Augustine, *De Civ. Dei*, XII, 16 [C, D]; Plato, *Timaeus*, interp. Chal., 15 [D II, 169]; Nemesius, *De Nat. Hom.*, 44 [PG 40, 793; 796].

[3] *De Sp. Creat.*, 2, *c.*

Hac igitur opinione reiecta tanquam impossibili, considerandum est quod Plato efficacius posuit hunc hominem intelligere, nec tamen substantiam spiritualem uniri corpori ut formam. Ut enim Gregorius Nyssenus narrat, Plato posuit substantiam intellectivam, quae dicitur anima, uniri corpori per quemdam spiritualem contactum: quod quidem intelligitur secundum quod movens vel agens tangit motum aut passum,[1] etiam si sit incorporeum, ex qua ratione dicit Aristoteles in I

De generatione quod quaedam tangunt et non tanguntur, quia agunt et non patiuntur. Unde dicebat Plato, ut dicens Gregorius refert, quod homo non est aliquid compositum ex anima et corpore, sed est anima utens corpore,[1] ut intelligatur esse in corpore quodammodo sicut nauta in navi;[2] quod videtur tangere Aristoteles in II De anima. Sic igitur et hic homo intelligit, in quantum hic homo est ipsa substantia spiritualis quae est anima, cuius actus proprius est intelligere, hac tamen substantia forma corporis non existente.

Source: 1. Nemesius, *De Nat. Hom.*, 1 [PG 40, 505; 569]; 3 [PG 40, 593]. St. Thomas is apparently interpreting the motor-mobile relation of soul and body in the light of Aristotle, *De Gen.*, I, 6 [323a 28]. See also *De An.*, I, 3 [406b 28] and St. Thomas' comment *In I De An.*, 7 [91].
2. Aristotle, *De An.*, II, 1 [413a 8].

[4] *De Sp. Creat.*, 3, *c.*
Harum autem duarum opinionum diversitas ex hoc procedit quod quidam, ad inquirendam veritatem de natura rerum, processerunt ex rationibus intelligibilibus, et hoc fuit proprium Platonicorum; quidam vero ex rebus sensibilibus, et hoc fuit proprium philosophiae Aristotelis, ut dicit Simplicius in commento Super praedicamenta.[1] Consideraverunt Platonici ordinem quemdam generum et specierum, et quod semper superius potest intelligi sine inferiori, sicut homo sine hoc homine, et animal sine homine, et sic deinceps.[2] Existimaverunt etiam quod quidquid est abstractum in intellectu, sit abstractum in re; alias videbatur eis quod intellectus abstrahens esset falsus aut vanus, si nulla res abstracta ei responderet;[3] propter quod etiam crediderunt mathematica esse abstracta a sensibilibus, quia sine eis intelliguntur.[4] Unde posuerunt hominem abstractum ab his hominibus,[5] et sic deinceps usque ad ens et unum et bonum, quod posuerunt summam rerum virtutem.[6] Viderunt enim quod semper inferius particularius est suo superiori, et quod natura superioris participatur in inferiori: participans autem se habet ut materiale ad participatum; unde posuerunt quod inter abstracta, quanto aliquid est universalius, tanto est formalius.[7] Quidam vero, secundum eandem viam ingredientes, ex opposito posuerunt quod quanto aliqua forma est universalior, tanto est magis materialis. Et haec est positio Avicebron in libro Fontis vitae: posuit materiam primam absque omni forma, quam vocavit materiam universalem; et dixit eam communem substantiis spiritualibus et corporalibus, cui dixit advenire formam universalem, quae est forma substantiae. Materiam autem sic sub forma substantiae existentem, in aliquo sui dixit recipere formam corporeitatis, alia parte eius, quae pertinet ad spirituales substantias, sine huiusmodi forma remanente. Et sic deinceps posuit in materia formam sub forma, secundum ordinem generum et specierum, usque ad ultimam speciem specialissimam. Et haec positio, quamvis videatur discordare a prima, tamen secundum rei veritatem cum ea concordat, et est sequela eius. Posuerunt enim Platonici quod quanto aliqua causa est universalior et formalior, tanto eius perfectio in aliquo individuo magis est subtracta: unde effectum primi abstracti, quod est boni posuerunt materiam primam, ut supremo agenti respondeat primum subiectum; et sic deinceps, secundum ordinem causarum abstractarum et formarum participatarum in materia, sicut universalius

abstractum est formalius, ita universalior forma participata est materialior.[8]

Source: 1. Simplicius, *In Cat.*, *Prooem.* [CG VIII, 6.19-32].
2. Aristotle, *Meta.*, VII, 14 [1039a 24-33]; Boethius, *In Isag.*, *ed. sec.*, I, 11 [CSEL 48, 167.12-14].
3. Aristotle, *Meta.*, I, 6 [987b 7-18]; VII, 14 [1039a 24-33]; Boethius, *In Isag.*, *ed. sec.*, I, 10; 11 [CSEL 48, 163.14-22; 167.7-11]; Abelard, *Glossae super Porphyrium* [Geyer, 25. 15-26.15].
4. Aristotle, *Meta.*, I, 6 [987b 14-18]; *Phy.*, II, 1-2 [193b 31-194a 7].
5. See 2 above.
6. Aristotle, *Eth.*, I, 6 [1096a 22-23; 1096a 35 - b 3]; Boethius, *De Con. Phil.*, III, *Prosa* X [F 90.127-137]; *Prosa* XI [F 91-95]; Macrobius, *In Som. Scip.*, I, 2, 13-14 [E 471.9-12]; I, 6, 7-8 [E 486.1-14]; St. Augustine, *De Civ. Dei*, VIII, 6 [A-C]; 8 [F]; Dionysius, *De Div. Nom.*, 4, 1 [P 95]; 5, 1 [P 257]; 5, 3 [P 259-260]; 13, 2 [P 439-444]; Proclus, *Elementatio Theologica*, interp. Moer., *Props.* 12-13 [V 269-270].
7. Proclus, *Elementatio Theologica*, interp. Moer., *Prop.* 24 [V 275]. The 'formalius' idea is not contained in this source.
8. *Ibid.*, *Prop.* 71 [V 292].

[5] *De Sp. Creat.*, 3, *ad* 14
Ad 14, dicendum quod corpus mathematicum dicitur corpus abstractum; unde dicere corpus mathematicum esse in sensibilibus, est dicere duo opposita simul, ut Aristoteles argumentatur in III Metaph., contra quosdam Platonicos hoc ponentes.

Source: Aristotle, *Meta.*, III, 2 [998a 7].

[6] *De Sp. Creat.*, 4, *arg.* 8
Praeterea, si anima est in qualibet parte corporis, unaquaeque pars corporis immediatum ordinem habebit ad animam, et sic non dependent aliae partes a corde; quod est contra Hieronymum Super Matth., qui dicit quod 'principale hominis non est in cerebro, secundum Platonem, sed in corde, secundum Christum.'

Source: St. Jerome, *In Ev. Mt.*, II, 15 [PL 26, 109]: 'Ergo animae principale non secundum Platonem in cerebro, sed juxta Christum in corde est.'

[7] *De Sp. Creat.*, 5, *c.*
Plato vero est alia via usus, ad ponendum substantias incorporeas. Aestimavit enim quod ante esse participans, necesse est ponere aliquid abstractum non participatum. Unde cum omnia corpora sensibilia participent ea quae de ipsis praedicantur, scil. naturas generum et specierum et aliorum universaliter de ipsis dictorum, posuit huiusmodi naturas abstractas a sensibilibus per se subsistentes, quas substantias separatas nominabat.[1]

— — —

Plato autem necesse habuit ponere multas et ad invicem ordinatas, secundum multitudinem et ordinem generum et specierum, et aliorum quae abstracta ponebat;[2] posuit enim primum abstractum, quod essentialiter esset bonum et unum,[3] et consequenter diversos ordines intelligibilium et intellectuum.[4]...

Sed istae viae non sunt multum nobis accommodae: quia neque ponimus mixtionem sensibilium cum Anaxagora, neque abstractionem universalium cum Platone, neque perpetuitatem motus cum Aristotele.

Source: 1. Aristotle, *Meta.*, I, 6 [987b 1-18]; III, 2 [997b 8-9]; VII, 14 [1039a 24 - b 19]. Proclus, *Elementatio Theologica*, interp. Moer., *Props.* 21-22 [V 273-275].
2. See *Source* 2 under *De Sp. Creat.* [4].
3. See *Source* 6 under *De Sp. Creat.* [4].
4. Proclus, *op. cit., Prop.* 101 [V 491]; *Prop.* 161 [V 512-513]; *Prop.* 163 [V 513].

[8] *De Sp. Creat.*, 5, *ad* 8
Unde Aristoteles, in VII Metaph., contra Platonem arguit quod si formae rerum sint abstractae, oportet quod sint singulares.

Source: Aristotle, *Meta.*, VII, 15 [1039b 30-31; 1040a 8-9].

[9] *De Sp. Creat.*, 6, *c.*
Plato vero et Aristoteles et eorum sequaces, posuerunt corpora caelestia esse animata.

Source: Macrobius, *In Som. Scip.*, I, 14 [E 529]; Boethius, *In Isag., ed. sec.*, II, 5 [CSEL 48, 185.21-22]; III, 4 [CSEL 48, 209.1-2]; IV, 6 [CSEL 48, 257. 9-10]; 7 [CSEL 48, 259.19-21]; St. Augustine, *De Civ. Dei*, XIII, 16 [E].

[10] *De Sp. Creat.*, 6, *c.*
Et hoc videtur sufficere ad salvandum intentionem Platonis et Aristotelis. Et de Platone quidem manifestum est; Plato enim, sicut supra dictum est, etiam corpus humanum non dixit aliter animatum, nisi in quantum anima unitur corpori ut motor.

Source: Aristotle, *De An.*, I, 2 [404a 23]; II, 1 [413a 9]; Nemesius, *De Nat. Hom.*, 1 [PG 40, 505]; 2 [PG 40, 537]; 3 [PG 40, 593].

[11] *De Sp. Creat.*, 8, *ad* 10
Dicunt enim Platonici quod substantiae, quo fuerint primo Uni propinquiores, eo sunt minoris numeri.[1] Dionysius vero dicit in xiv cap. Angel. hierar. quod angeli omnem materialem multitudinem transcendunt. Utrumque autem verum esse aliquis potest ex rebus corporalibus percipere, in quibus quanto corpus aliquod invenitur superius, tanto minus habet de materia, sed in maiorem quantitatem extenditur. Unde cum numerus quodammodo sit causa quantitatis continuae, secundum quod punctum constituit unitas, et punctus lineam (ut more Platonicorum loquamur),[2] ita est etiam in tota rerum universitate, quod quanto aliqua sunt superiora in entibus, tanto plus habent de formali multitudine, quae attenditur secundum distinctionem specierum: et in hoc salvatur dictum Dionysii; minus autem de multitudine materiali, quae attenditur secundum distinctionem individuorum in eadem specie: in quo salvatur dictum Platonicorum.

Source: 1. *Liber De Causis*, 4 [B 166.22-25]; Avicenna, *Meta.*, IX, 4 [FI 299; 304]; Dionysius, *De Div. Nom.*, 13, 2 [P 439-444].
2. Aristotle, *De Caelo*, III, 1 [298b 33 - 299a 1; 299a 6-11]; Averroes, *In Meta.*, I, *com.* 37 [22F]; Simplicius, *In L. De Caelo*, III [CG VII, 562.21-566.16].

[12] *De Sp. Creat.*, 9, *c.*
Et similiter, non esset necesse ponere intellectum agentem, si universalia, quae sunt intelligibilia actu,[1] per se subsisterent extra animam,[2] sicut posuit Plato.

Source: 1. For St. Thomas this is a simple inference from the immateriality of the Ideas (cf. *S.T.* [49]).
2. Aristotle, *Meta.*, I, 6 [987b 1-18]; VII, 14 [1039a 24-33].

[13] *De Sp. Creat.*, 9, *c.*
'De parte autem animae, qua cognoscit anima et sapit.' Volens autem inquirere de natura intellectus possibilis, praemittit quamdam dubitationem, scil. utrum pars intellectiva sit separabilis ab aliis partibus animae subiecto, ut Plato posuit, vel ratione tantum; et hoc est quod dicit: 'Sive separabili existente, sive inseparabili secundum magnitudinem, sed secundum rationem.'

Source: Averroes, *In De An.*, I, *com.* 90 [45F]; Themistius, *De An. Par.*, V [CG V, 93.32-94.3].

[14] *De Sp. Creat.*, 9, *ad* 1
Ad primum ergo, dicendum quod Augustinus intelligit derisibile esse, quod ponantur diversorum hominum animae multae, tantum ita quod numero et specie differant; et praecipue secundum opinionem Platonicorum, qui supra omnia quae sunt unius speciei, posuerunt unum aliquod commune subsistens.

Source: Aristotle, *Meta.*, I, 6 [987b 1-18].

[15] *De Sp. Creat.*, 9, *ad* 6
...et omnino simile esset ex parte intellectus, si res quae intelligitur subsisteret extra animam, sicut res quae videtur, ut Platonici posuerunt.[1] Sed secundum opinionem Aristotelis, videtur habere maiorem difficultatem, licet sit eadem ratio, si quis recte inspiciat. Non enim est differentia inter Aristotelem et Platonem, nisi in hoc quod Plato posuit quod res quae intelligitur eodem modo habet esse extra animam, quo modo eam intellectus intelligit, i.e. ut abstracta et communis;[2] Aristoteles vero posuit rem quae intelligitur esse extra animam, sed alio modo, quia intelligitur abstracte et habet esse concrete. Et sicut secundum Platonem, ipsa res quae intelligitur est extra ipsam animam, ita secundum Aristotelem: quod patet ex hoc quod neuter eorum posuit scientias esse de his quae sunt in intellectu nostro, sicut de substantiis; sed Plato quidem dixit scientias esse de formis separatis,[1] Aristoteles vero de quidditatibus rerum in eis existentibus. Sed ratio universalitatis, quae consistit in communitate et abstractione, sequitur solum modum intelligendi, in quantum intelligimus abstracte et communiter; secundum Platonem vero, sequitur etiam modum existendi formarum abstractarum: et ideo Plato posuit universalia subsistere,[2] Aristoteles autem non.

Source: 1. Aristotle, *Meta.*, I, 6 [987b 1-14].
2. *Ibid.* [987b 7-18]; VII, 14 [1039a 24-33]; Boethius, *In Isag.*, ed. sec., I, 10; 11 [CSEL 48, 163.14-22; 167.7-11]; Abelard, *Glossae super Porphyrium* [Geyer 25.15-26.15].

[16] *De Sp. Creat.*, 10, *c.*
Et hoc manifeste videtur Aristoteles sensisse, cum dicit quod 'necesse

est in anima esse has differentias,' scil. intellectum possibilem et agentem; et iterum dicit quod intellectus agens est 'sicut lumen,' quod est lux participata. Plato vero, ut Themistius dicit in Commento de anima, ad intellectum separatum attendens et non ad virtutem animae participatam, comparavit ipsum soli.

Source: Themistius, *De An. Par.*, VII [CG V, 103.33-35].

[17] *De Sp. Creat.*, 10, *ad* 8

Sed tamen, ut profundius intentionem Augustini scrutemur, et quomodo se habeat veritas circa hoc, sciendum est quod quidam antiqui philosophi, non ponentes aliam viam cognoscitivam praeter sensum, neque aliqua entia praeter sensibilia, dixerunt quod nulla certitudo de veritate a nobis haberi potest; et hoc propter duo. Primo quidem, quia ponebant sensibilia semper esse in fluxu, et nihil in rebus esse stabile. Secundo, quia inveniuntur circa idem aliqui diversimode iudicantes, sicut aliter vigilans et aliter dormiens, et aliter infirmus, aliter sanus; nec potest accipi aliquid quod discernatur quis horum verius existimet, cum quilibet aliquam similitudinem veritatis habeat. Et hae sunt duae rationes quas Augustinus tangit, propter quas antiqui dixerunt veritatem non posse cognosci a nobis. Unde et Socrates, desperans de veritate rerum capessenda, totum se ad moralem philosophiam contulit.[1] Plato vero, discipulus eius, consentiens antiquis philosophis quod sensibilia semper sint in fluxu,[2] et quod virtus sensitiva non habet certum iudicium de rebus,[3] ad certitudinem scientiae stabiliendam, posuit quidem ex una parte species rerum separatas a sensibilibus et immobiles, de quibus dixit esse scientias;[4] ex alia parte posuit in homine virtutem cognoscitivam supra sensum, scil. mentem vel intellectum,[5] illustratam a quodam superiori sole intelligibili, sicut illustratur visus a sole visibili.[6]

Augustinus autem, Platonem secutus quantum fides Catholica patiebatur, non posuit species rerum per se subsistentes, sed loco earum posuit rationes rerum in mente divina, et quod per eas secundum intellectum illustratum a luce divina, de omnibus iudicamus; non quidem sic quod ipsas rationes videamus, — hoc enim esset impossibile, nisi Dei essentiam videremus, — sed secundum quod illae supremae rationes imprimunt in mentes nostras. Sic enim Plato posuit scientias de speciebus separatis esse, non quod ipsae viderentur, sed secundum quod eas mens nostra participat, de rebus scientiam habet.[7]

Source: 1. Aristotle, *Meta.*, I, 6 [987b 1-2]; St. Augustine, *De Civ. Dei*, VIII, 3 [A].
2. Aristotle, *Meta.*, I, 6 [987a 29 - 987b 1]; St. Augustine, *De Civ. Dei*, VIII, 2 [E]; 4 [A].
3. Aristotle, *Meta.*, I, 6 [987a 29 - 987b 1]; IV, 4-5 [1009a 38-1010a 15]; St. Augustine, *Oct. Tri. Quaes.*, 9. For the association of this question with the present context, see *S.T.*, I, 84, 6, *arg.* 1.
4. Aristotle, *Meta.*, I, 6 [987b 1-14].
5. Nemesius, *De Nat. Hom.*, I [PG 40, 505]; 3 [PG 40, 593].
6. Themistius, *De An. Par.*, VII [CG V, 103.33-35].
7. See *Source* 2 under *S.T.* [56].

De Unione Verbi Incarnati

No text.

De Malo

[1] *De Malo*, 16, 1, *arg.* 1 *et ad* 1
Dicit enim Augustinus XI Super Genes. ad litteram: In spiritu rationalis creaturae bonum est hoc ipsum, quod vivit et vivificat corpus; sive
aëreum, sicut ipsius diaboli, vel daemonum spiritus; sive terrenum,
sicut hominis anima. Sed corpus quod vivificatur, est naturaliter unitum
spiritui vivificanti: quia vita est quoddam naturale. Ergo daemones
habent corpora naturaliter sibi unita.

Ad primum ergo dicendum, quod Augustinus ibi et in multis aliis
locis loquitur de corporibus daemonum, secundum quod visum est quibusdam doctis hominibus, id est Platonicis, ut patet ex auctoritate eius
supra inducta.

Source: St. Augustine, *De Civ. Dei*, XXI, 10 [A-B].

[2] *De Malo*, 16, 1, *arg.* 8 *et ad* 8
Praeterea, illud quod ponitur in definitione alicuius, est naturale ei:
quia definitio significat naturam rei. Sed corpus ponitur in definitione
daemonis, dicit enim Chalcidius in Commento super Timaeum: Daemon est animal rationale, immortale, passibile animo, aethereum corpore; et Apuleius dicit in lib. de Deo Socratis, quod daemones sunt
genere animalia, animo passiva, mente rationalia, corpore aërea, tempore aeterna; ut Augustinus introducit in VIII de Civit. Dei. Ergo
daemones habent corpora naturaliter sibi unita.

Ad octavum dicendum, quod definitio illa datur secundum positiones
Platonicorum.

Source: St. Augustine, *De Civ. Dei*, VIII, 16 [A, C]; IX, 8 [A]; 12 [A];
　　　　Chalcidius, *In Tim. Plat.*, 134 [D II, 212]: 'Daemon est animal
　　　　rationabile immortale, patibile, aethereum, diligentiam homi-
　　　　nibus impertiens.'

[3] *De Malo*, 16, 1, *arg.* 9 *et ad* 9
Praeterea, omne illud quod ratione sui corporis suscipit actionem poe-
nalem ignis materialis, habet corpus sibi naturaliter unitum. Sed daemones sunt huiusmodi; dicit enim Augustinus XXI de Civit. Dei, quod
ignis erit supplicio hominum attributus et daemonum; quia sunt prava
quaedam etiam in daemonibus corpora. Ergo daemones habent corpora
naturaliter sibi unita.

Ad nonum dicendum, quod Augustinus etiam ibi loquitur secundum
Platonicos; unde dixit ibidem: Sicut doctis hominibus visum est.

Source: St. Augustine, *De Civ. Dei*, XXI, 10 [A-B].

[4] *De Malo*, 16, 1, *c.*
Plato autem per viam abstractionis, ponens bonum et unum (quae sine
ratione corporis intelligi possunt) subsistere in primo principio sine
corpore;[1]...

— — —

Unde hac opinione remota, alii posuerunt, ut Augustinus narrat VIII
de Civit. Dei, quod omnium animalium in quibus est anima rationalis,
tripartita divisio est, in deos, homines et daemones. Deos autem dicebant habere caelestia corpora, daemones aërea, homines terrena; et sic
Plato sub substantiis intellectualibus omnino a corpore separatis hos

tres ordines substantiarum corporibus unitarum ponebat. Sed quantum ad daemones videtur haec positio impossibilis esse.[2]

– – –

Unde et Platonici posuerunt, daemones esse animalia animo passiva; quod pertinet ad partem sensitivam (ut refert Augustinus VIII de Civit. Dei, cap. vi).[3]

Source: 1. Aristotle, *Eth.*, I, 4; 6 [1095a 26-28; 1096a 22-23; 1096a 35 - b 3]; Boethius, *De Con. Phil.*, III, *Prosa* X [F 90.127-137]; *Prosa* XI [F 91-95]; Macrobius, *In Som. Scip.*, I, 2, 14 [E 471. 9-19]; I, 6, 7-8 [E 486.1-9]; St. Augustine, *De Civ. Dei*, VIII, 6 [A-C]; 8 [F]; Dionysius, *De Div. Nom.*, IV, 1 [P 95-101]; V, 1 [P 257]; 3 [P 260]; XIII, 2-3 [P 439-446]; Proclus, *Elementatio Theologica*, interp. Moer., *Prop.* 8 [V 268]; *Prop.* 12 [V 269].
  2. St. Augustine, *De Civ. Dei*, VIII, 14 [A-C]; Chalcidius, *In Tim. Plat.*, 126-136 [D II, 210-212]; Plato, *Timaeus*, interp. Chal., 15-16 [D II, 167-170]; Nemesius, *De Nat. Hom.*, 44 [PG 40, 793 and 796].
  3. St. Augustine, *De Civ. Dei*, VIII, 16 [A-C].

[5] *De Malo*, 16, 1, *ad* 2
Ad secundum dicendum, quod experientia proprie ad sensum pertinet. Quamvis enim intellectus non solum cognoscat formas separatas, ut Platonici posuerunt, sed etiam corpora, non tamen intellectus cognoscit ea prout sunt hic et nunc, quod est proprie experiri, sed secundum rationem communem. Transfertur enim experientiae nomen etiam ad intellectualem cognitionem, sicut etiam ipsa nomina sensuum, ut visus et auditus. Nihil tamen prohibet dicere, quod Augustinus in daemonibus experientiam ponit, secundum quod ponuntur habere corpora, et per consequens sensum.

Source: Aristotle, *Meta.*, I, 6 [987b 1-14].

[6] *De Malo*, 16, 1, *ad* 10
Ad decimum dicendum, quod Augustinus ibi loquitur contra Platonicos, qui ponebant quod cultus divinitatis est exhibendus propter corporum aeternitatem: contra quos Augustinus eorum positione utitur, ostendens quod si corpora incorruptibilia habent, ex hoc ipso sunt magis miseri, cum sint passivi.

Source: St. Augustine, *De Civ. Dei*, VIII, 16 [A-C].

[7] *De Malo*, 16, 7, *ad* 14
Quaedam enim eveniunt per accidens; quod autem est per accidens non habet causam, quia proprie non est ens, ut Plato dixit.

Source: Aristotle, *Meta.*, VI, 2 [1026b 14-22].

[8] *De Malo*, 16, 8, *c.*
Motus autem voluntatis humanae dependet ex summo ordine rerum, qui est summum bonum, quod etiam secundum Platonem et Aristotelem ponitur altissima causa;...

Source: Aristotle, *Eth.*, I, 4; 6 [1095a 26-28; 1096a 22-23; 1096a 35 b 3]; Boethius, *De Con. Phil.*, III, *Prosa* X [F 90.127-137]-- *Prosa* XI [F 91-95]; Macrobius, *In Som. Scip.*, I, 2, 14 [E 471.9;

19]; I, 6, 7–8 [E 486.1–9]; St. Augustine, *De Civ. Dei*, VIII, 6 [A-C]; 8 [F]; Dionysius, *De Div. Nom.*, 4, 1 [P 95–101]; 5, 1 [P 257]; 5, 3 [P 260]; 13, 2–3 [P 439–446]; Proclus, *Elementatio Theologica*, interp. Moer., *Prop.* 8 [V 268]; *Prop.* 12 [V 269].

[9] *De Malo*, 16, 10, *arg.* 4

Praeterea, si daemones possent aliqua corpora movere localiter, maxime possent movere localiter corpora caelestia, quae propinquiora sunt eis in ordine naturae. Sed corpora caelestia movere non possunt: quia cum movens et motum sint simul, ut dicitur in VII Physicor., sequeretur quod daemones sint in caelo; quod neque secundum nos est verum, neque secundum Platonicos. Ergo multo minus possunt movere alia corpora.

Source: St. Augustine, *De Civ. Dei*, VIII, 14 [A].

[10] *De Malo*, 16, 11, *c.*

Cum enim praemisisset, quod quidam volunt animam humanam habere vim quamdam divinationis in seipsa (quod videtur congruere opinionibus Platonicorum ponentium animam omnium scientiam habere ex idearum participatione),...

Source: Aristotle, *Meta.*, I, 9 [993a 1-2]; *Post. Anal.*, II, 19 [99b 26-27]; St. Augustine, *De Trin.*, XV [PL 42, 1011]. See also discussion under *S.T.* [56].

[11] *De Malo*, 16, 12, *ad* 1

Intellectus autem agens, ut dicit Themistius in Comment. III de Anima, secundum Platonem quidem comparatur soli, quia ponebat intellectum agentem esse substantiam separatam;...

Source: Themistius, *De An. Par.*, VI [CG 103.33-35].

De Anima

[1] *De An.*, 1, *c.*

Sed ulterius posuit Plato quod anima humana non solum per se subsisteret, sed quod etiam haberet in se completam naturam speciei. Ponebat enim totam naturam speciei in anima esse, dicens hominem non esse aliquid compositum ex anima et corpore, sed animam corpori advenientem; ut sit comparatio animae ad corpus sicut nautae ad navem, vel sicuti induti ad vestem.

Source: Aristotle, *De An.*, I, 2 [404a 23]; II, 1 [413a 9]; Nemesius, *De Nat. Hom.*, 1 [PG 40, 505]; 2 [PG 40, 537]; 3 [PG 40, 593].

[2] *De An.*, 1, *c.*

Et in idem redit dictum Platonis ponentis animam immortalem et per se subsistentem, ex eo quod movet seipsam.[1] Large enim accepit motum pro omni operatione, ut sic intelligatur quod intellectus movet seipsum, quia a seipso operatur.[2]

Source: 1. Macrobius, *In Som. Scip.*, II, 13, 10-12 [E 617-618]; Averroes, *In* VIII *Phy.*, com. 46 [Z 364].
2. Averroes, *In* VIII *Phy.*, com. 40 [Z 380] and see *Source* under *In Sent.* [3].

[3] *De An.*, 2, *ad* 5
Manifestum est autem substantias separatas esse intelligibiles actu, et tamen individua quaedam sunt; sicut Aristoteles dicit in VII Metaph., quod formae separatae, quas Plato ponebat, individua quaedam erant.

Source: Aristotle, *Meta.*, VII, 14 [1039b 32]; 15 [1040a 8-9].

[4] *De An.*, 2, *ad* 14
Existimabat igitur Origenes quod anima humana haberet in se speciem completam, secundum opinionem Platonis; et quod corpus adveniret ei per accidens.

Source: Nemesius, *De Nat. Hom.*, 1 [PG 40, 505]; 2 [PG 40, 537]; 3 [PG 40, 593]; Aristotle, *De An.*, I, 2 [404a 23]; II, 1 [413a 9].

[5] *De An.*, 3, *ad* 8
Ad octavum dicendum quod secundum Platonicos causa huius quod intelligitur unum in multis, non est ex parte intellectus, sed ex parte rei.[1] Cum enim intellectus noster intelligat aliquid unum in multis; nisi aliqua res esset una participata a multis, videretur quod intellectus esset vanus, non habens aliquid respondens sibi in re.[2] Unde coacti sunt ponere ideas, per quarum participationem et res naturales speciem sortiuntur,[3] et intellectus nostri fiunt universalia intelligentes.[4]

Source: 1. Aristotle, *Meta.*, I, 6 [987b 1-14]. Cf. *In* III *Meta.*, 8 [C 437].
2. Aristotle, *Meta.*, I, 6 [987b 7-18]; Boethius, *In Isag.*, *ed. sec.*, I, 10; 11 [CSEL 48, 163.14-22; 167.7-11]; Abelard, *Glossae super Porphyrium* [Geyer, 25.15-26.15].
3. See *Source* under *S.T.* [56].
4. See *Source* under *S.T.* [56].

[6] *De An.*, 3, *ad* 17
Et praeterea idem sequitur apud ponentes intellectum possibilem esse unum; quia si intellectus possibilis est unus sicut quaedam substantia separata, oportet quod sit aliquod individuum; sicut et de ideis Platonis Aristoteles argumentatur.

Source: Aristotle, *Meta.*, VII, 14; 15 [1039b 30-31; 1040a 8-9].

[7] *De An.*, 4, *c.*
Si autem universalia per se subsisterent in rerum natura, sicut Platonici posuerunt, necessitas nulla esset ponere intellectum agentem; quia ipsae res intelligibiles per se intellectum possibilem moverent. Unde videtur Aristoteles hac necessitate inductus ad ponendum intellectum agentem, quia non consensit opinioni Platonis de positione idearum.

Source: Aristotle, *Meta.*, I, 6 [987b 1-18]; VII, 14 [1039a 24-33].

[8] *De An.*, 7, *arg.* 16
... in omni enim definitione est aliquid ut materia, et aliquid ut forma, ut patet per Philosophum in VII Metaph.: ubi ipse dicit quod si species rerum essent sine materia,[1] ut Plato posuit, non essent definibiles.[2]

Source: 1. Aristotle, *Meta.*, I, 6 [987b 1-14].
2. *Ibid.*, VII, 15 [1039b 30 - 1040b 4].

[9] *De An.*, 8, *arg.* 16
Praeterea, Plato dicit quod formae dantur a datore secundum merita materiae, quae dicuntur materiae dispositiones.

Source: Plato, *Timaeus*, interp. Chal., 10 [D II, 158].

[10] *De An.*, 8, *ad* 3

Alii vero, ut Plato et Aristoteles, licet ponerent corpora caelestia esse animata,[1] ponebant tamen Deum esse aliquid superius ab anima caeli omnino separatum.[2]

Source: 1. Macrobius, *In Som. Scip.*, I, 14 [E 529]; Boethius, *In Isag.*, *ed. sec.*, II, 5 [CSEL 48, 185.21-22]; III, 4 [CSEL 48, 209.1-2]; IV, 6 [CSEL 48, 257.9-10]; IV, 7 [CSEL 48, 259.19-21]; St. Augustine, *De Civ. Dei*, XIII, 16 [E]; Simplicius, *In L. De Caelo*, II [CG VII, 378.10-22].
2. Plato, *Timaeus*, interp. Chal., 15 [D II, 169]; Macrobius, *In Som. Scip.*, I, 14, 5-6 [E 528.18-26]. See also *Source* under *S.T.* [3].

[11] *De An.*, 8, *ad* 16

Ad decimumsextum dicendum quod Plato ponebat formas rerum per se subsistentes,[1] et quod participatio formarum a materiis est propter materias ut perficiantur, non autem propter formas, quas per se subsistunt;[2] et ideo sequebatur quod formae darentur materiis secundum merita earum.[3]

Source: 1. Aristotle, *Meta.*, I, 6 [987b 1-14].
2. This seems to be an inferential interpretation.
3. Plato, *Timaeus*, interp. Chal., 10 [D II, 158].

[12] *De An.*, 9, *c.*

Sed quidam ponentes secundum opinionem Platonis animam uniri corpori sicut unam substantiam, alii necesse habuerunt ponere media quibus anima uniretur corpori;...

Source: Nemesius, *De Nat. Hom.*, 1 [PG 40, 505]; 2 [PG 40, 537]; 3 [PG 40, 593]; Aristotle, *De An.*, I, 2 [404a 23]; II, 1 [413a 9].

[13] *De An.*, 10, *c.*

Non est autem possibile quod aliquid recipiat esse et speciem ab aliquo separato sicut a forma; hoc enim simile esset Platonicorum positioni, qui posuerunt huiusmodi sensibilia recipere esse et speciem per participationem formarum separatarum.

Source: Aristotle, *Meta.*, I, 6 [987b 1-18]; 9 [991a 20 - b 3]; VII, 8 [1033b 19 - 1034a 8]; XII, 5 [1071a 17-30].

[14] *De An.*, 11, *c.*

Plato enim posuit diversas animas esse in corpore.[1] Et hoc quidem consequens erat suis principiis. Posuit enim Plato quod anima unitur corpori ut motor, et non ut forma; dicens animam esse in corpore sicut est nauta in navi:[2]...

Sed etiam hoc posito, adhuc secundum Platonis principia consequens est quod sint plures animae in homine et in animali. Posuerunt enim Platonici universalia esse formas separatas, quae de sensibilibus praedicantur in quantum participata sunt ab eis: utpote Socrates dicitur animal in quantum participat ideam animalis, et homo in quantum participat ideam hominis.[3]

Source: 1. Averroes, *In De An.*, I, *com.* 90 [45F]; Themistius, *De An. Par.*, V [CG V, 93.32 - 94.3].

2. Nemesius, *De Nat. Hom.*, 1 [PG 40, 505]; 2 [PG 40, 537]; 3
[PG 40, 593]; Aristotle, *De An.*, I, 2 [404a 23]; II, 1 [413a 9].
3. Aristotle, *Meta.*, I, 6 [987b 1-14]; VII, 16 [1040b 32-34].

[15] *De An.*, 15, *arg.* 11

Non per species innatas, sive concreatas: hoc enim videtur redire in
opinionem Platonis, qui posuit omnes scientias esse nobis naturaliter
inditas.

Source: Aristotle, *Meta.*, I, 9 [993a 1-2]; *Post. Anal.*, II, 19 [99b 26-27];
St. Augustine, *De Trin.*, XV [PL 42, 1011].

[16] *De An.*, 15, *c.*

Posuerunt enim quidam, scilicet Platonici, quod sensus sunt animae
necessarii ad intelligendum, non per se, quasi ex sensibus in nobis
causetur scientia, sed per accidens; in quantum scilicet per sensus
quodammodo excitatur anima nostra ad rememorandum quae prius
novit, et quorum scientiam naturaliter inditam habet.[1] Et sciendum
est, ad huiusmodi intelligentiam, quod Plato posuit species rerum separatas subsistentes et actu intelligibiles, et nominavit eas ideas;[2] per
quarum participationem, et quodammodo influxum, posuit animam
nostram scientem et intelligentem esse.[3] Et antequam anima corpori
uniretur, ista scientia libere poterat uti; sed ex unione ad corpus in
tantum erat praegravata, et quodammodo absorpta, quod eorum quae
prius sciverat, et quorum scientiam connaturalem habebat, oblita
videbatur.[1] Sed excitabatur quodammodo per sensus, ut in seipsam
rediret, et reminisceretur eorum quae prius intellexit, et quorum scientiam innatam habuit.[1] Sicut etiam nobis interdum accidit quod ex
inspectione aliquorum sensibilium, manifeste reminiscimur aliquorum,
quorum obliti videbamur. Haec autem eius positio de scientia et sensibilibus, conformis est positioni eius circa generationem rerum naturalium. Nam formas rerum naturalium per quas unumquodque individuum in specie collocatur, ponebat provenire ex participatione idearum praedictarum; ita quod agentia inferiora non sunt nisi disponentia
materiam ad participationem specierum separatarum.[4]

— — —

Et ideo aliter dicendum est quod potentiae sensitivae sunt necessariae
animae ad intelligendum, non per accidens tamquam excitantes, ut
Plato posuit;[1]...

Source: 1. Macrobius, *In Som. Scip.*, I, 12, 7 [E 420.20-26]; Boethius,
De Con. Phil., III, *Metrum* XI [F 95-96]; *De Sp. et An.*, I
[PL 40, 781].
2. Aristotle, *Meta.*, I, 6 [987b 1-14].
3. See *Source* 2 under *S.T.* [56].
4. Aristotle, *Meta.*, I, 6 [987b 1-18]; 9 [991a 20 - b 3]; VII, 8
[1033b 19 - 1034a 8]; XII, 5 [1071a 17-30]; Averroes, *In
Meta.*, VII, *com.* 31 [180E - 181I]; XII, *com.* 18 [303E -
305vI]. See *Source* under *S.T.* [56].

[17] *De An.*, 15, *ad* 11

Ad undecimum dicendum quod anima separata non intelligit res per
essentiam suam, neque per essentiam rerum intellectarum, sed per
species influxas a substantiis superioribus in ipsa separatione; non a
principio cum esse incepit, ut Platonici posuerunt.

Source: Macrobius, *In Som. Scip.* I, 12, 7 [E 420.20-26]; Boethius, *De Con. Phil.*, III, *Metrum* XI [F 95-96]; *De Sp. et An.*, I [PL 40, 781].

[18] *De An.*, 16, *c.*

Unde, dato quod quidditates separatae essent eiusdem rationis cum quidditatibus materialibus, non sequeretur quod qui intelligit has quidditates rerum materialium, intelligeret substantias separatas; nisi forte secundum opinionem Platonis, qui posuit substantias separatas esse species horum sensibilium.

Source: Aristotle, *Meta.*, I, 6 [987b 1-14].

[19] *De An.*, 19, *c.*

Circa operationes autem sensuum diversa fuit opinio. Plato enim posuit quod anima sensitiva per se haberet propriam operationem: posuit enim quod anima, etiam sensitiva, est movens seipsam et quod non movet corpus nisi prout est a se mota. Sic igitur in sentiendo est duplex operatio; una qua anima movet seipsam, alia qua movet corpus. Unde Platonici definiunt quod sensus est motus animae per corpus.[1] Unde et propter hoc quidam huiusmodi positionis sectatores distinguunt duplices operationes partis sensitivae: quasdam scilicet interiores, quibus anima sentit, secundum quod seipsam movet; quasdam exteriores, secundum quod movet corpus. Dicunt etiam quod sunt duplices potentiae sensitivae. Quaedam quae sunt in ipsa anima principium interiorum actuum; et istae manent in anima separata, corpore destructo cum suis actibus. Quaedam vero sunt principia exteriorum actuum; quae sunt in anima simul et corpore, et pereunte corpore, pereunt... Unde etiam brutorum animae essent immortales; quod est impossibile. Et tamen Plato hoc dicitur concessisse.[2]

Source: 1. Nemesius, *De Nat. Hom.*, 6 [PG 40, 637]; *De Sp. et An.*, XIII [PL 40, 788]; St. Augustine, *De Genesi ad Lit.*, XII, 24 [PL 34, 475].
   2. Nemesius, *De Nat. Hom.*, 2 [PG 40, 580]; St. Augustine, *De Civ. Dei*, X, 30 [A].

De Virtutibus

[1] *De Vir. in Com.*, 8, *c.*

Alii autem dixerunt, formas esse totaliter ab extrinseco, vel participatione idearum, ut posuit Plato, vel intelligentia agente, ut posuit Avicenna; et quod agentia naturalia disponunt solummodo materiam ad formam.[1]

— — —

Similiter etiam et circa scientias et virtutes aliqui dixerunt, quod scientiae et virtutes insunt nobis a natura, et quod per studium solummodo tolluntur impedimenta scientiae et virtutis: et hoc videtur Plato posuisse; qui posuit scientias et virtutes causari in nobis per participationem formarum separatarum, sed anima impediebatur ab earum usu per unionem ad corpus; quod impedimentum tolli oportebat per studium scientiarum, et exercitium virtutum.[2]

Source: 1. Averroes, *In Meta.*, VII, *com.* 31 [180E-181I]; XII, *com.* 18 [303E-305vI].
2. Plato, *Timaeus,* interp. Chal., 17 [D II, 170-172]; Chalcidius, *In Timaeum Platonis*, 193-209 [D II, 223-225]; Aristotle, *Meta.*, I, 6; 9 [987b 1-8; 991a 12]; Cicero, *Tusc.*, I, 24; St. Augustine, *De Trin.*, II, 15 [PL 42, 1011]; *Oct. Tri. Quaes.*, 46; Macrobius, *In Som. Scip.*, I, 12, 7 [E 520.20-25]; Boethius, *De Con. Phil.*, III, *Metrum* XI [F 95-96]; St. John Damascene, *De Fide Orth.*, III, 14 [PG 1037B and 1045B]; *De Sp. et An.*, I [PL 40, 781].

3. Quaestiones Quodlibetales

[1] *Quodlib.*, III, 2, 3, *c.*
Similiter si intelligatur forma alicujus speciei esse non in materia, ut Platonici posuerunt, erit infinita secundum quid, quantum scilicet ad individua illius speciei; tamen erit finita, in quantum scilicet determinatur ad genus et speciem.

Source: Aristotle, *Meta.*, I, 6 [987b 1-18].

[2] *Quodlib.*, III, 3, 6, *c.*
Respondeo dicendum, quod impossibile est, id quod per creationem producitur, ab alio causari quam a prima omnium causa; cujus ratio est, secundum Platonicos, quia quanto aliqua causa est superior, tanto ejus causalitas ad plura se extendit.

Source: *Liber De Causis*, 1 [B 163.3-4].

[3] *Quodlib.*, IV, 2, 3, *c.*
Quidam enim posuerunt firmamentum illud ex quatuor elementis compositum; quae videtur esse positio Empedoclis; et secundum hoc, nihil prohibet dicere supra hoc caelum sidereum esse aquas elementares tamquam simpliciores, et super eas etiam ignem, a quo vocetur caelum empyreum. Aliorum autem positio est, quod caelum vel sit igneae naturae, sicut posuit Plato; vel non sit de natura quatuor elementorum, sed habens altiorem naturam, sicut posuit Aristoteles.

Source: St. Augustine, *De Civ. Dei.*, VIII, 11 [D, E]; 15 [E]; Nemesius, *De Nat. Hom.*, 5 [PG 40, 625].

[4] *Quodlib.*, VII, 4, 10, *c.*
Posset ergo fieri miraculo ut natura albedinis subsisteret absque omni quantitate; tamen illa albedo non esset sicut haec albedo sensibilis, sed esset quaedam forma intelligibilis ad modum formarum separatarum, quas Plato posuit.

Source: Aristotle, *Meta.*, I, 6 [987b 1-18]. For the formal inference to the actual intelligibility of the Forms, see *S.T.*, I, 79, 3, *c.*

[5] *Quodlib.*, IX, 5, 11, *c.*
Quidam enim ut Plato et Avicenna, posuerunt omnes formas ab extrinseco esse; qui praecipue ex duobus movebantur. Primo quidem, quia cum formae non habeant materiam partem sui, non possunt fieri

ex nihilo, unde oportet quod a creante fiant. Secundo, quia in rebus inferioribus non videbant principia actionum, nisi qualitates activas et passivas, quas judicabant insufficientes ad productionem formarum substantialium, cum nihil agat ultra suam speciem.

Source: Averroes, *In Meta.*, VII, *com.* 31 [180E-181I]; XII, *com.* 18 [303E-305vI].

4. THE COMMENTARIES

A. THE SCRIPTURE COMMENTARIES
a) The Old Testament

Expositio in Isaiam Prophetam

No text.

Expositio in Job

[1] *In Job*, 37, 1
Posuerunt enim Platonici, quod animae hominum derivabantur ab animabus stellarum; unde quando animae humanae suam dignitatem servant secundum rationem vivendo, revertuntur ad claritatem stellarum, unde defluxerunt: unde in somnio Scipionis legitur, quod civitatum electores et servatores hinc profecti, scilicet a caelo, huc revertuntur.

Source: The text from the *Somnium Scipionis* is quoted by Macrobius, *In Som. Scip.*, I, 9 [E 509.21-22]: '... harum rectores et servatores hinc profecti huc revertuntur.' The exposition is given *ibid.* [E 509.21-512.8].

Expositio in Lamentationes Jeremiae

No text.

Expositio in Jeremiam Prophetam

No text.

In Psalmos Davidis Expositio

[1] *In Ps. Dav.*, 6
Prima vita significatur per quaternarium, quia est numerus corporum, ut etiam dicit Plato, quia per ipsum significantur dimensiones.

Source: Themistius, *De An. Par.*, I [CG V, 11.36-37].

b) The New Testament

Commentum in Evangelium S. Matthaei

[1] *In S. Mt.*, I, 4 [C 101]
Secundum autem Platonicos, quatuor est numerus corporum: corpus enim componitur ex quatuor elementis;...

Source: Macrobius, *In Som. Scip.*, I, 6, 22-36 [E 488.28-492.1]. The inspiration for the text comes from St. Augustine (*De Cons. Evangel.*, II, 4 [PL 34, 1075]) who, however, does not mention Plato.

[2] *In S. Mt.*, X, 1 [C 824]

Alia ratio, quia – sicut docuit Plato quod homines non multum cooperirent nec pedes, nec caput – ut firmaret eos ut magis robusti essent ad sustinendum, praecepit eos ire discalceatos.

Source: St. Jerome, *In Ev. Mt.*, I, 10 [PL 26, 63]: 'Et Plato praecepit duas corporis summitates non esse velandas nec assuefieri debere mollitiei capitis et pedum.'

[3] *In S. Mt.*, XIII, 3 [C 1161]

Sequitur magnitudo. Et primo ponitur magnitudo; secundo confirmatur, ibi *Cum autem creverit*, idest pullulaverit, *maius est omnibus oleribus*, quia doctrina evangelica magis fructificavit quam doctrina legis, quia doctrina legis non fructificavit nisi inter Iudaeos; unde dicebatur Ps. cxlvii, 20: Non fecit taliter omni nationi, et iudicia sua non manifestavit eis. Non enim fuit aliquis philosophus qui aliquam patriam potuerit totam convertere ad suam doctrinam; si enim aliquis philosophus, sicut Plato, dixisset quod talis et talis veniet, non crederetur ei. Ps. cxviii, 85: Narraverunt mihi iniqui fabulationes, sed non ut lex tua.

[4] *In S. Mt.*, XIV, 1 [C 1219]

Et ait pueris suis: Hic est Ioannes Baptista etc. Aliqui dixerunt quod ipse tenuit dogma de transfusione animarum: Plato enim et Pythagoras posuerunt, quod anima exiens ab uno corpore subintrat aliud corpus. Hanc opinionem Herodes tenens, ut dicunt, credebat quod anima Ioannis transisset in animam Christi.

Source: Nemesius, *De Nat. Hom.*, 2 [PG 40, 580]; St. Augustine, *De Civ. Dei*, X, 30.

Expositio in S. Pauli Epistolas
a cap. xi Primae ad Corinthios usque ad finem Hebr.

[1] *Super Ep. S. Pauli ad Rom.*, I, 7

Platonici etiam posuerunt quod omnibus substantiis rationalibus quae sunt supra nos cultus divinitatis debetur: puta daemonibus, animabus caelestium corporum, intelligentiis, id est substantiis separatis.

Source: St. Augustine, *De Civ. Dei*, VIII, 12 [A]; 13 [B]; 14 [A]; 16; X, 1 [C]. In *S.T.*, II-II, 94, 1, *c.*, St. Thomas refers to Book 18 [probably to Chapter 14].

[2] *Super Ep. S. Pauli ad Rom.*, VII, 4

Et hoc est quod dicit, Condelector legi Dei secundum interiorem hominem, id est, secundum rationem et mentem, quae interior homo dicitur, non quod anima sit effigiata secundum formam hominis, ut Tertullianus posuit, vel quod ipsa sola sit homo, ut Plato posuit, quod homo est anima utens corpore; sed quia id quod est principalius in homine dicitur homo, ut supra dictum est.

Source: Nemesius, *De Nat. Hom.*, 1 [PG 40, 505]; 2 [PG 40, 537]; 3 [PG 40, 593]; Aristotle, *De An.*, I, 2 [404a 23]; II, 1 [413a 9].

[3] *Super* 1 *Ep. S. Pauli ad Cor.*, XV, 2
Et ideo platonici ponentes immortalitatem, posuerunt reincorpora-
tionem, licet hoc sit haereticum:...

Source: Nemesius, *De Nat. Hom.*, 2 [PG 40, 580].

[4] *Super Ep. S. Pauli ad Eph.*, II, 1
Et haec est opinio Joannis Damasceni, sc. quod primus eorum qui
ceciderunt, praeerat ordini terrestrium, quod forte sumptum est ex
dicto Platonis, qui ponebat quasdam substantias caelestes seu mundanas.
Et secundum hoc exponitur hoc quod dicit, aeris hujus, id est, ad hoc
creati, ut praesiderent aeri huic.

Source: Nemesius, *De Nat. Hom.*, 44 [PG 40, 793; 796]; St. Augustine,
De Civ. Dei, X, 1 [C]; IX, 9 [A].

[5] *Super Ep. S. Pauli ad Coloss.*, I, 4
Circa quod sciendum est, quod Platonici ponebant ideas, dicentes,
quod quaelibet res fiebat ex eo quod participabat ideam, puta hominis
vel alicujus alterius speciei. Loco enim harum idearum nos habemus
unum, sc. Filium verbum Dei.

Source: Aristotle, *Meta.*, I, 6 [987b 1-18]; *Eth.*, I, 6 [1096a 35 - b 3]

[6] *Super Ep. S. Pauli ad Coloss.*, I, 4
Platonici etiam dicunt quod Deus per se creavit creaturas invisibiles,
sc. angelos, et per angelos creavit naturas corporeas.[1] Sed hoc excluditur
hic, quia dicitur: Visibilia et invisibilia. De primo Hebr. xi: Fide
intelligimus esse aptata saecula, ut ex invisibilibus visibilia fierent. De
secundo autem Eccli. xxxiv: Pauca vidimus operum ejus, omnia autem
Dominus fecit, etc. Haec autem distinctio est secundum creaturarum
naturam. Tertia distinctio est ordinis et gradus in invisibilibus, cum
dicit: Sive throni, etc. Platonici etiam errant hic: dicebant enim in
rebus diversas esse perfectiones, et quamlibet attribuebant uni primo
principio, et secundum ordines earum perfectionum ponebant ordines
principiorum, sicut ponebant primum ens, a quo participant omnia
esse, et illud principium ab isto, scil. primum intellectum, a quo omnia
participant intelligere, et aliud principium vitam, a quo omnia participant vivere.[2] Sed nos non sic ponimus, sed ab uno principio res habent
quicquid in eis perfectionis est.

Source: 1. Plato, *Timaeus*, interp. Chal., 16 [D II, 169-170]; Macrobius,
In Som. Scip., 1, 14 [E 529-531]; *Liber De Causis*, 3 [B 166];
Avicenna, *Meta.*, 4 [F 301]; Algazel in Averroes, *Dest. Dest.*,
disp. 3 [52 D-F]; Avicebron, *Fons Vitae*, II, 24 [B 71.3-4];
III, 2 [B 76.26-27]; III, 6 [B 90.15-16].
2. Proclus, *Elementatio Theologica*, *Prop.* 101 [V 491]; Dionysius,
De Div. Nom., 11, 6 [P 344-345].

[7] *Super Ep. S. Pauli ad Coloss.*, I, 4
Sed sciendum est, quod, sicut Gregorius et Dionysius dicunt, haec dona
spiritualia, ex quibus nominantur hi ordines, communia sunt omnibus,
tamen quidam nominantur a quibusdam, quidam ab aliis, cujus ratio
accipitur ex dictis Platonicorum,[1] quia omne quod convenit alicui,

convenit tripliciter, quia aut essentialiter, aut participative, aut causaliter. Essentialiter quidem quod convenit rei secundum proportionem suae naturae, sicut homini rationale. Participative autem quod excedit suam naturam, sed tamen aliquid de illo participat, sed imperfecte, sicut intellectuale homini, quod est supra rationale, et est essentiale angelorum et idem aliquid participat homo. Causaliter vero quod convenit rei supervenienter, sicut homini artificialia, quia in eo non sunt sicut in materia, sed per modum artis. Unumquodque autem denominatur solum ab eo quod convenit ei essentialiter. Unde homo non dicitur intellectualis nec artificialis, sed rationalis. De dictis autem donis in angelis, ea quae conveniunt superioribus essentialiter, inferioribus conveniunt participative; quae vero inferioribus essentialiter conveniunt, superioribus causaliter conveniunt. Et ideo superiores denominantur a superioribus donis. Supremum autem in creatura spirituali est quod attingit Deum, et quodammodo participat eum. Et ideo denominantur superiores ex hoc, quod attingunt Deum. Seraphim, quasi ardentes Deo vel incendentes; Cherubim, quasi scientes Deum; Throni, quasi habentes in seipsis sedentem Deum.

Source: 1. This is derived from the *Liber De Causis*, 11 [B 175; St. Thomas, Lectio 12] and Proclus, *Elementatio Theologica*, *Prop.* 103 [V 492].

[8] *Super Ep. S. Pauli ad Coloss.*, I, 6
Quod absconditum fuit a saeculis, id est, a principio saeculorum, et omnibus generationibus hominum, qui hoc scire non potuerunt. Quae sit dispensatio sacramenti absconditi a saeculis in Deo. Nam et si philosophi antiqui quaedam de Christi deitate videantur dixisse vel propria, vel appropriata, sicut Augustinus invenit in libris Platonis: In principio erat Verbum, etc., tamen quod Verbum caro factum est, nullus scire potuit.

Source: Macrobius, *In Som. Scip.*, I, 6, 8 [E 486]; 6, 20 [E 488]; 14, 5-6 [E 526]; 14, 15 [E 530]; 17, 11-13 [E 542]; St. Augustine, *De Civ. Dei*, X, 23 [B]; 24 [A]; 28 [C]; 29 [D]; *De Doct. Christ.*, II, 28, 43 [PL 34, 56]; Abelard, *Intro. ad Theol.*, I [PL 178, 1012-1013]; Albertus Magnus, *In I Sent.*, 3, *F*, 18, *arg.* 2 [B 25, 113]; *Meta.*, I, 4, 12 [B VI, 82-83]; *De Quindecim Problem.*, I [*Phil. Belges* VII, 34]; Alexander Hal., *S.T.*, *Tr. Intro.*, 2, 3 [Q I, 18-19].

[9] *Super Ep. S. Pauli ad Coloss.*, II, 2
Sciendum est autem quod Platonici dicunt, quod divina dona perveniunt ad homines mediantibus substantiis separatis. Et hoc est verum etiam secundum Dionysium, sed hoc est quoddam speciale, quia ab eo immediate qui replet Angelos.

Source: Nemesius, *De Nat. Hom.*, 44 [PG 40, 793 and 796]; St. Augustine, *De Civ. Dei*, IX, 1 [C]; 13.

[10] *Super I Ep. S. Pauli ad Thess.*, I
Item quia Platonici putabant quasdam substantias separatas Deos esse partcipatione, dicitur vero, non participatione divinae naturae, sed quia servientes ei sunt remunerandi, ideo, quia sic estis, restat ut remunerationem expectetis.

Source: Plato, *Timaeus*, interp. Chal., 15-16 [D II, 168-169]; St.
Augustine, *De Civ. Dei*, IX, 23; *Liber De Causis*, 3 [B 165.1-3;
166.15]; 18 [B 180.9]; Dionysius, *De Div. Nom.*, 11, 6.

In Evangelium S. Joannis Expositio

[1] *In S. Jo.*, I, 1
Per hoc etiam excluduntur errores philosophorum. Quidam enim
philosophorum antiqui, scilicet naturales, ponebant, mundum non ex
aliquo intellectu, neque per aliquam rationem, sed a casu fuisse: et
ideo a principio rationem non posuerunt seu intellectum aliquam
causam rerum, sed solam materiam fluitantem, utpote athomos, sicut
Democritus posuit, et alia hujusmodi principia materialia, ut alii
posuerunt. Contra hos est quod Evangelista dicit: In principio erat
Verbum, a quo res scilicet principium sumpserunt, et non a casu. Plato
autem posuit rationes omnium rerum factarum subsistentes separatas
in propriis naturis,[1] per quarum participationem res materiales essent:[2]
puta per rationem hominis separatam, quam dicebat per se hominem,
haberent quod sint homines.[3] Sic ergo ne hanc rationem, per quam
omnia facta sunt, intelligas rationes separatas a Deo, ut Plato ponebat,
addit Evangelista: Et Verbum erat apud Deum. Alii etiam Platonici,
ut Chrysostomus refert, ponebant Deum Patrem eminentissimum, et
primum, sub quo ponebant mentem quamdam, in qua dicebant esse
similitudines et ideas omnium rerum.[4]

Source: 1. Aristotle, *Meta.*, I, 6 [987b 1-14]; 9 [991a 20 - b 1]; VII,
8 [1033b 19 - 1034a 8]; XII, 6 [1071a 17-30].
2. Aristotle, *Meta.*, I, 6 [987b 9-14; 21]; 9 [990b 28; 990b
30 - 991a 3; 991a 14; 991b 5]; VII, 5 [1031b 18]; 14
[1040a 27]; VIII, 4 [1045a 18; 1045b 8]; XII, 9 [1075b
19-20]; St. Augustine, *Oct. Tri. Quaes.*, 46; Boethius, *De
Con. Phil.*, III, *Prosa* II [F 92.21-22]; Dionysius, *De Div. Nom.*,
II, 5 [C 49].
3. Aristotle, *Meta.*, VII, 14 [1039a 30-32]; 15 [1040b 32-34];
Eth., I, 6 [1096a 35 - b 3].
4. Chrysostom briefly refers to the Platonic theory in *In Jo.*,
2 [1] [PG 59, 31] and St. Thomas expands this in accordance
with Macrobius, *In Som. Scip.*, I, 2, 14 [E 471]; 14, 6 [E 526].

[2] *In S. Jo.*, I, 1
...sicut Platonici volentes significare substantias separatas, puta bonum
separatum, vel hominem separatum, vocabant illud ly per se bonum,
vel ly per se hominem;...

Source: Aristotle, *Meta.*, VII, 14 [1039a 30-32]; *Eth.*, I, 6 [1096a 35 - b 3].

[3] *In S. Jo.*, XVII, 5
Nam, ut Platonici dicunt ab hoc quaelibet res habet unitatem a quo
habet bonitatem. Bonum enim est quod est rei conservativum; nulla
autem res conservatur nisi per hoc quod est una.

Source: Boethius, *De Con. Phil.*, III, *Prosa* XI [F 91-94]; Proclus,
Elementatio Theologica, interp. Moer., *Prop.* 13 [V 270]; *Prop.* 119
[V 497-498].

B. The Commentaries on Aristotle

In X libros Ethicorum ad Nicomachum Expositio

[1] *In* I *Eth.*, 1 [P 9]

Circa quod considerandum est, quod bonum numeratur inter prima: adeo quod secundum Platonicos, bonum est prius ente. Sed secundum rei veritatem bonum cum ente convertitur.

Source: Dionysius, *De Div. Nom.*, 3, 1 [P 78-79]; 4, 1 [P 95-96].

[2] *In* I *Eth.*, 4 [P 49]

Sed quidam sapientes, scilicet Platonici, praeter haec diversa bona sensibilia, existimaverunt esse unum bonum, quod est secundum seipsum,[1] idest quod est ipsa essentia bonitatis separata: sicut enim formam separatam hominis dicebant per se hominem, sic bonum separatum per se bonum,[2] quod omnibus bonis est causa quod sint bona, inquantum scilicet participant illud summum bonum.[3]

Source: 1. *Littera.*
　　　　 2. St. Thomas is here interpreting the separation of the Good in a fashion parallel to the separation of species in general. Cf. Aristotle, *Meta.*, I, 6 [987b 1-20] and St. Thomas, *In* I *Meta.*, 10 [154-155]; also Aristotle, *Meta.*, III, 2 [997b 3-5]. Aristotle himself compares the relationship of *per se bonum* and *bona* to that between *per se homo* and *homo* in 1096a 35 - b 3.
　　　　 3. *Littera.*

[3] *In* I *Eth.*, 4 [P 51]

Deinde cum dicit 'non lateat'

Ostendit quo ordine ratiocinandum sit de hujusmodi opinionibus, et simpliciter in tota materia morali. Et assignat differentiam in processu ratiocinandi. Quia quaedam rationes sunt, quae procedunt a principiis, id est a causis in effectus: sicut demonstrationes propter quid. Quaedam autem e converso ab effectibus ad causas sive principia, quae non demonstrant propter quid, sed solum quia. Et hoc etiam Plato prius distinxit, inquirens utrum oporteat procedere a principiis vel ad principia. Et ponit exemplum de cursu stadiorum. Erant enim quidam athlothetae, idest praepositi athletis currentibus in stadio. Qui quidem athlothetae stabant in principio stadiorum. Quandoque igitur athletae incipiebant currere ab athlothetis et procedebant usque ad terminum, quandoque autem e converso. Et sic etiam est duplex ordo in processu rationis, ut dictum est.

Source: *Littera.*

[4] *In* I *Eth.*, 6 [P 74]

Postquam Philosophus reprobavit opiniones ponentium felicitatem in aliquo manifestorum bonorum, hic improbat opinionem ponentium felicitatem in quodam bono separato.[1]

－　－　－

Circa primum considerandum est, quod illud bonum separatum in quo Platonici ponebant hominis felicitatem consistere, dicebant universale bonum,[2] per cujus participationem omnia bona dicuntur.[3]

Source: 1. Aristotle, *Eth.*, I, 4 [1095a 26-28].
    2. *Littera.*
    3. See *Source* 2 and 3 under *In Eth.* [2].

[5] *In* I *Eth.*, 6 [P 75]

Ponit quid possit eum retrahere ab inquisitione talis opinionis. Et dicit, quod hujus inquisitio est contraria suae voluntati, propter hoc quod erat introducta a suis amicis, scilicet a Platonicis. Nam ipse fuit Platonis discipulus.[1] Improbando autem ejus opinionem, videbatur ejus honori derogare. Ideo autem potius hic hoc dicit quam in aliis libris, in quibus opinionem Platonis improbat, quia improbare opinionem amici non est contra veritatem, quae quaeritur principaliter in aliis speculativis. Est autem contra bonos mores, de quibus principaliter agitur in hoc libro.

Source: 1. St. Augustine, *De Civ. Dei*, VIII, 12 [B].

[6] *In* I *Eth.*, 6 [P 78]

Dicit enim Andronicus peripateticus, quod sanctitas est, quae facit fideles et servantes ea quae ad Deum. Juxta hoc etiam est sententia Platonis, qui reprobans opinionem Socratis magistri sui, dicit, quod oportet magis de veritate curare, quam de aliquo alio. Et alibi dicit, amicus quidem Socrates, sed magis amica veritas. Et in alio loco, de Socrate quidem parum est curandum, de veritate multum.

[7] *In* I *Eth.*, 6 [P 79]

Deinde cum dicit 'ferentes autem'

Improbat Platonis positionem dicentem, quod felicitas hominis consistit in quadam communi idea boni. Et circa hoc duo facit. Primo ostendit, quod non est una communis idea boni.[1] Secundo ostendit, quod etiam si esset, non consisteret in ea humana felicitas, ibi, 'Sed forte hoc quidem relinquendum est nunc, etc.' Circa primum duo facit. Primo ostendit, quod non sit una communis idea boni.[2] Secundo inquirit de modo loquendi, quo Platonici hanc ideam nominabant, ibi, 'Quaereret autem quis utique etc.' Circa primum considerandum est, quod Aristoteles non intendit improbare opinionem Platonis quantum ad hoc quod ponebat unum bonum separatum, a quo dependerent omnia bona. Nam ipse Aristoteles in duodecimo Metaphysicorum ponit quoddam bonum separatum a toto universo, ad quod totum universum ordinatur, sicut exercitus ad bonum ducis. Improbat autem opinionem Platonis quantum ad hoc, quod ponebat bonum separatum esse quamdam ideam communem omnium bonorum.[3] Ad quod quidem improbandum utitur triplici ratione.

Source: 1, 2 and 3. This is drawn from subsequent sections of the *littera* (Cf. Aristotle, *Eth.*, I, 6 [1096a 22-23; 28-29]).

[8] *In* I *Eth.*, 6 [P 80]

Quarum prima sumitur ex ipsa positione Platonicorum, qui non faciebant aliquam ideam in illis generibus in quibus invenitur prius et posterius, sicut patet in numeris. Nam binarius naturaliter prior est ternario. Et ideo non dicebant Platonici, quod numerus communis esset quaedam idea separata; ponebant autem singulos numeros ideales separatos, puta binarium, ternarium et similia.[1] Et hujus ratio est, quia ea in quibus invenitur prius et posterius, non videntur esse unius ordinis, et per consequens nec aequaliter unam ideam participare. Sed in bonis invenitur prius et posterius. Quod manifestat ex hoc, quod bonum invenitur in eo quodquidest, idest substantia, et similiter in qualitate, et etiam in aliis generibus. Manifestum est autem, quod illud quod est ens per seipsum, scilicet substantia, est naturaliter prius omnibus his quae non habent esse nisi in comparatione ad substantiam, sicut est quantitas, quae est mensura substantiae, et qualitas quae est dispositio substantiae, et ad aliquid, quod est habitudo substantiae. Et idem est in aliis generibus, quae omnia assimilantur propagini entis, idest substantiae, quae est principaliter ens, a qua propaginantur et derivantur omnia alia genera. Quae etiam in tantum dicuntur entia, inquantum accidunt substantiae. Et ex hoc concludit, quod non potest esse quaedam communis idea boni.²

Source: 1. This position is described in Aristotle, *Meta.*, III, 3 [999a 6-12]. St. Thomas clearly reads the two texts in function of each other, identifying the position in the *Metaphysics* as Platonic (*In Meta.* [95]) and elaborating the *Ethics* text from the *Metaphysics*.
2. *Littera.*

[9] *In* I *Eth.*, 6 [P 81]
Secundam rationem ponit ibi 'amplius autem'
Ad cujus evidentiam sciendum est, quod Plato ponebat ideam esse rationem et essentiam omnium eorum, quae ideam participant.¹ Ex quo sequitur, quod eorum quorum non est una ratio communis, non possit esse una idea. Sed diversorum praedicamentorum non est una ratio communis. Nihil enim univoce de his praedicatur. Bonum autem sicut et ens, cum convertatur cum eo, invenitur in quolibet praedicamento. Sicut in quodquidest, idest substantia, bonum dicitur Deus, in quo non cadit malitia, et intellectus, qui semper est rectus. In qualitate autem virtus, quae bonum facit habentem. In quantitate autem commensuratum, quod est bonum in quolibet quod subditur mensurae. In ad aliquid autem bonum quod est utile, quod est bonum relatum in debitum finem. In quando autem tempus, scilicet opportunum, et in ubi locus congruus ad ambulandum, sicut dicta. Et idem patet in aliis generibus. Manifestum est ergo, quod non est aliquid unum bonum, quod scilicet sit idea, vel ratio communis omnium bonorum:² alioquin oporteret, quod bonum non inveniretur in omnibus praedicamentis, sed in uno solo.

Source: 1. Aristotle, *Meta.*, I, 6 [987b 1-14]; 9 [991b 1-3].
2. *Littera.*

[10] *In* I *Eth.*, 6 [P 82]
Ad cujus evidentiam sciendum est, quod sicut Plato ponebat quod res extra animam existentes assequuntur formam generis vel speciei per hoc quod participant ideam,¹ ita quod anima non cognoscit lapidem nisi per hoc quod participat ideam lapidis, ita anima illarum scientiam et cognitionem participat per hoc, quod ipsarum formae sive ideae in ipsa imprimuntur.²

Source: 1. Aristotle, *Meta.*, I, 6 [987b 1-14; 8-11].
2. See *Source* 2 under *S.T.* [56].

[11] *In* I *Eth.*, 7 [P 83]

Ostendit supra Philosophus, quod non est idea communis omnium bonorum.[1] Sed quia Platonici illud bonum separatum non solum vocabant ideam boni, sed etiam per se bonum, hinc intendit inquirere Aristoteles utrum convenienter dicatur.[2]

Source: 1. Aristotle, *Eth.*, I, 6 [1096a 22-23; 28-29].
2. *Littera.*

[12] *In* I *Eth.*, 7 [P 84]

Circa primum considerandum est, quod illud bonum separatum, quod est causa omnium bonorum,[1] oportet ponere in altiori gradu bonitatis, quam ea quae apud nos sunt, eo quod est ultimus finis omnium. Per hoc autem dictum videtur, quod non sit altioris gradus in bonitate, quam alia bona. Et hoc manifestat per hoc, quod unumquodque separatorum vocabant per se, ut per se hominem, et etiam per se equum.[2]

Source: 1. Aristotle, *Eth.*, I, 4 [1095a 26-28].
2. *Littera.*

[13] *In* I *Eth.*, 7 [P 86]

Sed si ponamus non esse unam speciem vel ideam boni, ut Platonici posuerunt, sed quod bonum dicitur sicut ens in omnibus generibus, hoc ipsum quod est diuturnitas erit bonum in tempore.

Source: Aristotle, *Eth.*, I, 6 [1096a 22-23; 28-29].

[14] *In* I *Eth.*, 7 [P 87-88]

Comparat praedictam positionem positioni Pythagoricorum. Circa quod considerandum est, quod secundum Platonicos eadem erat ratio boni et unius. Et ideo ponebant idem esse per se unum et per se bonum. Unde necesse erat, quod ponerent unum primum bonum, quod quidem Pythagorici non faciebant.[1]...

Dicit ergo, quod quantum ad hoc probabilius dixerunt Pythagorici quam Platonici, quia non cogebantur ponere unam rationem boni. Unde et Speusippus, qui fuit nepos Platonis, filius sororis ejus, et successor ejus in scholis, in hoc non fuit secutus Platonem, sed magis Pythagoram.[2]

Source: 1. Boethius, *De Con. Phil.*, III, *Prosa* XI [F 91-94].
2. '... post mortem vero Platonis Speusippus, sororis eius filius, et Xenocrates ... in scholam eius... eidem successissent' (St. Augustine, *De Civ. Dei*, VIII, 12 [B]).

[15] *In* I *Eth.*, 7 [P 89]

Deinde cum dicit 'his autem'

Ostendit, quod dicere illud bonum separatum esse per se bonum, repugnat ei quod est unam esse ideam omnium bonorum. Et circa hoc tria facit. Primo ostendit, quod per se bonum non potest esse communis idea omnium bonorum. Secundo, quod non potest esse communis idea, esse omnium quae dicuntur per se bona, ibi, 'Dividentes igitur, etc.' Tertio respondet cuidam quaestioni, ibi, 'Sed qualiter utique.' Dicit ergo primo, quod contra ea quae dicta sunt a Platonicis, occulte apparet quaedam dubitatio propter hoc, quia cum loquitur de illo per se bono, non videtur de omni bono sermones dici quantum ad ipsam apparentiam verborum, et fieri quantum ad convenientiam rerum. Et hoc ideo quia diversae sunt species vel rationes bonorum.

Source: Aristotle, *Eth.*, I, 4 [1095a 26-28; 35 - b 3].

[16] *In* I *Eth.*, 19 [P 230]
Deinde cum dicit 'haec autem'

Movet quamdam dubitationem esse in proposito praetermittendam: utrum scilicet hae duae partes animae rationalis et irrationalis sint distinctae adinvicem subjecto loco et situ, sicut particulae corporis vel cujuscumque alterius continui divisibilis, sicut Plato posuit rationale esse in cerebro, concupiscibile esse in corde et nutritivum in hepate; vel potius hae duae partes non dividantur secundum subjectum sed solum secundum rationem, sicut in circumferentia circuli curvum, idest convexum et concavum non dividuntur subjecto, sed solum ratione. Et dicit quod quantum pertinet ad propositum non differt quid horum dicatur. Et ideo praetermittit hanc quaestionem ad propositum non pertinentem.

Source: Averroes, *In De An.*, I, *com.* 90 [45F]; Themistius, *De An. Par.*, V [CG V, 93.32-94.3].

[17] *In* II *Eth.*, 3 [P 268]
Unde, sicut Plato dixit, oportet eum, qui tendit ad virtutem, statim a juventute aliqualiter manuduci, ut gaudeat et tristetur de quibus oportet. Haec est enim recta disciplina juvenum ut assuescant quod delectentur in bonis operibus et tristentur de malis. Et ideo instructores juvenum cum bene faciunt applaudunt eis, cum malefaciunt increpant eos.

Source: *Littera*.

[18] *In* VII *Eth.*, 13 [P 1503]
Platonici enim, quorum erat haec opinio quod delectatio non sit bonum,[1] non ponebant quod delectatio sit malum simpliciter et secundum se, sed negabant eam esse bonum aliquid, inquantum est quoddam imperfectum vel impedimentum virtutis, sicut patet ex processu praemissarum rationum.

Source: 1. Identified as Platonic in Aristotle, *Eth.*, X, 2 [1172b 28-29].

[19] *In* IX *Eth.*, 10 [P 1887]
Ponebant enim gentiles, et maxime Platonici, talem esse providentiae ordinem, quod res humanae mediantibus daemonibus per divinam providentiam gubernarentur;[1] daemonum tamen dicebant quosdam esse bonos, quosdam esse malos.[2]

Source: 1. Nemesius, *De Nat. Hom.*, 44 [PG 40, 793;796]; St. Augustine, *De Civ. Dei*, VIII, 14 [A]; IX, 1 [C] *et passim* through Books VIII, IX and X.
2. St. Augustine, *De Civ. Dei*, IX, 2 [B].

[20] *In* X *Eth.*, 2 [P 1971-1974]
Deinde cum dicit 'tali utique'

Prosequitur opinionem ponentium, delectationem non esse bonum. Et primo ostendit, quomodo obviant praemissis rationibus. Secundo ponit rationes eorum, quas in contrarium adducunt, ibi, 'Non tamen si non etc.' Circa primum duo facit. Primo ostendit, quomodo ratione superius inducta, ad ostendendum delectationem esse optimum, utebantur ad contrarium. Secundo ostendit, quomodo obviabant aliis rationibus, ibi, 'Instantes autem etc.' Circa primum duo facit. Primo manifestat, quomodo Plato utebatur praemissa ratione ad oppositum. Secundo solvit processum Platonis, ibi, 'Manifestum est autem etc.' Dicit ergo primo, quod per rationem immediate praemissam Plato, qui erat contrariae opinionis, interimere conabatur, quod dictum est, ostendendo, quod delectatio non est per se bonum. Manifestum est enim, quod delectatio est eligibilior si adjungatur prudentiae. Quia igitur delectatio commixta alteri melior est, concludebat, quod delectatio non sit per se bonum. Illud enim, quod est per se bonum, non fit eligibilius per appositionem alterius.[1]

Circa quod sciendum est, quod Plato per se bonum ponebat id quod est ipsa essentia bonitatis, sicut per se hominem ipsam essentiam hominis. Ipsi autem essentiae bonitatis nihil potest apponi, quod sit bonum alio modo, quam participando essentiam bonitatis. Et ita quicquid bonitatis est in eo quod additur est derivatum ab ipsa essentia bonitatis. Et sic per se bonum non fit melius aliquo addito.[2]

Deinde cum dicit 'manifestum autem'

Improbat Aristoteles processum Platonis. Manifestum est, quod secundum hanc rationem nihil in rebus humanis erit per se bonum, cum quodlibet humanum bonum fiat eligibilius additum alicui per se bono. Non enim potest inveniri aliquid in communicationem humanae vitae veniens quod sit tale, ut scilicet non fiat melius per appositionem alterius. Tale autem aliquid quaerimus, quod scilicet in communicationem humanae vitae veniat. Qui enim dicunt delectationem esse bonum, intendunt eam esse humanum bonum, non autem ipsum divinum bonum, quod est ipsa essentia bonitatis.

Deinde cum dicit 'instantes autem'

Ostendit quomodo Platonici obviabant rationibus Eudoxi probantibus delectationem esse bonum. Et primo quomodo obviabant rationi quae sumebatur ex parte ipsius delectationis. Secundo quomodo obviabant rationi quae sumebatur ex parte contrarii, ibi, 'Videtur autem etc.' Obviabant autem primae rationi interimendo istam: Bonum est quod omnia appetunt. Sed Aristoteles hoc improbat dicens, quod illi qui instant rationi Eudoxi dicentes quod non est necessarium esse bonum id quod omnia appetunt, nihil dicere videntur.

Source: 1. *Littera* [1172b 28-32].
      2. St. Thomas here uses the earlier dicussion of *bonum per se* (*In Eth.* [2]) to interpret the present argument.

[21] *In* X *Eth.*, 3 [P 1980-1996]
Postquam Philosophus removit obviationem Platonicorum ad rationes Eudoxi, hic ponit rationes eorum contra ipsam positionem Eudoxi. Et circa hoc duo facit. Primo proponit rationes ad ostendendum quod delectatio non sit de genere bonorum. Secundo ponit rationes ad ostendendum quod delectatio non sit per se et universaliter bonum, ibi, 'Manifestare autem videtur etc.' Et quia primae rationes falsum concludunt, ideo Aristoteles simul ponendo eas, destruit eas. Ponit ergo circa primum quatuor rationes. Quarum prima talis est. Bonum videtur ad genus qualitatis pertinere: quaerenti enim quale est hoc, respondemus, quoniam bonum. Delectatio autem non est qualitas; ergo non est bonum.

Sed hoc Aristoteles removet dicens: quod non sequitur, si delectatio non sit de genere qualitatum, quod propter hoc non sit de genere bonorum. Bonum enim dicitur non solum in qualitate, sed etiam in omnibus generibus, sicut in primo dictum est.

Secundam rationem ponit ibi 'dicunt autem'

Et primo ponit ipsam rationem Platonicorum: dicebant enim quod esse bonum est determinatum, ut patet ex his quae supra in nono dicta sunt. Delectatio autem, ut dicunt, est indeterminata. Quod probabant per hoc quod recipit magis et minus. Et sic concludebant quod delectatio non esset de genere bonorum.

Secundo ibi 'siquidem igitur'

Destruit hujusmodi processum. Circa quod considerandum est, quod dupliciter aliquid recipit magis et minus. Uno modo in concreto. Alio modo in abstracto. Semper enim dicitur aliquid magis et minus per accessum ad aliquid unum vel recessum ab eo. Quando ergo id quod inest subjecto est unum et simplex, ipsum quidem in se non recipit magis et minus. Unde non dicitur magis et minus in abstracto. Sed potest dici secundum magis et minus in concreto, ex eo quod subjectum magis et minus participat hujusmodi formam. Sicut patet in luce, quae est una et simplex forma. Unde non dicitur ipsa lux secundum magis et minus. Sed corpus dicitur magis vel minus lucidum, eo quod perfectius vel minus perfecte participat lucem.

Quando autem est aliqua forma quae in sui ratione importat quamdam proportionem multorum ordinatorum ad unum, talis forma etiam secundum propriam rationem recipit magis et minus. Sicut patet de sanitate et pulchritudine; quorum utrumque importat proportionem convenientem naturae ejus quod dicitur pulchrum vel sanum. Et quia hujusmodi proportio potest esse vel magis vel minus conveniens, inde est quod ipsa pulchritudo vel sanitas in se considerata dicitur secundum magis et minus. Et ex hoc patet quod unitas secundum quam est aliquid determinatum, est causa quod aliquid non recipiat magis et minus. Quia ergo delectatio recipit magis et minus, videbatur non esse aliquid determinatum, et per consequens non esse de genere bonorum.

Aristoteles ergo huic obviando, dicit quod si Platonici dicant delectationem esse quid indeterminatum ex eo quod recipit magis et minus in concreto, videlicet per hoc quod contingit aliquem delectari magis et minus, erit idem dicere circa justitiam et alias virtutes, secundum quas aliqui dicuntur aliquales magis et minus. Sunt enim aliqui magis et minus justi et fortes. Et idem etiam accidit circa actiones. Contingit enim quod aliquis agat juste et temperate magis et minus. Et secundum hoc, vel virtutes non erunt de genere bonorum, vel praedicta ratio non removet delectationem esse de genere bonorum.

Si vero dicant delectationem recipere magis et minus ex parte ipsarum delectationum: considerandum est ne forte eorum ratio non referatur ad omnes delectationes, sed assignent causam quod quaedam delectationes sunt simplices et immixtae, puta delectatio quae sequitur contemplationem veri, quaedam autem delectationes sunt mixtae, puta quae sequuntur contemperantiam aliquorum sensibilium, sicut quae sequuntur harmoniam sonorum, aut commixtionem saporum, seu colorum. Manifestum est enim, quod delectatio simplex secundum se non recipit magis et minus, sed sola mixta; inquantum scilicet contemperantia sensibilium quae delectationem causat potest magis vel minus convenire naturae ejus qui delectatur.

Sed tamen neque etiam delectationes quae secundum se magis et

minus recipiunt ratione suae commixtionis, oportet non esse determinatas, neque bonas. Nihil enim prohibet quod delectatio recipiens magis
et minus sit determinata, sicut et sanitas. Hujusmodi enim determinata
dici possunt, inquantum aliqualiter attingunt id ad quod ordinantur,
licet possent propinquius attingere. Sicut commixtio humorum habet
rationem sanitatis ex eo quod attingit convenientiam humanae naturae;
et ex hoc dicitur determinata, quasi proprium terminum attingens.

Sed complexio quae nullo modo ad hoc attingit, non est determinata,
sed est procul a ratione sanitatis. Ideo autem sanitas secundum se
recipit magis et minus, quia non est eadem commensuratio humorum
in omnibus hominibus, neque etiam in uno et eodem est semper eadem.
Sed etiam si remittatur, permanet ratio sanitatis usque ad aliquem
terminum. Et sic differt sanitas secundum magis et minus. Et eadem
ratio est de delectatione mixta.

Tertiam rationem ponit ibi 'perfectumque'

Et circa hoc duo facit. Primo proponit ipsam rationem. Ponebant
enim Platonici, id quod est per se bonum esse quoddam perfectum.
Omnes autem motiones et generationes sunt imperfectae. Est enim
motus actus imperfecti, ut dicitur in tertio Physicorum. Unde nullam
motionem seu generationem ponunt esse de genere bonorum. Nituntur
autem affirmare quod delectatio sit motio vel generatio. Unde concludunt quod delectatio non est per se bonum.

Secundo ibi 'non bene'

Excludit hanc rationem dupliciter. Primo quidem quantum ad hoc,
quod dicunt delectationem esse motionem. Et dicit quod non bone
videntur dicere dum dicunt, delectationem esse motionem. Omnis
enim motio videtur esse velox aut tarda. Velocitas autem et tarditas
non conveniunt motioni absolute secundum seipsam, sed per respectum
ad aliud. Sicut motio mundi, idest motus diurnus, quo revolvitur totum
caelum, dicitur velox per respectum ad alios motus.

Et hujus ratio est, quia sicut in sexto Physicorum habetur, velox est,
quod in pauco tempore multum movetur; tardum autem, quod in
multo parum. Multum autem et paucum dicuntur ad aliquid, ut habetur in Praedicamentis. Sed delectationi non competit neque velocitas
neque tarditas. Contingit quidem quod aliquis velociter pervenit ad
delectationem, sicut aliquis velociter provocatur ad iram. Sed quod
aliquis delectetur velociter vel tarde, non dicitur, neque etiam per
respectum ad alterum, sicut velociter dicitur aliquis aut tarde ire, aut
augeri, et omnia hujusmodi. Sic ergo patet, quod contingit velociter et
tarde, quod aliquis transponatur in delectationem, idest quod perveniat
ad ipsam.

Et hoc ideo, quia per aliquem motum potest perveniri ad delectationem. Sed non contingit velociter operari secundum delectationem, ut
scilicet aliquis velociter delectetur. Quia ipsum delectari magis est in
facto esse quam in fieri.

Secundo ibi 'et generatio'

Excludit rationem Platonicorum quantum ad hoc, quod ponebant
delectationem esse generationem. Et circa hoc duo facit. Primo ostendit,
quod delectatio non sit generatio. Secundo ostendit originem hujus opinionis, ibi, 'Opinio autem etc.' Dicit ergo primo, quod delectatio non
videtur esse generatio. Non enim videtur quodlibet ex quolibet generari.
Sed unumquodque, ex quo generatur, in hoc dissolvitur. Et oportet, si

delectatio est generatio, quod ejusdem tristitia sit corruptio, cujus delectatio est generatio. Et hoc quidem Platonici asserunt. Dicunt enim quod tristitia est defectus ejus quod secundum naturam. Videmus enim quod ex separatione ejus, quibus naturaliter unitur, sequitur dolor. Et similiter dicunt, quod delectatio sit repletio: quia cum apponitur aliquid alicui, quod ei convenit secundum naturam, sequitur delectatio.

Sed hoc ipse reprobat; quia separatio et repletio sunt corporales passiones. Si ergo delectatio est repletio ejus quod est secundum naturam, sequitur illud delectari, in quo est repletio. Sequitur ergo, quod corpus delectetur. Sed hoc non videtur esse verum; quia delectatio est passio animae. Patet ergo, quod delectatio non est ipsa repletio seu generatio, sed quoddam ad hoc consequens. Facta enim repletione aliquis delectatur, sicut facta incisione aliquis dolet et tristatur.

Deinde cum dicit 'opinio autem'

Ostendit originem hujus opinionis. Et dicit, quod haec opinio quae ponit delectationem esse repletionem, et tristitiam subtractionem, videtur provenisse ex tristitiis et delectationibus, quae sunt circa cibum. Illi enim qui prius fuerunt tristati propter indigentiam cibi, postea delectantur in ipsa repletione. Sed hoc non accidit circa omnes delectationes, in quibus non est repletio alicujus defectus. Delectationes enim quae sunt in considerationibus mathematicis, non habent tristitiam oppositam, quam ponunt in defectu consistere. Et ita hujusmodi delectationes non sunt ad repletionem defectus. Et idem apparet in delectationibus quae sunt secundum sensus, puta per olfactum, auditum, visum praesentium sensibilium.

Sunt etiam multae species memoriae delectabiles; nec causa potest assignari, cujus generationes sunt hujusmodi delectationes; quia non inveniuntur aliqui defectus praecedentes quorum fiat repletio per hujusmodi delectationes. Dictum est autem supra, quod cujus generatio est delectatio, ejus corruptio est tristitia. Unde, si aliqua delectatio invenitur absque defectu tristitiae, sequitur quod non omnis delectatio sit tristitia.

Source: Aristotle does not expressly identify the opinions here discussed as Platonic. However, the identification can easily be made from the parallel discussion in Nemesius (*De Nat. Hom.*, 18 [PG 40, 681]) where the Platonic definition is also reported. The content of the commentary is based directly on the *littera*.

[22] *In* X *Eth.*, 5 [P 2005]

Postquam Philosophus determinavit de delectatione secundum aliorum opinionem, hic determinat de ea secundum veritatem. Et primo ostendit delectationem non esse in genere motus, seu generationis, sicut a Platonicis ponebatur. Secundo determinat naturam et proprietatem ipsius, ibi, 'Sensus autem omnis etc.' Circa primum tria facit. Primo dicit de quo est intentio, et modum agendi. Et dicit, quod manifestius fiet per sequentia, quid sit delectatio secundum genus suum, vel quale quid sit, idest utrum sit bona vel mala, si a principio resumamus considerationem de ipsa.

Source: See *In Eth.* [21]; Aristotle, *Eth.*, X, 3 [1173a 29-31].

In III primos libros Politicorum Aristotelis

[1] *In* I *Pol.*, 1 [S 30]

Ponit aliud signum per ea quae de diis dicebantur. Et dicit, quod propter praemissa omnes gentiles dicebant, quod eorum dii regebantur ab aliquo rege, dicentes Iovem esse regem deorum. Et hoc ideo, quia homines adhuc aliqui regibus reguntur, antiquitus autem fere omnes regebantur regibus. Hoc autem fuit primum regimen, ut infra dicetur. Homines autem sicut assimilant sibi species deorum, idest, formas eorum, aestimantes deos esse in figura quorumdam hominum, ita et assimilant sibi vitas deorum idest, conversationes, aestimantes eos conversari secundum quod vident conversari homines. Hic Aristoteles nominat more platonicorum substantias separatas a materia, ab uno tantum summo Deo creatas, quibus gentiles erronee et formas et conversationes hominum attribuebant, ut hic Philosophus dicit.

Source: Plato, *Timaeus*, interp. Chal., 15-16 [D II, 168-169]; St. Augustine, *De Civ. Dei*, IX, 23; *Liber De Causis*, 3 [B 165.1-3; 166.15]; 18 [B 180.9]; Dionysius, *De Div. Nom.*, 11, 6 [P 421-425].

[2] *In* II *Pol.*, 1 [S 172]

Prima dividitur in tres. Primo ponit ordinationem civitatis, quam tradidit Socrates vel Plato discipulis eius, qui in suis libris Socratem loquentem introducit.

Source: St. Augustine, *De Civ. Dei*, VIII, 4 [B].

[3] *In* II *Pol.*, 1 [S 172]

Circa primum duo facit. Primo pertractat quamdam quaestionem de quadam ordinatione, quam Plato dixit esse utilissimam civitati.

Source: *Littera.*

[4] *In* II *Pol.*, 1 [S 175-184]

Sed in filiis et uxoribus et possessionibus contingit cives communicare adinvicem, sicut traditur in politica Platonis: ibi enim dixit Socrates quod oportet ad optimam civitatem, quod sint communes possessiones omnium civium et communes uxores, ita scilicet quod indifferenter omnes accedant ad omnes; et per consequens sequitur quod filii sint communes propter incertitudinem filiorum:[1] et hoc tangit in principio Timaei.[2] Quaerendum est ergo, utrum melius sic habere conversationem, aut secundum legem quam Socrates in sua politica scripsit.

... Primo improbat legem Socratis quantum ad communitatem uxorom et filiorum.[3]...

... Primo proponit ea secundum quae potest apparere positio Socratis de communitate uxorum inconveniens.[3]...

... Secundum est quod causa propter quam Socrates dixit, hoc oportere lege ordinari, non videtur esse rationabilis. Tertium est quod per istam legem non posset perveniri ad finem et utilitatem civitatis, quam Socrates existimabat.[3]...

... Primo proponit causam legis quam Socrates assignabat.[3]...

Dicit ergo primo, quod Socrates supponebat hoc quasi principium, quod optimum esset civitati quod esset una quantumcumque posset:

propter hoc enim volebat omnia esse communia, etiam filios et uxores, ut cives essent maxime ad invicem uniti.[3]

— — —

Sic igitur patet quod, cum de ratione civitatis sit quod civitas ex dissimilibus construatur, non est contra unum quod Socrates putavit quod oporteat civitatem esse maxime unam;[3]...

— — —

Unde patet falsum esse quod Socrates dixit optimum esse in civitate quod sit maxime una.[3]

Source: 1. *Littera.*
2. Not mentioned in the *littera*. Plato, *Timaeus*, interp. Chal., 2 [D II, 150].
3. *Littera.*

[5] *In* II *Pol.*, 2 [S 185-188]

Postquam reprobavit causam quam Socrates assignabat, legis ferendae de communitate mulierum et filiorum, ostendens non esse optimum in civitate quod sit maxime una: hic incipit ostendere quod civitas non consequitur maximam unitatem per legem praemissam....

... Sed si omnes dicerent de una et eadem re, 'hoc est meum,' omnium studia ferrentur in unum; et sic, sicut putabat Socrates, civitas esset maxime una....

Sic igitur patet quod quidam sophisticus syllogismus est secundum quem procedebat Socrates dicens quod dicere omnes, hoc est meum, est signum perfectae unitatis:...

... Per quam ostendit quod dictum Socratis non solum non est utile civitati, sed etiam infert maximum nocumentum.... Secundum autem legem Socratis sequitur quod unusquisque civis haberet mille filios vel plures; et sic minus curabit de singulis quam si haberet unum solum....

... Dicens quod isto modo, idest secundum positionem Socratis, unusquisque civium dicet de unoquoque civium bene operante, vel male, quotcumque contingat eos esse, dicet inquam, 'hic est meus,' aliquod secundum naturam existens, puta, 'hic meus filius,' vel 'illius'....

... Sic igitur patet, quod non solum secundum legem Socratis multi cives dicent de uno et eodem, hic est meus,...

... Multo autem melius et efficacius est ad amicitiam et curam impendendam, quod aliquis aestimet esse aliquem proprium nepotem, quam cum aestimet eum filium communem per modum quo Socrates ponit;...

... Et dicit, quod quamvis Socrates putaret per communitatem filiorum et mulierum hoc evitare, ut nullus dicat esse suum proprium filium vel fratrem, sed communiter hoc opinentur, tamen non potest hoc effugere,...

Unde manifestum est, quod Socrates per legem quam dicit esse ferendam de communitate uxorum et filiorum, non potest hoc consequi, ut non sint privati affectus inter homines.

Source: *Littera.*

[6] *In* II *Pol.*, 3 [S 189-194]

Postquam Philosophus ostendit, quod causa, quam Socrates assignabat, suae legis, non erat rationabilis, scilicet quod optimum esset civitati esse maxime unam, et iterum quod maxima unitas non provenit ex communitate mulierum et filiorum, hic tertio vult ostendere multas difficultates et inconvenientia, quae consequenter ex tali lege: et proponit sex rationes....

Socrates ergo praesentiens hoc inconveniens, voluit ipsum vitare tali statuto, ut per principes civitatis impediretur coitus filii cum matre, cum oportebat esse certum ad minus apud principes civitatis, qui filium susciperent nutriendum; et similiter, ut impediretur per eosdem principes coitus patris ad filiam, quando aliqua coniectura posset haberi, quod haec esset filia illius.

Sed hoc statutum Socratis Philosophus impugnat dupliciter....

... Et dicit quo ista lex Socratis de communitate uxorum et filiorum, magis est utilis agricolis et aliis infimae conditionis hominibus,... Unde patet, quod haec lex Socratis impedit amicitiam civitatis, quae debet esse inter principes et subiectos.

... et iterum contrarium ei, propter quod Socrates putavit, quod debeat ordinari lex de pueris et uxoribus.... Socrates etiam dixit, quod optimum in civitate erat, quod esset una: unitas autem hominum adinvicem est effectus amicitiae, et sicut communiter videtur omnibus, et etiam sicut Socrates dixit....

Sic igitur patet quod si sit talis ordinatio civitatis qualem Socrates lege ordinavit, diminueretur amicitia civium adinvicem; quod est contra intentionem legislatorum.

... Et dicit quod secundum ordinationem Socratis oportebat quod fieret transmutatio filiorum; ut illi scilicet qui essent nati a quibusdam matribus, aliis darentur ad nutriendum, ita quod nullus cognosceret proprium filium.... Unde lex Socratis non consequeretur intentum, et cum hoc induceret magnam turbationem....

Source: *Littera*.

[7] *In* II *Pol.*, 4 [S 196-206]

Postquam Philosophus improbavit legem Socratis quantum ad communitatem mulierum et puerorum, hic improbat eam quantum ad communitatem possessionum....

Et primo improbat legem Socratis de communitate possessionum, ostendens quae mala ex ea sequerentur.

— — —

Hanc autem delectationem, quae est de rebus propriis habendis aufert lex Socratis.

Tertiam rationem ponit, ibi, 'At vero et largiri etc.' Et dicit quod valde delectabile est quod homo donet vel auxilium ferat vel amicis, vel extraneis vel quibuscumque aliis: quod quidem fit per hoc quod homo habet propriam possessionem: unde etiam hoc bonum tollit lex Socratis auferens proprietatem possessionum.

— — —

Debet enim legislator sustinere aliqua mala, ne priventur maiora bona: tot autem bona privantur per hanc legem Socratis, quod videtur esse impossibilis talis conversatio vitae, ut patet per inconvenientia supra posita.

Source: *Littera*.

[8] *In* II *Pol.*, 5 [S 207-222]

Postquam Philosophus impugnavit legem Socratis ostendens eam esse inconvenientem, hic impugnat eam ostendens esse insufficientem....

Dicit ergo primo, quod causa quare Socrates deviavit a veritate circa legem de communitate possessionum, filiorum et uxorum, oportet putare fuisse, quia supponebat quamdam suppositionem non rectam: scilicet quod summum bonum civitatum esset quod ipsa esset maxime una....

– – –

Et hoc maxime manifestum fit, si quis per experientiam operis inspiciat talem ordinem civitatis institutum, qualem Socrates dixit....

Ostendit inconvenientiam legis Socraticae quantum ad id quod ponebat....

... Et dicit, quod non solum lex Socratis facere videbatur, nisi quod municipes agros non colerent tamquam non proprios existentes, sed neque etiam Socrates dixit quis modus esset totius conversationis politicae instituendae secundum suam legem communicantibus, idest habentibus omnia communia, neque etiam possibile est a quovis alio dici hac lege servata.

... De quorum diversitate qualiter esse possit, nihil est determinatum a Socrate:...

Posset autem aliquis dicere, quod illi qui servarent legem Socratis, susciperent tale aliquid observandum, quale observant Cretenses,...

Sed si in civitate, quam Socrates intendit instituere, erunt huiusmodi ordinata sicut in aliis civitatibus, ut scilicet quidam civium sint agricolae et artifices, non videbitur esse una communitas,...

... Et dicit, quod in civitate habente omnia communia, sicut Socrates dixit, invenientur mutuae accusationes et disceptationes, et omnia alia mala, quae Socrates dicit nunc esse in civitatibus. Disceptabunt enim cives adinvicem de hoc quod non aequaliter laborant, nec aequaliter fructum recipiunt, et de multis etiam aliis; quamvis Socrates putaverit, quod ista mala in civitate, in qua essent omnia communia, non essent. Et propter hoc dicebat, quod propter huiusmodi disciplinam non indigeret civitas multis legibus, sed solum quibusdam paucis, scilicet circa dubitationem municipii, et circa forum iudiciorum, vel etiam circa forum rerum venalium, et circa alia huiusmodi, sine quorum ordinatione civitas esse non potest: ita tamen et huiusmodi disciplinam legum attribuebat solum custodibus civitatis, non autem agricolis, qui extra civitatem et municipium morabantur. Et sic patet, quod lex Socratis erat insufficiens, quia non poterat a civitate extirpare mala quae tollere conabatur.

Tertiam rationem ponit, ibi, 'Adhuc autem dominos etc.' Et dicit quod Socrates committebat secundum suam legem totam dispositionem possessionum agricolis, quibus dicebat esse committendum, quod fructus agrorum offerrent quibuscumque circa alia vacantibus: et ex hoc putabat, quod agricolae propter hanc potestatem efficerentur obsequiosi et humiliter servientes aliis civibus....

Et sic patet, quod lex Socratis de communitate mulierum et possessionum insufficiens erat, quia non poterat implere quod conabatur.

Ostendit insufficientiam legis Socratis quantum ad alia consequentia.

Dicit ergo primo, quod sive ista quae Socrates posuit de communitatem mulierum et possessionum, sint necessaria civitati, sive non, tamen de consequentibus nihil determinavit, scilicet qualis debeat esse ordinatio politicae conversationis, et qualis disciplina, et quales leges propriae eorum, qui sic habent omnia communia; non enim de facili est invenire aliquas tales: neque etiam oportet eos parum differre ab aliis, qui praedictam civitatem servare possunt: unde quibusdam specialibus legibus et speciali disciplina essent imbuendi.

— — —

Secundo circa mulieres dicit, quod Socrates dicebat, quod mulieres debebant eadem tractare cum viris, ut scilicet colerent agros et pugnarent, et alia huiusmodi facerent sicut viri; et accipiebat similitudinem a bestiis, in quibus feminae similia operantur masculis....

Ostendit insufficientiam quantum ad principes: et dicit, quod non est securum civitati, quod hoc modo instituantur principes civitatis sicut Socrates instituebat: ordinavit enim, quod semper manerent iidem principes:...

Et subiungit causam quare Socrates instituebat, quod semper essent iidem principes: dicebant enim, quod sicut in quibusdam mineris terrarum invenitur aurum, in quibusdam argentum, in quibusdam vero ferrum, aut aes, ita in animabus quorumdam hominum, qui abundant in sapientia et virtute, est aurum, quos iustum est principari; in quibusdam vero argentum, qui sunt secundi gradus; in quibusdam vero qui non sunt perfecti ad sapientiam et virtutem, invenitur quasi aes aut ferrum; et tales secundum ipsum debent fieri agricolae et artifices. Manifestum est autem, quod istud non commutatur, ita quod quandoque istis hominibus sit inditum aurum, et quandoque non; sed semper eisdem: unde sequitur, quod aliis iidem principentur.

... cum tamen Socrates per suam legem auferret a singulis civibus felicitatem: quia volebat, quod non haberent aliquid proprium, nec in possessionibus, nec in mulieribus, nec in filiis, quae quidem pertinent ad felicitatem tamquam organice deservientia, ut dicitur in primo Ethicorum....

Ultimo autem epilogando concludit, quod conservatio politica civitatis de qua Socrates dixit, habet praedictas dubitationes et quasdam alias non minores praedictis.

Source: *Littera*.

[9] *In II Pol.*, 6 [S 223-241]

Postquam Philosophus improbavit positionem Socratis de communitate mulierum et puerorum et possessionum, quod modo ponebat quasi principale in sua politica, hic inquirit de aliis consequentibus legibus....

Dicit ergo primo, quod sicut habet multas dubitationes lex de communitate mulierum et possessionum, ita etiam et aliae eius consequentes leges; et ideo melius est quod de tota eius politica aliqua pauca hic dicantur; quia de paucis in sua politica determinavit Socrates, scilicet de communitate uxorum et filiorum et possessionum, quomodo debeant se habere; et super hoc determinavit ordinem politicae conversationis....

Recitat ea qua Socrates dixit de ordine politiae nam de communitate satis supra dictum est....

Circa primum quatuor dicit. Quorum primum est quod Socrates totam multitudinem habitantium civitatem dividebat in duas partes: quarum una erat agricolarum et aliorum artificum; alia vero erat virorum bellatorum: addebat autem et tertiam partem, scilicet consilium et principes civitatis.

Secundo dicit quod Socrates omisit dicere de agricolis et artificibus, utrum debeant aliquem principatum habere, et utrum etiam debeant aliquo modo pugnare vel non.

Tertio dicit, quod Socrates existimavit quod oportebat mulieres bellare et alia similia facere viris.

Quarto dicit quod alias quidem partes suae politicae implevit multis sermonibus extraneis qui non pertinebant ad materiam politicae, interponens multa de naturalibus et de aliis scientiis.

Deinde cum dicit 'et de disciplina'

Narrat quod Socrates dixit de disciplina civitatis.

Et circa hoc tria facit. Primo dicit in communi quod Socrates dixit de disciplina civitatis quod oportet aliquam disciplinam habere custodes civitatis.

Secundo, ibi, 'Legum autem etc.' Ponit ea in quibus conveniebat cum aliis politiis: et dicit quod magna pars legum, quas Socrates ponebat, sunt leges quae modo in civitatibus observantur. Cum enim ipse dixerit de politia, idest conversatione civitatis, et induxerit quamdam maiorem communitatem in civitate quam sit consuetum, paulatim instituendo leges deveniebat ad alteram politiam, quae nunc observatur; quia praeter communionem mulierum et possessionis quae erat propria suae politiae, omnia alia tradidit quae possint esse communia ambabus politiis, scilicet et illi quae observat hanc communitatem, et illi quae non observat: eamdem enim disciplinam dixit esse utrorumque: puta quod homines viverent de necessariis operibus cum quadam moderantia et abstinentia, et quod facerent quaedam convivia in civitate ad maiorem civium familiaritatem, quae etiam apud alias civitates observabantur, quamvis oportuisset quod instituerent multo differentem disciplinam, ut supra dictum est.

Tertio cum dicit, 'Praeter mulierum enim communionem etc.' narrat quaedam propria quae Socrates ponebat: quorum unum erat quod fierent etiam convivia mulierum et non solum virorum: aliud autem erat quod determinabat numerum bellatorum; scilicet quod in civitate essent ad minus mille arma portantes et ad plus quinque milia.

Deinde cum dicit 'superfluum quidem'

Obiicit contra praedicta alia quae Socrates inducebat....

Dicit ergo primo, quod sermones Socratis habent aliquid superfluum, inquantum replet suam politiam extraneis sermonibus; et leve, inquantum erant insufficientes rationes, et sine experientia prolatae; et novum, inquantum erat contra communem consuetudinem et erat quaestionibus plenum per multas difficultates consequentes; et quod in omnibus bene diceret difficile est asserere....

Dicit ergo primo, quod si quis consideret praedictam multitudinem bellatorum, quam Socrates instituebat in civitate, manifeste apparet quod civitas talis indigebit maxima latitudine camporum, sicut est circa Babyloniam, ad hoc ut nutriantur inde quinque millia bellatorum, qui nihil aliud operentur, et praeter eos multo maior alia turba, et mulierum et famulorum....

Improbat positionem Socratis, quantum ad mensuram possessionum quam in civitate statuebat.

Et circa hoc duo facit. Primo improbat mensurationem possessionum a Socrate positam secundum se. Secundo quantum ad hoc quod praetermisit mensuram generationis, ibi, 'Inconveniens autem etc.'...

... Dicit enim Socrates quod tanta debet esse possessio civitatis, ut ex ea possint cives vivere temperate:...

...Et sic patet quod praedicta determinatio Socratis non sufficit; sed melior determinatio est ut dicatur quod tanta debet esse possessio, ut vivatur temperate et liberaliter....

Improbat positionem Socratis ex hoc quod determinans quantitatem possessionum non determinabat quantitatem generationis.

Et circa hoc sex facit. Primo quidem proponit esse inconveniens id quod Socrates dicebat: et dicit quod inconveniens est quod aliquis velit possessiones civitatis adaequare idest ad certam quantitatem reducere, et cum hoc non instituat aliquid ad determinandum multitudinem civium, sed permittat generationem civium in infinitum fieri, sicut Socrates faciebat.

Secundo, ibi, 'Tamquam sufficienter etc.' Ponit rationem quae movebat Socratem: contingit enim in civitate multas mulieres esse steriles: et ita licet aliis mulieribus generantibus multos filios, tamen semper conservabitur eadem multitudo civitatis, sicut nunc videmus in civitatibus evenire. Et propter hoc Socrati non videbatur necessarium quod circa generationem filiorum aliquid taxaretur.

Tertio quidem, ibi, 'Oportet autem etc.' Ostendit Aristoteles hanc rationem esse insufficientem: quia nunc in civitatibus, propter hoc quod possessiones sunt divisae, unoquoque habente propriam possessionem, nulla dubitatio potest provenire ad quantamcumque multitudinem proveniat generatio filiorum, quia unusquisque filiis suis studet aliquo modo providere; sed tunc cum possessiones non essent divisae inter cives secundum ordinationem Socratis, sequetur quod illi qui essent ignobiliores nihil perciperent de fructibus possessionum, sive multiplicarentur, sive diminuerentur; dum scilicet potentes civitatis primo sibi et suis filiis necessaria sumerent si eorum multitudo excresceret.

— — —

...Sed in legibus Socratis contrarium invenitur: quia neque ordinat quomodo aequalitas multitudinis civium conservetur, neque etiam statuit quod sint aequales divitiae civium; sed permittit quod quidam habeant maiores divitias aliis, ut postea dicetur: sed de hoc quid melius sit, utrum scilicet quod omnes cives habeant divitias aequales, vel non, postea determinabitur.

Secundo, ibi 'Derelictus est autem legibus etc.' Improbat legem Socratis quantum ad distinctionem principum. Et dicit quod per leges Socratis non fuit determinatum quomodo deberent distingui principes a subditis, cum tamen ipse diceret quod oporteret aliquam distinctionem esse inter eos, ut sicut ex alia materia fit filum lanae quam filum lini, ita ex alia conditione oporteret aliquos assumi in principatum et remanere aliquos in subiectione: non enim poterat eos distinguere per originem generis ex quo ponebat pueros et uxores communes.

Tertio, ibi, 'Quoniam autem omnem substantiam etc.' Improbat positionem Socratis quantum ad distinctionem possessionum; et dicit quod Socrates permittebat quod in rebus mobilibus divitiae unius multiplicarentur supra divitias alterius in quincuplum; et pari ratione poterat permittere idem in possessione terrae, ut non faceret omnes agros communes.

Quarto, ibi, 'Et domiciliorum autem divisionem etc.' Improbat distinctionem Socratis quantum ad domos. Et dicit quod oportet considerare ne forte distinctio domorum, quam introducebat Socrates, non sit utilis oeconomicae. Dicebat enim quod quilibet civis debebat habere duo domicilia, forte propter separationem filiorum: sed hoc est difficile quod aliquis habeat tantam familiam quod possit inhabitare duas domos; et etiam damnosum oeconomicae, ut unus homo faciat duas expensas in duabus familiis.

Source: *Littera*.

[10] *In* II *Pol.*, 7 [S 242-253]

Postquam Aristoteles improbavit positionem Socratis quantum ad disciplinas legum, hic improbat eam quantum ad ordinem civitatis....

Dicit ergo primo, quod secundum legem Socratis tota coordinatio multitudinis, scilicet civitatis, neque est plebeius status, neque principatus paucorum, sed est media horum, quam communi nomine nominant aliqui politiam; et consistit ex his qui utuntur armis. Cum enim Socrates multitudinem civitatis divideret in duas partes, quarum una erat pugnatorum, alia artificum et agricolarum (agricolas autem oportet in agris manere) relinquitur quod quasi multitudo habitantium civitatem esset virorum bellatorum.

– – –

Improbat ordinem quem Socrates in civitate statuebat quantum ad principes....

Ostendit quomodo Socrates commiscebat suam politiam: et dicit, quod in legibus Socratis dictum est, quod optima politia debet componi ex tyrannide et plebeio statu; forte propter hoc, ut potentia populi refrenaretur per potentiam tyranni, et iterum potentia tyranni refrenaretur per potentiam populi.

Deinde cum dicit 'quas aut.'

Improbat quantum ad hoc Socratis dictum....

Improbat dictum Socratis quantum ad hoc, quod ea quae instituebat, non conveniebant commixtioni praedictae.

Et circa hoc duo facit. Primo ostendit, quod ea quae statuebat Socrates, non conveniebant praedictae commixtioni. Secundo, quod erat secundum se periculosa, ibi, 'Habet autem, et circa etc.'...

Dicit ergo primo, quod cum Socrates vellet commiscere politiam ex plebeio statu et tyrannide, quae est monarchia quaedam, siquis consideret ea, quae ipse statuit, nihil est ibi pertinens ad principatum unius: sed omnia sunt pertinentia ad oligarchiam, idest potentes, et democratiam, idest ad populum; sed magis declinat sua ordinatio ad paucorum potestatem....

Dicit ergo primo, quod hoc quod dictum est, manifestum est ex institutione principum, quam Socrates determinat: dicit enim quod debebant aliqui eligi ex quibus per sortem assumerentur principes: et hoc commune erat et plebeio statui et potentiae paucorum, quia isti electi erant et de populo et de maioribus.

Sed quaedam alia instituebat pertinentia ad potentiam paucorum: scilicet quod ad divites civitatis pertineret convocare multitudinem, et quod ipsi deferrent principes electos ad populum; et omnia huiusmodi, quae pertinebant ad communitatem civitatis volebat fieri per divisiones, et in his alios admittebat: similiter etiam potentia paucorum erat, quod volebat plures principes fieri ex divitibus, et in maioribus officiis constitutos.

Deinde cum dicit 'et tentare'

Dicit quomodo in electione consiliariorum declinabat ad potestatem paucorum: et dicit, quod secundum Socratem cives distinguebantur per quatuor gradus, et ex omnibus gradibus aliqui erant, qui eligebant consiliarios: sed omnes, qui erant de primo censu, ex necessitate cogebantur ad eligendum: illi vero qui erant ex secundo, non omnes eligebant, sed aliqui aequales numero primis; et tamen isti etiam ex necessitate cogebantur eligere. Deinde ex tertio gradu eligebantur aliqui aequales, et similiter ex quartis: sed tamen non erat necessarium, quod omnes qui eligebantur ex tertiis vel quartis eligerent; sed ex quarto gradu qui erat quartorum, nullus poterat eligere consiliarios, nisi illi qui erant de primo et secundo gradu: et ita dicebat Socrates, quod aequalis numerus proveniebat de quolibet gradu civitatis. Sed hoc non est necessarium: quinimo semper erunt plures et meliores ex maximis censibus, eo quod populares non omnes eligent, cum non habeant necessitatem eligendi.

— — —

Ostendit, quod electio principum quam Socrates instituebat, est periculosa. Et dicit, quod periculosum est civitati, quod Socrates instituebat circa electionem principum, ut scilicet ex aliquibus electis, alii electi eligerentur. Illi enim primi electi ex quibus eliguntur principes, sunt pauci respectu totius multitudinis civitatis, et ideo facilius erit eos pervertere quam totam multitudinem: unde si sint aliqui qui velint semper institui in principatu, etiam si sint mediocres in multitudine, semper ad horum voluntatem eligent principes, quia mutuo se eligent, et mutuo sibi succedent in principatibus.

Ultimo epilogando concludit, quod ea quae sunt in Legibus, circa rempublicam Socratis habent hunc praedictum modum.

Source: *Littera*.

[11] *In* II *Pol.*, 8 [S 254]

Dicit ergo primo, quod praeter praedictas politias Socratis vel Platonis sunt etiam quaedam aliae politiae, idest ordinationes civitatum, quarum quaedam sunt ab idiotis et illiteratis inventae, quaedam vero sunt adinventae a philosophis et a quibusdam hominibus, qui fuerunt prudentes et experti in civili conversatione; et earum quaedam sunt constitutae tantum a suis auctoribus, ita tamen, quod in nulla civitate observantur; quaedam vero sunt secundum quas aliqui civiliter conversantur.

Omnes autem huiusmodi politiae propinquius se habent ad invicem, et ad id quod est conveniens civitati, quam ambae praedictae politiae Socratis vel Platonis, quarum prima supra posita est de communitate mulierum, et filiorum et possessionum: alia vero posterius de legibus ab eo scriptis. Nullus enim alius legislator adinvenit, neque communitatem filiorum et uxorum, quod pertinet ad primam politiam Socratis, neque ordinavit aliquid circa convivia mulierum, quod pertinet ad secundam, ut ex praedictis patet; sed incipiunt ordinare civitatem ab his quae sunt magis necessaria.

Source: *Littera*. The distinction between the *prima* and the *secunda politia* is from 1264b 26-30.

[12] *In* II *Pol.*, 8 [S 257]

Secundo ibi, 'Plato autem etc.' Ostendit quomodo diversimode circa hoc Plato ordinavit: dixit enim, quod nulli civium debebat dari potestas, ut haberet divitias plusquam in quincuplum supra eum qui minimum haberet:[1] sed hoc est intelligendum quantum ad divitias rerum mobilium, quia res immobiles communes faciebat.[2]

Source: 1. *Littera.*
        2. Aristotle, *Pol.*, II, I [1263b 38-41].

[13] *In* II *Pol.*, 14 [S 319]
Deinde cum dicit 'et hoc autem'
   Improbat praedictam politiam communiter quantum ad omnes viros bellatores: et dicit, quod aliquis recte potest increpare suppositionem legislatoris, idest illud quod supponebat tamquam finem, ad quem totam politiam ordinabat: et hoc etiam Plato in suis legibus increpabat, quod omnes leges eorum ordinabantur ad unam partem virtutis, scilicet ad bellicam, propter hoc, quod erat utilis ad dominandum aliis. Et ideo, quia bene se habebant in his, quae pertinent ad bellum, male autem in his quae pertinent ad status politici gubernationem: sequebatur, quod in bellis conservabantur: sed quando iam adepti erant principatum, imminebant eis multa pericula, quia nesciebant vivere in pace, neque erant exercitati aliqua alia meliori exercitatione quam bellica: quod non erat parvum peccatum.

Source: *Littera.*

[14] *In* II *Pol.*, 17 [S 341]
Ponit ergo primo, duas differentias eorum, qui de politiis vel legibus tractaverunt; quarum prima est secundum diversitatem vitae. Quidam enim eorum vixerunt in vita privata, in nullo communicantes politicis actionibus, quia non fuerunt gubernatores aliquarum civitatum, sicut Plato, Phaleas et Hippodamus, de quibus supra dictum est, si quid fuit dignum circa eos dicendum. Alii autem vixerunt vita politica, instituentes leges aliquibus civitatibus, vel propriis vel extraneis.

Source: *Littera* [Plato is not mentioned by name but the reference is clearly implied].

[15] *In* II *Pol.*, 17 [S 347]
Plato autem quatuor propria instituit in suis legibus: quorum unum est, quod mulieres et pueri et possessiones sint communes. Secundum est, quod fierent convivia mulierum sicut in aliis civitatibus fiunt convivia virorum. Tertium est, quod instituit legem contra ebrietatem, ut scilicet soli sobrii possint esse principes conviviorum. Quartum autem statuit in re militari, ut scilicet homines per exercitium et studium fierent ambidexteri, ut scilicet utraque manus fieret eis utilis ad bellandum.

Source: *Littera.*

In VIII libros Physicorum Aristotelis

[1] *In* I *Phy.*, 7 [3]
Platonici vero utrique rationi acquieverunt, concedendo impossibilia ad quae deducunt. Acquieverunt ergo primae rationi, quae ducebat

ad hoc quod non ens esset ens, si aliquis diceret quod ens significet unum, vel substantiam tantum vel accidens tantum, et per hoc vellet dicere quod omnia sunt unum: — huic rationi, dico, acquieverunt quod non ens esset ens. Dicebat enim Plato quod accidens est non ens: et propter hoc dicitur in VI Metaphys. quod Plato posuit Sophisticam circa non ens, quia versatur maxime circa ea quae per accidens dicuntur. Sic ergo Plato, intelligens per ens substantiam, concedebat primam propositionem Parmenidis, dicentis quod quidquid est praeter ens est non ens; quia ponebat accidens, quod est praeter substantiam, esse non ens.[1] Non tamen concedebat secundam propositionem, hanc scilicet: quidquid est non ens est nihil. Licet enim diceret accidens esse non ens, non tamen dicebat accidens esse nihil, sed aliquid. Et propter hoc secundum ipsum non sequebatur quod sit unum tantum. — Sed alteri rationi, quae ducebat ad hoc quod magnitudo esset indivisibilis, assentiebat faciendo magnitudines esse indivisibiles ex decisione, idest dicendo quod magnitudinum divisio ad indivisibilia terminatur. Ponebat enim corpora resolvi in superficies, et superficies in lineas, et lineas in indivisibilia, ut patet in III de Caelo et Mundo.[2]

Source: 1. Aristotle, *Meta.*, VI, 2 [1026b 14-22].
  2. Aristotle, *De Caelo*, III, 1 [298b 33 - 299a 1; 299a 6-11]; Simplicius, *In L. De Caelo*, III [CG VII, 562.21-566.16].

[2] *In* I *Phy.*, 8 [3]
Et sic quodammodo concordabant cum Platone, qui ponebat magnum et parvum principia, quae etiam pertinent ad excellentiam et defectum. Sed in hoc differebant a Platone, quia Plato posuit magnum et parvum ex parte materiae, quia ponebat unum principium formale, quod est quaedam idea participata a diversis secundum diversitatem materiae:...

Source: *Littera*. Cf. Aristotle, *Meta.*, I, 6 [987b 20 - 988a 1].

[3] *In* I *Phy.*, 11 [13]
Et sic hoc quod Plato posuit, quod unum et magnum et parvum sint principia rerum, fuit etiam opinio antiquorum naturalium, sed differenter. Nam antiqui considerantes quod una materia variatur per diversas formas, posuerunt duo ex parte formae, quae est principium agendi, et unum ex parte materiae, quae est principium patiendi: sed Platonici, considerantes quomodo in una specie distinguuntur multa individua secundum divisionem materiae, posuerunt unum ex parte formae, quae est principium activum, et duo ex parte materiae, quae est principium passivum.

Source: Aristotle, *Meta.*, I, 6 [987b 20 - 988a 7]; *Phy.*, I, 4 [187a 16-18].

[4] *In* I *Phy.*, 15 [5]
Deinde cum dicit: Quidam autem quod non est etc., manifestat intellectum opinionis platonicae. Et dicit quod Platonici ponebant quidem duo ex parte materiae, scilicet magnum et parvum;[1] sed tamen aliter quam Aristoteles. Quia Aristoteles ponit ista duo esse materiam et privationem, quae sunt unum subiecto et differunt ratione: sed isti non ponebant quod alterum istorum esset privatio et alterum materia, sed privationem coassumebant utrique, scilicet parvo et magno; sive acciperent ista duo simul, utpote cum loquebantur non distinguentes

eam per magnum et parvum; sive acciperent utrumque seorsum.[2]
Unde patet quod omnino aliter ponebant tria principia Platonici,
ponentes formam et magnum et parvum; et Aristoteles, qui posuit materiam et privationem et formam. Platonici vero usque ad hoc pervenerunt prae aliis philosophis antiquioribus, quod oportet unam quandam
naturam supponi omnibus formis naturalibus, quae est materia prima.
Sed hanc faciunt unam tantum sicut subiecto ita et ratione, non distinguentes inter ipsam et privationem.[2] Quia etsi ponant dualitatem ex
parte materiae, scilicet magnum et parvum,[1] nihilominus non faciunt
differentiam inter materiam et privationem: sed faciunt mentionem
tantum de materia, sub qua comprehenditur magnum et parvum;
et privationem despexerunt, de ea mentionem non facientes.

Source: 1. Aristotle, *Meta.*, I, 6 [987b 20-21]; *Phy.*, I, 4 [187a 17-19].
2. *Ibid.*, I, 8 [192a 2-6].

[5] *In* I *Phy.*, 15 [7]
Sed si quis accipiat alteram partem contrarietatis, scilicet privationem,
protendens intellectum circa ipsam, imaginabitur ipsam non ad constitutionem rei pertinere, sed magis ad quoddam malum rei; quia est
penitus non ens, cum privatio nihil aliud sit quam negatio formae in
subiecto, et est extra totum ens: ut sic in privatione locum habeat ratio
Parmenidis, quidquid est praeter ens est non ens; non autem in materia,
ut dicebant Platonici.

Source: Aristotle, *Phy.*, I, 8 [192a 2-6].

[6] *In* I *Phy.*, 15 [10]
Sciendum tamen est quod Aristoteles hic loquitur contra Platonem, qui
talibus metaphoricis locutionibus utebatur, assimilans materiam matri
et feminae, et formam masculo; et ideo Aristoteles utitur contra eum
metaphoris ab eo assumptis.

Source: Aristotle, *Meta.*, I, 6 [988a 5-6].

[7] *In* II *Phy.*, 3 [6]
Deinde cum dicit: Latet autem hoc facientes etc., excludit ex praedictis
errorem Platonis. Quia enim latebat eum quomodo intellectus vero
posset abstrahere ea quae non sunt abstracta secundum esse, posuit
omnia quae sunt abstracta secundum intellectum, esse abstracta secundum rem.[1] Unde non solum posuit mathematica abstracta, propter
hoc quod mathematicus abstrahit a materia sensibili; sed etiam posuit
ipsas res naturales abstractas, propter hoc quod naturalis scientia est
de universalibus et non de singularibus.[2] Unde posuit hominem esse
separatum, et equum et lapidem et alia huiusmodi;[3] quae quidem
separata dicebat esse ideas:[4] cum tamen naturalia sint minus abstracta
quam mathematica.[5] Mathematica enim sunt omnino abstracta a materia sensibili secundum intellectum, quia materia sensibilis non includitur in intellectu mathematicorum, neque in universali neque in
particulari: sed in intellectu specierum naturalium includitur quidem
materia sensibilis, sed non materia individualis; in intellectu enim
hominis includitur caro et os, sed non haec caro et hoc os.[6]

Source: 1. Aristotle, *Meta.*, I, 6 [987b 7-18]; VII, 14 [1039a 24-33];
Boethius, *In Isag.*, *ed. sec.*, I, 10; 11 [CSEL 48, 163.14-22; 167.
7-11]; Abelard, *Glossae super Porphyrium* [Geyer, 25.15-26.15];

Averroes, *In Phy.*, II, *com.* 19 [Z 52].
2. Aristotle, *Meta.*, I, 6 [987b 1-18]; VII, 10 [1035b 33 - 1036a 12]; VIII, 6 [1045a 33-35].
3. Aristotle, *Eth.*, I, 6 [1096a 35 - b 3].
4. See 2 above.
5. *Littera.*
6. Aristotle, *Meta.*, VI, I [1025b 28 - 1026a 10]; VII, 10 [1034b 32 - 1035b 3; 1036b 22 - 1037a 20].

[8] *In* II *Phy.*, 5 [4]
Considerandum est etiam quod duo posuit pertinentia ad quidditatem rei, scilicet speciem et exemplum, propter diversas opiniones de essentiis rerum. Nam Plato posuit naturas specierum esse quasdam formas abstractas, quas dicebat exemplaria et ideas; et propter hoc posuit exemplum vel paradigma.

Source: Aristotle, *Meta.*, I, 6 [987b 1-18].

[9] *In* III *Phy.*, 5 [15]
Quod quidem vel se habet ex parte materiae subiecti, et secundum hoc est praedicamentum quantitatis (nam quantitas proprie consequitur materiam: unde et Plato posuit magnum ex parte materiae);...

Source: Aristotle, *Meta.*, I, 6 [987b 20-21]; *Phy.*, I, 4 [187a 17-19].

[10] *In* III *Phy.*, 6 [4-6]
Circa primum duo facit: primo ponit opiniones philosophorum non naturalium de infinito, scilicet Pythagoricorum et Platonicorum; secundo opiniones naturalium, ibi: Qui autem de natura omnes etc. Circa primum duo facit: primo ostendit in quo conveniebant Pythagorici et Platonici; secundo in quo differebant, ibi: Praeter hoc quod Pythagorici etc.

Dicit ergo primo quod omnes philosophi posuerunt infinitum esse sicut quoddam principium entium; sed hoc fuit proprium Pythagoricis et Platonicis, quod ponerent infinitum non esse accidens alicui alteri naturae, sed esse quoddam per se existens.[1] Et hoc competebat eorum opinioni, quia ponebant numeros et quantitates esse substantias rerum;[2] infinitum autem in quantitate est; unde et infinitum per se existens ponebant.

Deinde cum dicit: Praeter hoc quod Pythagorici etc., ostendit differentiam inter Platonem et Pythagoricos: et primo quantum ad positionem infiniti; secundo quantum ad radicem ipsius, ibi: Et hi quidem infinitum esse etc. Quantum autem ad positionem infiniti, in duobus differebat Plato a Pythagoricis. Pythagorici enim non ponebant infinitum nisi in sensibilibus: cum enim infinitum competat quantitati, prima autem quantitas est numerus, Pythagorici non ponebant numerum separatum a sensibilibus, sed dicebant numerum esse substantiam rerum sensibilium; et per consequens neque infinitum erat nisi in sensibilibus. Item Pythagoras considerabat quod sensibilia quae sunt infra caelum, sunt circumclausa caelo, unde in eis non potest esse infinitum: et propter hoc ponebat quod infinitum esset in sensibilibus extra caelum. Sed Plato e contrario ponebat quod nihil est extra caelum: neque enim dicebat esse extra caelum aliquod corpus sensibile, quia caelum dicebat esse continens omnia sensibilia; neque etiam ideas et species rerum, quae ponebat esse separatas, dicebat esse extra caelum, quia intus et extra significant locum; ideae vero secundum ipsum non sunt in aliquo loco, quia locus corporalium est.[3] Item dicebat Plato quod infinitum non solum est in rebus sensibilibus, sed etiam in illis, idest in ideis separatis; quia etiam in ipsis numeris separatis est aliquid formale, ut unum, et aliquid materiale, ut duo, ex quibus omnes numeri componuntur.[4]

Source: 1. *Littera.*
      2. Aristotle, *Meta.*, I, 5 [987a 17-19]; 6 [987b 22-25].
      3. *Littera.*
      4. Aristotle, *Meta.*, I, 6; 9 [987b 32 - 988a 1; 991b 27 - 992a 24].

[11] *In* III *Phy.*, 6 [7]
Plato autem attribuebat duabus radicibus, scilicet magno et parvo; haec enim duo secundum ipsum sunt ex parte materiae, cui competit infinitum.

Source: *Littera*; Aristotle, *Meta.*, I, 6 [987b 20-21]; *Phy.*, I, 4 [187a 17-19].

[12] *In* III *Phy.*, 7 [2]
...solus enim Plato generavit tempus, ut in octavo huius dicetur.

Source: Aristotle, *Phy.*, VIII, 1 [251b 17-18].

[13] *In* III *Phy.*, 7 [10]
Deinde cum dicit: Separabile quidem igitur etc., ponit rationes ad excludendum infinitum: et primo ad excludendum infinitum separatum, quod Platonici posuerunt; secundo ad excludendum infinitum a rebus sensibilibus, ibi: Rationabiliter quidem igitur etc. Circa primum ponit tres rationes. Circa quarum primam dicit quod impossibile est infinitum esse separatum a sensibilibus, ita quod ipsum infinitum sit aliquid per se existens, sicut Platonici posuerunt.

Source: Neither Aristotle nor Averroes name the Platonists at this point. See for attribution to Plato, Aristotle, *Phy.*, III, 4 [203a 4-6].

[14] *In* III *Phy.*, 10 [11-12]
Deinde cum dicit: Quare excellere omne etc., inducit conclusionem ex dictis. Et primo inducit eam; secundo manifestat per dictum Platonis, ibi: Quoniam et Plato etc....
    Deinde cum dicit: Quoniam et Plato propter hoc etc., manifestat quod dixerat per dictum Platonis. Et dicit quod quia infinitum in appositione magnitudinum est per oppositum divisioni, propter hoc Plato duo fecit infinita, scilicet magnum, quod pertinet ad additionem, et parvum, quod pertinet ad divisionem; quia scilicet infinitum videtur excellere et per additionem in augmentum, et per divisionem in decrementum, vel tendendo in nihil.[1] Sed cum ipse Plato faciat duo infinita, non tamen utitur eis: quia cum numerum poneret substantiam esse omnium rerum,[2] in numeris non invenitur infinitum per divisionem, quia in eis est minimum unitas; neque etiam per additionem secundum ipsum, quia dicebat quod species numerorum non variantur nisi usque ad decem, et postea reditur ad unitatem, computando undecim et duodecim etc.[3]

Source: 1. *Littera* and Aristotle, *Meta.*, I, 6 [987b 25-27].
2. Aristotle, *Meta.*, I, 5; 6 [987a 17-19; 987b 22-25].
3. *Littera.*

[15] *In* III *Phy.*, 11 [6 and 8]

Deinde cum dicit: Quoniam hinc accipiunt etc., excludit quandam falsam opinionem ex praedicta definitione falsa exortam. Et primo communiter quantum ad omnes; secundo specialiter quantum ad Platonem, ibi: Quoniam si continet etc....

Deinde cum dicit: Quoniam si continet etc., excludit opinionem Platonis qui ponebat infinitum tam in sensibilibus quam in intelligibilibus.[1] Et dicit quod ex hoc manifestum est etiam quod, si magnum et parvum, quibus Plato attribuit infinitum,[2] sunt in sensibilibus et in intelligibilibus tanquam continentia (propter hoc quod continere attribuitur infinito); sequitur quod infinitum contineat intelligibilia. Sed hoc videtur esse inconveniens et impossibile, quod infinitum, cum sit ignotum et indeterminatum, contineat et determinet intelligibilia. Non enim determinantur nota per ignota, sed magis e converso.

Source: Plato is not named in the *littera*.
1. Aristotle, *Phy.*, III, 4 [203a 9-10] and *littera.*
2. *Ibid.* [203a 15-16] and *littera.*

[16] *In* IV *Phy.*, 3 [4-6]

Deinde cum dicit: Secundum autem quod videtur esse locus etc., ponit rationem Platonis, per quam sibi videbatur quod locus esset materia. Ad cuius evidentiam sciendum est quod antiqui putaverunt locum esse spatium quod est inter terminos rei continentis, quod quidem habet dimensiones longitudinis, latitudinis et profunditatis. Non tamen huiusmodi spatium videbatur esse idem cum aliquo corporum sensibilium: quia recedentibus et advenientibus diversis corporibus sensibilibus, remanet idem spatium. Secundum hoc ergo sequitur quod locus sit dimensiones separatae.

Et ex hoc volebat syllogizare Plato quod locus esset materia. Et hoc est quod dicit, quod secundum quod locus videtur aliquibus esse distantia magnitudinis spatii, separata a quolibet corpore sensibili, videbatur quod locus esset materia. Ipsa namque distantia vel dimensio magnitudinis, altera est a magnitudine. Nam magnitudo significat aliquid terminatum aliqua specie, sicut linea terminatur punctis, et superficies linea, et corpus superficie, quae sunt species magnitudinis: sed dimensio spatii est contenta sub forma et determinata, sicut corpus determinatur plano, idest superficie, ut quodam termino. Id autem quod continetur sub terminis, videtur esse in se non determinatum. Quod autem est in se non determinatum, sed determinatur per formam et terminum, est materia, quae habet rationem infiniti: quia si ab aliquo corpore sphaerico removeantur passiones sensibiles et termini quibus figuratur dimensio magnitudinis, nihil relinquitur nisi materia. Unde relinquitur quod ipsae dimensiones ex se indeterminatae, quae per aliud determinantur, sint ipsa materia.[1] Et hoc praecipue sequebatur secundum radices Platonis, qui ponebat numeros[2] et quantitates[3] esse substantias rerum.

Quia igitur locus est dimensiones, et dimensiones sunt materia, dicebat Plato in Timaeo, quod idem est locus et materia. Omne enim

receptivum alicuius dicebat esse locum, non distinguens inter recepti-
bilitatem loci et materiae: unde cum materia sit receptivum formarum,
sequitur quod materia sit locus.[4]

Tamen sciendum est quod de receptivo diversimode Plato loque-
batur: quia in Timaeo dixit receptivum esse materiam; in dogmatibus
autem dictis et non scriptis, idest cum verbotenus docebat in scholis,
dicebat receptivum esse magnum et parvum,[5] quae etiam ex parte
materiae ponebat,[6] ut supra dictum est. Tamen, cuicumque attribueret
esse receptivum, semper dicebat quod receptivum et locus sint idem.
Sic igitur, cum multi dicerent locum esse aliquid, solus Plato conatus
est assignare quid sit locus.

Source: 1. *Littera.*
      2. Aristotle, *Meta.*, I, 5; 6 [987a 17-19; 987b 22-25].
      3. Aristotle, *De Caelo*, III, 1 [298b 33 - 299a 1; 299a 6-11];
         Simplicius, *In L. De Caelo*, III [CG VII, 562.21-566.16].
      4. *Littera.*
      5. The *littera* merely indicates that Plato said something else
         in his oral teaching. St. Thomas specifies 'magnum et parvum'
         from 209b 35 - 210a 2.
      6. Aristotle, *Meta.*, I, 6 [987b 20-21]; *Phy.*, I, 4 [187a 17-19].

[17] *In* IV *Phy.*, 3 [10]

Tertiam rationem ponit ibi: Platoni igitur dicendum est etc. Hic arguit
specialiter contra positionem Platonis digrediendo. Dictum est enim
supra in tertio, quod Plato posuit ideas et numeros non esse in loco.[1]
Sequebatur autem, secundum eius sententiam de loco, quod essent in
loco: quia omne participatum est in participanto;[2] species autem et
numeros ponebat participari, sive a materia, sive a magno et parvo.[3]
Sequitur ergo quod species et numeri sint in materia, sive in magno et
parvo. Si igitur materia, vel magnum et parvum est locus, sequitur
quod numeri et species sint in loco.

Source: 1. Aristotle, *Phy.*, III, 4 [203a 8-9].
      2. This seems to be implied (though not expressed) in the
         littera. Cf. Aristotle, *Meta.*, I, 9 [991a 14-16].
      3. *Littera.*

[18] *In* IV *Phy.*, 10 [3 and 7]

Deinde cum dicit: Videtur autem vacuum etc., ostendit quid significet
nomen vacui: et primo ponit significationem communiorem; secundo
significationem secundum usum Platonicorum, ibi: Alio autem modo
etc....Deinde cum dicit: Alio autem modo etc., ponit aliam significationem vacui secundum usum Platonicorum. Et dicit quod alio modo
dicitur esse vacuum: in quo non est hoc aliquid, neque aliqua substantia
corporea.[1] Fit autem hoc aliquid per formam. Unde aliqui dicunt
materiam corporis, secundum quod est absque forma, esse vacuum:
qui etiam materiam dicunt esse locum, ut supra dictum est.[2] Sed non
bene dicunt: quia materia non est separabilis a rebus quarum est
materia; sed homines quaerunt locum et vacuum, tanquam aliquid
separabile a corporibus locatis.

Source: Neither the *Platonici* nor Plato are mentioned in the *littera.*
      Averroes remarks: '...innuit, ut mihi videtur, Platonem...'
      (*In Phy.*, IV, *com.* 59 [Z 146H]).

1. *Littera.*
2. Aristotle, *Phy.*, IV, 2 [209b 11-17].

[19] *In* VII *Phy.*, 1 [7]
Unde et Platonici, qui posuerunt aliqua movere seipsa, dixerunt quod
nullum corporeum aut divisibile movet seipsum; sed movere seipsum
est tantummodo substantiae spiritualis, quae intelligit seipsam et amat
seipsam: universaliter omnes operationes motus appellando; quia et
huiusmodi operationes, scilicet sentire et intelligere, etiam Aristoteles
in tertio de Anima nominat motum, secundum quod motus est actus
perfecti. Sed hic loquitur de motu secundum quod est actus imperfecti,
idest existentis in potentia, secundum quem motum indivisibile non
movetur, ut in sexto probatum est, et hic assumitur. Et sic patet quod
Aristoteles, ponens omne quod movetur ab alio moveri, a Platone, qui
posuit aliqua movere seipsa, non dissentit in sententia, sed solum in
verbis.

Source: Aristotle does not refer to Plato; Averroes has only a brief
reference: '...et similiter in anima quam Plato ponit movere
se...' (*In Phy.*, VII, *com.* 2 [Z 289v]). See *Source* under *In Sent.* [3].

[20] *In* VII *Phy.*, 6 [8]
Quod autem Aristoteles hic de acceptione scientiae dicit, videtur esse
secundum Platonicam opinionem. Posuit enim Plato quod sicut formae
separatae sunt causae generationis et existentiae rerum naturalium,
per hoc quod materia corporalis participat aliqualiter huiusmodi formas
separatas, ita etiam sunt causa scientiae in nobis, per hoc quod anima
nostra eas aliqualiter participat; ita quod ipsa participatio formarum
separatarum in anima nostra est scientia. Sic enim verum erit quod
accipitur scientia a principio, non per generationem alicuius scientiae
in anima, sed solum per quietationem corporalium et sensibilium pas-
sionum, quibus impediebatur anima scientia uti. Sic etiam verum erit
quod nulla mutatione facta in intellectu, ad solam praesentiam sensibilium quorum experientiam accipimus, fit homo sciens, sicut de
relativis accidit; quia sensibilia secundum hoc non sunt necessaria ad
scientiam, nisi ut ab eis quodammodo anima excitetur.

Source: See *Source* under *S.T.* [56].

[21] *In* VII *Phy.*, 7 [11]
Est autem considerandum, quod ponere diversitatem rerum propter
diversitatem susceptivi tantum, est opinio platonica, quae posuit unum
ex parte formae, et dualitatem ex parte materiae; ut tota diversitatis
ratio ex materiali principio proveniret.[1] Unde et unum et ens posuit
univoce dici, et unam significare naturam:[2] sed secundum diversitatem
susceptivorum, rerum species diversificari.[1]

Source: 1. Aristotle, *Meta.*, I, 6 [987b 18-21; 988a 8-14].
        2. *Ibid.*, X, 2 [1053b 9 - 1054a 13].

[22] *In* VII *Phy.*, 8 [9]
Et quia essentiam speciei significat definitio, quaerit duas quaestiones:
unam de specie, et aliam de definitione. Quaerit ergo primo de specie,
quando sit iudicanda altera species: utrum ex hoc solo quod eadem
natura sit in alio et alio susceptibili, sicut Platonici posuerunt.[1] Sed hoc

secundum praemissa non potest esse verum. Dictum est enim quod
genus non est simpliciter unum: et ideo differentia speciei non attenditur per hoc quod aliquid idem sit in alio et alio, nisi secundum Platonicos, qui posuerunt genus esse simpliciter unum.[2] Et propter hoc,
quasi quaestionem solvens, subiungit: aut si aliud in alio; quasi dicat:
non propter hoc est alia species, quia est idem in alio; sed quia est alia
natura in alio susceptibili.

Source: 1. Aristotle, *Meta.*, I, 6 [987b 18-21; 988a 8-14].
       2. See *In Meta.* [173].

[23] *In* VII *Phy.*, 8 [15-16]
Et primo secundum opinionem propriam; secundo secundum opinionem Platonis, ibi; Et si est numerus substantia etc....

Deinde cum dicit: Et si est numerus etc., agit de comparatione generationis secundum opinionem Platonis, qui ponebat numerum esse
substantiam rei,[1] propter hoc quod unum quod est principium numeri,
putabat esse idem cum uno quod convertitur cum ente, et rei substantiam significat.[2] Ipsum autem quod est unum, est omnino unius naturae
et speciei. Si ergo numerus, qui nihil est aliud quam aggregatio unitatum, sit substantia rerum secundum Platonicos,[1] sequetur quod dicetur
quidem maior et minor numerus secundum diversam speciem quantitatis; sed tamen quantum ad substantiam erit similis speciei. Et inde
est quod Plato posuit speciem, unum:[3] contrario vero, per quae diver-
sificantur res, magnum et parvum, quae sunt ex parte materiae.[3]...
Sic autem non habemus nomen positum, quo communiter significetur
excellentia substantiae, que est ex maioritate numeri, secundum
Platonicos.

Source: 1. Aristotle, *Meta.*, I, 5; 6 [987a 17-19; 987b 22-25].
       2. See *Source* I under *S.T.* [5].
       3. Aristotle, *Meta.*, I, 6 [987b 18-21; 988a 8-14].

[24] *In* VIII *Phy.*, 2 [4]
Sicut ergo si intelligamus rerum productionem esse a Deo ab aeterno,
sicut Aristoteles posuit, et plures Platonicorum, non est necessarium
immo impossibile, quod huic productioni universali aliquod subiectum
non productum praeintelligatur:...

Source: St. Augustine, *De Civ. Dei*, X, 31 [A-B].

[25] *In* VIII *Phy.*, 2 [5]
Quod etiam introducit de antiquis philosophorum opinionibus, efficaciam non habet: quia antiqui naturales non potuerunt pervenire ad
causam primam totius esse, sed considerabant causas particularium
mutationum. Quorum primi consideraverunt causas solarum mutationum accidentalium, ponentes omne fieri esse alterari: sequentes vero
pervenerunt ad cognitionem mutationum substantialium: postremi
vero, ut Plato et Aristoteles, pervenerunt ad cognoscendum principium
totius esse.

Source: This is parallel to St. Thomas' interpretation of Aristotle,
      Meta., I, 8 [989b 21-29]. See *In* I *Meta.*, 12 [200]; 13 [201].
      Cf. St. Augustine, *De Civ. Dei*, X, 31 [A-B].

[26] *In* VIII *Phy.*, 2 [11]

Et dicit quod omnes philosophi praeter unum, scilicet Platonem, con-
corditer videntur sentire de tempore quod sit ingenitum, idest quod
non inceperit esse postquam prius non fuit. Unde et Democritus probat
impossibile esse quod omnia sint facta, quasi de novo inceperint, quia
impossibile est sic tempus esse factum, quod de novo inceperit. Sed solus
Plato generat tempus, idest dicit tempus de novo factum. Dicit enim
Plato quod tempus est simul factum cum caelo; ponebat autem caelum
esse factum, idest habere durationis principium, ut hic Aristoteles ei
imponit, secundum quod eius verba superficietenus sonare videntur;
quamvis Platonici dicant Platonem sic dixisse caelum esse factum,
inquantum habet principium activum sui esse, non autem ita quod
habeat durationis principium. Sic igitur solus Plato intellexisse videtur
quod tempus non potest esse sine motu; quia non posuit tempus esse
ante motum caeli.

Source: The *littera* contains Plato's doctrine on the generation of time
[251b 17-19]. However, St. Thomas is clearly thinking of
Simplicius' long defense of Plato on this point against Alexander
(*In L. De Caelo*, I [CG VII, 296-369]). Simplicius argues that
Plato and Aristotle are really in agreement on the origin of the
heavens and maintains that Aristotle is attacking Plato's
apparent verbal meaning and not his true thought. Cf. St.
Augustine, *De Civ. Dei*, X, 31 [A-B]; Boethius, *De In.*, *ed. sec.*,
2 [PL 64, 433D].

[27] *In* VIII *Phy.*, 7 [3]

Si autem essent aliqua animalia corpore aerea, ut quidam Platonici
posuerunt, de illis esset e contrario dicendum.

Source: St. Augustine, *De Civ. Dei*, VIII, 16 [A]; IX, 8 [A]; 12 [A].

[28] *In* VIII *Phy.*, 9 [4-5]

Est autem in hac ratione attendendum, quod primum movens moveri
non est hic probatum; supponit autem hoc secundum communem
opinionem Platonicorum....
...supposito, secundum Platonicos, quod omne movens movetur.

Source: See *Source* under *In Sent.* [3].

[29] *In* VIII *Phy.*, 9 [13]

Semper enim causa quae est per se, est prior ea quae est per alterum.
Et propter hanc rationem Platonici posuerunt ante ea quae moventur ex alio, esse aliquid quod movet seipsum.

Source: See *Source* under *In Sent.* [3].

[30] *In* VIII *Phy.*, 12 [2]

Fuit autem quorundam positio, quod omnia principia moventia in iis
quae movent seipsa, sunt perpetua: posuit enim Plato omnes animas
animalium perpetuas.

Source: Macrobius, *In Som. Scip.*, II, 13, 10-12 [E 617-618]. Averroes
ad locum: 'Plato enim dicit quod omne movens se est aeternum
et anima apud ipsum est aeternum.' (*com.* 46 [Z 364]).

[31] *In* VIII *Phy.*, 20 [4]

Quinto ostendit idem per opinionem Platonis, qui posuit animam esse primam causam motus. Posuit enim Plato quod movens seipsum, quod est anima, est principium omnium eorum quae moventur.

Source: See *Source* under *In Sent.* [3].

[32] *In* VIII *Phy.*, 22 [2]

Deinde cum dicit: Si autem simul movet etc., excludit quandam solutionem, quae dicitur fuisse Platonis, qui dicebat quod proiiciens qui primo movit lapidem, simul etiam cum lapide movit aliquid aliud, scilicet aerem, et aer motus movet lapidem etiam post contactum proiectoris. Sed hanc solutionem excludit: quia similiter videtur impossibile quod moveatur aer non tangente neque movente primo, scilicet proiectore, sicut erat impossibile de lapide; sed videtur esse necessarium quod simul dum primum movens movet, omnia moveantur, et dum primum movens quiescit, idest cessat a movendo, omnia quiescant; quamvis etiam aliquid motum a primo movente, sicut lapis, faciat aliquid moveri, sicut id quod primo movit movebat.

Source: Neither Aristotle nor Averroes refer to Plato. Albertus Magnus, however, discusses the theory and attributes it to certain Platonists (*Phy.*, VIII, 4, 4 [B III, 627-629]).

In libros posteriorum analyticorum Expositio

[1] *In* I *Post. Anal.*, 1

Posuit autem Plato quod scientia in nobis non causatur ex syllogismo, sed ex impressione formarum idealium in animas nostras, ex quibus etiam effluere dicebat formas naturales in rebus naturalibus, quas ponebat esse participationes quasdam formarum a materia separatarum.[1] Ex quo sequebatur quod agentia naturalia non causabant formas in rebus inferioribus, sed solum materiam praeparabant ad participandum formas separatas.[2] Et similiter ponebat quod per studium et exercitium non causatur in nobis scientia; sed tantum removentur impedimenta, et reducitur homo quasi in memoriam eorum, quae naturaliter scit ex impressione formarum separatarum.[3] Sententia autem Aristotelis est contraria quantum ad utrumque. Ponit enim quod formae naturales reducuntur in actum a formis quae sunt in materia, scilicet a formis naturalium agentium. Et similiter ponit quod scientia fit in nobis actu per aliquam scientiam in nobis praeexistentem. Et hoc est fieri in nobis scientiam per syllogismum aut argumentum quodcumque. Nam ex uno in aliud argumentando procedimus.

Source: 1. See *Source* under *S.T.* [56].
2. Aristotle, *Meta.*, VII, 8 [1033b 19 - 1034b 2]; 13-15 [1038b 1 - 1041a 5]; Averroes, *In Meta.*, VII, *com.* 31 [180E - 181I]; XII, *com.* 18 [303E - 305vI].
3. Plato, *Timaeus*, interp. Chal., 17 [D II, 170-172]; Chalcidius, *In Timaeum Platonis*, 193-209 [D II, 223-225]; Aristotle *Meta.*, I, 6; 9 [987b 1-8; 991a 12]; Cicero, *Tusc.*, I, 24; St. Augustine, *De Trin.*, II, 15 [PL 42, 1011]; *Oct. Tri. Quaes.*, 46; Macrobius, *In Som. Scip.*, I, 12, 7 [E 520.20-25]; Boethius,

De Con. Phil., III, *Metrum* XI [F 95-96]; St. John Damascene,
De Fide Orth., III, 14 [PG 1037B and 1045B]; *De Sp. et An.*,
1 [PL 40, 781].

[2] *In* I *Post. Anal.*, 3
...excludit ex veritate determinata quandam dubitationem, quam
Plato ponit in libro Menonis, sic intitulato ex nomine sui discipuli. Est
autem dubitatio talis. Inducit enim quendam, omnino imperitum artis
geometricae, interrogatum ordinate de principiis, ex quibus quaedam
geometrica conclusio concluditur, incipiendo ex principiis per se notis:
ad quae omnia ille, ignarus geometriae, id quod verum est respondit:
et sic deducendo quaestiones usque ad conclusiones, per singula verum
respondit. Ex hoc igitur vult habere, quod etiam illi, qui videntur
imperiti aliquarum artium, antequam de eis instruantur earum notitiam habent.[1] Et sic sequitur quod vel homo nihil addiscat vel addiscat
ea, quae prius novit.

Circa hoc ergo quatuor facit. Primo enim proponit quod praedicta
dubitatio vitari non potest, nisi supposita praedeterminata veritate,
scilicet quod conclusio, quam quis addiscit per demonstrationem vel
inductionem, erat nota non simpliciter, sed secundum quod est virtute
in suis principiis: de quibus aliquis, ignarus scientiae, interrogatus
veritatem respondere potest. Secundum vero Platonis sententiam, conclusio erat praecognita simpliciter, unde non addiscebatur de novo, sed
potius per deductionem aliquam rationis in memoriam reducebatur.
Sicut etiam de formis naturalibus Anaxagoras ponit quod ante generationem praeexistebant in materia simpliciter. Aristoteles vero ponit
quod praeexistunt in potentia et non simpliciter.

Secundo, cum dicit: 'Non enim sicut etc.,' ponit falsam quorundam
obviationem ad dubitationem Platonis: qui scilicet dicebant quod
conclusio, antequam demonstraretur vel quocunque modo addisceretur,
nullo modo erat cognita. Poterat enim si obiici secundum dubitationem
Platonis hoc modo. Si quis interrogaret ab aliquo imperito: nunquid
tu scis quod omnis dualitas par est? Et dicente eo, idest concedente se
scire, afferret quandam dualitatem, quam ille interrogatus non opinaretur esse, puta illam dualitatem quae est tertia pars senarii; con-
cluderetur quod sciret tertiam partem senarii esse numerum parem:
quod erat ei incognitum, sed per demonstrationem inductam addiscit.
Et sic videtur sequi quod vel non hoc addisceret vel addiscerit quod
prius scivit. – Ut igitur hanc dubitationem evitarent, solvebant dicentes
quod ille, qui interrogatus respondit se scire quod omnis dualitas sit
numerus par, non dixit se cognoscere omnem dualitatem simpliciter,
sed illam quam scivit esse dualitatem. Unde cum ista dualitas, quae est
allata, fuerit ab eo penitus ignorata nullo modo scivit quod haec dualitas esset numerus par. Et sic sequitur quod apud cognoscentem principia
nullo modo conclusio sit praecognita nec simpliciter, nec secundum
quid.[2]

– – –

Unde nec id quod quis addiscit erat omnino prius notum, ut Plato
posuit, nec omnino ignotum, ut secundum solutionem supra impro-
batam ponebatur;...

Source: 1. St. Augustine, *De Trin.*, 2, 15 [PL 42, 1011].
    2. *Littera* and Averroes, *In L. Post. Resol.*, *com.* 6 [26A-C].

[3] *In* I *Post. Anal.,* 16

Sciendum est autem quod quia demonstratio non est corruptibilium, sed sempiternorum, neque definitio, Plato coactus fuit ponere ideas. Cum enim ista sensibilia sint corruptibilia, videbatur quod eorum non posset esse neque demonstratio, neque definitio. Et ideo videbatur quod oporteret ponere quasdam substantias incorruptibiles, de quibus et demonstrationes et definitiones darentur. Et has substantias sempiternas vocabat species vel ideas.

Source: Aristotle, *Meta.,* I, 6 [987a 29 - 987b 18].

[4] *In* I *Post. Anal.,* 19

... ostendit ex praemissis quod non est necessarium ponere ideas, ut Plato posuit. Ostensum est enim supra quod demonstrationes de universalibus sunt et hoc modo sunt de sempiternis. Non igitur necesse est ad hoc quod demonstratio sit, species esse, idest ideas, aut quodcunque unum extra multa, sicut ponebant Platonici mathematica separata cum ideis, ut sic demonstrationes possint esse de sempiternis. Sed necessarium est esse unum in multis et de multis, si demonstratio debet esse, quia non erit universale, nisi sit unum de multis; et si non sit universale, non erit medium demonstrationis; ergo nec demonstratio. Et quod oporteat medium demonstrationis esse universale, patet per hoc quod oportet medium demonstrationis esse unum et idem de pluribus praedicatum non aequivoce, sed secundum rationem eamdem: quod est ratio universalis. Si autem aequivocum esset, posset accidere vitium in arguendo.

Source: Aristotle, *Meta.,* I, 6 [987b 1-18]. The *littera* [A, 77a 5-9] implies that separated species were held to be necessary for *demonstration.*

[5] *In* I *Post. Anal.,* 30

Est autem considerandum quod per verba Philosophi, quae hic inducuntur, excluditur duplex positio. Prima quidem est positio Platonis; qui ponebat quod nos habebamus scientiam de rebus per species participatas ab ideis. Quod si esset verum, universalia fierent nobis nota absque inductione; et ita possemus acquirere scientiam eorum, quorum sensum non habemus. Unde et hoc argumento utitur Aristoteles contra Platonem in fine I Metaphysicae.

Source: See *Source* 2 under *S.T.* [56].

[6] *In* I *Post. Anal.,* 33

... excludit quamdam obviationem. Posset enim aliquis dicere quod praedicata, quae significant substantiam, non sunt vere et essentialiter id, de quo praedicantur, vel aliquid eius: neque accidentia, quae sunt in individuis sicut in subiectis, conveniunt huiusmodi communibus praedicatis essentialibus; quia huiusmodi praedicata universalia significant quasdam essentias semper separatas per se subsistentes, sicut Platonici dicebant.[1]

Sed ipse respondet quia, si supponantur species, idest ideae, esse, debent gaudere, quia secundum Platonicos habent aliquod nobilius esse, quam res nobis notae naturales. Huiusmodi enim res sunt particulares et materiales, illae autem sunt universales et immateriales.[1] Sunt enim quaedam praemonstrationes respectu naturalium, idest quaedam exemplaria horum:[2] ut accipiantur hic monstra vel praemonstrationes sicut supra praemonstratur aliquid ad aliquid probandum. Quia ergo sunt praemonstrationes vel exemplaria rerum naturalium, necesse est quod in istis rebus naturalibus inveniantur aliquae participationes illarum specierum, quae pertinent ad essentiam harum rerum naturalium. Et ideo si sint huiusmodi species separatae, sicut Platonici posuerunt, nihil pertinent ad rationem praesentem. Nos enim intendimus de huiusmodi rebus, de quibus in nobis scientia per demonstrationem acquiritur. Et huiusmodi sunt res in natura existentes nobis notae, de quibus demonstrationes fiunt. Et ideo si detur quod animal sit quoddam separatum, quasi praemonstratio existens animalium naturalium, tunc cum dico, homo est animal, secundum quod hac propositione utimur in demonstrando, ly animal significat essentiam rei naturalis, de qua fit demonstratio.

Source: 1. Aristotle, *Meta.*, I, 6 [987b 1-18].
       2. *Ibid.*, I, 9 [991a 21-26].

[7] *In* I *Post. Anal.*, 41
Omne quod quiescit transmutatur, quia eiusdem est transmutari et quiescere; et omne quod delectatur quiescit, qua quies in bono desiderato causat delectationem; ergo omne quod delectatur transmutatur. – Alia demonstratio erit: Omne quod movetur transmutatur; omne quod delectatur movetur, quia delectatio est quidam motus appetitivae potentiae; ergo omne quod delectatur transmutatur. Vel quod dicit, Omne quod delectatur movetur, est secundum opinionem Platonis, et habet locum in delectationibus sensibilibus, quae sunt cum motu. Aliud quod dicit, Omne quod delectatur quiescit, est verum secundum opinionem Aristotelis, ut patet in VII et X Ethicorum.

Source: Nemesius, *De Nat. Hom.*, 42 [PG 40, 681]; Aristotle, *Eth.*, VII, 11 [1152b 13]; X, 3 [1173a 31].

[8] *In* I *Post. Anal.*, 41
Et hoc quidem planum est videre secundum positiones platonicas, secundum quas hic Aristoteles exponit, utens eis ad propositum ostendendum; sicut frequenter in libris Logicae utitur opinionibus aliorum philosophorum ad propositum manifestandum per viam exempli. Posuit autem Plato quod unum est substantia rei cuiuslibet, quia non distinguebat inter unum quod convertitur cum ente, quod significat substantiam rei, et unum quod est principium numeri, quod considerat arithmeticus.[1] Hoc ergo unum, secundum quod recipit additionem positionis in continuo, accipit rationem puncti. Unde dicebat, quod unum est substantia non habens positionem. Punctum autem est substantia habens positionem: et sic punctum supra unitatem addit positionem.[2] Et sicut ex uno causantur omnes numeri non habentes positionem;[3] ita ex puncto, secundum platonicos, causantur omnes quantitates continuae. Nam punctus motus facit lineam; linea mota facit superficiem; superficies mota facit corpus.[4] Et secundum hoc quantitates continuae, de quibus est geometria, se habent ex appositione ad numeros, de quibus est arithmetica. Unde platonici posuerunt numeros esse formas magnitudinum, dicentes formas puncti esse unitatem; formam autem lineae esse binarium, propter duo extrema; formam autem superficiei esse ternarium, propter primam superficiem triangularem, scilicet quae

tribus angulis terminatur: formam autem corporis ponebat quaternarium, propter hoc quod prima figura corporea est pyramis triangularis, quae quatuor angulos corporales habet, unum scilicet in conum et tres in basim.[5]

Source: 1. See *Source* under *S.T.* [5].
      2. *Littera.*
      3. Aristotle, *Meta.*, I, 6 [987b 33 - 988a 1]; 9 [991b 27 - 992a 24].
      4. Aristotle, *De Caelo*, III, 1 [298b 33 - 299a 1; 299a 6-11]; Averroes, *In Meta.*, I, *com.* 37 [22F]; Simplicius, *In L. De Caelo*, III [CG VII, 562.21-566.16].
      5. Themistius, *De An. Par.*, I [CG V, 11.27 - 36].

[9] *In* II *Post. Anal.*, 3
Et inducit exemplum de definitione animae secundum Platonem. Quia enim anima vivit, et est corpori causa vivendi, sequitur quod differat a corpore per hoc quod corpus vivit per aliam causam, anima vero vivit per seipsam. Ponebat autem Plato quod numerus est substantia omnium rerum: eo quod non distinguebat inter unum quod convertitur cum ente, quod significat substantiam ejus de quo dicitur, et unum quod est principium numeri;[1] et ita sequebatur quod anima substantialiter sit numerus, sicut et quaelibet alia res multa in se continens.[2] Item ponebat Plato quod vivere sit quoddam moveri. Duobus enim distinguitur vivum a non vivente, scilicet sensu et motu, ut dicitur in I De anima; et ipsum sentire sive cognoscere dicebat esse quoddam moveri. Sic ergo dicebat animam esse numerum seipsum moventem: dicebat etiam animam esse id quod est sibi causa vivendi.[3]

Source: 1. See *Source* under *S.T.* [5].
      2. See *In De An.* [6].
      3. See *Source* under *In Sent.* [3].

[10] *In* II *Post. Anal.*, 5
Et sumuntur ista exempla secundum opinionem Platonis, qui posuit quod eadem est ratio unius et boni. Videmus enim quod unumquodque appetit unitatem sicut proprium bonum. Unum autem est idem quod indivisibile; et sic per oppositum sequitur quod malum sit idem quod divisibile. Unumquodque enim refugit divisionem sui, quia per hoc tendit ad diminutum et imperfectum.

Source: Boethius, *De Con. Phil.*, III, *Prosa* XI [F 91-94].

In XII libros Metaphysicorum Expositio

[1] *In* I *Meta.*, 3 [C 63]
Sed radix hujus opinionis est falsissima; quia non est conveniens, quod aliqua res divina invideat. Quod ex hoc patet, quia invidia est tristitia de prosperitate alicujus. Quod quidem accidere non potest, nisi quia bonum alterius aestimatur ab invido ut proprii boni diminutio. Deo autem non convenit esse tristem, cum non sit alicui malo subjectus. Nec etiam per bonum alterius ejus bonum diminui potest; quia ex ejus bonitate, sicut ex indeficienti fonte, omnia bona effluunt. Unde etiam Plato dixit, quod a Deo est omnis relegata invidia.

Source: Plato, *Timaeus*, interp. Chal., 10 [D II, 158]. Cf. Albertus Magnus, *Meta.*, I, 2, 8 [B VI, 33].

[2] *In* I *Meta.*, 4 [C 73]
Prima pars dividitur in duas. Prima ponit opiniones praetermittentium
causam formalem. Secundo ponit opinionem Platonis, qui primo
causam formalem posuit, ibi, 'Post dictas vero philosophias etc.'
Source: See *Source* 1 under *In Meta.* [5].

[3] *In* I *Meta.*, 7 [C 120]
Isti autem italici philosophi, qui et Pythagorici dicuntur, primi pro-
duxerunt quaedam mathematica.... Dicit ergo, 'primi,' quia Platonici
eos sunt secuti.
Source: Aristotle, *Meta.*, I, 6 [987b 1-18].

[4] *In* I *Meta.*, 7 [C 123]
Propter quod Plato usque ad decem faciebat numerum, ut dicitur
quarto Physicorum.
Source: Aristotle, *Phy.*, III, 6 [206b 32-33].

[5] *In* I *Meta.*, 10 [C 151]
Positis opinionibus antiquorum de causa materiali et efficiente, hic
tertio ponit opinionem Platonis, qui primo manifeste induxit causam
formalem.[1] Et dividitur in partes duas. Primo enim ponit opinionem
Platonis. Secundo colligit ex omnibus praedictis quid de quatuor generibus causarum ab aliis philosophis sit positum, ibi, 'Breviter et recapi-
tulariter etc.' Circa primum duo facit. Primo ponit opinionem Platonis
de rerum substantiis. Secundo de rerum principiis, ibi, 'Quoniam autem
species etc.' Circa primum duo facit. Primo ponit opinionem Platonis
quantum ad hoc quod posuit ideas. Secundo quantum ad hoc quod
posuit substantias medias, scilicet mathematica separata, ibi, 'Amplius
autem praeter sensibilia.' Dicit ergo primo, quod post omnes praedictos
philosophos supervenit negocium Platonis,[2] qui immediate Aristotelem
praecessit. Nam Aristoteles ejus discipulus fuisse perhibetur.[3] Plato
siquidem in multis secutus est praedictos philosophos naturales, scilicet
Empedoclem, Anaxagoram et alios hujusmodi, sed alia quaedam habuit
propria praeter illos praedictos philosophos, propter philosophiam
Italicorum Pythagoricorum.[4] Nam ipse ut studiosus erat ad veritatis
inquisitionem, ubique terrarum philosophos quaesivit, ut eorum dogmata sciret.[5] Unde in Italiam Tarentum venit, et ab Archita Tarentino
Pythagorae discipulo de opinionibus Pythagoricis est instructus.[6]

Source: 1. In 73 [*In* I *Meta.*, 4] St. Thomas divides Aristotle's treatment
into two sections: (1) those who did not consider the formal
cause and (2) [beginning here] Plato '*qui primo causam formalem posuit.*' At the end of the first section Aristotle points
out that the philosophers just treated dealt only with the
material and efficient cause [987a 2-9] and that the Pythagorians spoke superficially of the formal cause [987a 19-22].
Hence the qualification here of *manifeste*.
2. *Littera.*
3. This could be gathered from Aristotle himself. St. Augustine
states that Aristotle was the disciple of Plato (*De Civ. Dei*,
VIII, 12 [B]).
4. Averroes (*In Meta.*, I, *com.* 5 [7vG]) identifies the Italians
as Anaxagoras, Empedocles and Democritus. Albert (*Meta.*,

I, 4, 12 [B VI, 80]) follows the same identification. St.
Thomas, however, uses the information given by St. Augustine [*De Civ. Dei*, VIII, 2] and recognizes the Italians as
the Pythagorians.

The text in the Cathala has 'aliam vero et propriam
praeter Italicorum philosophiam habens.' The *Vetus* [S 268]
reads: '... alia vero et propria circa Ytalicorum habens
philosophiam.' St. Thomas interprets the *propria* with
reference to the naturalists and indicates a closer dependence
on the Pythagorians. Averroes [*ibid.*] also stresses the influence of the Pythagorians.

5. St. Augustine, *De Civ. Dei*, VIII, 4 [A].
6. St. Augustine [*ibid.*] states: 'et inde in eas Italiae partes
veniens [sc. Plato], ubi Pythagoreorum fama celebrabatur,
quidquid Italicae philosophiae tunc florebat, auditis emi-
nentioribus in ea doctoribus, facillime comprehendit.' I
have not, however, been able to find in St. Augustine any
reference to Archytas or Tarentum. This Cicero has in *De
Finibus*, V, 29 [87]: '... cur Plato ... peragravit ... cur post
Tarentum ad Archytam? cur ad reliquos Pythagoreos....',
and St. Jerome (Ep. LIII [CSEL 54, 443.7-9]).

[6] *In* I *Meta.*, 10 [C 152]

Cum enim naturales philosophos, qui in Graecia fuerunt,[1] sequi videret,
et intra eos aliqui posteriores ponerent omnia sensibilia semper esse in
fluxu, et quod scientia de eis esse non potest,[2] quod posuerunt Heraclitus et Cratylus, hujusmodi positionibus tamquam novis Plato consuetus,
et cum eis conveniens in hac positione ipse posterius ita esse suscepit,
unde dixit particularium scibilium scientiam esse relinquendam.[3]
Socrates etiam, qui fuit magister Platonis,[4] et discipulus Archelai,[5] qui
fuit auditor Anaxagorae,[6] propter hanc opinionem, quae suo tempore
surrexerat, quod non potest esse de sensibilibus scientia, noluit aliquid
de rerum naturis perscrutari, sed solum circa moralia negociatus est.
Et ipse prius incepit in moralibus quaerere quid esset universale, et
insistere ad definiendum.[7]

Source: 1. St. Augustine, *De Civ. Dei*, VIII, 2 [A].
   2. *Littera*; *Meta.*, IV, 5 [1010a 1-15].
   3. *Littera*.
   4. St. Augustine, *De Civ. Dei*, VIII, 2 [E]; 4 [A, B and D].
   5. 'Socrates huius [sc. *Archelai*] discipulus fuisse perhibetur....'
      (*Ibid.*, 2 [E]).
   6. 'Anaxagorae successit auditor ejus Archelaus' [*Ibid.*].
   7. *Littera* and partly St. Augustine, *ibid.*, 3 [A].

[7] *In* I *Meta.*, 10 [C 153]

Unde et Plato tamquam ejus auditor, 'recipiens Socratem,' idest sequens,
suscepit hoc ad inquirendum in rebus naturalibus, quasi in eis hoc
posset evenire, ut universale in eis acciperetur de quo definitio tradere-
tur, ita quod definitio non daretur de aliquo sensibilium; quia cum
sensibilia sint semper 'transmutantium', idest transmutata, non potest
alicujus eorum communis ratio assignari. Nam omnis ratio oportet
quod et omni et semper conveniat, et ita aliquam immutabilitatem

requirit.[1] Et ideo hujusmodi entia universalia, quae sunt a rebus sensibilibus separata, de quibus definitiones assignantur, nominavit ideas et species existentium sensibilium:[2] 'ideas quidem,' idest formas, inquantum ad earum similitudinem sensibilia constituebantur:[3] species vero inquantum per earum participationem esse substantiale habebant.[4] Vel ideas inquantum erant principium essendi,[5] species vero inquantum erant principium cognoscendi.[6] Unde et sensibilia omnia habent esse propter praedictas et secundum eas. Propter eas quidem inquantum ideae sunt sensibilibus causae essendi. Secundum eas vero inquantum sunt eorum exemplaria.

Source: 1. The *littera;* see also Aristotle, *Meta.,* IV, 5 [1010a 1-15].
  2. Aristotle [987b 8] has only ἰδέας ; the *Vetus* translates 'ydeas' but the Cathala text has 'ideas et species' which was in the text here used by St. Thomas.
  3. Aristotle, *Meta.,* I, 9 [991a 21-26].
  4. The *littera.* Cf. Aristotle, *Meta.,* I, 9 [991a 11; b 3-5].
  5. See 4 above.
  6. Aristotle, *Meta.,* I, 9 [991a 12; 992b 24 - 993a 10]. For the function of the ideas in being and in knowledge, cf. St. Augustine, *Oct. Tri. Quaes.,* 46.

[8] *In* I *Meta.,* 10 [C 154]

Et quod hoc sit verum, patet ex eo, quod singulis speciebus attribuuntur 'multa individua univocorum,' idest multa individua univocae speciei praedicationem suscipientia et hoc secundum participationem; nam species, vel idea est ipsa natura speciei, qua est existens homo per essentiam. Individuum autem est homo per participationem, inquantum natura speciei in hac materia designata participatur. Quod enim totaliter est aliquid, non participat illud, sed est per essentiam idem illi. Quod vero non totaliter est aliquid habens aliquid aliud adjunctum proprie participare dicitur. Sicut si calor esset calor per se existens, non diceretur participare calorem, quia nihil esset in eo nisi calor. Ignis vero quia est aliquid aliud quam calor, dicitur participare calorem.

Source: The *littera* (but see *Source* 1 and 2 under *S.T.* [56]).

[9] *In* I *Meta.,* 10 [C 155]

Similiter autem cum idea hominis separata nihil aliud habeat nisi ipsam naturam speciei, est essentialiter homo. Et propterea ab eo vocabatur per se homo. Socrates vero vel Plato, quia habet praeter naturam speciei principium individuans quod est materia signata, ideo dicitur secundum Platonem participare speciem.

Source: This is implied in the separation described in 987b 1-10. See also Aristotle, *Eth.,* I, 4 [1096a 35 - b 3].

[10] *In* I *Meta.,* 10 [C 156]

Hoc autem nomen participationis Plato accepit a Pythagora.[1] Sed tamen transmutavit ipsum. Pythagorici enim dicebant numeros esse causas rerum sicut Platonici ideas,[2] et dicebant quod hujusmodi existentia sensibilia erant quasi quaedam imitationes numerorum. Inquantum enim numeri qui de se positionem non habent, accipiebant positionem, corpora causabant. Sed quia Plato ideas posuit immutabiles ad hoc quod de eis possent esse scientiae et definitiones,[3] non conveniebat ei in ideis uti nomine imitationis. Sed loco ejus usus est nomine participationis. Sed tamen est sciendum, quod Pythagorici, licet ponerent participationem, aut imitationem, non tamen perscrutati sunt qualiter species communis participetur ab individuis sensibilibus, sive ab eis imitetur, quod Platonici tradiderunt.

Source: 1. *Littera*.
       2. See *Source* 4 under *In Meta*. [7].
       3. Aristotle, *Meta.*, I, 6 [987b 1-7].

[11] *In* I *Meta.*, 10 [C 157]
Hic ponit opinionem Platonis de mathematicis substantiis: et dicit quod Plato posuit alias substantias praeter species et praeter sensibilia, idest mathematica; et dixit quod hujusmodi entia erant media trium substantiarum, ita quod erant supra sensibilia et infra species, et ab utrisque differebant. A sensibilibus quidem, quia sensibilia sunt corruptibilia et mobilia, mathematica vero sempiterna et immobilia. Et hoc accipiebant ex ipsa ratione scientiae mathematicae, nam mathematica scientia a motu abstrahit. Differunt vero mathematica a speciebus, quia in mathematicis inveniuntur differentia secundum numerum, similia secundum speciem: alias non salvarentur demonstrationes mathematicae scientiae. Nisi enim essent duo trianguli ejusdem speciei, frustra demonstraret geometra aliquos triangulos esse similes; et similiter in aliis figuris. Hoc autem in speciebus non accidit. Nam cum in specie separata nihil aliud sit nisi natura speciei, non potest esse singularis species nisi una. Licet enim alia sit species hominis, alia asini, tamen species hominis non est nisi una, nec species asini, et similiter de aliis.

Source: Aristotle, *Meta.*, I, 6 [987b 14-18; 28-29]; III, 1; 2; 3; 5 [995b 13-18; 996a 12-17; 997a 34 - 997b 2; 997b 12 - 998a 6; 1002b 11-30]; VII, 1 [1028b 16-21]; XI, 1; 2 [1059b 6-8; 1060b 12-17]; XII, 1 [1069a 34 - 1069b 1]; *Phy.*, II, 2 [193b 31 - 194a 2].

[12] *In* I *Meta.*, 10 [C 158]
Patet autem diligenter intuenti rationes Platonis, quod ex hoc in sua positione erravit, quia credidit, quod modus rei intellectae in suo esse sit sicut modus intelligendi rem ipsam.[1] Et ideo quia invenit intellectum nostrum dupliciter abstracta intelligere, uno modo sicut universalia intelligimus abstracta a singularibus, alio modo sicut mathematica abstracta a sensibilibus, utrique abstractioni intellectus posuit respondere abstractionem in essentiis rerum: unde posuit et mathematica esse separata et species.[2] Hoc autem non est necessarium. Nam intellectus etsi intelligat res per hoc, quod similis est eis quantum ad speciem intelligibilem, per quam fit in actu; non tamen oportet quod modo illo sit species illa in intellectu quo in re intellecta: nam omne quod est in aliquo, est per modum ejus in quo est. Et ideo ex natura intellectus, quae est alia a natura rei intellectae, necessarium est quod alius sit modus intelligendi quo intellectus intelligit, et alius sit modus essendi quo res existit. Licet enim id in re esse oporteat quod intellectus intelligit, non tamen eodem modo. Unde quamvis intellectus intelligat mathematica non cointelligendo sensibilia, et universalia praeter particularia, non tamen oportet quod mathematica sint praeter sensibilia, et universalia praeter particularia. Nam videmus quod etiam visus percipit colo-

rem sine sapore, cum tamen in sensibilibus sapor et color simul inveniantur.

Source: This text has no corresponding section in the *littera* nor does it resemble anything in Averroes or Albert the Great at this point.

    1. Boethius, *In Isag.*, *ed. sec.*, I, 10; 11 [CSEL 48, 163.14-22; 167.7-11]; Abelard, *Glossae super Porphyrium* [Geyer, 25.15-26.15].

    2. Aristotle, *Meta.*, I, 6 [987b 7-18]; VII, 14 [1039a 24-33] and see *Source* under *In Meta.* [11].

[13] *In* I *Meta.*, 10 [C 159]

Primo ponit cujusmodi principia Plato assignaverit. Secundo ostendit quomodo Plato cum Pythagoricis communicet, et in quo differat ab eis, ibi, 'Unum tamen substantiam.' Dicit ergo primo, quod quia secundum Platonem species separatae sunt causae omnibus aliis entibus, ideo elementa specierum putaverunt esse elementa omnium entium. Et ideo assignabant rebus pro materia, magnum et parvum, et quasi 'substantiam rerum,' idest formam dicebant esse unum. Et hoc ideo, quia ista ponebant esse principia specierum. Dicebant enim quod sicut species sunt sensibilibus formae, ita unum est forma specierum. Et ideo sicut sensibilia constituuntur ex principiis universalibus per participationem specierum, ita species, quas dicebat esse numeros, constituuntur secundum eum, 'ex illis,' scilicet magno et parvo. Unitas enim diversas numerorum species constituit per additionem et subtractionem, in quibus consistit ratio magni et parvi.[1] Unde cum unum opinaretur esse substantiam entis, quia non distinguebat inter unum quod est principium numeri et unum quod convertitur cum ente,[2] videbatur sibi quod hoc modo multiplicarentur diversae species separatae ex una quae est communis substantia, sicut ex unitate diversae species numerorum multiplicantur.

Source: 1. *Littera.*
    2. See *Source* under *S.T.* [5].

[14] *In* I *Meta.*, 10 [C 160]

Hic comparat opinionem Platonis Pythagorae. Et primo ostendit in quo conveniebant. Secundo in quo differebant, ibi, 'Pro infinito,' conveniebant autem in duabus positionibus. Quarum prima est quod unum sit substantia rerum. Dicebant enim Platonici, sicut etiam Pythagorici, quod hoc quod dico unum non probatur de aliquo alio ente, sicut accidens de subjecto, sed hoc signat substantiam rei.[1] Et hoc ideo, quia, ut dictum est, non distinguebant inter unum quod convertitur cum ente, et unum quod est principium numeri.[2]

Source: 1. *Littera* (*Vetus* [S 269]: 'Unum tamen substantiam esse et non alterum aliquod esse dici siquidem equaliter Pytagoricis dixit.').
    2. See *Source* under *S.T.* [5].

[15] *In* I *Meta.*, 10 [C 161]

Secunda positio sequitur ex prima. Dicebant enim Platonici [similiter ut Pythagorici] numeros esse causas substantiae omnibus entibus.[1] Et hoc ideo quia numerus nihil aliud est quam unitates collectae.[2] Unde si unitas est substantia, oportet quod etiam numerus.

Source: 1. *Littera* (*Vetus* [S 269.19-20]: '... et numeros causas esse
       materiei substantie similiter illis....').
    2. Aristotle, *Meta.*, X, 1 [1053a 30]: 'Numerus autem pluralitas
       unitatum est.' [text, Cathala, *In* X *Meta.*, 2].

[16] *In* I *Meta.*, 10 [C 162]
Plato vero loco hujus unius quod Pythagoras posuit, scilicet infiniti,
fecit dualitatem, ponens ex parte materiae magnum et parvum. Et sic
infinitum quod Pythagoras posuit unum principium, Plato posuit
consistere ex magno et parvo. Et hoc est proprium opinionis suae in
comparatione ad Pythagoram.

Source: This is an expansion of the *littera* in view of the immediately
       preceding texts.

[17] *In* I *Meta.*, 10 [C 163]
Secunda differentia est, quia Plato posuit numeros praeter sensibilia,
et hoc dupliciter. Ipsas enim species, numeros esse dicebat, sicut supra
habitum est.[1] Et iterum inter species et sensibilia posuit mathematica
(ut supra dictum est)[2] quae secundum suam substantiam numeros esse
dicebat.[3] Sed Pythagorici dicunt ipsas res sensibiles esse numeros,[4] et
non ponunt mathematica media inter species et sensibilia,[5] nec iterum
ponunt species separatas.[6]

Source: 1. Aristotle, *Meta.*, I, 6 [987b 23]: 'species esse numeros'
       (*Vetus* [S 269.17]).
    2. *Ibid.* [987b 14-18].
    3. *Ibid.* VII, 11 [1036b 12-13] and Themistius, *De An. Par.*,
       I [CG V, 11.27-36].
    4. *Littera.*
    5. *Littera.*
    6. Implied in 987b 31-32: '... et specierum introducio propter
       eam que est in rationibus facta intencionem (*Vetus* [S 269.
       26-27]).

[18] *In* I *Meta.*, 10 [C 164]
Deinde cum dicit 'unum igitur.'
    Hic ostendit causam differentiae. Et primo secundae. Secundo
causas differentiae primae, ibi, 'Dualitatem autem fere etc.' Dicit ergo
quod ponere unum et numeros praeter res sensibiles, et non in ipsis
sensibilibus, sicut Pythagorici fecerunt, et iterum introducere species
separatas, evenit Platonicis propter scrutationem, 'quae est in rationibus,' idest propter hoc quod perscrutati sunt de definitionibus rerum,
quas credebant non posse attribui rebus sensibilibus, ut dictum est.
Et hac necessitate fuerunt coacti ponere quasdam res quibus definitiones
attribuuntur. Sed Pythagorici qui fuerunt priores Platone, non participaverunt dialecticam, ad quam pertinet considerare definitiones et
universalia hujusmodi, quarum consideratio induxit ad introductionem
idearum.

Source: The *littera* of Aristotle and 987b 1-9.

[19] *In* I *Meta.*, 10 [C 165]
Deinde cum dicit 'dualitatem autem.'
    Hic ostendit causam alterius differentiae, quae scilicet ex parte

materiae est. Et primo ponit causam hujusmodi differentiae. Secundo ostendit Platonem non rationabiliter motum esse, ibi, 'Attamen e contrario.' Dicit ergo quod ideo Platonici fecerunt dualitatem esse numerum, qui est alia natura a speciebus, quia omnes numeri naturaliter generantur ex dualitate praeter numeros primos. Dicuntur autem numeri primi, quos nullus numerat, sicut ternarius, quinarius, septenarius, undenarius, et sic de aliis. Hi enim a sola unitate constituuntur immediate. Numeri vero, quos aliquis alius numerus numerat, non dicuntur primi, sed compositi, sicut quaternarius, quem numerat dualitas et universaliter omnis numerus par a dualitate numeratur. Unde numeri pares materiae attribuuntur, cum eis attribuatur infinitum, quod est materiae, ut supra dictum est. Hac ratione posuit dualitatem, ex qua sicut 'aliquo echimagio,' idest ex aliquo exemplari omnes alii numeri pares generantur.

Source: The interpretation of the *littera* turns on the meaning of '*extra priores*' [*Vetus*: '*sine primis*']; see Ross, *Aristotle's Metaphysics*, vol. 1, note 34, pp. 173-176. St. Thomas understands the phrase to refer to *numeri impares*, apparently taking his clue from Averroes (*In Meta.*, I, *com.* 8 [9vK]): '... autem posuit dualitatem quae est ex materiae, non ex natura formae, quia ex ea generantur numeri pares.'

[20] *In* I *Meta.*, 10 [C 166]
Hic ostendit Platonem irrationabiliter posuisse. Et circa hoc duo facit. Primo enim ex ratione naturali ostendit hoc. Secundo etiam ponit rationem naturalem, quae Platonem movebat ad suam opinionem, ibi, 'Videtur autem ex una materia.' Dicit ergo quod quamvis Plato poneret dualitatem ex parte materiae, tamen e converso contingit, sicut attestantur opiniones omnium aliorum philosophorum naturalium, qui posuerunt contrarietatem ex parte formae, et unitatem ex parte materiae, sicut patet primo Physicorum.

Source: 'Pro infinito vero et uno, dualitatem facere et infinitum ex magno et parvo.... Dualitatem autem facere alteram naturam....' (Aristotle, *Meta.*, I, 6 [987b 25-26; 33]; text, Cathala, *In* I *Meta.*, 10).

[21] *In* I *Meta.*, 10 [C 167]
Deinde cum dicit 'videtur autem.'
    Hic ponit rationem e converso ex his sensibilibus acceptam secundum opinionem Platonis. Videbat enim Plato quod unumquodque recipitur in aliquo secundum mensuram recipientis. Unde diversae receptiones videntur provenire ex diversis mensuris recipientium. Una autem materia est una mensura recipiendi. Vidit etiam quod agens, qui inducit speciem, facit multas res speciem habentes, cum sit unus, et hoc propter diversitatem quae est in materiis. Et hujus exemplum apparet in masculo et femina. Nam masculus se habet ad feminam sicut agens et imprimens speciem ad materiam. Femina autem impraegnatur ab una actione viri. Sed masculus unus potest impraegnare multas feminas. Et inde est quod posuit unitatem ex parte speciei, et dualitatem ex parte materiae.

Source: The Greek text has: ψαίνεται δ'εκ μιᾶς ὕλης μία τσάπεζα [988a 3-4]. The *Vetus* translates: '... videtur autem ex una materia una *tripoda*' [S 269.34-35]. The first text given in the edition of Averroes [9D] reads: 'Apparet autem ex una materia una *mensa*.' St. Thomas, however, comments a *littera* in which the passage reads: 'Videtur autem ex una materia una *mensura*', in which he can find the general principle: 'unumquodque recipitur in aliquo secundum mensuram recipientis.' The rest is an expansion of the *littera*.

[22] *In* I *Meta.*, 10 [C 168]

Est autem attendendum quod haec diversitas inter Platonem et naturales accidit propter diversam de rebus considerationem. Naturales enim considerant tantum quae sunt sensibilia, prout sunt subjecta transmutationi, in qua unum subjectum successive accipit contraria. Et ideo posuerunt unitatem ex parte materiae, et contrarietatem ex parte formae. – Sed Plato ex consideratione universalium deveniebat ad ponendum principia sensibilium rerum. Unde, cum diversitatis multorum singularium sub uno universali causa sit divisio materiae, posuit diversitatem ex parte materiae, et unitatem ex parte formae. 'Et tales sunt mutationes illorum principiorum,' quae posuit Plato, idest participationes, vel ut ita dicam influentias in causata: sic enim nomen immutationis Pythagoras accipit. Vel immutationes dicit inquantum Plato mutavit opinionem de principiis, quam primi naturales habuerunt, ut ex praedictis patet. Et sic patet ex praedictis, quod Plato de causis quaesitis a nobis ita definivit.

Source: Plato's procedure is described in Aristotle, *Meta.*, I, 6 [987b 1-14]; cf. Aristotle, *De Gen. et Cor.*, I, 2 [316a 8-11].

[23] *In* I *Meta.*, 10 [C 169]

Deinde cum dicit 'palam autem'

Hic ostendit ad quod genus causae principia a Platone posita reducantur. Dicit ergo, ex dictis palam esse quod Plato usus est solum duobus generibus causarum. Causa enim 'ipsa,' idest causa, quae est causa ei, 'quod quid est,' idest quidditatis rei, scilicet causa formalis, per quam rei quidditas constituitur: et etiam usus est ipsa materia. Quod ex hoc patet, quia species quas posuit 'sunt aliis,' idest sensibilibus causae ejus 'quod quid est,' idest causae formales: ipsis vero speciebus causa formalis est hoc quod dico unum, et illa videtur substantia de qua sunt species: sicut ens unum ponit causam formalem specierum: ita magnum et parvum ponit earum causam quasi materialem, ut supra dictum est. Et hae quidem causae, scilicet formalis et materialis, non solum sunt respectu specierum, sed etiam respectu sensibilium, quia unum dicitur 'in speciebus:' idest id quod hoc modo se habet ad sensibilia, sicut unum ad speciem, est ipsa species, quia ea dualitas quae respondet sensibilibus pro materia est magnum et parvum.

Source: This is simply an expansion of the *littera* read in the light of the previous sections of the text (See *In* I *Meta.*, 10 [151 sq.].).

[24] *In* I *Meta.*, 10 [C 170]

Ulterius Plato assignavit causam ejus quod est bonum et malum in rebus, et singulis elementis ab eo positis. Nam causam boni ascribebat speciei, causam vero mali materiae.[1] Sed tamen causam boni et mali conati sunt investigare quidam primorum philosophorum, scilicet Anaxagoras

et Empedocles, qui ad hoc specialiter aliquas causas in rebus constitue-
runt, ut ab eis possent assignare principia boni et mali. In hoc autem
quod boni causas et mali tetigerunt, aliquo modo accedebant ad ponendum causam finalem, licet non per se, sed per accidens eam ponerent,
ut infra dicetur.[2]

Source: 1. The *littera* has: 'Amplius boni et mali causam dedit elementis
singulis singularem [sc. philosophum].' Since Plato was just
mentioned as using two causes, the formal and the material,
and since form is the principle of the good (See St. Thomas,
In I *Meta.*, 11 [178-179] and the *littera*.), the attribution of
evil to matter would seem to be implied in the text. [Averroes
makes no reference to *malum*.] This is connected with the
identification of matter and privation (See Aristotle, *Phy.*,
1, 8 [192a 2-6].).
2. Aristotle, *Meta.*, I, 7 [988b 6-16].

[25] *In* I *Meta.*, 11 [C 173]
Dicit ergo primo quod illi, scilicet priores philosophi, omnes in hoc
conveniunt, quod dant rebus aliquod principium quasi materiam. –
Differunt tamen in duobus. Primo, quia quidam posuerunt unam
materiam, sicut Thales et Diogenes et similes: quidam plures, sicut
Empedocles. Secundo, quia quidam posuerunt rerum materiam esse
aliquod corpus, sicut praedicti philosophi. Quidam incorporeum, sicut
Plato qui posuit dualitatem.[1] Posuit enim Plato magnum et parvum,
quae non dicunt aliquod corpus.[2]

Source: 1. Aristotle, *Meta.*, I, 6 [987b 20-21].
2. *Ibid.* [987b 25-26].

[26] *In* I *Meta.*, 11 [C 176]
Sed inter alios maxime appropinquaverunt ad ponendum causam
formalem qui posuerunt species, et eas rationes qui ad species pertinent,[1] sicut unitatem et numerum et alia hujusmodi. Species enim et
ea quae sunt modo praedicto in speciebus, ut unitas et numerus, non
suscipiuntur vel ponuntur ab eis ut materiae rerum sensibilium, cum
potius ex parte rerum sensibilium materiam ponant. Nec ponunt eas
ut causas unde motus proveniat rebus, immo magis sunt rebus causa
immobilitatis. Quicquid enim necessarium in sensibilibus invenitur,
hoc ex speciebus causari dicebant, et ipsas, scilicet species, dicebant
esse absque motu. Ad hoc enim ab eis ponebantur, ut dictum est, quod
immobiles existentes uniformiter se haberent, ita quod de eis possent
dari definitiones et fieri demonstrationes. Sed secundum eorum opinionem species rebus singulis praestant quidditatem per modum causae
formalis, et unitas hoc ipsum praestat speciebus.[2]

Source: 1. *Littera:* 'Maxime vero hi dicunt qui species et eas in speciebus
rationes ponunt' [988a 35 - b 1; text, Cathala, *In* I *Meta.*, 11].
2. *Littera* and Aristotle, *Meta.*, I, 6 [987b 1 - 988a 15].

[27] *In* I *Meta.*, 11 [C 178-179]
Similiter autem Pythagorici et Platonici qui dixerunt rerum substantiam esse ipsum unum et ens, uni etiam et enti attribuebant bonitatem.
Et sic dicebant talem naturam, scilicet bonum, esse rebus sensibilibus
causam substantiae, vel per modum causae formalis, sicut Plato posuit,

vel per modum materiae sicut Pythagorici. Non tamen dicebant quod esse rerum aut fieri esset hujus causa, scilicet unius et entis, quod pertinet ad rationem causae finalis. Et sic sicut naturales posuerunt bonum esse causam, non per modum causae formalis, sed per modum causae efficientis: ita Platonici posuerunt bonum esse causam per modum causae formalis et non per modum causae finalis: Pythagorici vero per modum causae materialis.

Unde patet quod accidebat eis quodammodo dicere bonum esse causam, et quodammodo non dicere. Non enim simpliciter dicebant bonum esse causam, sed per accidens. Bonum enim secundum propriam rationem est causa per modum causae finalis. Quod ex hoc patet, quod bonum est, quod omnia appetunt. Id autem, in quod tendit appetitus, est finis: bonum igitur secundum propriam rationem est causa per modum finis. Illi igitur ponunt bonum simpliciter esse causam, qui ponunt ipsum esse causam finalem. Qui autem attribuunt bono alium modum causalitatis, ponunt ipsum esse causam, et hoc per accidens, quia non ex ratione boni, sed ratione ejus cui accidit esse bonum, ut ex hoc quod est esse activum vel perfectivum. Unde patet quod isti philosophi causam finalem non ponebant nisi per accidens, quia scilicet ponebant pro causa, id cui convenit esse finem, scilicet bonum; non tamen posuerunt ipsum esse causam per modum finalis causae, ut dictum est.

Source: *Littera*.

[28] *In* I *Meta.*, 12 [C 199]
Patet igitur quod Anaxagoras secundum illa quae exprimit, nec dixit recte, nec plene. Tamen videbatur directe dicere aliquid propinquius opinionibus posteriorum, quae sunt veriores, scilicet opinioni Platonis et Aristotelis qui recte de materia prima senserunt, quae quidem opiniones tunc erant magis apparentes.

Source: Aristotle says merely [989b 19-20]: 'Vult [sc. Anaxagoras] tamen aliquid posterius dicentibus propinquum.... [text, Cathala]. The point in which he is praised is that his original mixture was *indeterminate* [989b 5-12; St. Thomas, *In* I *Meta.*, 12 [C 196]) and on this point, the 'matters' of Aristotle and Plato are alike.

[29] *In* I *Meta.*, 13 [C 201]
Hic disputat contra opiniones Pythagorae et Platonis, qui altera principia posuerunt quam naturalia.[1] Et circa hoc duo facit. Primo ostendit quod consideratio harum opinionum magis pertinet ad scientiam praesentem, quam praedictarum. Secundo incipit contra eas disputare, ibi, 'Ergo qui Pythagorici sunt vocati.' Dicit ergo primo, quod illi qui 'faciunt theoricam,' idest considerationem de omnibus entibus, et ponunt, quod entium quaedam sunt sensibilia, quaedam insensibilia, perscrutantur de utroque genere entium.[2] Unde investigare de opinionibus eorum, qui bene et qui non bene dixerunt, magis pertinet ad perscrutationem quam proponimus tradere in hac scientia. Nam haec scientia est de omnibus entibus, non de aliquo particulari genere entis. Et sic illa quae pertinet ad omnia entis genera, magis sunt hic consideranda quam illa quae pertinent ad aliquod particulare genus entis etc.

Source: 1. Aristotle, *Meta.*, I, 5 [987a 2-9]; 6 [987b 18-988a 1].
2. *Ibid.* [987b 18 - 988a 1].

[30] *In* I *Meta.,* 13 [C 203]

Pythagoras vero, quia ponebat principia incorporea, scilicet numeros, quamvis non poneret principia nisi corporum sensibilium, ponebat tamen entium intelligibilium, quae non sunt corpora, principia pene, sicut et Plato posterius fecit.

Source: The reference is to the composition of Ideas out of numbers. See *In Meta.* [13].

[31] *In* I *Meta.,* 13 [C 206]

Plato autem dixit alium numerum, qui est substantia sensibilium et qui est causa. Et quia ipse Plato existimavit sicut Pythagoras, numeros esse ipsa corpora sensibilia et causas eorum, sed numeros intellectuales aestimavit causas insensibilium, numeros vero sensibiles causas esse et formas sensibilium. Quid quia Pythagoras non fecit, insufficienter posuit.

Source: *Littera.*

[32] *In* I *Meta.,* 14 [C 208]

Hic disputat contra opinionem Platonis: et dividitur in duas partes. Primo disputat contra ejus opinionem, quantum ad hoc quod ponebat de rerum substantiis. Secundo quantum ad hoc quod de rerum principiis, ibi, 'Omnino autem sapientia.' Prima dividitur in duas partes. Primo enim disputat contra hoc quod ponebat substantias species. Secundo quantum ad hoc quod ponebat de mathematicis, ibi, 'Amplius si sunt numeri.' Circa primum duo facit. Primo enim disputat contra ipsam positionem Platonis. Secundo contra rationem ipsius, ibi, 'Amplius autem secundum quos etc.' Dicit ergo primo, quod Platonici ponentes ideas esse quasdam substantias separatas, in hoc videntur deliquisse, quia cum ipsi quaerentes causas horum sensibilium entium, praetermissis sensibilibus, adinvenerunt quaedam alia nova entia aequalia numeris sensibilibus. Et hoc videtur inconveniens: quia qui quaerit causas aliquarum rerum, debet ipsas certificare, non alias res addere, ex quarum positione accrescat necessitas inquisitionis: hoc enim simile est ac si aliquis vellet numerare res aliquas, quas non putet se posse numerare sicut pauciores, sed vult eas numerare multiplicando eas per additionem aliquarum rerum. Constat enim quod talis stulte movetur, quia in paucioribus est via magis plana, quia melius et facilius certificantur pauca quam multa. Et numerus tanto est certior quanto est minor, sicut propinquior unitati, quae est mensura certissima. Sicut autem numeratio est quaedam rerum certificatio quantum ad numerum, ita inquisitio de causis rerum est quaedam certa mensura ad certificationem naturae rerum. Unde sicut numeratae pauciores res facilius certificantur quantum ad earum numerum, ita pauciores res facilius certificantur quantum ad earum naturam. Unde cum Plato ad notificandum res sensibiles tantum, multiplicaverit rerum genera, adjunxit difficultates, accipiens quod est difficilius ad manifestationem facilioris, quod est inconveniens.

Source: *Littera.*

[33] *In* I *Meta.,* 14 [C 209]

Et quod ideae sint aequales numero, aut non pauciores sensibilibus, de quibus Platonici inquirunt causas (quibus Aristoteles se connumerat, quia Platonis discipulus fuit)[1] et determinaverunt procedentes de his sensibilibus ad praedictas species, manifestum est si consideretur, qua ratione Platonici ideas induxerunt: hac, scilicet, quia videbant in omnibus univocis unum esse in multis. Unde id unum ponebant esse speciem separatam. Videmus tamen, quod circa omnes substantias rerum aliarum ab ideis invenitur unum in multis per modum univocae praedicationis, inquantum inveniuntur multa unius speciei. Et hoc non solum in sensibilibus corruptibilibus, sed etiam in mathematicis, quae sunt sempiterna: quia et in eis multa sunt unius speciei, ut supra dictum est. Unde relinquitur quod omnibus speciebus rerum sensibilium respondeat aliqua idea.[2] Quaelibet igitur earum est quoddam aequivocum cum istis sensibilibus, quia communicat in nomine cum eis. Sicut enim Socrates dicitur homo, ita et illa. Tamen differunt ratione. Ratio enim Socratis est cum materia. Ratio vero hominis idealis est sine materia.[3] Vel secundum aliam literam,[4] unaquaeque species dicitur esse aliquid univocum, inquantum scilicet est unum in multis, et convenit cum illis de quibus praedicatur, quantum ad rationem speciei. Ideo autem dicit aequales, aut non pauciores, quia ideae vel ponuntur solum specierum, et sic erunt aequales numero istis sensibilibus, si numerentur hic sensibilia secundum diversas species, et non secundum diversa individua quae sunt infinita. Vel ponuntur ideae non solum specierum, sed etiam generum:[5] et sic sunt plures ideae quam species sensibilium, quia ideae tunc erunt species omnes, et praeter haec omnia et singula genera. Et propter hoc dicit aut non pauciores quidem, sed plures. Vel aliter, ut dicantur esse aequales, inquantum ponebat eas esse sensibilium; non pauciores autem sed plures, inquantum ponebat eas non solum species sensibilium, sed etiam mathematicorum.

Source: 1. St. Augustine, *De Civ. Dei.*, VIII, 12 [B].
2. Aristotle, *Meta.*, I, 6 [987b 1-18].
3. A *littera* which contained the *aequivocum* of the Cathala text. See *In Meta.* [9].
4. Apparently the *Vetus* which reads 'Unaqueque enim *univocum* quoddam est et preter substantias, etc.' [990b 6-7].
5. St. Thomas frequently asserts that Plato did not posit Ideas of *genera*. This he seems to find implied in Aristotle's argument that there should be such Ideas. See *In Meta.* [78].

[34] *In* I *Meta.*, 14 [C 210]
Deinde cum dicit 'amplius autem.'

Hic disputat contra Platonem quantum ad rationem suae positionis. Et circa hoc duo facit. Primo tangit modos in generali, quibus rationes Platonis deficiebant. Secundo exponit illos in speciali, ibi, 'Quia secundum rationes scientiarum.' Dicit ergo primo, quod secundum nullum illorum modorum videntur species esse, secundum quos nos Platonici ostendimus species esse. Et hoc ideo quia ex quibusdam illorum modorum non necessarium est 'fieri syllogismum,' idest quasdam rationes Platonis, quia scilicet non de necessitate possunt syllogizare species esse: ex quibusdam vero modis fit syllogismus, sed non ad propositum Platonis: quia per quasdam suas rationes ostenditur, quod species separatae sunt quarumdam rerum, quarum esse species Platonici non putaverunt similiter, sicut et illarum quarum putaverunt, esse species.

Source: *Littera.* (Averroes, *In Meta.*, I, *com.* 27 [18D] has quite a different interpretation.)

[35] *In* I *Meta.*, 14 [C 211]
     Deinde cum dicit 'quia secundum.'
     Hic prosequitur istos modos in speciali: et primo prosequitur secundum, ostendendo quod sequitur per rationem Platonis species esse aliquorum, quorum species Plato non ponebat. Secundo prosequitur primum, ostendens quod rationes Platonis non sunt sufficientes ad ostendendum esse ideas, ibi, 'Omnium autem dubitabit aliquis etc.' Circa primum ponit septem rationes: quarum prima talis est. Una rationum inducentium Platonem ad ponendum ideas summebatur ex parte scientiae: quia videlicet scientia cum sit de necessariis, non potest esse de his sensibilibus, quae sunt corruptibilia, sed oportet quod sit de entibus separatis incorruptibilibus.[1] Secundum igitur hanc rationem ex scientiis sumptam, sequitur quod species sint omnium quorumcumque sunt scientiae. Scientiae autem non solum sunt de hoc quod est esse unum in multis, quod est per affirmationem, sed etiam de negationibus: quia sicut sunt aliquae demonstrationes concludentes affirmativam propositionem, ita sunt etiam demonstrationes concludentes negativam propositionem: ergo oportet etiam negationum ponere ideas.

     Source: 1. Aristotle, *Meta.*, I, 6 [987a 29 - b 9]. The rest of the text
         depends directly on the *littera*.

[36] *In* I *Meta.*, 14 [C 212]
     Deinde cum dicit 'et secundum.'
     Hic ponit secundam rationem. In scientiis enim non solum intelligitur quod quaedam semper se eodem modo habent, sed etiam quod quaedam corrumpuntur; aliter tolleretur scientia naturalis, quae circa motum versatur. Si igitur oportet esse ideas omnium illorum quae in scientiis intelliguntur, oportet esse ideas corruptibilium inquantum corruptibilia, hoc est inquantum sunt haec sensibilis singularia; sic enim sunt corruptibilia. Non autem potest dici secundum rationem Platonis, quod scientiae illae, quibus intelligimus corruptiones rerum, intelligantur corruptiones horum sensibilium; quia horum sensibilium non est intellectus, sed imaginatio vel phantasia, quae est motus factus a sensu secundum actum, secundum quod dicitur in secundo de Anima.

     Source: *Littera*.

[37] *In* I *Meta.*, 14 [C 213]
     Deinde cum dicit 'amplius autem.'
     Hic ponit tertiam rationem, quae continet duas conclusiones, quas certissimis rationibus dicit concludi. Una est, quia si ideae sunt omnium, quorum sunt scientiae, scientiae autem non solum sunt de absolutis, sed etiam sunt de his quae dicuntur ad aliquid, sequitur hac ratione faciente quod ideae sunt etiam eorum quae sunt ad aliquid: quod est contra opinionem Platonis; quia cum ideae separatae sint secundum se existentes, quod est contra rationes ejus quod est ad aliquid, non ponebat Plato eorum quae sunt ad aliquid, aliquod esse genus idearum, quia secundum se dicuntur.

     Source: *Littera*.

[38] *In* I *Meta.*, 14 [C 214-216]
     Alia conclusio est quae ex aliis rationibus certissimis sequitur, quod scilicet sit tertius homo. Quod quidem tripliciter potest intelligi. Uno

modo quod intelligatur, quod homo idealis sit tertius a duobus hominibus sensibilibus, qui communis hominis praedicationem suscipiunt. Sed
haec non videtur ejus esse intentio, licet non tangatur secundo Elen-
chorum: haec enim est positio contra quam disputat: unde ad hoc non
duceret quasi ad inconveniens.

Alio modo potest intelligi, ut dicatur tertius homo, scilicet qui sit
communis et homini ideali et homini sensibili. Cum enim homo sensibilis et homo idealis conveniant in ratione, sicut duo homines sensibiles,
et sicut homo idealis ponitur tertius praeter duos homines sensibiles, ita
alius homo debet poni tertius praeter hominem idealem et hominem
sensibilem. Et hoc etiam non videtur hic esse ejus intentio, quia ad hoc
inconveniens statim alia ratione ducet: unde esset superfluum hic ad
idem inconveniens ducere.

Tertio modo potest intelligi, quia Plato ponebat in quibusdam generibus tria, quaedam scilicet sensibilia, mathematica et species, sicut in
numeris et lineis et omnibus hujusmodi. Non est autem major ratio
quare in quibusdam rebus ponantur media quam in aliis; ergo oportebat etiam in specie hominis ponere hominem medium, qui erit tertius
inter hominem sensibilem et idealem: et hanc etiam rationem in posterioribus libris Aristoteles ponit.

Source: Aristotle, *Meta.*, I, 6 [987b 14-18]; VII, 10 [1036b 12-17];
Themistius, *De An. Par.*, I [CG V, 11.27-36].

[39] *In* I *Meta.*, 14 [C 217]
Deinde cum dicit 'et omnino.'

Hic ponit quartam rationem quae talis est. Quicumque per suam
rationem removet aliqua, quae sunt apud eum magis nota quam ipsa
positio, inconvenienter ponit. Sed istae rationes, quas Plato posuit, de
speciebus separatis, auferunt quaedam principia, quae Platonici dicentes esse species magis volunt esse vera quam hoc ipsum quod est, ideas
esse: ergo Plato inconvenienter posuit.[1] Minorem autem sic manifestat.
Ideae secundum Platonem sunt priores rebus sensibilibus et mathematicis:[2] sed ipsae ideae sunt numeri secundum eum,[3] et magis numeri
impares quam pares, quia numerum imparem attribuebat formae,
parem autem materiae. Unde et dualitatem dixit esse materiam.[4]
Sequitur ergo quod alii numeri sunt priores dualitate, quam ponebat
sicut materiam sensibilium, ponens magnum et parvum.[5] Cujus contrarium Platonici maxime asserebant, scilicet dualitatem esse primam
in genere numeri.[6]

Source: 1. *Littera.*
2. Aristotle, *Meta.*, I, 6 [987b 14-20].
3. *Ibid.* [987b 22].
4. *Ibid.* [987b 20-23 and 34 - 988a 1].
5. *Ibid.* [987b 20-21; 33].
6. Implied in the *littera.*

[40] *In* I *Meta.*, 14 [C 218]
Item si, sicut per superiorem rationem probatum est, oportet esse
aliquas ideas relationum, quae sint secundum se ad aliquid, et ipsa idea
est prior eo quod participat ideam, sequitur quod hoc ipsum quod est
ad aliquid est prius absoluto quod secundum se dicitur. Nam hujusmodi
substantiae sensibiles, quae participant ideas, absolute dicuntur. Et

similiter de omnibus est quaecumque illi qui sequuntur opinionem de ideis dicunt opposita principiis per se notis, quae etiam ipsi maxime concedebant.

Source: *Littera*. The interpretation of 'principiis' is not in the *littera* and is different from that of Averroes (*In Meta.*, I, *com.* 28 [19A]).

[41] *In* I *Meta.*, 14 [C 219]
Deinde cum dicit 'amplius autem.'

Hic ponit quintam rationem, quae talis est. Ideae ponebantur a Platone, ut eis competerent rationes sive definitiones positae in scientiis, ut etiam de eis scientiae esse possent.[1] Sed 'intelligentia una,' idest simplex et indivisibilis, qua scitur de unoquoque quid est, non solum est circa substantias 'sed etiam de aliis,' scilicet accidentibus. Et similiter scientiae non solum sunt substantiae, et de substantia, sed etiam inveniuntur scientiae 'aliorum,' scilicet accidentium: ergo patet quod ad aestimationem, secundum quam vos Platonici esse dicitis ideas, sequitur quod species non solum essent substantiarum, sed etiam multorum aliorum, scilicet accidentium. Et hoc idem sequitur non solum propter definitiones et scientias, sed etiam accidunt multa 'alia talia,' scilicet plurima, ex quibus oportet ponere ideas accidentium secundum rationes Platonis.[2] Sicut quia ponebat ideas principia essendi et fieri rerum,[3] et multorum hujusmodi, quae conveniunt accidentibus.

Source: 1. Aristotle, *Meta.*, I, 6 [987a 29 - b 9].
         2. *Littera*.
         3. Aristotle, *Meta.*, I, 9 [991b 3-4].

[42] *In* I *Meta.*, 14 [C 220]
Sed ex alia parte secundum quod Plato opinabatur de ideis, et secundum necessitatem, qua sunt necessariae sensibilibus 'inquantum' scilicet sunt participabiles a sensibilibus, est necessarium ponere quod ideae sint solum substantiarum. Quod sic patet. Ea quae sunt secundum accidens non participantur: sed ideam oportet participari in unoquoque inquantum non dicitur de subjecto. Quod sic patet. Quia si aliquod sensibile participat 'per se duplo,' idest duplo separato (sic enim appellabat Plato omnia separata, scilicet per se entia): oportet quod participet sempiterno; non quidem per se, quia tunc sequeretur quod dupla sensibilia essent sempiterna, sed per accidens: inquantum scilicet ipsum per se duplum quod participatur est sempiternum. Ex quo patet quod participatio non est eorum quae accidentia sunt, sed solummodo substantiarum. Unde secundum opinionem Platonis non erat aliquod accidens species separata, sed solum substantia: et tamen secundum rationem sumptam ex scientiis oportebat quod esset species etiam accidentium, ut dictum est.

Source: *Littera*.

[43] *In* I *Meta.*, 14 [C 221]
Deinde cum dicit 'haec vero.'

Hic ponit sextam rationem, quae talis est. Istae res sensibiles substantiam significant in rebus quae videntur et similiter illic, ut in rebus intelligibilibus, quae substantiam significant, quia tam intelligibilia quam sensibilia substantiam ponebant: ergo necesse est ponere praeter utrasque substantias, scilicet intelligibiles et sensibiles, aliquid commune eis quod sit unum in multis: ex hac enim ratione Platonici ideas ponebant, quia inveniebant unum in multis, quod credebant esse praeter illa multa.

Source: *Littera*. Cf. Aristotle, *Meta.*, I, 6 [987a 2 - b 22].

[44] *In* I *Meta.*, 14 [C 222]
Et quod hoc ponere sit necessarium, scilicet aliquod unum praeter substantias sensibiles et praeter species, sic ostendit. Aut enim ideae et sensibilia quae participant ideas sunt unius speciei aut non. — Si sunt unius speciei, omnium autem multorum in specie convenientium oportet ponere secundum positionem Platonis unam speciem separatam communem, oportebit igitur aliquid ponere commune sensibilibus et ipsis ideis, quod sit separatum ab utroque. Non potest autem responderi ad hanc rationem quod ideae quae sunt incorporales et immateriales non indigent aliis speciebus superioribus; quia similiter mathematica quae ponuntur a Platone media inter sensibilia et species, sunt incorporea et immaterialia: et tamen, quia plura eorum inveniuntur unius speciei, Plato posuit eorum speciem communem separatam, qua etiam participant non solum mathematica, sed etiam sensibilia. Si igitur est una et eadem dualitas, quae est species vel idea dualitatis, quae quidem est etiam in dualitatibus sensibilibus quae sunt corruptibiles, sicut exemplar est in exemplato et in dualitatibus etiam mathematicis quae sunt multae unius speciei, sed tamen sunt sempiternae, eadem ratione in eadem dualitate, scilicet quae est idea et in alia quae est mathematica, vel sensibilis, erit alia dualitas separata. Non enim potest reddi propter quid illud sit, et hoc non sit.

Source: *Littera*.

[45] *In* I *Meta.*, 14 [C 223]
Si autem detur alia pars, scilicet sensibilia quae participant ideas non sunt ejusdem speciei cum ideis: sequitur quod nomen quod dicitur de ideis et de substantia sensibili dicatur omnino aequivoce. Illa enim dicuntur aequivoce, quorum solum nomen commune est, ratione speciei existente diversa. Nec solum sequitur quod sint quocumque modo aequivoca, sed simpliciter aequivoca, sicut illa quibus imponitur unum nomen sine respectu ad aliquam communicationem, quae dicuntur aequivoca a casu. Sicut si aliquem hominem aliquis vocaret Calliam et aliquod lignum.

Source: *Littera*.

[46] *In* I *Meta.*, 14 [C 224]
Hoc autem ideo addidit Aristoteles quia posset aliquis dicere quod non omnino aequivoce aliquod nomen praedicatur de idea et de substantia sensibili, cum de idea praedicetur essentialiter, de substantia vero sensibili per participationem. Nam idea hominis secundum Platonem dicitur per se homo, hic autem homo sensibilis dicitur per participationem. Sed tamen talis aequivocatio non est pura; sed nomen quod per participationem praedicatur, dicitur per respectum ad illud quod praedicatur per se, quod non est pura aequivocatio, sed multiplicitas analogiae. Si autem essent omnino aequivoca a casu idea et substantia sensibilis, sequeretur quod per unum non posset cognosci aliud, sicut aequivoca non se invicem notificant.

Source: *Littera* and see *Source* 2 under *S.T.* [56].

[47] *In* I *Meta.*, 15 [C 225]

Hic improbat opinionem Platonis quantum ad hoc quod non concludebat quod concludere intendebat. Intendebat enim Plato concludere ideas esse per hoc, quod sunt necesse sensibilibus rebus secundum
aliquem modum. Unde Aristoteles ostendens quod ideae ad nihil possunt sensibilibus utiles esse, destruit rationes Platonis de positione
idearum: et ideo dicit quod inter omnia dubitabilia, quae sunt contra
Platonem, illud est maximum, quod species a Platone positae non
videntur aliquid conferre rebus sensibilibus, nec sempiternis, sicut sunt
corpora caelestia: nec his, quae fiunt et corrumpuntur sicut corpora
elementaria. Quod sigillatim de omnibus ostendit propter quae Plato
ponebat ideas, cum dicit 'nec enim.'

Source: The *littera* is expanded in the light of the following arguments.

[48] *In* I *Meta.*, 15 [C 226]

Ibi incipit quinque ostendere. Primo quod non prosunt ad motum.
Secundo quod non prosunt ad scientias, ibi, 'sed nec ad scientiam.'
Tertio quod non prosunt sicut exemplaria, ibi, 'Dicere vero exemplaria etc.' Quarto quod non prosunt sicut substantiae, ibi, 'Amplius
opinabitur.' Quinto quod non prosunt sicut causae fiendi, ibi, 'In
Phaedone vero etc.' Dicit ergo primo, quod species non possunt conferre sensibilibus, ita quod sint eis causa motus vel transmutationis
alicujus. Cujus rationem hic non dicit, sed superius tetigit, quia videlicet
ideae non introducebantur propter motum, sed magis propter immobilitatem. Quia enim Platoni videbatur quod omnia sensibilia semper
essent in motu, voluit aliquid ponere extra sensibilia fixum et immobile,
de quo posset esse certa scientia. Unde species non poterant ab eo
poni sicut principia sensibilia motus, sed potius sicut immobiles, et
immobilitatis principia: ut scilicet si aliquid fixum et eodem modo se
habens in rebus sensibilibus invenitur, hoc sit secundum participantiam
idearum, quae per se sunt immobiles.

Source: *Littera* and Aristotle, *Meta.*, I, 6 [987a 2 - b 22].

[49] *In* I *Meta.*, 15 [C 227-228]

Deinde cum dicit 'sed nec ad.'

Ostendit secundo, quod species non prosunt sensibilibus ad scientiam,
tali ratione. Cognitio uniuscujusque perficitur per cognitionem suae
substantiae, et non per cognitionem aliquarum substantiarum extrin-
secarum: sed substantiae separatae quas dicebant species, sunt omnino
aliae ab istis substantiis sensibilibus: ergo earum cognitio non auxiliatur
ad scientiam illorum sensibilium.

...Nec potest dici quod illae species sunt substantiae istorum sensibilium: nam cujuslibet rei substantia est in eo cujus est substantia. Si
igitur illae species essent substantiae rerum sensibilium, essent in his
sensibilibus: quod est contra Platonem.

Source: *Littera* and Aristotle, *Meta.*, I, 6 [987b 1-6].

[50] *In* I *Meta.*, 15 [C 229]

Nec iterum potest dici quod illae species adsint istis substantiis sensibilibus, sicut participantibus eas. Hoc enim modo Plato opinabatur

aliquas species horum sensibilium causas esse. Sicut non intelligeremus ipsum album per se existens, ac si esset quoddam album separatum, permisceri albo quod est in subjecto, et albedinem participare, ut sic etiam dicamus quod homo iste, qui est separatus, permisceatur huic homini qui componitur ex materia et natura speciei, quam participat. Sed haec ratio est valde 'mobilis,' idest destructibilis: hanc enim rationem primo tetigit Anaxagoras qui posuit etiam formas et accidentia permisceri rebus. Et secundo tetigit Hesiodus et alii quidam. Et ideo dico quod est valde mobilis, scilicet quia facile est colligere multa impossibilia contra talem opinionem. Sequitur enim, sicut supra dixit contra Anaxagoram, quod accidentia et formae possunt esse sine substantiis. Nam ea sola nata sunt misceri quae possunt separatim existere.

Source: *Littera*.

[51] *In* I *Meta.*, 15 [C 230]
Sic igitur non potest dici quod species sic conferant ad scientiam sensibilium ut eorum substantiae, nec quod sint eis principia existendi per modum participandi. Nec etiam potest dici quod ex speciebus sicut ex principiis 'sunt alia,' scilicet sensibilia secundum ullum eorum modum qui consueverunt dici. Unde si eadem sunt principia essendi et cognoscendi, oportet quod species non conferant ad scientias, cum principia essendi esse non possint. Ideo autem dicit secundum ullum modum consuetorum dici, quia Plato invenerat novos modos aliquid ex alio cognoscendi.

Source: *Littera*.

[52] *In* I *Meta.*, 15 [C 231]
Deinde cum dicit 'dicere vero.'

Hic tertio ostendit, quod species non conferant sensibilibus sicut exemplaria. Et primo proponit intentum. Secundo probat, ibi, 'Nam quid opus est etc. Dicit ergo primo, quod dicere species esse exemplaria sensibilium et mathematicorum eo quod hujusmodi causas participent, est dupliciter inconveniens. Uno modo, quia vanum et nulla utilitas est hujusmodi exemplaria ponere, sicut ostendet. Alio modo quia est simile metaphoris quas poetae inducunt, quod ad philosophum non pertinet. Nam philosophus ex propriis docere debet. Ideo autem hoc dicit esse metaphoricum, quia Plato productionem rerum naturalium assimilavit factioni rerum artificialium, in quibus artifex ad aliquod exemplar respiciens, operatur aliquid simile suae arti.

Source: *Littera* (cf. Plato, *Timaeus*, interp. Chal., 11 [D II, 139-140]).

[53] *In* I *Meta.*, 15 [C 233]
Sciendum autem quod illa ratio, etsi destruat exemplaria separata a Platone posita, non tamen removet divinam scientiam esse rerum omnium exemplarem.

[54] *In* I *Meta.*, 15 [C 235]
Deinde cum dicit 'amplius autem.'

Hic ponit tertiam rationem, quae talis est. Sicut se habet species ad individuum, ita se habet genus ad speciem. Si igitur species sunt exemplaria sensibilium individuorum, ut Plato ponit, ipsarum etiam specierum erunt aliqua exemplaria, scilicet genus specierum: quod est inconveniens: quia tunc sequeretur quod idem, scilicet species, erit exemplum alterius, scilicet individui sensibilis, et imago ab alio exemplata, scilicet a genere; quod videtur esse inconveniens.

Source: Aristotle, *Meta.*, I, 6 [987b 7-10].

[55] *In* I *Meta.*, 15 [C 237]
Deinde cum dicit 'in Phaedone.'
Hic ostendit quod non conferunt species sensibilibus ad eorum fieri, quamvis Plato dixerit 'in Phaedone,'[1] idest in quodam suo libro, quod species sunt causae rebus sensibilibus essendi et fiendi. Sed hoc improbat duabus rationibus: quarum prima talis est. Posita causa ponitur effectus: sed existentibus speciebus non propter hoc fiunt entia particularia sive individua participantia species, nisi sit aliquid motivum quod moveat ad speciem. Quod ex hoc patet, quia species semper eodem modo sunt secundum Platonem.[2] Si igitur eis positis essent vel fierent individua participantia eas, sequeretur quod semper essent hujusmodi individua, quod patet esse falsum: ergo non potest dici quod species sint causae fieri et esse rerum; et praecipue cum non poneret species causas esse motivas, ut supra dictum est. Sic enim a substantiis separatis immobilibus ponit Aristoteles procedere et fieri et esse inferiorum, inquantum illae substantiae sunt motivae caelestium corporum, quibus mediantibus causatur generatio et corruptio in istis inferioribus.

Source: 1. *Littera.*
2. Aristotle, *Meta.*, I, 6 [987b 1-7].

[56] *In* I *Meta.*, 15 [C 238]
Deinde cum dicit 'et multa.'
Hic ponit secundam rationem, quae talis est. Sicut se habent artificialia ad causas artificiales, ita se habent naturalia ad causas naturales. Sed videmus quod multa alia a naturalibus, ut domus et annulus, fiunt in istis inferioribus, quorum Platonici species non ponebant: ergo 'et alias,' scilicet naturalia contingit esse et fieri propter tales causas proximas, quales contingit esse nunc dictas, scilicet artificiales; ut scilicet sicut res artificiales fiunt a proximis agentibus, ita et res naturales.

Source: *Littera.*

[57] *In* I *Meta.*, 16 [C 239]
Hic improbat opinionem Platonis de speciebus inquantum ponebat eas esse numeros. Et circa hoc duo facit. Primo disputat contra ea quae posita sunt ab ipso de numeris. Secundo contra ea quae posita sunt ab ipso de aliis mathematicis, ibi, 'Volentes autem substantias etc.' Circa primum ponit sex rationes: quarum prima talis est. Eorum quae sunt idem secundum substantiam, unum non est causa alterius: sed sensibilia secundum substantiam sunt numeri secundum Platonicos et Pythagoricos: si igitur species sunt etiam numeri, non poterunt species esse causae sensibilium.

Source: *Littera* (cf. Aristotle, *Meta.*, I, 6 [987b 22]).

[58] *In* I *Meta.*, 16 [C 240]
Si autem dicatur quod alii numeri sunt species, et alii sunt sensibilia, sicut ad literam Plato ponebat: ut si dicamus quod hic numerus est homo, et ille alius numerus est Socrates et alius numerus est Callias,

istud adhuc non videtur sufficere: quia secundum hoc sensibilia et
species conveniunt in ratione numeri: et eorum, quae sunt idem secundum rationem, unum non videtur esse causa alterius: ergo species non
erunt causae horum sensibilium.

Source: *Littera.*

[59] *In* I *Meta.*, 16 [C 242]
Si autem dicatur quod haec sensibilia sunt quaedam 'rationes,' idest
proportiones numerorum, et per hunc modum numeri sunt causae
horum sensibilium, sicut videmus in 'symphoniis,' idest in musicis consonantiis, quia numeri dicuntur esse causae consonantiarum, inquantum proportiones numerales, quae applicantur sonis, consonantias red-
dunt: palam est quod oportebat praeter ipsos numeros in sensibilibus
ponere aliquod unum secundum genus, cui applicantur proportiones
numerales: ut scilicet eorum, quae sunt illius generis proportiones, sensibilia constituant; sicut praeter proportiones numerales in consonantiis
inveniuntur soni. Si autem illud, cui applicatur illa proportio numeralis
in sensibilibus est materia, manifestum est quod oportebat dicere, quod
ipsi numeri separati qui sunt species, sint proportiones alicujus unius,
scilicet ad aliquod aliud. Oportet enim dicere quod hic homo, qui est
Callias vel Socrates, est similis homini ideali qui dicitur 'autosanthro-
pos' idest per se homo. Si igitur Callias non est numerus tantum, sed
magis est ratio quaedam vel proportio in numeris elementorum, scilicet
ignis, terrae, aquae et aeris; et ipse homo idealis erit quaedam ratio vel
proportio in numeris aliquorum; et non erit homo idealis numerus per
suam substantiam. Ex quo sequitur, quod nullus numerus erit 'praeter
ea,' id est praeter res numeratas. Si enim numerus specierum est maxime
separatus, et ille non est separatus a rebus, sed est quaedam proportio
rerum numeratarum, nunc nullus alius numerus erit separatus; quod
est contra Platonicos.

Source: Aristotle, *Meta.*, I, 6 [987b 37].

[60] *In* I *Meta.*, 16 [C 245]
Sed quia ad hanc rationem posset responderi ex parte Platonis, quod
ex multis numeris non fit unus numerus, sed quilibet numerus immediate constituitur ex unitatibus, ideo consequenter cum dicit 'sed si nec'
excludit etiam hanc responsionem. Si enim dicitur quod aliquis numerus major, ut millenarius, non constituatur 'ex eis,' scilicet ex duobus
vel pluribus numeris minoribus, sed constituitur 'ex unis,' idest ex
unitatibus, remanebit quaestio quomodo se habent unitates adinvicem,
ex quibus numeri constituuntur? Aut enim oportet, quod omnes unitates sint conformes adinvicem, aut quod sint difformes adinvicem.

Source: *Littera.*

[61] *In* I *Meta.*, 16 [C 247]
Si vero non sint conformes, hoc potest esse dupliciter. Uno modo, quia
unitates unius numeri sunt differentes ab unitatibus alterius numeri,
sicut unitates binarii ab unitatibus ternarii; et tamen unitates unius et
ejusdem numeri sibi invicem sunt conformes. Alio modo ut unitates
ejusdem numeri non sibi invicem, nec unitatibus alterius numeri conformes existant. Hanc divisionem significat, cum dicit, 'Nec eaedem
sibi invicem,' idest quae ad eumdem numerum pertinent, 'nec aliae

omnes etc.,' scilicet quae pertinent ad diversos numeros.— Quocumque autem modo ponatur difformitas inter unitates, videtur inconveniens. Nam omnis difformitas est per aliquam formam vel passionem; sicut videmus quod corpora difformia differunt calido et frigido, albo et nigro, et hujusmodi passionibus: unitates autem hujusmodi passionibus carent, cum sint impassibiles secundum Platonicos; ergo non poterit inter ea poni talis difformitas vel differentia, quae causatur ab aliqua passione. Et sic patet quod ea quae Plato ponit de speciebus et numeris, nec sunt 'rationabilia,' sicut illa quae per certam rationem probantur, nec sunt 'intelligentiae confessa,' sicut ea quae sunt per se nota, et solo intellectu certificantur, ut prima demonstrationis principia.

Source: *Littera.*

[62] *In* I *Meta.,* 16 [C 248]
Deinde cum dicit 'amplius autem'
Hic ponit tertiam rationem contra Platonem, quae talis est. Omnia mathematica, quae a Platone sunt dicta intermedia sensibilium et specierum,[1] sunt ex numeris, aut simpliciter, sicut ex propriis principiis, aut sicut ex primis. Et hoc ideo dicit, quia secundum unam viam videtur quod numeri sint immediata principia aliorum mathematicorum; nam unum dicebant constituere punctum, binarium lineam, ternarium superficiem, quaternarium corpus.[2] Secundum vero aliam viam videntur resolvi mathematica in numeros, sicut in prima principia et non in proxima. Nam corpora dicebant componi ex superficiebus, superficies ex lineis, lineas ex punctis, puncta autem ex unitatibus, quae constituunt numeros.[3] Utroque autem modo sequebatur numeros esse principia aliorum mathematicorum.

Source: 1. Aristotle, *Meta.,* I, 6 [987b 14-18].
2. Averroes, *In Meta.,* I, *com.* 37 [22F].
3. *Ibid.*; Aristotle, *De Caelo,* III, 1 [298b 33 - 299a 1; 299a 6-11; 300a 1]; Simplicius, *In L. De Caelo,* III [CG VII, 562. 21-566.16].

[63] *In* I *Meta.,* 16 [C 252]
Deinde cum dicit 'amplius autem'
Hic ponit sextam rationem, quae talis est. Si numeri sunt species et substantiae rerum, oportet, sicut praemissum est, dicere vel quod unitates sint differentes, aut convenientes. — Si autem differentes, sequitur quod unitas, inquantum unitas, non sit principium. Quod patet per similitudinem sumptam a naturalium positione. Naturales enim aliqui posuerunt quatuor corpora esse principia. Quamvis autem commune sit ipsis hoc quod est esse corpus, non tamen ponebant corpus commune esse principium, sed magis ignem, terram, aquam et aerem, quae sunt corpora differentia. Unde, si unitates sint differentes, quamvis omnes conveniant in ratione unitatis, non tamen erit dicendum, quod ipsa unitas inquantum hujusmodi sit principium; quod est contra positionem Platonicorum. Nam nunc ab eis dicitur, quod unum sit principium,[1] sicut primo de Naturalibus dicitur quod ignis aut aqua aut aliquod corpus similium partium principium sit. Sed si hoc est verum quod conclusum est contra positionem Platonicorum, scilicet quod unum inquantum unum non sit principium et substantia rerum, sequeretur quod numeri non sunt rerum substantia.[2] Numerus enim non

ponitur esse rerum substantia, nisi inquantum constituitur ex unitatibus, quae dicuntur esse rerum substantiae. Quod iterum est contra positionem Platonicorum, quam nunc prosequitur, qua scilicet ponitur, quod numeri sint species.[3]

Source: 1. *Littera*.
       2. Aristotle, *Meta.*, I, 6 [987b 22-25].
       3. *Ibid.* [987b 22].

[64] *In* I *Meta.*, 16 [C 254]
'Volentes autem substantias.'

Hic disputat contra positionem Platonis quantum ad hoc quod posuit de magnitudinibus mathematicis. Et primo ponit ejus positionem. Secundo objicit contra ipsam, ibi, 'Attamen quomodo habebit etc.' Dicit ergo primo, quod Platonici volentes rerum substantias reducere ad prima principia, cum ipsas magnitudines dicerent esse substantias rerum sensibilium, lineam, superficiem et corpus, istorum principia assignantes, putabant se rerum principia invenisse.[1] Assignando autem magnitudinum principia, dicebant 'longitudines,' idest lineas componi ex producto et brevi,[2] eo quod principia rerum omnium ponebant esse contraria.[3] Et quia linea est prima inter quantitates continuas, ei per prius attribuebant magnum et parvum, ut per hoc quod haec duo sunt principia lineae, sint etiam principia aliarum magnitudinum. Dicit autem 'ex aliquo parvo et magno,' quia parvum et magnum etiam in speciebus ponebantur, ut dictum est,[4] sed secundum quod per situm determinatur et quodammodo particulariter ad genus magnitudinum, constituunt primo lineam, et deinde alias magnitudines. 'Planum autem,' idest superficiem eadem ratione dicebant componi ex lato et arcto, et corpus ex profundo et humili.[5]

Source: 1. Aristotle, *De Caelo*, III, 1 [298b 33 - 299a 1; 299a 6-11; 300a
           1]; Simplicius, *In L. De Caelo*, III [CG VII, 562. 21 - 566. 16].
       2. *Littera*.
       3. Averroes, *In Meta.*, I, *com.* 42 [32vKL].
       4. Aristotle, *Meta.*, I, 6 [987b 20-22].
       5. *Ibid.* [987b 25-27].

[65] *In* I *Meta.*, 16 [C 257-258]
Deinde cum dicit 'amplius puncta'

Hic ponit secundam rationem, quae sumitur ex punctis; circa quam Plato videtur dupliciter deliquisse. Primo quidem, quia cum punctus sit terminus lineae, sicut linea superficiei, et superficies corporis; sicut posuit aliqua principia, ex quibus componuntur praedicta, ita debuit aliquid ponere ex quo existerent puncta; quod videtur praetermisisse.[1]

Secundo, quia circa puncta videbatur diversimode sentire. Quandoque enim contendebat totam doctrinam geometricam de hoc genere existere, scilicet de punctis, inquantum scilicet puncta ponebat principia et substantiam omnium magnitudinum.[2] Et hoc non solum implicite, sed etiam explicite punctum vocabat principium lineae, sic ipsum definiens. Multoties vero dicebat, quod lineae indivisibiles essent principia linearum, et aliarum magnitudinum; et hoc genus esse, de quo sit geometria, scilicet lineae indivisibiles. Et tamen per hoc quod ponit ex lineis indivisibilibus componi omnes magnitudines, non evadit quin magnitudines componantur ex punctis, et quin puncta sint principia magnitudinum. Linearum enim indivisibilium necessarium esse aliquos terminos, qui non possunt esse nisi puncta. Unde ex qua ratione ponitur linea indivisibilis principium magnitudinum, ex eadem ratione et punctum principium magnitudinis ponitur.[3]

Source: 1. *Littera.*
>   2. Aristotle, *De Caelo*, III, 1 [298b 33 - 299a 1; 299a 6-11; 300a 1]; Simplicius, *In L. De Caelo*, III [CG VII, 562.21 - 566.16].
>   3. Averroes, *In Meta.*, I, *com.* 42 [23vM] and *littera.*

[66] *In* I *Meta.*, 17 [C 259]
Hic improbat positionem Platonis quantum ad hoc, quod ponebat de rerum principiis. Et primo quantum ad hoc quod ponebat principia essendi; secundo quantum ad hoc quod ponebat principia cognoscendi, ibi, 'Quomodo autem aliquis etc.' Circa primum ponit sex rationes; quarum prima sumitur ex hoc, quod genera causarum praetermittebat. Unde dicit quod 'omnino sapientia,' scilicet philosophia habet inquirere causas 'de manifestis,' idest de his, quae sensui apparent. Ex hoc enim homines inceperunt philosophari, quod causas inquisiverunt, ut in prooemio dictum est. Platonici autem, quibus se connumerat, rerum principia praetermiserunt, quia nihil dixerunt de causa efficiente, quae est principium transmutationis. Causam vero formalem putaverunt se assignare ponentes ideas.[1] Sed, dum ipsi putaverunt se dicere substantiam eorum, scilicet sensibilium, dixerunt quasdam esse alias substantias separatas ab istis diversas. Modus autem, quo assignabant illa separata esse substantias horum sensibilium, 'est supervacuus,' idest efficaciam non habens nec veritatem. Dicebant enim quod species sunt substantiae eorum inquantum ab istis participantur. Sed hoc quod de participatione dicebant, nihil est, sicut ex supradictis patet.[2] Item species, quas ipsi ponebant, non tangunt causam finalem, quod tamen videmus in aliquibus scientiis, quae demonstrant per causam finalem, et propter quam causam omne agens per intellectum et agens per naturam operatur, ut secundo Physicorum ostensum est. Et sicut ponendo species non tangunt causam quae dicitur finis, ita nec causam quae dicitur principium, scilicet efficientem, quae fini quasi opponitur.[3] Sed Platonicis praetermittentibus hujusmodi causas facta sunt naturalia, ac si essent mathematica sine motu, dum principium et finem motus praetermittebant. Unde et dicebant quod mathematica debent tractari non solum propter seipsa, sed aliorum gratia, idest naturalium, inquantum passiones mathematicorum sensibilibus attribuebant.

Source: 1. Aristotle, *Meta.*, I, 6 [988a 8-11].
>   2. *Littera.*
>   3. *Littera* and Aristotle, *Meta.*, I, 7 [988b 6-16].

[67] *In* I *Meta.*, 17 [C 260]
Deinde cum dicit 'amplius autem'
    Hic ponit secundam rationem, quae talis est. Illud, quod ponitur tamquam rei materia, magis est substantia rei et praedicabile de re, quam illud quod est separatum a re: sed species est separata a rebus sensibilibus:[1] ergo secundum Platonicorum opinionem magis aliquis suscipiet substantiam subjectam, ut materiam, esse substantiam mathematicorum quam speciem separatam. Magis etiam suscipiet eam praedi-

cari de re sensibili quam speciem praedictam. Platonici enim ponebant magnum et parvum esse differentiam substantiae et materiei. Haec enim duo principia ponebant ex parte materiae, sicut naturales ponentes rarum et densum esse primas differentias 'subjecti' idest materiae, per quas scilicet materia transmutabatur, dicentes eas quodammodo scilicet magnum et parvum.[2] Quod ex hoc patet, quia rarum et densum sunt quaedam superabundantia et defectio. Spissum enim est quod habet multum de materia sub eisdem dimensionibus. Rarum quod parum. Et tamen Platonici substantiam rerum sensibilium magis dicebant species quam mathematica, et magis praedicari.[3]

Source: 1. Aristotle, *Meta.*, I, 6 [987b 1-7].
   2. *Ibid.* [988a 6-17].
   3. *Ibid.* [987b 7-10].

[68] *In* I *Meta.*, 17 [C 261]
Deinde cum dicit 'et de motu'

Hic ponit tertiam rationem, quae talis est. Si ea, quae sunt in sensibilibus, causantur a speciebus separatis, necessarium est dicere quod sit in speciebus idea motus, aut non. Si est ibi aliqua species et idea motus, etiam constat quod non potest esse motus sine eo quod movetur, necesse erit quod species moveantur; quod est contra Platonicorum opinionem, qui ponebant species immobiles. Si autem non sit idea motus, ea autem quae sunt in sensibilibus causantur ab ideis, non erit assignare causam, unde motus veniat ad ista sensibilia. Et sic aufertur tota perscrutatio scientiae naturalis, quae inquirit de rebus mobilibus.

Source: Aristotle, *Meta.*, I, 6 [987b 1-7].

[69] *In* I *Meta.*, 17 [C 262]
Deinde cum dicit 'et quod'

Hic ponit quartam rationem, quae talis est. Si unum esset substantia rerum omnium sicut Platonici posuerunt; oporteret dicere quod omnia sint unum, sicut et naturales, qui ponebant substantiam omnium esse aquam, et sic de elementis aliis. Sed facile est monstrare, quod omnia non sunt unum: ergo positio quae ponit substantiam omnium esse unum, est improbabilis.

Source: Aristotle, *Meta.*, I, 6 [987b 21-25].

[70] *In* I *Meta.*, 17 [C 263]
Si autem aliquis dicat quod ex positione Platonis non sequitur quod omnia sint unum simpliciter, sed aliquod unum, sicut dicimus aliqua esse unum secundum genus, vel secundum speciem; si quis velit dicere sic omnia esse unum, nec hoc etiam poterit sustineri, nisi hoc quod dico unum, sit genus, vel universale omnium. Per hunc enim modum possemus dicere omnia esse unum specialiter, sicut dicimus hominem et asinum esse animal substantialiter. Hoc autem quibusdam videtur impossibile, scilicet quod sit unum genus omnium; quia oporteret, quod differentia divisiva hujus generis non esset una, ut in tertio dicetur, ergo nullo modo potest poni quod substantia rerum omnium sit unum.

Source: *Littera.*

[71] *In* I *Meta.*, 17 [C 264]
Deinde cum dicit 'nullam namque'

Hic ponit quintam rationem, quae talis est. Plato ponebat post numeros, longitudines et latitudines et soliditates esse substantias rerum sensibilium, ex quibus scilicet corpora componerentur.[1] Hoc autem secundum Platonis positionem nullam rationem habere videtur, quare debeant poni nec in praesenti, nec in futuro. Nec etiam videtur habere aliquam potestatem ad hoc quod sint sensibilium causae. Per 'praesentia' enim hic oportet intelligi immobilia, quia semper eodem modo se habent. Per 'futura' autem corruptibilia et generabilia, quae esse habent post non esse. Quod sic patet. Plato enim ponebat tria genera rerum; scilicet sensibilia, et species, et mathematica quae media sunt.[2] Hujusmodi autem lineae et superficies, ex quibus componuntur corpora sensibilia, non est possibile esse species, quia species sunt numeri essentialiter. Hujusmodi autem sunt post numeros. Nec iterum potest dici quod sunt intermedia inter species et sensibilia. Hujusmodi enim sunt entia mathematica, et a sensibilibus separata: quod non potest dici de illis lineis et superficiebus ex quibus corpora sensibilia componuntur. Nec iterum possunt esse sensibilia. Nam sensibilia sunt corruptibilia; hujusmodi autem incorruptibilia sunt, ut infra probabitur in tertio. Ergo vel ista nihil sunt, vel sunt quartum aliquod genus entium, quod Plato praetermisit.

Source: 1. *Littera* and Aristotle, *De Caelo*, III, 1 [298b 33 - 299a 1; 299a 6-11; 300a 1]; Simplicius, *In L. De Caelo*, III [CG VII, 562.21 - 566.61].
       2. Aristotle, *Meta.*, I, 6 [987b 14-18].

[72] *In* I *Meta.*, 17 [C 265-266]
Deinde cum dicit 'et omnino'
Hic ponit sextam rationem, quae talis est. Impossibile est invenire principia alicujus multipliciter dicti, nisi multiplicitas dividatur. Ea enim quae solo nomine convenientia sunt et differunt ratione, non possunt habere principia communia, quia sic haberent rationem eamdem, cum rei cujuscumque ratio ex suis principiis sumatur. Distincta autem principia his, quibus solum nomen commune est, assignari impossibile est, nisi his quorum principia sunt assignanda adinvicem diversis. Cum igitur ens multipliciter dicatur et non univoce de substantia et aliis generibus, inconvenienter assignat Plato principia existentium, non dividendo abinvicem entia.

Sed quia aliquis posset aliquibus ratione differentibus, quibus nomen commune est, principia assignare, singulis propria principia coaptando, sine hoc quod nominis communis multiplicitatem distingueret, hoc etiam Platonici non fecerunt. Unde 'et aliter,' idest alia ratione inconvenienter rerum principia assignaverunt quaerentes ex quibus elementis sunt entia, secundum hunc modum, quo quaesierunt, ut scilicet non omnibus entibus sufficientia principia assignarent. Non enim ex eorum dictis est accipere ex quibus principiis est agere aut pati, aut curvum aut rectum, aut alia hujusmodi accidentia. Assignabant enim solum principia substantiarum, accidentia praetermittentes.

Source: *Littera*.

[73] *In* I *Meta.*, 17 [C 267]
Sed si aliquis defendendo Platonem dicere vellet, quod tunc contingit

omnium entium elementa esse acquisita aut inventa, quando contingit
solarum substantiarum principia habita esse vel inventa, hoc opinari non
est verum. Nam licet principia substantiarum etiam quodammodo sint
principia accidentium, tamen accidentia propria principia habent.
Nec sunt omnibus modis omnium generum eadem principia, ut ostendetur infra, undecimo vel duodecimo hujus.

[74] *In* I *Meta.*, 17 [C 268]
Deinde cum dicit 'quomodo autem'
Disputat contra Platonem quantum ad hoc, quod ponebat ideas
esse principia scientiae in nobis. Et ponit quatuor rationes: quarum
prima est. Si ex ipsis ideis scientia in nobis causatur, non continget
addiscere rerum principia. Constat autem quod addiscimus. Ergo ex
ipsis ideis scientia non causatur in nobis. — Quod autem non continge-
ret aliquid addiscere, sic probat. Nullus enim praecognoscit illud quod
addiscere debet; sicut geometra, etsi praecognoscat alia quae sunt
necessaria ad demonstrandum, tamen ea quae debet addiscere non
debet praecognoscere. Et similiter est in aliis scientiis. Sed si ideae sunt
causa scientiae in nobis, oportet quod omnium scientiam habeant,
quia ideae sunt rationes omnium scibilium; ergo non possumus aliquid
addiscere, nisi aliquis dicatur addiscere illud quid prius praecognovit.
Unde si ponatur quod aliquis addiscat, oportet quod non praeexistat
cognoscens illa quae addiscit, sed quaedam alia cum quibus fiat dis-
ciplinatus, idest addiscens praecognita 'omnia,' idest universalia 'aut
quaedam,' idest singularia. Universalia quidem, sicut in his quae addis-
cuntur per demonstrationem et definitionem; nam oportet sicut in
demonstrationibus, ita in definitionibus esse praecognita ea, ex quibus
definitiones fiunt, quae sunt universalia; singularia vero oportet esse
praecognita in his quae discuntur per inductionem.

Source: *Littera.*

[75] *In* I *Meta.*, 17 [C 269]
Deinde cum dicit 'sed si est'
Hic ponit secundam rationem, quae talis est. Si ideae sunt causa
scientiae, oportet nostram scientiam esse nobis connaturalem. Sensibilia
enim per haec naturam propriam adipiscuntur, quia ideas participant
secundum Platonicos. Sed potissima disciplina sive cognitio est illa
quae est nobis connaturalis, nec ejus possumus oblivisci, sicut patet in
cognitione primorum principiorum demonstrationis, quae nullus igno-
rat; ergo nullo modo possumus omnium scientiam ab ideis in nobis
causatam oblivisci. Quod est contra Platonicos, qui dicebant quod anima ex unione ad corpus obliviscitur scientiae, quam naturaliter in
omnibus habet;[1] et postea per disciplinam addiscit homo illud quod
est prius notum, quasi addiscere nihil sit nisi reminisci.[2]

Source: 1. Macrobius, *In Som. Scip.*, I, 12, 7 [E 520.20-26]; Boethius,
 De Con. Phil., III, *Metrum* XI [F 95-96]; *De Sp. et An.*, 1
 [PL 40, 781].
 2. Aristotle, *Post. Anal.*, I, 1 [71a 29-30]; St. Augustine, *De
 Trin.*, 15 [PL 42, 1011]; Albertus Magnus, *Meta.*, I, 5, 15
 [B 112].

[76] *In* II *Meta.*, 4 [C 329]
Est autem hic advertendum quod hic ponit nihil esse de ratione infiniti,

non quod privatio sit de ratione materiae, sicut Plato posuit non distinguens privationem a materia; sed quia privatio est de ratione infiniti. Non enim ens in potentia habet rationem infiniti, nisi secundum quod est sub ratione privationis, ut patet in tertio Physicorum.

Source: Aristotle, *Phy.*, I, 8 [192a 2-6].

[77] *In* III *Meta.*, 2 [C 350]
Deinde cum dicit 'et hoc idem'
Multiplicat quaestiones ex parte substantiae; et ponit duas quaestiones: quarum prima est, utrum dicendum sit, quod sint solum substantiae sensibiles, ut antiqui naturales posuerunt, vel etiam praeter substantias sensibiles sint aliae substantiae immateriales et intelligibiles, ut posuit Plato.

Source: Aristotle, *Meta.*, I, 6 [987a 1-18].

[78] *In* III *Meta.*, 3 [C 355]
Invenimus autem duplicem modum compositionis et divisionis: unum scilicet secundum rationem, prout species resolvuntur in genera.¹ Et secundum hoc videntur genera esse principia et elementa, ut Plato posuit.² Alio modo secundum naturam sicut corpora naturalia componuntur ex igne et aere et aqua et terra, et in haec resolvuntur. Et propter hoc naturales posuerunt esse prima principia elementa.

Source: 1. For this distinction as between Plato and the *Naturales*, see Aristotle, *Meta.*, I, 6 [987b 31-33]; '...et specierum introductio propter eam quae in rationibus perscrutationem evenit. Priores enim non participaverunt dialectica.' and *In De Gen. et Cor.* [4].
2. See *Source* under *In Meta.* [148].

[79] *In* III *Meta.*, 3 [C 356]
Secunda quaestio est, supposito quod genera sint principia rerum, utrum principia sint universalia dicta de individuis, scilicet species specialissimae, quas genera appellat secundum Platonicorum consuetudinem, quia continent sub se plura individua, sicut genera plures species;...

Source: I have been unable to find any explicit source for this statement. However, *genera* is so used in two texts of Boethius in which he refers to Plato: 'Decem quidem generalissima [*sc.* genera] sunt, specialissima [*sc.* genera] vero in numero ... individua autem quae post specialissima [*sc.* genera] ... qua propter usque ad specialissima [*sc.* genera] a generalissimis descendentem iubet Plato quiescere....' (*In Isag.*, ed. sec., III, 8 [CSEL 48, 225. 10-14]). '... Plato censuit esse diuidenda usque dum ad specialissima [*sc.* genera] veniretur.' (*Ibid.* [227.20 - 228.1]).

[80] *In* III *Meta.*, 3 [C 358]
Secunda quaestio est, supposito quod aliquid praeter materiam sit causa, utrum illud sit separabile a materia, sicut posuit Plato, aut sicut posuit Pythagoras.

Source: No reference to Plato in the *littera*. See Aristotle, *Meta.*, I, 6 [987b 1-20].

[81] *In* III *Meta.*, 3 [C 359]

Tertia quaestio est, si est aliquid separabile a materia, utrum sit unum tantum, sicut posuit Anaxagoras, aut plura numero sicut posuit Plato et ipse Aristoteles.

Source: No reference to Plato in the *littera*. See Aristotle, *Meta.*, I, 6 [987b 1-20].

[82] *In* III *Meta.*, 3 [C 360]

Ad cujus intellectum considerandum est quod Plato posuit hominem et equum et ea quae sic praedicantur, esse quasdam formas separatas. Per hoc autem homo praedicatur de Socrate vel Platone, quod materia sensibilis participat formam separatam. Socrates ergo vel Plato dicitur synolon vel simul totum, quia constituitur per hoc quod materia participat formam separatam. Et est quasi quoddam praedicatum de materia....

Source: No reference to Plato in the *littera*. See Aristotle, *Meta.*, I, 6 [987b 8-13].

[83] *In* III *Meta.*, 3 [C 361]

Et quia quidam philosophorum assignabant causas formales, sicut Platonici, quidam autem solas materiales, sicut antiqui naturales, addit quod ista quaestio habet locum 'in rationibus,' idest in causis formalibus, 'et in subjecto,' idest in causis materialibus.

Source: Aristotle, *Meta.*, I, 5 [987a 7-17].

[84] *In* III *Meta.*, 3 [C 363]

Tertia quaestio est, utrum unum et ens significent ipsam substantiam rerum et non aliquid aliud additum supra substantiam rerum, sicut dicebant Pythagorici et Platonici,[1] vel non significent ipsam substantiam rerum, sed sit aliquid aliud subjectum unitati et entitati, scilicet ignis aut aer, aut aliquid aliud hujusmodi, ut antiqui naturales posuerunt. Hanc autem quaestionem dicit esse difficillimam et maxime dubitabilem, quia ex ista quaestione dependet tota opinio Platonis et Pythagorae, qui ponebant numeros esse substantiam rerum.[2]

Source: 1. *Littera.*
　　　 2. Aristotle, *Meta.*, I, 5; 6 [987a 17-19; 987b 22-25].

[85] *In* III *Meta.*, 3 [C 365]

Quaerit utrum principia sint secundum potentiam vel secundum actum. Et haec quaestio maxime videtur pertinere ad principia materialia. Potest enim esse dubitatio, utrum primum materiale principium sit aliquod corpus in actu, ut ignis aut aer, ut antiqui naturales posuerunt, aut aliquid existens in potentia tantum, ut Plato posuit.[1] Et quia motus est actus existentis in potentia, et est quodammodo medium inter potentiam et actum, ideo adjungit aliam quaestionem, utrum principia sint causae rerum solum secundum motum, sicut naturales posuerunt sola principia motus, vel materialia, vel efficientia: vel etiam sint principia aliter quam per motum, sicut Plato posuit per quamdam participationem hujus sensibilia ab immaterialibus causari.[2]

Source: 1. See *Source* under *In Meta.* [28].
　　　 2. Aristotle, *Meta.*, I, 6 [987b 7-14]. See *Source* 1 and 2 under *S. T.* [56].

[86] *In* III *Meta.*, 3 [C 366]
Movet quaestiones pertinentes ad mathematica, quae quidem principia rerum ponuntur: et movet duas quaestiones. Quarum prima est, utrum numeri et longitudines et figurae et puncta sint quaedam substantiae, ut Pythagorici vel Platonici posuerunt; vel non, sicut posuerunt naturales.

Source: Aristotle, *Meta.*, I, 6 [987b 14-18]; *De Caelo*, III, 1 [298b 33 - 299a 1; 299a 6-11; 300a 1]; *De G. et C.*, I, 2 [315b 24 - 316a 4]; *Phy.*, IV, 2 [209b 6-13].

[87] *In* III *Meta.*, 3 [C 367]
Secunda quaestio est, si sunt substantiae, utrum sint separatae a sensibilibus, ut posuerunt Platonici, aut in sensibilibus, ut Pythagorici.

Source: *Littera*; Aristotle, *Meta.*, I, 6 [987b 1-18].

[88] *In* III *Meta.*, 4 [C 373]
Ponuntur autem quaedam entia immobilia, et praecipue secundum Platonicos ponentes numeros et substantias separatas....

Source: Aristotle, *Meta.*, I, 6 [987b 1-18].

[89] *In* III *Meta.*, 4 [C 374]
Et quia quae sunt per se existentia absque materia,[1] necesse est quod sint immobilia, ideo non videtur esse possibile, quod sit aliquid 'auto-agathon,' idest per se bonum, ut Plato ponebat.[2] Omnia enim immaterialia et non participata vocabat per se existentia, sicut ideam hominis vocabat hominem per se, quasi non participatum in materia.[3] Unde et per se bonum dicebat id quod est sua bonitas non participata, scilicet primum principium omnium.

Source: 1. Aristotle, *Meta.*, I, 6 [987b 1-18].
2. *Littera*. Cf. Aristotle, *Eth.*, I, 6 [1095a 26-28; 1096b 32-34].
3. Aristotle, *Eth.*, I, 6 [1096a 35 - b 3].

[90] *In* III *Meta.*, 4 [C 385]
Sicut si ponantur esse substantiae intelligentes non moventes, ut Platonici posuerunt, nihilominus tamen inquantum habent intellectum et voluntatem oportet ponere in eis finem et bonum, quod est objectum voluntatis.

Source: *Liber De Causis*, 24-26 [B 185-187].

[91] *In* III *Meta.*, 7 [C 403]
Circa primum movet duas quaestiones: quarum prima est, utrum in universitate rerum solae substantiae sensibiles inveniantur, sicut aliqui antiqui naturales dixerunt, aut etiam inveniantur quaedam aliae substantiae praeter sensibiles, sicut posuerunt Platonici.

Source: Aristotle, *Meta.*, I, 6 [987b 1-18].

[92] *In* III *Meta.*, 7 [C 406]
Deinde cum dicit 'quomodo ergo.'
    Ostendit quomodo ad unam partem argumentari possit; et dicit quod hoc dictum est 'in primis sermonibus,' idest in primo libro, quomodo species ponantur causae rerum sensibilium, et substantiae quaedam per se subsistentes. Unde ex his quae ibi dicta sunt in recitatione

opinionis Platonis, accipi possunt rationes ad partem affirmativam.
Source: Aristotle, *Meta.*, I, 6 [987b 18-19]; 9 [991b 3-4].

[93] *In* III *Meta.*, 8 [C 429]
Tertiam rationem ponit ibi 'videntur autem'
Et sumitur ex auctoritate Platonicorum, qui posuerunt unum et ens
esse principia, et magnum et parvum, quibus utuntur ut generibus:
ergo genera sunt principia.

Source: *Littera*: 'Videntur autem quidam dicentium elementa existentium unum aut ens, aut magnum, aut parvum, ut generibus
eis uti' [998b 10-11].

[94] *In* III *Meta.*, 8 [C 436]
Deinde cum dicit 'at vero'
Ostendit, quod species specialissimae sunt magis principia quam
genera; et ponit tres rationes, quarum prima talis est. Unum secundum
Platonicos maxime videtur habere 'speciem,' idest rationem principii.

Source: St. Thomas' interpretation seems to be independent of both
the Aristotelian *littera* and the commentary of Averroes (in
neither of which is there any reference to Plato). The comment
turns on the Platonic concept of *unum*; see *Source* 2 under
S. T. [5].

[95] *In* III *Meta.*, 8 [C 437]
Deinde cum dicit 'amplius in quibus'
Secundam rationem ponit, quae procedit ex quadam positione
Platonis; qui quando aliquid unum de pluribus praedicatur, non secundum prius et posterius, posuit illud unum separatum, sicut hominem
praeter omnes homines.[1] Quando vero aliquid praedicatur de pluribus
secundum prius et posterius, non ponebat illud separatum. Et hoc est
quod dicit quod 'in quibus prius et posterius est,' scilicet quando unum
eorum de quibus aliquod commune praedicatur est altero prius, non
est possibile in his aliquid esse separatum, praeter haec multa de quibus
praedicatur. Sicut si numeri se habent secundum ordinem, ita quod
dualitas est prima species numerorum, non invenitur idea numeri
praeter omnes species numerorum. Eadem ratione non invenitur figura
separata, praeter omnes species figurarum.[2]

Source: 1. Aristotle, *Meta.*, I, 6 [987b 1-18].
2. *Littera*.

[96] *In* III *Meta.*, 8 [C 438]
Et hujus ratio esse potest, quia ideo aliquod commune ponitur separatum, ut sit quoddam primum quod omnia alia participent. Si igitur
unum de multis sit primum, quod omnia alia participent, non oportet
ponere aliquod separatum, quod omnia participant. Sed talia videntur
omnia genera; quia omnes species generum inveniuntur differre secundum perfectius et minus perfectum. Et, per consequens, secundum
prius et posterius secundum naturam. Si igitur eorum quorum unum
est prius altero, non est accipere aliquod commune separatum, si
genus species inveniatur, erunt 'schola aliorum,' idest erit eorum alia
doctrina et regula, et non salvabitur in eis praedicta regula. Sed manifestum est quod inter individua unius speciei, non est unum pri-

mum et aliud posterius secundum naturam, sed solum tempore. Et ita species secundum scholam Platonis est aliquid separatum. Cum igitur communia sint principia inquantum sunt separata, sequitur quod sit magis principium species quam genus.

Source: *Littera.*

[97] *In* III *Meta.,* 9 [C 443]
Nam Platonici posuerunt universalia esse separata, aliis philosophis contra ponentibus.

Source: Aristotle, *Meta.,* I, 6 [987b 1-14]; VII, 14 [1039a 24-33].

[98] *In* III *Meta.,* 9 [C 447]
...nec etiam secundum opinionem Platonicorum, qui ponebant etiam in mathematicis separatis esse quaedam particularia, ponendo plura ex eis in una specie.[1]... Ponebat enim Plato quod sensibilis materia participabat universalia separata. Et ex hoc erat quod universalia praedicantur de singularibus. Et ipsae participationes universalium formarum in materialibus sensibilibus constituunt simul totum, quasi universalis forma per modum participationis cujusdam sit de materia praedicta.[2]

Source: 1. Aristotle, *Meta.,* I, 6 [987b 14-18].
2. *Ibid.* [987b 7-10; 991b 1-3].

[99] *In* III *Meta.,* 11 [C 466]
Dicit ergo primo, quod quaedam dubitatio est, quae non minus relinquitur modernis philosophis Platonem sequentibus, quam fuit apud antiquos philosophos, qui etiam dubitaverunt, utrum corruptibilium et incorruptibilium sint eadem principia vel diversa.

Source: St. Thomas, working within the Aristotelian outline of the history of philosophy, naturally identifies the 'moderni' of the *littera* as *Platonici.*

[100] *In* III *Meta.,* 11 [C 468; 471]
Circa primum considerandum est, quod apud graecos, aut naturales philosophos, fuerunt quidam sapientiae studentes, qui deis se intromiserunt occultantes veritatem divinorum sub quodam tegmine fabularum, sicut Orpheus, Hesiodus et quidam alii: sicut etiam Plato occultavit veritatem philosophiae sub mathematicis, ut dicit Simplicius in commento Praedicamentorum.[1]

– – –

Ex quo accipitur quod Aristoteles disputans contra Platonem et alios hujusmodi, qui tradiderunt suam doctrinam occultantes sub quibusdam aliis rebus, non disputat secundum veritatem occultam, sed secundum ea quae exterius proponuntur.[2]

Source: 1. Simplicius, *In Cat., Prooem.* [CG VIII, 6.21-32].
2. Simplicius, *In L. De Caelo,* III [CG VII, 587.37-588.7; 640. 27-31].

[101] *In* III *Meta.,* 11 [C 474]
... Videtur autem hos deos vocare vel stellas, quas ponebat quandoque corrumpi, licet post longum tempus: vel daemones quos ponebant Platonici esse animalia aerea.

Source: St. Augustine, *De Civ. Dei,* VIII, 16 [A]; IX, 8 [A]; 12 [A].

[102] *In* III *Meta.*, 12 [C 489]
Deinde cum dicit 'hi namque'
Ponit opiniones ad utramque partem: et dicit, quod philosophorum quidam opinati sunt naturam rerum se habere uno modo, quidam alio. Plato enim et Pythagorici non posuerunt quod unum et ens advenirent alicui naturae, sed unum et ens essent natura rerum, quasi hoc ipsum quod est esse et unitas sit substantia rerum.

Source: *Littera*: cf. Aristotle, *Meta.*, I, 5; 6 [987a 17-19; 987b 22-25].

[103] *In* III *Meta.*, 12 [C 490]
Deinde cum dicit 'accidit autem'
Ponit rationes ad utramque partem. Et primo ponit rationes pro opinione Platonis et Pythagorae. Secundo ponit rationes in contrarium pro opinione naturalium, ibi, 'At vero si erit etc.' Circa primum utitur tali divisione. Necesse est ponere quod vel ipsum unum et ens separatum sit quaedam substantia, vel non: si dicatur quod non est aliqua substantia quae sit unum et ens, sequuntur duo inconvenientia. Quorum primum est, quod dicitur unum et ens quod sint maxime universalia inter omnia. Si igitur unum et ens non sunt separata quasi ipsum unum aut ens sit substantia quaedam, sic sequitur quod nullum universale sit separatum: et ita sequetur quod nihil erit in rebus nisi singularia: quod videtur esse inconveniens, ut in superioribus quaestionibus habitum est.

Source: *Littera* [10001a 9-12; 19-24].

[104] *In* III *Meta.*, 12 [C 494-495]
Ostendit quomodo ista ratio difficultatem facit in opinione Platonis ponentis numerum esse substantiam rerum:...

Source: Aristotle, *Meta.*, I, 5; 6 [987a 17-19; 987b 22-25].

[105] *In* III *Meta.*, 12 [C 499]
Deinde cum dicit 'sed quomodo'
Ostendit difficultatem, quae adhuc remanet Platonicis post praedictam solutionem. Et inducit duas difficultates. Quarum prima est, quia Platonici ponebant, quod illud unum indivisibile, non solum est causa numeri, qui est pluralitas quaedam, sed etiam est causa magnitudinis.[1] Si igitur detur, quod unum additum faciat plus, quod videtur sufficere ad hoc quod unum sit causa numeri, quomodo poterit esse quod ex tali uno indivisibili, aut ex pluribus talibus, fiat magnitudo, ut Platonici posuerunt?[2] Simile enim hoc videtur, si aliquis ponat lineam ex punctis. Nam unitas est indivisibilis sicut et punctus.

Source: 1. Aristotle, *Meta.*, II, 4 [1001b 13-19].
   2. *Littera*.

[106] *In* III *Meta.*, 12 [C 500]
Et dicit: si quis existimet ita, quod numerus sit effectus ex uno indivisibili, et ex aliquo alio quod non sit unum, sed participet unum sicut quaedam materialis natura, ut quidam dicunt; nihilominus remanet quaerendum propter quid, et per quem modum illud, quod fit ex illo uno formali et alia natura materiali, quae dicitur non unum, quandoque est numerus, quandoque autem est magnitudo. Et praecipue si illud

non unum materiale sit inaequalitas, quae significatur per magnum, et sit eadem natura. Non enim est manifestum quomodo ex hac inaequalitate quasi materia et uno formali fiant numeri; neque etiam quomodo ex aliquo numero formali et hac inaequalitate quasi materiali fiant magnitudines. Ponebant enim Platonici quod ex primo uno et ex prima dualitate fiebat numerus, ex quo numero et a qua inaequalitate materiali fiebat magnitudo.

Source: *Littera*, but see also Aristotle, *Meta.*, I, 6 [987b 33 - 988a 1]; 9 [991b 27 - 992a 24].

[107] *In* III *Meta.*, 12 [C 501]
Quod enim sit aliquod separatum, quod sit ipsum unum et ens, infra in duodecimo probabit, ostendens unitatem primi principii omnino separati, quod tamen non est substantia omnium eorum quae sunt unum, sicut Platonici putabant,[1] sed est omnibus unitatis causa et principium.... Sed quia Platonici aestimaverunt idem esse unum quod est principium numeri, et quod convertitur cum ente; ideo posuerunt unum, quod est principium numeri, esse substantiam cujuslibet rei, et per consequens numerum, inquantum ex pluribus substantialibus principiis, rerum compositarum substantia consistit vel constat.[2]

Source: 1. Aristotle, *Meta.*, I, 6 [987b 22-24].
2. See *Source* 2 under *S.T.* [5].

[108] *In* III *Meta.*, 13 [C 506]
Alii vero posteriores philosophi, qui reputabantur sapientiores praedictis philosophis, quasi altius attingentes ad principia rerum, scilicet Pythagorici et Platonici, opinati sunt numeros esse rerum substantias,[1] inquantum scilicet numeri componuntur ex unitatibus. Unum autem videtur esse una substantia rerum.[2]

Source: 1. *Littera*; Aristotle, *Meta.*, I, 5; 6 [987a 17-19; 987b 22-25].
2. See *In Meta.* [107].

[109] *In* III *Meta.*, 14 [C 516-517]
Objicit ad unam partem: et videtur haec esse ratio quare oportet species ponere praeter sensibilia et mathematica: quia mathematica 'a praesentibus' idest a sensibilibus, quae in universo sunt, differunt quidem in aliquo, quia mathematica abstrahunt a materia sensibili; non tamen differunt in hoc, sed magis conveniunt, quia sicut in sensibilibus inveniuntur plura numero differentia ejusdem speciei, utpote plures homines, aut plures equi, ita etiam in mathematicis inveniuntur plura numero differentia ejusdem speciei, puta plures trianguli aequilateri, et plures lineae aequales. Et si ita est, sequitur quod sicut principia sensibilium non sunt determinata secundum numerum, sed secundum speciem, ita etiam sit 'in mediis' in mathematicis.[1]...

Et hoc est quod Platonici volunt dicere, quod sequitur ex necessitate ad positiones eorum quod sit in singularium substantia species aliquid unum, cui non conveniat aliquid secundum accidens. Homini enim individuo convenit aliquid secundum accidens, scilicet album vel nigrum; sed homini separato, qui est species secundum Platonicos, nihil convenit per accidens, sed solum quod pertinet ad rationem speciei.

Et quamvis hoc dicere intendant, non tamen bene 'dearticulant,' idem non bene distinguunt.[2]

Source: 1. *Littera*; Aristotle, *Meta.*, I, 6 [987b 14-18].
2. *Littera*; see also *In Meta.* [8]; [9].

[110] *In* III *Meta.*, 15 [C 519]
Platonici autem ponentes species quasi principia formalia, ponebant eas esse in actu.

Source: Aristotle, *Meta.*, I, 6 [988a 10-11].

[111] *In* IV *Meta.*, 4 [C 584]
Et propter hoc, si etiam unum et ens non est unum universale quasi genus existens, sicut supra ponebatur, sive dicamus quod universale sit unum in omnibus secundum opinionem nostram, sive quod sit aliquid separatum a rebus secundum opinionem Platonis, sicut fortassis non est verum: tamen dicuntur secundum prius et posterius: sicut et aliae significationes referuntur ad unum primum, et aliae se habent consequenter respectu illius primi. Utitur tamen adverbio dubitandi, quasi nunc supponens quae inferius probabuntur.

Source: Aristotle, *Meta.*, I, 6 [987b 1-18]; VII, 14 [1039a 24-33].

[112] *In* IV *Meta.*, 4 [C 585]
Unde nec Plato circa sensibiles substantias immobiles posuit contrarietatem. Fecit enim unitatem ex parte formae, contrarietatem ex parte materiae.

Source: Aristotle, *Meta.*, 1, 6 [987b 18 - 988a 7].

[113] *In* IV *Meta.*, 10 [C 668]
Et haec solutio videtur procedere secundum Platonicos, qui propter mutabilitatem sensibilium coacti sunt ponere ideas immobiles, scilicet de quibus dentur definitiones, et fiant demonstrationes, et certa scientia habeatur; quasi de his sensibilibus propter eorum mutabilitatem et admixtionem contrarietatis in eis certa scientia esse non possit.

Source: Aristotle, *Meta.*, I, 6 [987b 1-10].

[114] *In* V *Meta.*, 2 [C 764]
Alio autem modo dicitur causa, species et exemplum, id est exemplar; et haec est causa formalis, quae comparatur dupliciter ad rem. Uno modo sicut forma intrinseca rei; et haec dicitur species. Alio modo sicut extrinseca a re, ad cujus tamen similitudinem res fieri dicitur; et secundum hoc, exemplar rei dicitur forma. Per quem modum ponebat Plato ideas esse formas.

Source: Aristotle, *Meta.*, I, 9 [991a 20 - b 1].

[115] *In* V *Meta.*, 10 [C 898]
Vel daemonia dicit quaedam animalia rationabilia secundum Platonicos, quae Apulejus sic definit: Daemones sunt animalia corpore aerea, mente rationalia, animo passiva, tempore aeterna.

Source: St. Thomas offers two explanations of the 'daemonia' in the *littera* [1017b 12]. The first interprets *daemonia* as 'idols'; the second uses Apuleius' definition as reported by St. Augustine (*De Civ. Dei*, VIII, 16 [A]; IX, 8 [A]; 12 [A]).

[116] *In* V *Meta.*, 10 [C 900-901]
Deinde cum dicit 'amplius quaecumque'
Ponit tertium modum, secundum opinionem Platonicorum et Pythagoricorum, dicens, quod quaecumque particulae sunt in praedictis substantiis, quae sunt termini earum, et significant hoc aliquid secundum opinionem eorum, in quibus destructis destruitur totum, dicuntur etiam substantiae. Sicut superficie destructa destruitur corpus, ut quidam dicunt, et destructa linea destruitur superficies. Patet etiam, quod superficies est terminus corporis, et linea terminus superficiei. Et secundum dictorum positionem, linea est pars superficiei, et superficies pars corporis. Ponebant enim corpora componi ex superficiebus et superficies ex lineis, et lineas ex punctis.[1] Unde sequebatur, quod punctum sit substantia lineae, et linea superficiei, et sic de aliis. Numerus autem secundum hanc positionem videtur esse substantia totaliter omnium rerum,[2] quia remoto numero nihil remanet in rebus: quod enim non est unum, nihil est. Et similiter quae non sunt plura, non sunt. Numerus etiam invenitur terminare omnia, eo quod omnia mensurantur per numerum.
Iste autem modus non est verus. Nam hoc quod communiter invenitur in omnibus, et sine quo res esse non potest, non oportet quod sit substantia rei, sed potest esse aliqua proprietas consequens rei substantiam vel principium substantiae. Provenit etiam eis error specialiter quantum ad unum et numerum, eo quod non distinguebant inter unum quod convertitur cum ente, et unum quod est principium numeri.[3]

Source: 1. Aristotle, *De Caelo*, III, 1 [298b 33 - 299a 1; 299a 6-11];
        Simplicius, *In L. De Caelo*, III [CG VII, 562.21-566.16].
    2. Aristotle, *Meta.*, I, 5; 6 [987a 17-18; 987b 22-25].
    3. See *Source* 2 under *S.T.* [5].

[117] *In* V *Meta.*, 13 [C 950]
Deinde cum dicit 'alia vero'
Ponit modos, quibus dicitur aliquid prius secundum ordinem in essendo: et circa hoc duo facit. Primo ponit tres modos, quibus dicitur aliquid esse prius in essendo. Secundo reducit eos ad unum, ibi, 'modo itaque quodam.' Dicit ergo primo, quod quaedam dicuntur esse priora, 'secundum naturam et substantiam,' idest secundum naturalem ordinem in essendo. Et hoc tripliciter. Primo ratione communitatis aut dependentiae: secundum quod priora dicuntur, quae possunt esse sine aliis et illa non possunt esse sine eis. Et hoc est prius a quo non convertitur essendi consequentia, ut dicitur in praedicamentis. Et 'hac divisione,' idest isto modo prioris et posterioris contra alios diviso usus est Plato.[1] Voluit enim quod propter hoc universalia essent priora in essendo quam singularia,[2] et superficies quam corpora, et lineae quam superficies,[3] et numerus quam omnia alia.[4]

Source: 1. *Littera*.
    2. Aristotle, *Meta.*, I, 6 [987b 1-18] and see *Source* under *S.T.*
       [56].
    3. See *Source* 1 under *In Meta.* [116].
    4. Aristotle, *Meta.*, I, 6 [987b 24]. [Averroes (*In Meta.*, V,
       com. 16 [121A]) has the same description of this 'division'
       but not the Platonic examples.]

[118] *In* V *Meta.*, 16 [C 997]

Sunt autem hujusmodi qualitates differentiae substantiarum 'aut non motarum, aut non inquantum sunt motae': et hoc dicit, ut ostendat quantum ad propositum non differre, utrum mathematica sint quaedam substantiae per se existentes secundum esse,[1] ut dicebat Plato, a motu separatae;[2] sive sint in substantiis mobilibus secundum esse, sed separatae secundum rationem.

Source: 1. Aristotle, *Meta.*, I, 6 [987b 14-18].
2. *Ibid.*; cf. Aristotle, *Phy.*, II, 2 [193b 32 - 194a 1].

[119] *In* V *Meta.*, 19 [C 1050]

Circa primum ponit quatuor modos ejus quod dicitur secundum quod: quorum primus est, prout 'species,' idest forma, et 'substantia rei,' idest essentia, est id, secundum quod aliquid esse dicitur; sicut secundum Platonicos, 'per se bonum,' idest idea boni, est illud, secundum quod aliquid bonum dicitur.

Source: *Littera* [1022a 14-16]. Cf. Aristotle, *Eth.*, I, 4; 6 [1095a 26-28; 1096b 32-34].

[120] *In* V *Meta.*, 21 [C 1100]

Vel animalia quaedam aerea, quae Platonici dicebant esse daemones, et pro diis colebantur a gentibus.

Source: St. Augustine, *De Civ. Dei*, VIII, 16 [A]; IX, 8 [A]; 12 [A].

[121] *In* V *Meta.*, 22 [C 1137]

... rationabiliter refutatur et reprobatur in Hippia, qui est liber quidam Platonis, oratio quaedam, quae dicebat, eamdem rationem esse veram et falsam. Haec enim opinio accipiebat illum hominem esse falsum qui potest mentiri; et sic, cum idem homo possit mentiri et verum dicere, idem homo esset verus et falsus.

Source: The *Hippias* is referred to in the *littera*, but I have been unable to discover how St. Thomas knew it was a work of Plato.

[122] *In* VI *Meta.*, 1 [C 1160]

Sed utrum illa de quibus considerat mathematica scientia, sint mobilia et separabilia a materia secundum suum esse, adhuc non est manifestum. Quidam enim posuerunt numeros et magnitudines et alia mathematica esse separata et media inter species et sensibilia, scilicet Platonici, ut in primo et tertio libro habitum est;....

Source: Aristotle, *Meta.*, I, 6 [987b 14-18]; III, 1 [996a 12-15].

[123] *In* VI *Meta.*, 2 [C 1177]

Quod autem ens per accidens sit quasi solo nomine ens, probat dupliciter. Primo per auctoritatem Platonis. Secundo per rationem. Secunda ibi, 'Palam autem etc.' Dicit ergo, quod propter hoc quod ens per accidens quodammodo est ens solo nomine, ideo Plato quodammodo non male fecit cum ordinando diversas scientias circa diversa substantia, ordinavit scientiam sophisticam circa non ens. Rationes enim sophisticorum maxime sunt circa accidens. Secundum enim fallaciam accidentia fiunt maxime latentes paralogismi.

Source: *Littera* [1026b 14-16].

[124] *In* VII *Meta.*, 1 [C 1264-1267]

Sed utrum hae sensibiles substantiae sint solum substantiae secundum quod ponebant antiqui naturales, vel etiam sint aliquae aliae substantiae ab istis, sicut ponebant Platonici,[1] vel etiam istae non sint substantiae, sed solum sint aliae substantiae ab istis, perscrutandum est.

Secundo ibi 'videntur quibusdam'

Recitat opiniones philosophorum de substantiis non manifestis, dicens, quod quibusdam videtur, quod termini corporis sint rerum substantiae, ut scilicet superficies, et linea et punctus et unitas sint magis substantiae quam corpus et solidum. Et haec opinio dividitur: quia quidam nihil talium terminorum opinabantur esse separata a sensibilibus, scilicet Pythagorici. Alii vero ponebant quaedam entia sempiterna a sensibilibus separata, quae sunt plura et magis entia quam sensibilia: magis inquam entia, quia ista sunt incorruptibilia et immobilia, haec autem corruptibilia et mobilia; plura vero, quia sensibilia sunt unius ordinis tantum, separata vero duorum: sicut 'Plato posuit duas substantias separatas,' idest duos ordines substantiarum separatarum, scilicet species vel ideas, et mathematica. Et tertium ordinem posuit substantias corporum sensibilium.[2]

Sed Leucippus,[3] qui successor fuit Platonis, et ex sorore nepos, posuit plures ordines substantiarum, et in unoquoque etiam inchoavit ab uno, quod ponebat esse principium in quolibet ordine substantiarum. Sed aliud quidem unum ponebat esse principium numerorum, quos ponebat esse primas substantias post species; aliud autem magnitudinum, quas ponebat esse secundas substantias; et demum ponebat substantiam animae; et hoc modo protendebat ordinem substantiarum usque ad corruptibilia corpora.

Sed quidam differebant a Platone et Leucippo, quia non distinguebant inter species, et primum ordinem mathematicorum, qui est numerorum. Dicebant enim species et numeros habere eamdem naturam, et omnia 'alia esse habita,' idest consequenter se habentia ad numeros, scilicet lineas et superficies usque ad primam caeli substantiam, et alia sensibilia, quae sunt in ultimo ordine.

Source: 1. Aristotle, *Meta.*, I, 6 [987b 1-18].
      2. *Ibid.* and *littera.*
      3. We should note (1) that St. Thomas correctly identified Speusippus as the son of Plato's sister and as his successor in *In Eth.* [14] (see St. Augustine, *De Civ. Dei*, VIII, 12 [B]); (2) that the Greek text of Aristotle has 'Speusippus'; (3) that St. Thomas was certainly aware of the identity of Leucippus ('Leucippus socius Democriti,' *In* XII *Meta.*, 6 [2504]). It would seem reasonable, therefore, to suspect that the original reading was 'Speusippus' and that the text has been altered to agree with the Cathala Latin version.

[125] *In* VII *Meta.*, 2 [C 1271]

Secundus modus est prout 'universale' dicitur substantia esse, secundum opinionem ponentium ideas species, quae sunt universalia de singularibus praedicata,[1] et sunt horum particularium substantiae.[2]

Source: 1. Aristotle, *Meta.*, I, 6 [987b 1-14]; VII, 14 [1039a 24-33].
      2. *Littera* and *Meta.*, I, 9 [991b 1-3; 992a 26-27].

[126] *In* VII *Meta.*, 2 [C 1272]

Tertius modus est secundum quod 'primum genus videtur esse substantia uniuscujusque.' Et per hunc modum, unum et ens ponebant [sc. Platonici] substantias esse omnium rerum, tanquam prima omnium genera.

Source: Aristotle, *Meta.*, VII, 16 [1040b 16-21].

[127] *In* VII *Meta.*, 2 [C 1290]

Hoc autem dicit Philosophus ad removendum opinionem Platonis, qui non distinguebat inter privationem et materiam, ut in primo Physicorum habetur.

Source: Aristotle, *Phy.*, I, 8 [192a 2-6].

[128] *In* VII *Meta.*, 5 [C 1362]

Quod patet si ponantur aliquae substantiae abstractae ab istis sensibilibus, quibus non sunt aliquae aliae substantiae abstractae nec aliquae naturae priores eis. Hujusmodi enim substantias Platonici dicunt esse ideas abstractas. Si enim quod quid erat esse est aliud ab eo cujus est, oportebit hoc esse verum in omnibus in quibus est quod quid erat esse, cujuslibet autem substantiae est quod quid erat esse, erit ergo aliquid aliud a qualibet substantia quod quid erat esse ejus. Et ita etiam quod quid erat esse substantiae idealis erit aliud ab ea; et ita 'si ipsum bonum,' idest si idea boni, et 'quod est bono esse,' idest quod quid erat esse hujus ideae, est alterum; et similiter ipsum animal, et quod est animali esse; et ipsum ens, et quod est enti esse, et ita in omnibus aliis ideis; sequetur quod sicut istae substantiae ideales ponuntur praeter substantias sensibiles, ita erunt aliae substantiae, et aliae naturae et ideae praeter ideas dictas a Platonicis, quae erunt quod quid erat esse illarum idearum; et etiam illae aliae substantiae sunt priores ideis.

Source: Aristotle, *Meta.*, I, 6 [987b 1-14] *et passim*. Rest of passage is an expansion of the *littera*.

[129] *In* VII *Meta.*, 5 [C 1364]

Et exponit quod dixerat 'absolute,' ut videlicet 'nec ipsi bono,' idest ideae boni, quae ponitur secundum Platonicos 'insit hoc quod est esse bono,' idest quod quid est esse boni.

Source: *Littera* and see Aristotle, *Eth.*, I, 6 [1096a 22-23; 28-29].

[130] *In* VII *Meta.*, 5 [C 1367-1369]

Deinde cum dicit 'necesse igitur'

Concludit Philosophus conclusionem principaliter intentam; dicens, quod ex quo per diversitatem et separationem ejus quod quid erat esse a rebus, sequitur quod res nec sunt scitae, nec entes, quod est inconveniens, 'necesse est igitur esse unum benignum, et hoc quod est benigno esse,' id est quod quid est benigni, 'et bonum et bono esse,' id est quod quid est boni. Et ponit haec duo, ut benignum pertineat ad bona particularia, quae Platonici dicebant bona per participationem, bonum autem ad ipsam ideam boni.[1] Et similiter est de omnibus aliis, quae dicuntur per se et primo, et non per aliud sive per accidens, quia in illis est alia ratio, ut dictum est. Ad hoc enim quod res sint scitae, et quod sint entes, hoc est sufficiens, scilicet quod quod quid erat rei sit idem cum re 'si extiterit,' idest si fuerit verum, quamvis non sint species ideales, quas Platonici ponebant.[2]

Licet non propter aliud ponerent Platonici species, nisi ut per eas possit haberi scientia de istis sensibilibus,[3] ut per earum participationem essent.[4] Sed forsan magis est sufficiens ad praedictam positionem, quod quod quid est esse rei sit idem cum re quam ipsae species, etiam si verum sit quod sint species, quia species sunt separatae a rebus. Magis autem aliquid cognoscitur et habet esse per id quod est sibi conjunctum et idem, quam per id quod est ab eo separatum.

Ex hoc autem Philosophus dat intelligere destructiones specierum. Si enim species non ponuntur nisi propter scientiam rerum, et esse earum, et ad hoc sufficit alia positio, etiam hoc non posito et eo posito magis quam hoc, sequitur vanum sit ponere species.

Source: 1. Aristotle, *Meta.*, I, 6 [987b 1-20]; III, 2 [997b 3-5]; *Eth.*, I, 6 [1096a 35 - b 3].
2. Aristotle, *Meta.*, I, 6 [987b 1-14].
3. *Ibid.*, I, 6; 9 [987b 1-7; 991a 11-12].
4. *Ibid.*, I, 6; 9 [987b 9-10; 990a 34 - 991b 2; 991a 13-14; 991b 2-3].

[131] *In* VII *Meta.*, 5 [C 1370]
Similiter ad idem ostendendum, scilicet quod non sunt species, palam est, quia si sunt ideae quales Platonici eas esse dicebant, sequetur quod id, quod est subjectum, scilicet quod haec res sensibilis non sit substantia. Ponebant enim Platonici, quod necesse est ideas esse substantias, et non esse de aliquo subjecto. Proprium enim est substantiae in subjecto non esse. Sed si ista subjecta, idest, si ista sensibilia sint substantiae, oportet quod sint secundum participationem illarum specierum; et ita illae species erunt de subjecto.

Source: Aristotle, *Meta.*, I, 6 [987b 1-14].

[132] *In* VII *Meta.*, 6 [C 1381]
Et hic erit unus modorum, quo destruitur positio Platonis ponentis species separatas, quas ponebat esse necessarias ad hoc, quod per eas scientia de istis rebus sensibilibus haberetur,[1] et ad hoc, quod earum participatione res sensibiles existerent,[2] et ad hoc, quod essent principia generationis rerum sensibilium.[3]

Source: 1. Aristotle, *Meta.*, I, 6; 9 [987b 1-7; 991a 11-12].
2. *Ibid.*, I, 6; 9 [987b 9-10; 990a 34 - 991b 2; 991a 13-14; 991b 3-4].
3. *Ibid.*, I, 9 [991a 11; b 2-3; 992a 25-26].

[133] *In* VII *Meta.*, 7 [C 1427]
Sciendum est autem, quod Platonici ponebant species esse causas generationis dupliciter. Uno modo per modum generantis,[1] et alio modo per modum exemplaris.[2]... Movet autem quaestionem in artificialibus propter naturalia, quorum species Plato separatas posuit a materia;[3]...

Source: 1. Aristotle, *Meta.*, I, 9 [991a 11; b 2-3; 992a 25-26].
2. *Ibid.*, I, 9 [991a 20 - b 1]; VII, 8 [1033b 19 - 1034a 8]; XII, 5 [1071a 17-30].
3. *Ibid.*, I, 6 [987b 1-14].

[134] *In* VII *Meta.*, 7 [C 1429]
Manifestum est ergo ex dictis, quod si sunt aliquae species praeter

singularia, nihil sunt utiles ad generationes[1] et substantias rerum,[2] sicut consueti sunt quidam dicere 'specierum causa,' idest ad hoc quod ponant species. Haec enim erat una causa, quare Platonici species ponebant, ut essent causa generationis in rebus.[1] Si igitur species separatae non possunt esse causa generationis, manifestum erit quod non erunt species quaedam substantiae secundum se existentes.

Source: 1. Aristotle, *Meta.*, I, 9 [991a 11; b 2-3; 992a 25-26].
       2. *Ibid.*, I, 6; 9 [987b 9-10; 990a 34 - 991b 2; 991a 13-14; 991b 2-3]; VII, 6 [1031a 15-18; b 14-18].

[135] *In* VII *Meta.*, 7 [C 1434-1435]
Quare palam est, quod non oportet ponere aliquam speciem separatam, quasi exemplar rebus generatis, ex cujus imagine res generatae speciei similitudinem consequantur, ut Platonici ponebant....

Relinquitur ergo, quod non oportet ponere aliquam speciem praeter singularia, quae sit causa speciei in generatis, ut Platonici ponebant.

Source: Aristotle, *Meta.*, I, 9 [991a 20 - b 1]; VII, 8 [1033b 19 - 1034a 8]; XII, 5 [1071a 17-30].

[136] *In* VII *Meta.*, 9 [C 1469-1470]
Et haec est sententia Aristotelis in hoc capitulo, quam introducit ad excludendum opinionem Platonis de ideis. Dicebat enim species rerum naturalium esse per se existentes sine materia[1] sensibili, quasi materia sensibilis non esset aliquo modo pars speciei. Ostenso ergo, quod materia sensibilis sit pars speciei in rebus naturalibus, ostenditur quod impossibile est esse species rerum naturalium sine materia sensibili, sicut hominem sine carnibus et ossibus, et sic de aliis.

Et hic erit tertius modus destruendi ideas. Nam primo destruxit per hoc quod quod quid erat esse non est separatum ab eo cujus est.[2] Secundo per hoc, quod species separatae a materia non sunt causae generationis, neque per modum generantis, neque per modum exemplaris.[3] Nunc autem tertio improbat eam per hoc, quod materia sensibilis in communi est ratio speciei.

Source: 1. Aristotle, *Meta.*, I, 6 [987b 1-14].
       2. *Ibid.*, VII, 7 [1031a 15-18; b 14-18]. Cf. *ibid.*, I, 9 [991a 13-14; b 1-3].
       3. *Ibid.*, I, 9 [991a 11; 20 - b 3; 992a 25-26]; VII, 8 [1033b 9 - 1034a 8]; XII, 5 [1071a 17-30].

[137] *In* VII *Meta.*, 11 [C 1503-1511]
Primo ponit solutionem secundum opinionem Platonicorum.

− − −

Videtur enim eis, quod sicut materia sensibilis non est pars speciei in naturalibus, ita etiam quod materia intelligibilis non sit pars speciei in mathematicis. Materia autem figurarum mathematicarum intelligibilis, est continuum, ut linea vel superficies. Et ideo vult, quod linea non sit pars speciei circuli vel trianguli; quasi non sit competens quod triangulus et circulus definiantur per lineas et continuum, cum non sint partes speciei; sed omnia ista similiter dicantur ad circulum et triangulum, sicut carnes et ossa ad hominem, et aes et lapides ad circulum.

Removendo autem a triangulo et circulo continuum, quod est linea, nihil remanet nisi unitas et numerus, quia triangulus est tres lineas habens, et circulus unam. Et ideo, quia lineas non dicunt esse partes speciei, referunt omnes species ad numeros, dicentes quod numeri sunt species mathematicorum omnium. Dicunt enim quod ratio duorum est ratio lineae rectae, propter hoc quod linea recta duobus punctis terminatur.

Sed circa hoc inter Platonicos ponentes ideas, est differentia quaedam. Quidam enim non ponentes mathematica media inter species et sensibilia, dicentes species esse numeros, dicunt ipsam lineam esse dualitatem, quia non ponunt lineam mediam differentem a specie lineae.

Quidam vero dicunt quod dualitas est species lineae, et non linea. Linea enim est quoddam mathematicum medium inter species et sensibilia; et dualitas est ipsa species. Et secundum eos, in quibusdam non differunt species et cujus est species, sicut in numeris, quia ipsas species dicebant esse numeros. Unde idem dicebant esse dualitatem et speciem dualitatis. Sed lineae hoc non accidit, secundum eos, quia linea jam dicit aliquid participans speciem, cum multae lineae inveniantur esse in una specie; quod non esset si ipsamet linea esset ipsa species.

Source: *Littera* but see Themistius, *De An. Par.*, I [CG V, 11.27-36]; Aristotle, *Meta.*, I, 6 [987b 14-18].

[138] *In* VII *Meta.*, 11 [C 1512-1513]
Deinde cum dicit 'accidit itaque'

Improbat praedictam solutionem; et ponit tres rationes: quarum prima est. Si soli numeri sint species,[1] omnia ista quae participant uno numero participant una specie. Multa autem sunt diversa specie quae participant uno numero. Unus enim et idem numerus est in triangulo propter tres lineas, et in syllogismo propter tres terminos, et in corpore propter tres dimensiones. Accidit igitur multorum specie diversorum esse unam speciem. Quod non solum Platonicis sed etiam Pythagoricis accidit, qui etiam ponebant naturam omnium rerum esse numeros.[2]

Secundam ponit ibi 'et contingit'

Quae talis est. Si carnes et ossa non sunt partes speciei humanae, nec lineae speciei trianguli, pari ratione nulla materia est pars speciei. Sed secundum Platonicos, in numero dualitas attribuitur materiae,[3] unitas autem speciei:[4] ergo sola unitas est species. Dualitas autem, et per consequens omnes alii numeri, tamquam materiam implicantes, non erunt species. Et sic una tantum erit species omnium rerum.

Source: 1. *In Meta.* [137].
    2. Aristotle, *Meta.*, I, 5; 6 [987a 17-19; 987b 22-25].
    3. *Ibid.*, I, 6 [987b 33 - 988a 1].
    4. *Ibid.*, I, 6 [987b 20-22].

[139] *In* VII *Meta.*, 11 [C 1516]
Solvit praemissam quaestionem secundum propriam sententiam. Et primo quantum ad naturalia. Secundo quantum ad mathematica, ibi, 'Circa mathematica.' Dicit ergo primo, quod ex quo praedicta inconvenientia sequuntur removentibus a specie rei omnia quae sunt materialia, sive sint sensibilia, sive non, patet ex dictis quod superfluum est omnes species rerum reducere ad numeros vel unitatem, et auferre totaliter materiam sensibilem et intelligibilem, sicut Platonici faciebant.

Source: *Littera* and see *In Meta.* [137]; [138].

[140] *In* VII *Meta.*, 11 [C 1518]

Videtur autem ipsum Platonem Socratem juniorem nominare,[1] quia in omnibus libris suis introducit Socratem loquentem, propter hoc quod fuerat magister ejus.[2] Opinionem autem Platonis, de materialitate naturalium specierum,[3] vocat parabolam, quia fabulis assimilatur quae componuntur ad aliquam sententiam metaphorice insinuandam.

Source: 1. This seems to be a conjecture of St. Thomas.
2. St. Augustine, *De Civ. Dei*, VIII, 4 [B].
3. 'Materialitate' should undoubtedly read 'immaterialitate.' Aristotle, *Meta.*, I, 6 [987b 1-14].

[141] *In* VII *Meta.*, 11 [C 1533]

Vel secundum aliam literam 'quae prima est.' Est enim quaedam curvitas prima, sicut curvitas quae est in speciebus secundum Platonicos, in quibus speciebus communiter est verum quod quaelibet est idem cum suo quod quid est. Alia autem curvitas quae est in rebus sensibilibus vel in mathematicis, non est prima. Unde non est idem quod suum quod quid erat esse.

Source: Aristotle, *Meta.*, I, 6 [987b 1-18]; *littera*.

[142] *In* VII *Meta.*, 13 [C 1568]

Sed quia non solum materia et quod quid est videntur esse causae, sed etiam universale 'quibusdam,' scilicet Platonicis, videtur maxime esse causa et principium,...

Source: *Littera*.

[143] *In* VII *Meta.*, 13 [C 1570]

Sciendum est autem, ad evidentiam hujus capituli, quod universale dupliciter potest accipi. Uno modo pro ipsa natura, cui intellectus attribuit intentionem universalitatis: et sic universalia, ut genera et species, substantias rerum significant, ut praedicantur in quid. Animal enim significat substantiam ejus, de quo praedicatur, et homo similiter. Alio modo potest accipi universale inquantum est universale, et secundum quod natura praedicta subest intentioni universalitatis: idest secundum quod consideratur animal vel homo, ut unum in multis. Et sic posuerunt Platonici animal et hominem in sua universalitate esse substantias.

Source: Clearly implied in the *littera*.

[144] *In* VII *Meta.*, 13 [C 1582]

Sed dicendum est quod, si universalia sint res quaedam, sicut Platonici ponebant, oportebit dicere, quod non solum qualitatem substantialem, sed accidentalem significent.

Source: Aristotle, *Meta.*, I, 6 [987b 1-14]; VII, 14 [1039a 24-33].

[145] *In* VII *Meta.*, 14 [C 1592]

Dicit ergo primo, quod ex praedictis etiam manifestum esse potest quid accidat de inconvenientibus, dicentibus ideas esse substantias et separabiles, quae dicuntur esse species universales,[1] et simul cum hoc ponentibus speciem esse ex genere et differentiis. Hae enim duae positiones simul conjunctae, scilicet quod species componantur ex genere et differentia, et quod species universales sunt substantiae separatae, quae dicuntur ideae, ducunt ad inconvenientia. Si enim ponantur species esse separatae, constat quod unum genus est in pluribus speciebus simul, sicut animal in homine et equo. Aut ergo hoc ipsum quod est animal in homine et equo existens, est unum et idem numero; aut alterum in homine, et alterum in equo. Inducit autem hanc divisionem, quia Plato ponebat ideas specierum, non autem generum,[2] cum tamen poneret communiter universalia esse substantias.[3]

Source: 1. *Littera* and see Aristotle, *Meta.*, I, 6 [987b 1-14].
      2. See *Source* under *In Meta.* [78].
      3. See 1 above.

[146] *In* VII *Meta.*, 14 [C 1593]
Si ergo propter hoc, quod species praedicatur secundum unam rationem de omnibus individuis, est aliquis homo communis, qui est ipsum quod est homo secundum se existens, 'et est hoc aliquid,' idest quoddam demonstrabile subsistens et separatum a sensibilibus, sicut Platonici ponunt;...

Source: *Littera* and see Aristotle, *Meta.*, I, 6 [987b 1-14].

[147] *In* VII *Meta.*, 14 [C 1594-1595]
...cum species separatae secundum Platonicos sint quaedam substantiae adinvicem diversae....
Homo enim, quia est unum de multis praedicatum secundum Platonicos, non ponitur in particularibus, sed extra ea.

Source: Aristotle, *Meta.*, I, 6 [987b 1-14].

[148] *In* VII *Meta.*, 14 [C 1602-1603]
Deinde cum dicit 'et amplius'
Ponit tertium inconveniens; dicens, quod ulterius ex praedictis sequitur, quod omnia illa, ex quibus est homo, scilicet superiora genera et differentiae, sint ideae; quod est contra positionem Platonicorum, qui ponebant solas species esse ideas particularium, genera vero et differentias non esse ideas specierum. Et hoc ideo, quia idea est proprie exemplar ideati secundum suam formam. Forma autem generis non est propria formis specierum, sicut forma speciei est propria individuis, quae conveniunt secundum formam, et differunt secundum materiam.
Sed, si sunt diversa animalia secundum diversas species, unicuique speciei respondebit aliquid in substantia sui generis, sicut propria idea; et ita etiam erunt genera ideae, et similiter differentiae. Non ergo alteri universalium erit quod sit idea, et alteri quod sit substantia, sicut Platonici ponebant, dicentes quidem genera esse substantias specierum, species vero ideas individuorum. Impossibile namque est ita esse, ut ostensum est. Sequitur igitur ex praedictis 'quod ipsum animal,' idest substantia animalis universalis, sit unumquodque eorum 'quae sunt in animalibus,' idest quae continentur inter species animalis.

Source: St. Thomas knew that in the tradition based on Porphyry the Platonic theory included subsistent *genera* (Boethius, *In Isag.*, ed. sec., I, 11 [CSEL 48, 167.12-14]) and this he himself repeats (e.g. *De Sp. Creat.* [7]). Moreover, Aristotle presented the theory as demanding a general assertion of subsistent universals (e.g. *Meta.*, II, 3 [999a 10-11]; VII, 14 [1039a 24 - b 19]). St. Thomas, however, also asserts that Plato did not posit the *genera* as ideas (e.g. *In Meta.* [145]; *C.G.* [3]; *S.T.* [7]).

He reads this implication in the argument of Aristotle, *Meta.*, VII, 14 [1039a 24 - b 19]. The point here seems to be that 'idea' is here taken in a strict sense of a *proper* exemplar form. The *genus* is not the proper form of a species in the way a species is of the sensible individual (in which the difference is reducible to a non-formal principle, matter). Secondly, in order to allow subsistence, the Platonists must hold that *genus* is absolutely simple (See *In* X *Meta.*, 10 [2118-2119]), a strict univocal, and that animal is not physically diverse in diverse species. From this angle also it becomes impossible for the *genus* to be a *proper idea* of anything within the substance of a species as well as to be the *substance* of diverse species.

[149] *In* VII *Meta.*, 14 [C 1605]
Si itaque impossibile est sic esse, palam est quod idea non est ipsorum sensibilium, sicut Platonici dicunt.

Source: *Littera.*

[150] *In* VII *Meta.*, 15 [C 1606; 1612]
In hoc loco Philosophus ostendit, quod ideae quae ponuntur separatae a Platonicis, non possunt definiri. Et hoc ideo, quia Platonici ad hoc praecipue ponebant ideas, ut eis adaptarentur et definitiones et demonstrationes, quae sunt de necessariis, cum ista sensibilia videantur omnia in motu consistere.[1]

– – –

Si igitur singulare definiri non potest, itaque nec ideam possibile est definire. Ideam enim oportet esse singularem, secundum ea quae ponuntur de idea. Ponunt enim quod idea est quoddam per se existens ab omnibus aliis separatum. Haec autem est ratio singularis.[2]

Source: 1. Aristotle, *Meta.*, I, 6 [987b 1-14]. See also *littera* [1039b 31-33].
         2. *Littera* [1040a 8-9].

[151] *In* VII *Meta.*, 15 [C 1613]
Fuit autem necessarium ut hanc rationem superadderet rationi suprapositae, quia ratio jam posita probabat singulare non esse definibile, ex eo quod est corruptibile et materiale; quae duo Platonici ideis non attribuebant.

Source: Aristotle, *Meta.*, I, 6 [987b 1-14].

[152] *In* VII *Meta.*, 15 [C 1619]
Et hoc inconveniens quidem accidit 'in sempiternis,' idest considerando etiam definitionem ideae, quae est quoddam singulare sempiternum secundum Platonicos;...

Source: *Littera.*

[153] *In* VII *Meta.*, 16 [C 1642]
Deinde cum dicit 'sed species'
    Ostendit quantum ad quid Plato recte dixerit, et quantum ad quid non recte; dicens, quod Platonici ponentes species ideales, in hoc recte dicunt, quod ponunt eas separatas, ex quo ponunt esse substantias singularium. De ratione enim substantiae est quod sit per se existens.

Non autem posset esse per se existens si in aliquo singularium esset; praesertim quia si uno singularium existeret, in aliis esse non posset. Sicut enim jam dictum est, id quod est unum subsistens, non potest in multis esse. Unde in hoc recte facit Plato, ex quo posuit species esse substantias, quod posuit eas separatas.

Source: Aristotle, *Meta.*, I, 6 [987b 1-14]; see *In Meta.* [145].

[154] *In* VII *Meta.*, 16 [C 1643-1644]

In hoc autem non dixerunt recte, quia dicunt unam speciem esse in multis. Haec enim duo videntur esse opposita: quod aliquid sit separatum per se existens, et tamen habeat esse in multis. Causa autem propter quam inducti sunt Platonici ad ponendum hujusmodi substantias separatas, et tamen esse in multis, haec est: quia per rationem invenerunt quod oportet esse aliquas substantias incorruptibiles et incorporeas, cum ratio substantiae corporalibus dimensionibus non sit obligata. Sed quae sunt hujusmodi substantiae, quae quidem sunt incorruptibiles, et sunt praeter has substantias singulares et sensibiles, 'non habent reddere,' idest non possunt assignare et manifestare, eo quod nostra cognitio a sensu incipit, et ideo ad incorporea quae sensum transcendunt, non possumus ascendere, nisi quatenus per sensibilia manuducimur.

Et ideo, ut aliquam notitiam traderent de substantiis incorporeis incorruptibilibus, 'faciunt,' idest fingunt eas, easdem esse specie substantiis corruptibilibus, sicut in istis substantiis corruptibilibus invenitur homo singularis corruptibilis, et similiter equus. Posuerunt igitur quod etiam in illis substantiis separatis esset aliqua substantia quae esset homo, et aliqua quae esset equus, et sic de aliis: sed differenter: quia has substantias separatas scimus, ex doctrina Platonicorum, per hoc quod dicimus 'autanthropon,' idest per se hominem, 'et authippon,' idest per se equum. Et ita in singulis substantiis sensibilibus ad designandas substantias separatas 'addimus hoc verbum,' idest hanc dictionem 'auto,' idest per se.

Source: *Littera.*

[155] *In* VII *Meta.*, 16 [C 1645]

Ex quo apparet quod Platonici volebant illas substantias separatas esse ejusdem speciei cum istis sensibilibus; et solum in hoc differre, quia separatis attribuebant nomen speciei per se, non autem sensibilibus. Cujus ratio est quia in singularibus sunt multa, quae non sunt partes speciei. Sed in illis substantiis separatis dicebant tantum esse illa quae pertinent ad speciem et naturam speciei. Ergo homo separatus dicebatur per se homo, quia habet ea tantum quae pertinent ad naturam speciei. Sed hic homo singularis habet, cum his quae ad naturam speciei pertinent, multa alia: et propter hoc non dicitur per se homo.

Source: *Littera.* See also Aristotle, *Meta.*, I, 6 [987b 1-14].

[156] *In* VII *Meta.*, 17 [C 1648]

Hanc autem substantiam Platonici dicebant esse universalia, quae sunt species separatae:[1]... Dicit ergo primo, quod ex quo ostensum est, quod nihil universaliter dictorum est substantia, ut Platonici posuerant,... Quamvis enim substantiae separatae non sint ejusdem speciei cum substantiis sensibilibus, ut Platonici posuerunt,...[2]

Source: 1. Aristotle, *Meta.*, I, 6 [987b 1-18]; VII, 14 [1039a 24-33].
2. *Ibid.*, VII, 16 [1040b 31-32].

[157] *In* VIII *Meta.*, 2 [C 1704]
Et quia Plato praecipue principium formale tetigit, ideo determinat de principio formali secundum ea quae Plato posuit. Ponit autem Plato, formas rerum esse species et numeros.[1] Unde prima pars dividitur in duas partes. In prima determinat de principio formali per comparationem ad species. In secunda per comparationem ad numeros, ibi, 'Palam autem.' Ponebat autem Plato quatuor de formis per comparationem ad species. Quorum primum est, quod nomina specierum significent tantum formam, non autem formam cum materia.[2] Secundum, quod forma est aliquid praeter partes materiae.[3] Tertium est, quod est ingenerabilis et incorruptibilis.[4] Quartum est, quod formae sunt separatae a sensibilibus.[4] Unde prima pars dividitur in quatuor, secundum quod Aristoteles de quatuor praedictis inquirit. Secunda pars incipit, ibi, 'Non videtur.' Tertia, ibi, 'Necessarium itaque etc.' Quarta, ibi, 'Si autem sunt corruptibilium.'

Source: 1. Aristotle, *Meta.*, I, 6; 9 [987b 7-18; 991b 9]
2. *Ibid.*
3. *Ibid.*, VII, 11 [1036b 22 - 1037b 7].
4. *Ibid.*, I, 6 [987b 1-14].

[158] *In* VIII *Meta.*, 2 [C 1706]
Similiter, utrum hoc nomen linea significet dualitatem et longitudinem, aut dualitatem tantum. Hoc autem ideo dicit, quia Platonici posuerunt numeros esse formas magnitudinum. Dicebant enim quod punctus nihil aliud est quam unitas positionem habens; ita quod positio sit quasi materiale unitas ut formale. Et similiter ponebant, quod dualitas erat forma lineae, ita quod linea nihil aliud est quam dualitas in longitudine. Quaerit ergo Philosophus, utrum hoc nomen linea significet dualitatem tantum, quasi formam; aut dualitatem in longitudine, sicut formam in materia. Et similiter, utrum hoc nomen animal significet animam in corpore, quasi formam in materia; aut animam tantum, quae est forma corporis organici.

Source: *Littera*; and see Themistius, *De An. Par.*, I [CG V, 11. 27-36]; *In Meta.* [137].

[159] *In* VIII *Meta.*, 2 [C 1707]
Nomen enim speciei non dicetur de composito, nisi secundum ordinem ad hoc, quod dicitur secundum formam tantum, sicut Platonici posuerunt. Ponebant enim quod homo, qui est compositus ex materia et forma, dicitur per participationem hominis idealis, qui est forma tantum.

Source: Aristotle, *Meta.*, I, 6 [987b 1-14]; VII, 11 [1036b 21 - 1037b 7].

[160] *In* VIII *Meta.*, 2 [C 1712]
Deinde cum dicit 'non videtur'
Prosequitur secundum praedictorum, scilicet quod forma sit aliquid praeter partes materiae; dicens, quod Platonicis moventibus istam quaestionem, non videtur, quod syllaba sit ex elementis et ex compositione; quasi compositio, quae est forma syllabae, sit pars materialis

syllabae, sicut elementa vel literae. Neque videtur eis quod domus sit caementum et compositio, quasi domus constituatur ex his quasi ex partibus materiae.

Source: *Littera* and see *Source* under *In Meta.* [159].

[161] *In* VIII *Meta.*, 2 [C 1714]
Nec erit elementum neque ex elementis, sed erit tantum forma, ut dicunt Platonici, qui auferunt materiam a definitionibus.

Source: See *Source* under *In Meta.* [159].

[162] *In* VIII *Meta.*, 2 [C 1715]
Prosequitur tertium praedictorum; scilicet quod formae secundum Platonicos sunt sempiternae et incorruptibiles. Unde concludit ex dictis quod necessarium est formam aut esse sempiternam, ut Platonici posuerunt ponentes ideas, quas dicebant formas rerum esse sempiternas:...

Source: Aristotle, *Meta.*, I, 6 [987b 1-14].

[163] *In* VIII *Meta.*, 2 [C 1717]
Prosequitur quartum praedictorum; scilicet quod Plato ponebat formas separatas a materia. Et circa hoc tria facit. Primo ostendit quid sit dubium circa hanc positionem; dicens quod non est manifestum si 'substantiae,' idest formae rerum corruptibilium, sint separabiles, ut Platonici posuerunt.

Source: *Littera*; cf. Aristotle, *Meta.*, I, 6 [987b 1-10].

[164] *In* VIII *Meta.*, 2 [C 1719]
Tertio 'forsan quidem'
    Excludit obviationem; dicens, quod formae artificialium forsan non sunt substantiae, nec ipsae sunt aliquid per se, unde separari non possunt. Et similiter nullum aliorum artificialium, quae non sunt secundum naturam; quia solum materia in rebus artificialibus ponitur esse substantia, formae autem artificiales accidentia sunt. Formae vero naturales sunt de genere substantiae. Et propter hoc Plato non posuit formas artificiales esse separatas a materia, sed solum formas substantiales.

Source: Aristotle, *Meta.*, I, 9 [991b 6-7].

[165] *In* VIII *Meta.*, 3 [C 1720-1721]
Ostendit quid manifeste sit contra positionem Platonis; dicens, quod si quis ponat esse formas separatas, ut Platonici posuerunt, dubitatio, quam Antisthenici dubitaverunt, licet viderentur indocti, habebit locum contra Platonicos....
    Nam genus sumitur a materia, et differentia a forma, ut dictum est supra; unde, si species rerum essent tantum formae, ut Platonici posuerunt, non contingeret eas definiri.

Source: Aristotle, *Meta.*, I, 6 [987b 1-14]; VII, 11 [1036b 21 - 1037b 7].

[166] *In* VIII *Meta.*, 3 [C 1722]
Deinde cum dicit 'palam autem'
    Postquam determinavit de formis secundum quod comparantur ad ideas introductas a Platone,[1] nunc determinat de formis per comparationem ad numeros. Plato enim ponebat formas et substantias rerum, reducendo per modum cujusdam assimilationis formas ad numeros.[2]

Et dividitur in quatuor, secundum quod quatuor modis assimilat formas numeris. Dicit ergo primo, quod manifestum est, quod si numeri aliquo modo sint substantiae rerum et formae, sic sunt, sicut ex praemissis accipi potest; non autem sunt numeri unitatum sicut Platonici dicunt.[2] Dicitur autem numerus unitatum, numerus simplex et absolutus. Numerus autem applicatus ad res, dicitur numerus rerum, sicut quatuor canes vel quatuor homines; quo quidem modo substantiae rerum, quas significant definitiones, possunt dici numeri. Est enim definitio divisibilis in duo: quorum unum se habet ut forma, aliud ut materia, ut superius dictum est. Et iterum est in indivisibilia divisibilis. Divisio enim definitionis oportet quod per aliqua indivisibilia terminetur: non enim definitiones procedunt in infinitum. Puta, si definitio hominis dividatur in animal et rationale, definitio animalis in animatum et sensibile; non procedet hoc in infinitum, cum non sit procedere in infinitum in causis materialibus et formalibus, ut in secundo probatum est. Et sic definitionis divisio non assimilatur divisioni quantitatis continuae, quae est in infinitum; sed divisioni numeri, qui est divisibilis in indivisibilia.

Source: 1. Aristotle, *Meta.*, I, 6 [987b 1-14]; St. Augustine, *Oct. Tri. Quaes.*, 46.
2. *Littera* and Aristotle, *Meta.*, I, 6; 9 [987b 23; 991b 9 sq].

[167] *In* VIII *Meta.*, 5 [C 1757-1758]
Si enim est verum, quod quidam dicunt, si hoc ipsum quod est animal sit aliquod per se existens et separatum, et similiter hoc ipsum quod est bipes, quod Platonici posuerunt: si enim sic est, merito quaeritur quare homo non est illa duo aggregata, ita quod homines particulares non sunt homines nisi per participationem hominis, nec per participationem alicujus unius, sed per participationem duorum, quae sunt animal et bipes. Et secundum hoc homo non erit unum, sed duo, scilicet animal et bipes.

Deinde cum dicit 'palam itaque'

Solvit praedictam dubitationem: et circa hoc duo facit. Primo proponit unde appareat via ad solutionem dubitationis; dicens, manifestum esse quod si aliqui accipiant quod dictum est de positione Platonis, et transmutent sic naturas rerum, quod ponant universalia separata, sicut Platonici determinare et dicere consueverunt, non contingit reddere causam unitatis hominis, et solvere dubitationem praedictam.

Source: *Littera.*

[168] *In* VIII *Meta.*, 5 [C 1764]
Statim enim unumquodque eorum est aliquod ens et aliquod unum, non ita quod sint ens et unum sint genera quaedam, aut singillatim existentia praeter singularia, quae Platonici ponebant.

Source: Aristotle, *Meta.*, VII, 16 [1040b 16-22]; X, 2 [1053b 9 - 1054a 19].

[169] *In* VIII *Meta.*, 5 [C 1765]
...propter praedictam dubitationem quidam, scilicet Platonici, posuerunt participationem, qua scilicet inferiora participant superiora, ut hic homo, hominem; et homo, animal et bipes.[1] Et inquirebant quid est causa participationis, et quid participare; ut eis innotesceret quare est unum, hoc quod dico animal bipes.[2]

Source: 1. Aristotle, *Meta.*, VIII, 6 [1045a 14-22].
    2. *Littera.*

[170] *In* IX *Meta.*, 9 [C 1867; 1882]
In secunda ex proposito ostenso excludit quoddam a Platone dictum,
ibi, 'Si ergo aliquae sunt naturae.'...

Ex praemissis excludit quoddam a Platone positum. Ponebat enim
Plato formas separatas, quas maxime esse dicebat: sicut si ponerem
scientiam esse separatam, quam vocabat per se scientiam: et dicebat
quod hoc erat principalissimum in genere scibilium et similiter per se
motum in genere mobilium. Sed secundum praeostensa, aliquid erit
primo in genere scibilium, quam per se scientia. Ostensum est enim
quod prior est actus perfectione quam potentia. Scientia enim ipsa est
quaedam potentia. Unde consideratio quae est actus ejus erit ea potior,
et sic de aliis hujusmodi. – Ultimo epilogat quod dictum est, scilicet
quod actus est prior potentia, et omni principio motus.

Source: Aristotle, *Meta.*, I, 6 [987b 1-10]; 7 [988a 34 - b 6].

[171] *In* X *Meta.*, 3 [C 1962-1966]
Est autem dubitatio, utrum hoc ipsum quod dicitur unum, sit substantia aliqua et per se subsistens, ut dixerunt Pythagorici, et postea Platonici eos sequentes; aut magis ei quod est unum supponatur quaedam
natura subsistens, secundum quam notius et magis debet dici quid est
quod dicitur unum. Et hoc supposuerunt naturales: quorum unus dixit
amorem esse aliquid quod est unum; sicut Empedocles qui ponebat
quatuor principia materialia, scilicet quatuor elementa, quibus priora
dicunt esse principia agentia, quae ipse ponebat, scilicet amorem et
odium. Inter quae praecellit amor, inquantum perfectum et bonorum
principium. Unde, si id quod est primum principium dicitur unum,
consequitur secundum opinionem ejus, quod amor sit illud quod est
unum. Quod est conveniens, inquantum amor unionem quamdam in-
dicat amantis et amati. Alius vero, scilicet Diogenes, ponens aerem
principium omnium rerum, dixit aerem esse id quod est unum. Alius
vero dixit infinitum esse id quod est unum, sicut Melissus, qui posuit
esse unum ens infinitum et immobile, ut patet in primo Physicorum.

Deinde cum dicit 'si itaque'
Determinat propositam quaestionem; dicens, quod unum non est
substantia subsistens, de qua dicitur quod sit unum. Probat autem hoc
dupliciter. Primo ratione. Secundo similitudine, ibi, 'Adhuc autem
similiter.' Dicit ergo quod probatum est superius, in septimo scilicet in
quo agebat de ente et praecipue de substantia, quod nullum universalium esse potest substantia, quae scilicet per se sit subsistens; quia omne
universale commune est multis. Nec possibile est universale esse substantiam subsistentem; quia sic oporteret quod esset unum praeter
multa, et ita non esset commune, sed esset quoddam singulare in se.

Nisi forte diceretur commune per modum causae. Sed alia est communitas universalis et causae. Nam causa non praedicatur de suis
effectibus, quia non est idem causa suiipsius. Sed universale est commune, quasi aliquid praedicatum de multis; et sic oportet quod aliquo
modo sit unum in multis, et non seorsum subsistens ab eis.

Sed oportet ens et unum magis universaliter et communiter de omnibus praedicari. Non ergo sunt ipsa substantia subsistens, quae dicitur
ens vel unum, sicut Plato posuit.

Per hanc rationem concluditur, quod nulla genera sunt aliquae naturae et substantiae per se subsistentes, quasi separabiles ab aliis, de quibus dicuntur. Quod etiam superius inter quaestiones fuit dubitatum. Nec tamen hoc pro tanto dicitur, quod unum sit genus. Eadem enim ratione unum non potest esse genus, qua nec ens, quia nec univoce praedicatur, et propter alia quae superius in tertio tacta sunt. Et ex eadem ratione unum et ens non potest esse substantia subsistens.

Source: Aristotle, in the *littera*, is discussing a Platonic doctrine which makes *unum* and *ens* substances and separate in the same sense as the Platonic universals. (See Aristotle, *Meta.*, VII, 16 [1040b 16-22].) Since the Platonists identify the one of being with the one of number and both with being, the primary separate being is also the primary one (see *Source* under *S.T.* [5]). It is in this sense that St. Thomas reads the present *littera*.

[172] *In* X *Meta.*, 3 [C 1979]
Sciendum est igitur quod substantia dicitur dupliciter. Uno modo suppositum in genere substantiae, quod dicitur substantia prima et hypostasis, cujus proprie est subsistere. Alio modo quod quid est, quod etiam dicitur natura rei. Secundum ergo Platonis opinionem, cum universalia essent res subsistentes, significabant substantiam non solum secundo modo, sed primo.

Source: Aristotle, *Meta.*, I, 6 [987b 1-18]; VII, 14 [1039a 24-33].

[173] *In* X *Meta.*, 10 [C 2118-2119]
Et hoc dicit contra Platonicos, qui ponebant communia separata, quasi ipsamet natura communis non diversificaretur, si natura speciei esset aliquid aliud praeter naturam generis. Unde contra hoc concludit ex dictis, quod hoc ipsum quod est commune, diversificatur secundum speciem. Unde oportet quod commune, ut animal, ipsum secundum se sit hoc tale secundum unam differentiam, et illud tale secundum aliam differentiam, sicut quod hoc sit equus, et illud homo. Et ita sequitur, quod si animal sit secundum se hoc tale et hoc tale, quod differentia faciens differre specie, sit quaedam diversitas generis. Et exponit diversitatem generis, quae ipsam naturam generis diversificat.

Per hoc autem quod hic Philosophus dicit, non solum excluditur opinio Platonis ponentis commune unum et idem per se existere: sed etiam excluditur opinio eorum qui dicunt, quod illud quod pertinet ad naturam generis, non differt specie in speciebus diversis; sicut quod anima sensibilis non differt specie in speciebus diversis; sicut quod anima sensibilis non differt specie in homine et equo.

Source: This seems to be St. Thomas' own analysis of the *littera*. Plato is not mentioned by Aristotle but St. Thomas recognizes the anti-Platonism of 1058a 2-6. (Averroes [*ad locum*] does not mention Plato.)

[174] *In* X *Meta.*, 12 [C 2143]
Deinde cum dicit 'palam igitur'
Infert quoddam corollarium ex dictis; scilicet quod non possunt esse species separatae, sicut Platonici posuerunt.[1] Ponunt enim duos homines, unum sensibilem qui est corruptibilis, et unum separatum qui est incorruptibilis, quem dicunt speciem vel ideam hominis.[2] Species

autem sive ideae dicuntur esse eadem specie, secundum Platonicos, cum singularibus.³ Et nomen speciei non aequivoce praedicatur de specie et de singulari, cum tamen incorruptibile et corruptibile etiam genere differant. Et ea quae sunt diversa genere plus distant, quam quae differunt specie.

Source: 1. Aristotle, *Meta.*, I, 6 [987b 1-18].
2. Aristotle, *Eth.*, I, 6 [1096a 35 - b 3]; see *In Meta.* [9].
3. Aristotle, *Meta.*, VII, 16 [1040b 31-32].

[175] *In* XI *Meta.*, 1 [C 2158; 2160-2161]
Aut enim est 'circa species,' idest circa ideas, quas Platonici posuerunt; aut est circa mathematica, quae etiam quidam posuerunt esse media inter ideas et substantias sensibiles, sicut sunt superficies, et lineae, et figurae, et alia hujusmodi. Sed manifestum est per superiores libros, quod 'species non sunt,' idest ideae separatae, et de mathematicis statim quaeretur.

– – –

Tertio ibi 'attamen dubitationem'
Movet tertiam dubitationem ex incidenti. Quia enim dixerat manifestum esse quod non sunt species separatae, movet dubitationem de mathematicis, utrum sint separatae. Et ostendit primo quod non: quia si aliquis ponat species separatas, et mathematica separata praeter substantias sensibiles, quare non est ita in omnibus quae habent species, sicut in mathematicis? ut sicut mathematica ponitur media inter species et sensibilia, quasi quaedam entia praeter species et particularia quae sunt hic, ut linea mathematica praeter speciem lineae et lineam sensibilem, ita poneretur tertius homo, et tertius 'equus praeter auton,' idest per se hominem, et per se equum, quae appellabant Platonici ideas, et equum et hominem singulares. Sed in his Platonici media non ponebant, sed solum in mathematicis.
Postea vero cum dicit 'si autem'
Objicit in contrarium: quia si non sunt mathematica separata, difficile est assignare circa quae mathematicae scientiae negocientur. Non enim negociari videntur circa sensibilia inquantum hujusmodi; quia in istis sensibilibus non sunt tales lineae et tales circuli, quales scientiae mathematicae quaerunt. Unde videtur necesse ponere quasdam lineas et quosdam circulos separatos.
Source: Aristotle, *Meta.*, I, 6 [987b 1-18] and *littera*.

[176] *In* XI *Meta.*, 1 [C 2167]
Et veritas est, quod haec scientia praecipue considerat communia; non tamen quod communia sint principia, sicut Platonici posuerunt.
Source: Aristotle, *Meta.*, I, 6 [987b 1-21].

[177] *In* XI *Meta.*, 2 [C 2179]
Et veritas harum quaestionum est, quod est aliqua substantia separata a sensibilibus; non quidem species rerum sensibilium, ut Platonici posuerunt, sed primi motores, ut infra ostendetur.
Source: Aristotle, *Meta.*, I, 6 [987b 1-18].

[178] *In* XI *Meta.*, 2 [C 2184]
Quia, si numerus componitur ex uno et materia, oportet quod sit

aliquid unum, sicut quod componitur ex anima et materia, oportet quod sit animatum. Sed quomodo dualitas et quilibet aliorum numerorum qui sunt compositi ex multis unitatibus, sunt unum, ut dicunt Platonici? nec facile est assignare, ut possit dici esse derelictum ab eis, quasi de facili intelligibile.

Source: Aristotle, *Meta.*, I, 6 [987b 33 - 988a 1]; 9 [991b 27 - 992a 24].

[179] *In* XI *Meta.*, 2 [C 2190]
Unde et Platonici non posuerunt ideas rerum artificialium, quia formae rerum artificialium sunt actus, quae non possunt per se existere.

Source: Aristotle, *Meta.*, I, 9 [991b 6-7].

[180] *In* XI *Meta.*, 8 [C 2275]
Unde Plato non male dixit, dicens quod [*sc.* sophistica] versatur circa non ens, quia versatur circa ens per accidens.

Source: *Littera.*

[181] *In* XI *Meta.*, 10 [C 2322]
Circa quod sciendum est, quod Platonici posuerunt infinitum separatum a sensibilibus, et posuerunt ipsum esse principium.

Source: Aristotle, *Phy.*, III, 4 [203a 4-6].

[182] *In* XI *Meta.*, 10 [C 2324]
Si infinitum ponitur separatum a sensibilibus, aut ponitur ut substantia per se existens, aut ut accidens inhaerens alicui subjecto separato, puta magnitudini, aut numero, quae sunt separata secundum Platonicos.

Source: Aristotle, *Meta.*, I, 6 [987b 14-18].

[183] *In* XI *Meta.*, 13 [C 2415]
Tertium corollarium est, quod punctus et unitas non sunt idem, ut Platonici posuerunt, dicentes quod punctum est unitas habens positionem.

Source: Aristotle, *Post. Anal.*, I, 27 [87a 35-36].

[184] *In* XII *Meta.*, 1 [C 2423]
Nam moderni, scilicet Platonici, dicunt universalia magis esse substantias quam particularia. Dicunt enim, genera, quae sunt universalia, magis esse principia et causas substantiarum quam particularia.[1] Et hoc ideo, quia logice inquirebant de rebus.[2] Universalia enim, quae secundum rationem sunt abstracta a sensibilibus, credebant etiam in rerum natura abstracta fore, et principia particularium.[3]

Source: 1. *Littera* and Aristotle, *Meta.*, VII, 13 [1038b 6-8]; XII, 1 [1069a 26-28]; Averroes, *In Meta.*, XII, com. 3 [292D].
2. *Littera*: '... propter logice inquirere...'; see Aristotle, *Meta.*, I, 6 [987b 1-14]; *De Gen. et Cor.*, I, 2 [316a 8-11].
3. Aristotle, *Meta.*, I, 6 [987b 7-18]; VII, 14 [1039a 24-33]; Boethius, *In Isag.*, ed. sec., I, 10; 11 [CSEL 48, 163.14-22; 167.7-11]; Abelard, *Glossae super Porphyrium* [Geyer, 25. 15-26.15].

[185] *In* XII *Meta.*, 2 [C 2426]
Tertium vero genus est substantiae immobilis, quae non est sensibilis.

Et haec non est omnibus manifesta, sed quidam ponunt eam esse separabilem a sensibilibus. Quorum opinio diversificatur. Quidam enim dividunt substantiam separabilem in duo genera: scilicet in species, quas vocant ideas, et mathematica. Sicut enim invenitur secundum rationem duplex modus separationis: unus quo separantur mathematica a materia sensibili, alius quo separantur universalia a particularibus: ita et secundum rem ponebant et universalia esse separata, quae dicebant species, et etiam mathematica.[1]– Sed quidam haec duo, scilicet species et mathematica, in unam naturam reducebant. Utrique igitur hi erant Platonici.[2] Sed alii, scilicet Pythagorici, non ponebant species, sed solum mathematica.

Source: 1. Aristotle, *Meta.*, I, 6 [987b 1-18]; see *Source* 3 under *In Meta.* [184].
2. For the division of Platonists, see Aristotle, *Meta.*, VII, 11 [1036b 13-17].

[186] *In* XII *Meta.*, 3 [C 2449]
Sed, si aliquae formae sunt praeter substantiam compositam, hoc erit verum in formis naturalibus, quae substantiae sunt. Unde Plato non male dixit, 'quod species,' idest formae separatae, sunt formae quae sunt per naturam. Dico autem quod non simpliciter bene dixit, sed si sunt species aliae aliquae ab isits sensibilibus, quae sunt caro, caput et hujusmodi, quae sunt materia ultima substantiae particularis compositae, quae est maxime substantia.

Source: Aristotle, *Meta.*, I, 6; 9 [987b 1-18; 991b 6-7].

[187] *In* XII *Meta.*, 3 [C 2452]
Considerandum autem hanc sententiam esse Aristotelis de anima intellectiva quod non fuerit ante corpus, ut Plato posuit, neque etiam destruitur destructo corpore, ut antiqui naturales posuerunt, non distinguentes inter intellectum et sensum.

Source: Nemesius, *De Nat. Hom.*, 2 [PG 40, 580]; Macrobius, *In Som. Scip.*, I, 9, 1-5 [E 509-510]; 12 [E 519-523]; II, 13 [E 615-618]; St. Augustine, *De Civ. Dei*, X, 30.

[188] *In* XII *Meta.*, 3 [C 2454]
'Palam itaque'
   Secundo excludit rationem propter quam ponebant ideas separatas. Ad hoc enim dicebant Platonici esse necessarium ponere ideas, ut substantiae particulares sensibiles ad earum similitudines formarentur. Sed hoc non est necessarium; quia in istis inferioribus invenitur causa sufficiens formationis omnium eorum quae fiunt. Nam agens naturale agit sibi simile. Homo enim generat hominem; non quidem universalis singularem, sed singularis singularem. Unde non est necessarium ponere hominem universalem esse separatum, a quo hic homo singularis formam speciei accipiat vel participet. Et similiter manifestum est in his quae fiunt secundum artem; quia ars medicinalis est quaedam ratio sanitatis et similitudo in anima, ut etiam supra ostensum est.

Source: St. Thomas reads this brief *littera* in the light of Aristotle, *Meta.*, I, 9 [991a 20 - b 1]; VII, 8 [1033b 19 - 1034a 8]; XII, 5 [1071a 17-30].

[189] *In* XII *Meta.*, 4 [C 2459]

Cum ergo id quod est prius, inveniatur esse communius, sicut animal est prius homine, sequitur, si aliquid est prius substantia et aliis generibus, quod aliquid sit commune substantiae et aliis generibus, et praecipue secundum opinionem Platonicorum, qui posuerunt universalia esse principia, et unum et ens quasi communissima esse principia omnium.

Source: Aristotle, *Meta.*, VII, 16 [1040b 16-22]; X, 2 [1053b 9 - 1054a 19].

[190] *In* XII *Meta.*, 4 [C 2462]

Et quia videbatur hoc habere instantiam in principiis a Platone positis, quae sunt unum et ens, eo quod unumquodque principiatorum est unum et ens;[1] ideo consequenter hoc excludit, dicens, quod neque etiam intellectualium elementorum, quae sunt unum et ens, possibile est aliquod esse idem cum his quae sunt ex elementis. – Vocat autem ea intellectualia, quia universalia intellectu percipiuntur, et quia Plato ea ponebat separata a sensibilibus.[2]

Source: 1. Aristotle, *Meta.*, VII, 16 [1040b 16-22]; X, 2 [1053b 9 - 1054a 19].
   2. *Ibid.*, I, 6 [987b 1-14].

[191] *In* XII *Meta.*, 4 [C 2480]

Et hoc est quod dicit, quod haec, scilicet actus et potentia, cadunt in praedictas causas, quae sunt forma, privatio, et materia, et movens: quia forma est actus, sive sit separabilis a composito, ut Platonici posuerunt, sive etiam sit aliquid compositum ex ambobus, scilicet materia et forma.

Source: Aristotle, *Meta.*, I, 6 [987b 1-18].

[192] *In* XII *Meta.*, 4 [C 2482]

Haec autem dicuntur principia universalia, quia universaliter significantur et intelliguntur; non ita quod ipsa universalia subsistentia principia sint, ut Platonici posuerunt,[1] quia singularium non potest esse aliquod principium nisi singulare; universale enim principium est effectus universaliter accepti, ut homo hominis.

Source: 1. Aristotle, *Meta.*, VII, 13 [1038b 6-8]; XII, 1 [1069a 26-28]; Averroes, *In Meta.*, XII, *com.* 3 [292D].

[193] *In* XII *Meta.*, 5 [C 2493]

Ex quo consequenter concludit, quod nihil prodest opinio Platonis ponentis substantias sempiternas, quae est insufficiens ad sustinendum sempiternitatem motus. Non enim ad hoc sustinendum prodest, si fingamus aliquas substantias separatas sempiternas, nisi in eis sit aliquod principium habens potentiam ad transmutandum, quod non videtur convenire speciebus. Species enim nihil aliud ponebant quam universalia separata: universalia autem, inquantum hujusmodi, non movent. Nam omne principium activum vel motivum est aliquod singulare, ut supra dictum est. Sic igitur nec species sunt sufficientes ad sempiternitatem motus servandam, nec alia substantia separata praeter species, sicut quidam posuerunt mathematica separata: quia nec etiam mathematica, inquantum hujusmodi, sunt principia motus. Et si non sit aliqua substantia sempiterna agens, non est motus sempiternus; quia motus principium est aliqua substantia sempiterna movens et agens.

Source: Ideas and *mathematica* are separate: Aristotle, *Meta.*, I, 6 [987b 1-18]. They are immobile and the cause of immobility: Aristotle, *Meta.*, I, 7 [988b 3-4].

[194] *In* XII *Meta.*, 6 [C 2504]
Secundo ibi 'propter quod'
Ostendit quomodo huic rationi quidam physici consenserunt. Dicit ergo, quod propter hanc rationem quidam philosophi posuerunt semper actum existentem, scilicet Leucippus socius Democriti, et Plato. Dixerunt enim motum semper fuisse etiam ante mundum.[1] Secundum quidem Leucippum in atomis per se mobilibus, ex quibus ponebat mundum constitui. Secundum Platonem vero in elementis, quae dicebat ante constitutionem mundi mota fuisse motibus inordinatis, sed postea a Deo fuisse ea reducta ad ordinem.[2]

Source: 1. *Littera.*
          2. Aristotle, *De Caelo*, I, 10 [280a 6-7]; III, 1-2 [300b 16 - 301a 11]; Simplicius, *In L. De Caelo*, I [CG VII, 311.32-33; 312.10-12]; Averroes, *In L. De Caelo*, III, *com.* 11 [188E-F].

[195] *In* XII *Meta.*, 6 [C 2505]
Sed nec Plato potest excusari, propter hoc, quod posuit principium motus esse aliquid movens seipsum, quod dicebat esse animam: sed anima secundum ipsum non fuit ante constitutionem mundi, sed fuit post illam inordinationem motus.[1] Fuit enim facta simul cum caelo, quod ponebat animatum.[2] Et sic anima non poterit esse principium illius motus inordinati.

Source: 1. *Littera*, but see *Source* under *In Sent.* [3].
          2. Macrobius, *In Som. Scip.*, I, 14 [E 529]; Boethius, *In Isag.*, ed. sec., II, 5 [CSEL 48, 185.21-22]; III, 4 [CSEL 48, 209. 1-2]; IV, 6 [CSEL 48, 257. 9-10]; 7 [CSEL 48, 259.19-21]; St. Augustine, *De Civ. Dei*, XIII, 16 [E].

[196] *In* XII *Meta.*, 6 [C 2507]
Et Leucippus et Plato, qui posuerunt semper motum fuisse.
Source: *Littera.*

[197] *In* XII *Meta.*, 6 [C 2514]
Ex hoc autem concludit quod si sic se habent motus caeli, quod ex eis potest causari perpetuitas generationis et corruptionis in istis inferioribus, non oportet quaerere aliqua alia principia, scilicet ideas, sicut Platonici posuerunt, vel amicitiam et litem, sicut posuit Empedocles: quia per hunc modum convenit assignare causam perpetuitatis generationis et corruptionis.

Source: Aristotle, *Meta.*, I, 6 [987b 1-18]; 7 [988b 3-4].

[198] *In* XII *Meta.*, 7 [C 2525]
Et ne videatur incidere in opinionem Platonis, qui posuit primum principium rerum ipsum unum intelligibile, ostendit consequenter differentiam inter unum et simplex: et dicit, quod unum et simplex non idem significant, sed unum significat mensuram, ut in decimo ostensum est; simplex autem significat dispositionem, secundum quam aliquid aliqualiter se habet, quia videlicet non est ex pluribus constitutum.

Source: Aristotle, *Meta.*, I, 6 [987b 1-14]; VII, 16 [1040b 16-22]; X, 2 [1053b 9 - 1054a 19].

[199] *In* XII *Meta.*, 8 [C 2541]

Sed secundum Platonem, species intelligibiles rerum materialium erant per se subsistentes.[1] Unde ponebat, quod intellectus noster fit intelligens actu per hoc quod attingit ad hujusmodi species separatas per se subsistentes.[2] Sed secundum opinionem Aristotelis, intelligibiles species rerum materialium non sunt substantiae per se subsistentes.

Source: 1. Aristotle, *Meta.*, I, 6 [987b 1-18].
        2. *Ibid.*, I, 9 [991a 12]; St. Augustine, *Oct. Tri. Quaes.*, 46; 'attingens' [*littera*, 1072b 21].

[200] *In* XII *Meta.*, 8 [C 2542]

Est tamen aliqua substantia intelligibilis per se subsistens, de qua nunc agit. Oportet enim esse primum movens substantiam intelligentem et intelligibilem. Relinquitur igitur, quod talis est comparatio intellectus primi mobilis ad illam primam intelligibilem substantiam moventem, qualis est secundum Platonicos comparatio intellectus nostri ad species intelligibiles separatas, secundum quarum contactum et participationem fit intellectus actu, ut ipse dicit. Unde intellectus primi mobilis fit intelligens in actu per contactum aliqualem primae substantiae intelligibilis.

Source: See *Source* 2 under *S.T.* [56]; also Themistius, *De An. Par.*, II [CG V, 21.5-6].

[201] *In* XII *Meta.*, 10 [C 2567]

Sciendum est igitur circa primum, quod Plato caelestibus motibus attribuens indefectibiliter circularitatem et ordinationem, mathematicas suppositiones fecit, per quas suppositiones possent salvari quae circa erraticas apparent, sustinendo, quod motus planetarum sunt circulares et regulares ordinati.

Source: Simplicius, *In L. De Caelo*, II [CG VII, 488.19-24; 492. 31 - 493.5].

[202] *In* XII *Meta.*, 12 [C 2642]

Sed alii posuerunt materiam esse alterum contrariorum, et non aliquid praeter contraria. Sicut patet de illis, qui posuerunt ista contraria esse principia, inaequale et aequale, unum et multa. Attribuebant enim inaequalitatem et multitudinem materiae, aequalitatem et unitatem formae, sicut patet de opinione Platonis, licet philosophi naturales posuerint contrarium. Sed hoc eorum dictum solvitur eodem modo; quia materia, quae una est, quasi commune subjectum contrariorum, nulli est contraria.

Source: See *Source* under *De Ver.* [5]; *In Meta.* [25]

In libros Perihermenias Expositio

[1] *In Perih.*, 1, 2

Non enim potest esse quod significent immediate ipsas res, ut ex ipso modo significandi apparet: significat enim hoc nomen 'homo' naturam humanam in abstractione a singularibus. Unde non potest esse quod siginificet immediate hominem singularem; unde Platonici posuerunt quod significaret ipsam ideam hominis separatam. Sed quia hoc secundum suam abstractionem non subsistit realiter secundum sententiam Aristotelis, sed est in solo intellectu; ideo necesse fuit Aristoteli dicere quod voces significant intellectus conceptiones immediate et eis mediantibus res.

Source: Boethius, *In L. De Interp.*, *ed. sec.* [PL 64, 405-406].

[2] *In Perih.*, 1, 4
Quidam vero dixerunt, quod nomina non naturaliter significant quantum ad hoc, quod eorum significatio non est a natura, ut Aristoteles hic intendit; quantum vero ad hoc naturaliter significant quod eorum significatio congruit naturis rerum, ut Plato dixit. – Nec obstat, quod una res multis nominibus significatur: quia unius rei possunt esse multae similitudines; et similiter ex diversis proprietatibus possunt uni rei multa diversa nomina imponi.

Source: The context is a summary and simplification of the corresponding locus in Ammonius (*In L. De Interp.*, 2 [CG IV, 34. 10 - 37.27]) where the *Cratylus* of Plato is referred to.

[3] *In Perih.*, 1, 6
...excludit quemdam errorem. Fuerunt enim aliqui dicentes quod oratio et eius partes significant naturaliter, non ad placitum. Ad probandum autem hoc utebantur tali ratione. Virtutis naturalis oportet esse naturalia instrumenta: quia natura non deficit in necessariis; potentia autem interpretativa est naturalis homini: ergo instrumenta ejus sunt naturalia. Instrumentum autem eius est oratio, quia per orationem virtus interpretativa interpretatur mentis conceptum: hoc enim dicimus instrumentum, quo agens operatur. Ergo oratio est aliquid naturale, non ex institutione humana significans, sed naturaliter.

Huic autem rationi, quae dicitur esse Platonis in lib. qui intitulatur Cratylus, Aristoteles obviando dicit quod omnis oratio est significativa, non sicut instrumentum virtutis, scilicet naturalis: quia instrumenta naturalia virtutis interpretativae sunt guttur et pulmo, quibus formatur vox et lingua et dentes et labia, quibus literati soni ac articulati soni distinguuntur; oratio autem et partes ejus sunt sicut effectus virtutis interpretativae per instrumenta praedicta.

Source: Aristotle in the *littera* says simply οὐχ ὡς ὄζανον σέ Ammonius (*In L. De Interp.*, 4 [CG IV, 62.20 sq.]) and Boethius (*In L. De Interp.*, *ed. sec.* [PL 64, 440-441]); *ed. pr.* [PL 64, 313]) both state that Aristotle is referring to an argument based on the idea of a 'natural instrument.' Both elaborate the argument which St. Thomas repeats, but only Boethius attributes it to the *Cratylus* of Plato. 'Plato vero in eo libro qui inscribitur Cratylus....' [PL 64, 440].

[4] *In Perih.*, 1, 10
Quando autem denominatur res ab eo quod est commune sibi et multis aliis, nomen huiusmodi dicitur significare universale; quia scilicet nomen significat naturam sive dispositionem aliquam, quae est communis multis. Quia igitur hanc divisionem dedit de rebus non absolute

secundum quod sunt extra animam, sed secundum quod referuntur ad intellectum, non definivit universale et singulare secundum aliquid quod pertinet ad rem, puta si diceret quod universale extra animam, quod pertinet ad opinionem Platonis, sed per actum animae intellectivae, quod est praedicari de multis vel de uno solo.

Source: Aristotle, *Meta.*, I, 6 [987b 1-18]; VII, 14 [1039a 24-33].

[5] *In Perih.*, 1, 10
...et propter hoc Philosophus dicit in VII Metaphys. quod si essent species rerum separatae, sicut posuit Plato, essent individua.

Source: Aristotle, *Meta.*, VII, 14 [1039a 32]; 15 [1040a 8-9].

[6] *In Perih.*, 1, 10
Est autem considerandum quod de universali aliquid enunciatur quatuor modis. Nam universale potest uno modo considerari quasi separatum a singularibus, sive per se subsistens, ut Plato posuit, sive, secundum sententiam Aristotelis, secundum esse quod habet in intellectu.

Source: Aristotle, *Meta.*, I, 6 [987b 1-18]; VII, 14 [1039a 24-33].

[7] *In Perih.*, 1, 11
Quod enim primo dicitur quod materia secundum se sumpta sumitur pro peiori, verum est secundum sententiam Platonis, qui non distinguebat privationem a materia, non autem est verum secundum Aristotelem, qui dicit in lib. I Physic. quod malum et turpe et alia hujusmodi ad defectum pertinentia non dicuntur de materia nisi per accidens. Et ideo non oportet quod indefinita semper stet pro peiori...

Source: Aristotle, *Phy.*, I, 9 [192a 2-6].

[8] *In Perih.*, 1, 14
Sed hanc rationem solvit Aristoteles in VI Metaphysicae interimens utramque propositionum assumptarum. Dicit enim quod non omne quod fit habet causam, sed solum illud quod est per se. Sed illud quod est per accidens non habet causam; quia proprie non est ens, sed magis ordinatur cum non ente, ut etiam Plato dixit.

Source: Aristotle, *Meta.*, VI, 2 [1026b 14-22].

In libros de Anima Aristotelis Expositio

[1] *In I De An.*, 1 [P 12-13]
Nam aliqui quaerentes de anima videntur intendere solum de anima humana. Et quia apud antiquos philosophos erat duplex opinio de anima. Platonici enim, qui ponebant universalia separata,[1] scilicet quod essent formae et ideae,[2] et erant causae rebus particularibus cognitionis[3] et esse,[4] volebant quod esset quaedam anima separata per se, quae esset causa et idea animabus particularibus; et quod quicquid invenitur in eis, derivetur ab illa.[5] Naturales autem philosophi volebant, quod non essent substantiae universales nisi particulares tantum, et quod universalia nihil sint in rerum natura. Et propter hoc est quaestio, utrum sit quaerenda solum una communis ratio animae, sicut dicebant platonici: vel hujus vel illius animae, sicut dicebant naturales, scilicet ut animae equi, vel hominis, aut Dei. Et dicit 'Dei' quia credebant corpora caelestia esse Deos, et dicebant ea esse animata.

Aristoteles autem vult quod quaeratur ratio utriusque: et communis animae, et cujuslibet speciei. Quod autem circa hoc dicit 'animal autem universale, aut nihil est, aut posterius:' sciendum est, quod de animali universali possumus loqui dupliciter: quia aut secundum quod est universale, quod scilicet est unum in multis aut de multis: aut secundum quod est animal: et hoc, vel secundum quod in rerum natura, vel secundum quod est in intellectu. Secundum autem quod est in rerum natura, Plato voluit animal universale aliquid esse, et esse prius particulari; quia, ut dictum est, posuit universalia separata et ideas. Aristoteles autem vult quod ut sic, nihil est in rerum natura. Et si aliquid est, dixit illud esse posterius. Si autem accipiamus naturam animalis non secundum quod subjacet intentioni universalitatis, sic aliquid est, et prius, sicut quod est in potentia, prius est quam id quod est actu.

Source: 1. Aristotle, *Meta.*, I, 6 [987b 1-18]; VII, 14 [1039a 24-33].
2. *Ibid.*, I, 6 [987b 1-14].
3. *Ibid.*, I, 6 [987b 1-8]; 9 [991a 12]; St. Augustine, *Oct. Tri. Quaes.*, 46.
4. Aristotle, *Meta.*, I, 6 [987b 9-10]; 9 [990a 34 - 991b 2; 991a 13-14; 991b 2-3].
5. Averroes, *In Meta.*, VII, *com.* 31 [180E-181I]; Themistius, *De An. Par.*, 2 [CG V, 25.38 - 27.7].

[2] *In* I *De An.*, 1 [P 14]
Tangit difficultates, quae emergunt circa potentias animae. In anima enim sunt partes potentiales, scilicet intellectivum, sensitivum et vegetativum. Est ergo quaestio, utrum hae sint diversae animae, sicut platonici volebant, et etiam ponebant: an sint partes potentiales animae.

Source: Averroes, *In De An.*, I, *com.* 90 [45F]; Themistius, *De An. Par.*, V [CG V, 93.32-94.3].

[3] *In* I *De An.*, 2 [P 16]
Dicit ergo primo, quod dubitatio est circa passiones animae, et operationes, utrum scilicet essent animae propriae sine communicatione corporis, ut Platoni videbatur: vel nulla sit propria animae, sed omnes sint communes corporis et compositi.

Source: Nemesius, *De Nat. Hom.*, 6 [PG 40, 637]; *De Sp. et An.*, XIII [PL 40, 788]; St. Augustine, *De Genesi ad Lit.*, XII, 24 [PL 34, 475].

[4] *In* I *De An.*, 2 [P 18]
Si quis tamen recte consideret, non videtur proprium animae intelligere. Cum enim intelligere, vel sit phantasia, ut platonici ponebant, aut non sit sine phantasia: (fuerunt enim quidam sicut antiqui naturales qui dicebant, quod intellectus non differebat a sensu, et si hoc esset, tunc intellectus in nullo differret a phantasia; et ideo platonici moti sunt ad ponendum intellectum esse phantasiam). Cum ergo phantasia indigeat corpore, dicebant quod intelligere non est proprium animae, sed commune animae et corpori. Si autem detur, quod intellectus non sit phantasia, nihilominus tamen non est intelligere sine phantasia. Restat igitur quod intelligere non est proprium animae, cum phantasia indigeat corpore. Non ergo contingit hoc, scilicet intelligere, esse sine corpore.

Source: I have been unable to find a proper source for this doctrine. Themistius says (*De An. Par.*, V [CG V, 90.29]) that Plato described φαντασία as a combination of sense and opinion.

[5] *In* I *De An.*, 4 [P 46-47]
Secundo cum dicit 'eodem autem'

Ponit opinionem Platonis, dicens quod Plato etiam facit animam ex elementis, idest dicit animam ex principiis constitutam esse. Et quod hoc sit verum, scilicet quod Plato dicat animam compositam ex principiis rerum, probat per triplex dictum Platonis. Primum est, quod ipse dicit in Timaeo. Ibi enim dicit duo esse elementa seu principia rerum, scilicet idem et diversum. Quaedam enim natura est, quae semper eodem modo se habet, et est simplex, sicut sunt immaterialia; et hanc naturam vocat idem. Quaedam vero natura est, quae non semper eodem modo se habet, sed transmutationem suscipit et divisionem, sicut sunt materialia, et hanc vocat diversum. Et ex istis duobus, scilicet ex eodem et diverso, animam dicit esse compositam: non quod sint ista duo in anima ut partes, sed quod sunt quasi media, et quod natura rationalis animae superioribus et omnino immaterialibus sit inferior et deterior, et materialibus et inferioribus sit nobilior et superior.

Et ratio hujus erat, sicut dictum est, simile cognoscitur simili: unde si anima cognosceret omnia, et idem et diversum sunt principia, ponebat animam esse ex istis duobus compositam eo modo quo dictum est, ut inquantum habet de natura identitatis, cognosceret ea quae ponit idem; inquantum vero de natura eorum quae vocat diversum, cognosceret diversum, scilicet materialia. Unde et hac cognitione utitur. Nam quando colligit genera et species, tunc dicit eam repraesentare idem, seu identitatem. Quando vero differentias et accidentia assumit, alteritatem adinvenit. Sic ergo patet quomodo Plato in Timaeo dicit animam ex principio componi.

Source: St. Thomas rearranges and condenses the information supplied by Themistius (*De An. Par.*, I [CG V, 10.23-11.18]).

[6] *In* I *De An.*, 4 [P 48-50]
Secundum dictum Platonis, per quod ostenditur, quod dixit animam ex principiis esse, ponitur cum dicit 'similiter autem'

Ubi ostendit animam esse ex principiis similiter. Circa quod sciendum est quod Plato posuit, quod intelligibilia essent per se substantia et separata, et essent semper in actu, et essent causa cognitionis et esse rebus sensibilibus.[1] Quod Aristoteles tamquam inconveniens volens evitare, coactus est ponere intellectum agentem. Unde sequebatur ex positione Platonis, quod secundum quod aliqua sunt abstracta per intellectum, sic essent aliqua, quae essent per se subsistentia et in actu.[2] Habemus autem duplicem modum abstractionis per intellectum: unum qui est a particularibus ad universalia; alium per quem abstrahimus mathematica a sensibilibus. Et sic cogebatur ex hoc ponere tria subsistentia, scilicet sensibilia, mathematica et universalia, quae essent causa, ex quorum participatione, res etiam sensibiles et mathematicae essent.[3]

Item ponebat Plato numeros esse causam rerum:[4] et hoc faciebat, quia nescivit distinguere inter unum quod convertitur cum ente, et unum quod est principium numeri, prout est species quantitatis.[5] Ex quo sequebatur, quod cum universale separatum poneret causam rerum, et numeros esse substantiam rerum, quod hujusmodi universalia essent ex numeris.[6] Dicebat enim quod principia omnium entium essent species et numerus specificus, quem vocabat specificum tamquam compositum ex speciebus.[7] Nam et ipsum numerum reducebat, tamquam in principia et elementa, in unum et dualitatem.[8] Nam cum ex uno nihil procederet, ideo necessaria fuit ipsi uni aliqua subiecta natura, a qua multitudo produceretur: et hanc vocavit dualitatem.[9]

Et secundum ordinem materialitatis ordinabat illa tria. Quia enim sensibilia sunt magis materialia quam mathematica, et universalia immaterialiora mathematicis: ideo primo posuit sensibilia, supra quae posuit mathematica, et supra haec, universalia separata et ideas: quae differunt a mathematicis: quia in mathematicis in una specie sunt aliqua quae differunt secundum numerum, sed in ideis et substantiis separatis non inveniuntur aliqua unius speciei quae differant numero: unius enim speciei unam posuit ideam.[10] Quas ideas dicit esse ex numeris, et secundum numeros in eis esse rationes rerum sensibilium, quae quidem constant ex longitudine, latitudine et profunditate. Et ideo dixit ideam longitudinis esse primam dualitatem, longitudo enim est ab uno ad unum, scilicet de puncto ad punctum. Latitudinis autem primam trinitatem, nam figura triangularis est prima superficialium figurarum. Profunditatis autem quae continet longitudinem et latitudinem, ideam dixit esse primam quaternitatem: prima enim figura corporum est pyramis, quae quatuor angulis consistit:[11] unde, cum Plato poneret animam sensibilem, posuit animam separatam, quae esset causa ejus; et hanc,[12] sicut alia separata et ideas, dixit esse ex numeris' scilicet ex unitate et dualitate quae ponebat principia rerum.[13]

Source: 1. Aristotle, *Meta.*, I, 6 [987b 1-14]; 9 [990a 34 - 991b 2; 991a 12-14; 991b 2-3]; St. Augustine, *Oct. Tri. Quaes.*, 46.

2. Aristotle, *Meta.*, I, 6 [987b 7-18]; VII, 14 [1039a 24-33]; Boethius, *In Isag., ed. sec.*, I, 10; 11 [CSEL 48, 163.14-22; 167.7-11]; Abelard, *Glossae super Porphyrium* [Geyer, 25. 15 - 26.15].

3. Aristotle, *Meta.*, I, 6 [987b 1-18].

4. *Ibid.* [987b 24].

5. See *Source* under *S.T.* [5].

6. Aristotle, *Meta.*, I, 6 [987b 20-25].

7. Themistius, *De An. Par.*, I [CG V, 11.25-27].

8. *Ibid.* [11.28-30].

9. *Ibid.* [12.16-18]; Aristotle, *Meta.*, I, 6 [987b 20-22; 25-27].

10. Aristotle, *Meta.*, I, 6 [987b 14-18; 27-29].

11. Themistius, *op.cit.* [11.30-37].

12. This seems to be a conclusion from the general principles of separation in Plato's theory ('sicut alia separata et ideas').

13. This is simply the *littera* read in the light of Themistius' comment [see above 7; 8; 11].

[7] *In* I *De An.*, 4 [P 51-52]
Tertio cum dicit 'adhuc autem'
Ponit tertium dictum Platonis, per quod apparet quod ipse dixerat animam compositam ex principiis. Plato enim posuit numeros, sicut dictum est, species et principia rerum:[1] unde, cum loqueretur de anima,

posuit eam secundum hoc venire in cognitionem entium, quod erat composita ex principiis, scilicet ex numeris, et omnes operationes ejus ab eis procedere. Invenimus enim in anima diversas potentias ad apprehensionem entium; scilicet intellectum, scientiam, opinionem et sensum. Dicit ergo animam habere intellectum et ejus operationem ex idea unius, quia scilicet est in una natura unitatis; intellectus enim una apprehensione apprehendit unum. Item scientiam ex prima dualitate; scientia enim est ab uno ad unum, scilicet de principiis ad conclusionem. Opinionem vero ex prima trinitate: opinio enim est de uno ad duo, est enim de principiis ad conclusionem cum formidine alterius; et sic sunt ibi tria; principium, et duae conclusiones, una conclusa et alia formidata. Sensum autem habet anima a prima quaternitate: est enim quaternitas prima, idea corporis, quod consistit ex quatuor angulis, ut dictum est: sensus autem corporum est. Cum ergo res omnes cognoscantur istis quatuor, scilicet intellectu, scientia, opinione et sensu, et has potentias dicit habere animam secundum quod participat naturam unitatis, dualitatis, ternarii et quaternarii, manifestum est, quod dixit animam separatam, quam posuit ideam hujus animae, compositam ex numeris, qui sunt principia et elementa rerum. Et sic patet, quod Plato dixit animam esse compositam ex principiis.[2]

Consequenter cum dicit 'Quoniam autem'

Ponit quod quidam philosophi definierunt et venerunt in cognitionem animae ex motu et sensu simul, seu cognitione, dicens: quia anima videbatur eis esse motiva per se et cognoscitiva, complexi sunt ista duo, et definierunt animam ex utrisque, scilicet motu et cognitione, dicentes, quod anima est numerus movens seipsum. Per numerum quidem insinuantes potentiam cognoscitivam, quia, secundum quod suprapositum est, ex hoc dicebant habere animam vim cognoscitivam rerum, quod participabat naturam numeri specifici, quod erat de opinione Platonis: per movere autem seipsam, insinuantes potentiam motivam in anima.

Source: 1. *Littera*: 'Numeri quidem enim species et principia rerum' [404b 24-25].
2. *Littera* and Themistius (*De An. Par.*, I [CG V, 12.5-27]).

[8] *In* I *De An.*, 5 [P 54]

Differunt autem de principiis quantum ad duo. Primo quantum ad substantiam principiorum, 'quae' scilicet sint, et quantum ad numerum, 'quot' scilicet sint. Quantum autem ad substantiam quidem, quia quidam ponebant principia corporalia: illi scilicet qui posuerunt ignem, aut aquam aut aerem: quidam vero incorporalia et immaterialia, sicut qui posuerunt numeros et ideas: quidam vero miscentes utraque, sicut platonici, qui posuerunt principia sensibilia[1] et separata.[2] Circa numerum vero, seu multitudinem differunt: quia quidam posuerunt tantum unum primum principium, sicut Heraclitus, qui posuit aerem, et alius ignem: quidam vero dicunt plura prima principia, sicut Empedocles qui posuit quatuor elementa. Et secundum has suppositiones de principiis consequenter assignant animam his principiis; quia qui ponebant principia materialia, dixerunt animam ex ipsis componi, sicut Empedocles; et similiter hi, qui ponebant immaterialia: sicut Plato.[2] Omnes autem existimaverunt animam esse id quod maxime motivum est.

Source: 1. Aristotle, *De Caelo*, III [298b 33 - 299a 1; 299a 6-11];
Simplicius, *In L. De Caelo*, III [CG VII, 562.21 - 566.16];
Averroes, *In Meta.*, I, *com.* 37 [22F].
2. Aristotle, *Meta.*, I, 6 [987b 1-18].

[9] *In* I *De An.*, 6 [P 85]
Ad hoc obviant Platonici, dicentes, quod anima non movetur a sensibilibus, sed occurrunt motui animae, inquantum anima discurrit per
ea. Sed hoc est falsum; quia sicut Aristoteles probat, intellectus possibilis
reducitur per ipsa, scilicet per species rerum sensibilium, in actum; et
ideo oportet quod moveatur ab eis hoc modo.

Source: Themistius presents this alternative without expressly identifying the Platonists (*De An. Par.*, I [CG V, 17.30]). The
identification, however, is obvious: see *Source* under *In Sent.* [36].

[10] *In* I *De An.*, 7 [P 91]
Ponit opinionem Platonis. Et circa hoc duo facit. Primo enim ponit
opinionem Platonis. Secundo reprobat eam, ibi, 'Primum quidem igitur etc.' Circa primum duo facit. Primo ostendit similitudinem opinionis Platonicae ad opinionem Democriti. Secundo explicat opinionem
Platonis de anima, ibi, 'Constitutam autem ex elementis etc.' Dicit ergo
primo, quod sicut Democritus posuit corpus moveri ab anima inquantum anima conjuncta ipsi movetur,[1] ita et Timaeus qui introducitur a
Platone loquens, assignat rationem qualiter anima movet corpus. Dicit
enim, quod anima movet corpus inquantum ipsa movetur, propter
hoc quod anima conjuncta est corpori per modum cujusdam colligati-
onis.[2]

Source: 1. *Littera.*
2. *Littera* [406b 27-28]: 'propterea quod cum eo connexa est.'
Cf. Themistius, *De An. Par.*, II [CG V, 19.19].

[11] *In* I *De An.*, 7 [P 92]
Deinde cum dicit 'constitutam autem'
  Explicat opinionem Platonis. Et primo exprimit constitutionem substantiae ipsius. Secundo exponit quomodo ex ea procedit motus, ibi,
'Aspectum rectum in circulum reflexit.' Circa primum sciendum est,
quod Plato haec verba, quae hic ponuntur, in Timaeo prosequitur
loquens de anima mundi, quam imitantur, secundum ipsum, inferiores
animae. Et ideo per hoc quod hic tangitur de natura animae mundi,
tangitur quodammodo natura omnis animae.[1] Sciendum est igitur,
quod sicut supra dictum est, Plato posuit substantiam omnium rerum
esse numerum,[2] ratione superius dicta. Elementa autem numeri ponebat
unum quasi formale, et duo quasi materiale.[3] Ex uno enim et duobus
omnes numeri constituuntur. Et quia impar numerus quodammodo
retinet aliquid de indivisione unitatis, posuit duo elementa numeri,
par et impar; et impari attribuit identitatem et finitatem, pari autem
attribuit alteritatem et infinitatem.[4]

Source: 1. Themistius, *De An. Par.*, II [CG V, 20.8-16].
2. Aristotle, *Meta.*, I, 5; 6 [987a 17-19; 987b 22-25].
3. *Ibid.* [987b 20-22].
4. Boethius, *De Arith.*, II, 32 [PL 63, 1139].

[12] *In* I *De An.*, 7 [P 93]

Cujus signum tangitur in tertio Physicorum; quia si supra unitatem impares numeri per ordinem adduntur, semper producitur eadem figura numeralis. Puta, si supra unum addantur tria, qui est primus impar consurgunt ipsum quatuor, qui est numerus quadratus: quibus rursus si addatur secundus impar, scilicet quinarius, consurgit novenarius, qui item est numerus quadratus, et sic semper in infinitum. Sed in numeris paribus semper surgit alia et alia figura. Si enim unitati addatur binarius, qui est primus par, consurgit ternarius, qui est numerus triangularis; quibus si rursus addatur quaternarius, qui est secundus par, consurgit septenarius, qui est septangulae figurae, et sic in infinitum. Sic ergo Plato ponebat idem et diversum esse elementa omnium rerum, quorum unum attribuebat numero impari, aliud vero numero pari.

Source: Averroes, *In Phy.*, III, *com.* 26 [Z 93D].

[13] *In* I *De An.*, 7 [P 94]

Quia vero substantiam animae ponebat mediam inter substantias superiores, quae semper eodem modo se habent, et substantias corporeas in quibus alteritas et motus invenitur: posuit animam constare ex his elementis, scilicet ex eodem et diverso, et ex numeris paribus et imparibus. Medium enim debet esse affine utrique extremorum. Et ideo dicit, quod posuit eam constitutam ex elementis.

Source: Themistius, *De An. Par.*, I [CG V, 10.25; 12.23-27].

[14] *In* I *De An.*, 7 [P 96]

Licet autem Plato posuerit res omnes ex numeris constitui, non tamen ex numeris habentibus proportiones harmonicas: sed animam posuit esse constitutam secundum numeros habentes hujusmodi proportiones. Et ideo dicit, quod posuit eam 'dispartitam,' idest quasi dispensatam, 'secundum harmonicos numeros,' idest secundum numeros proportionatos adinvicem secundum musicam proportionem. Posuit enim ex his numeris animam constitutam, scilicet ex uno, duobus, tribus, quatuor, octo, novem, vigintiseptem, in quibus hujusmodi proportiones inveniuntur.

Source: *Littera* and Averroes (*In De An.*, I, *com.* 45 [23V]) who lists the same numbers.

[15] *In* I *De An.*, 7 [P 97-98]

Duplici autem ex causa animam posuit constitutam ex numeris harmonicis. Una est, quia unumquodque delectatur in eo quod est sibi simile et connaturale. Videmus autem quod anima delectatur in omnibus harmonizatis, et offenditur ex his quae sunt praeter debitam harmoniam, tam in sonis quam in coloribus, quam etiam in quibuscumque sensibilibus: unde videtur harmonia de natura animae esse. Et hoc est quod dicit 'Anima habet sensum,' idest cognitionem 'connaturalem harmoniae.'[1]

Alia ratio est, quia Pythagorici et Platonici posuerunt ex motibus caelorum provenire sonos optime harmonizatos; et quia motus caelestes ponebant esse ab anima mundi, posuerunt animam esse ex numeris harmonicis, ut posset causare motus harmonizatos. Et hoc est quod dicit: 'Et ut omne,' idest universum 'feratur secundum consonantes motus.'[2]

Source: 1. Averroes, *In De An.*, I, *com.* 45 [24vD]; Themistius,
De An. Par., I [CG V, 20.17-18].
2. Macrobius, *In Som. Scip.*, II, 1-2 [E 571-581]; Themistius, *loc. cit.*

[16] *In* I *De An.*, 7 [P 102]
Sciendum autem est, quod Plato ea quae inveniebantur in natura magis
composita, dicebat provenire ex proprietate naturae magis simplicis,
sicut consonantias sonorum ex proportionibus numerorum.[1] Substantiam autem animae ponebat mediam inter numeros, qui sunt maxime
abstracti, et inter substantiam sensibilem; et ideo proprietates animae
deducebat ex proprietatibus praedictis numerorum.[2] Nam in anima
est considerare primo aspectum rectum, secundum quod aspicit directe
ad suum objectum; et postea reditur in circulum inquantum intellectus
reflectit se supra seipsum. Invenitur etiam in anima intellectiva quasi
circulus parium et imparium, inquantum cognoscit ea quae sunt ejusdem, et quae sunt diversae naturae; et hoc ulterius protenditur usque
ad substantiam sensibilem caeli, quam anima movet.

Source: 1. This seems to be an interpretation of Plato's procedure.
2. Themistius, *De An. Par.*, I [CG V, 12.23-27].

[17] *In* I *De An.*, 8 [P 107-108]
Posita opinione Platonis, hic Aristoteles reprobat eam. Ubi notandum
est, quod plerumque quando reprobat opiniones Platonis, non reprobat
eas quantum ad intentionem Platonis, sed quantum ad sonum verborum ejus. Quod ideo facit, quia Plato habuit malum modum docendi.
Omnia enim figurate dicit, et per symbola docet: intendens aliud per
verba, quam sonent ipsa verba; sicut quod dixit animam esse circulum.
Et ideo ne aliquis propter ipsa verba incidat in errorem, Aristoteles
disputat contra eum quantum ad id quod verba ejus sonant.

Ponit autem Aristoteles rationes decem ad destruendum supraposi-
tam opinionem: quarum quaedam sunt contra eum, et quaedam contra verba ejus. Non enim Plato voluit, quod secundum veritatem
intellectus esset magnitudo quantitativa, seu circulus, et motus circularis; sed metaphorice hoc attribuit intellectui. Nihilominus tamen
Aristoteles, ne aliquis ex hoc erret, disputat contra eum secundum quod
verba sonant.

Source: Themistius [*De An. Par.*, CG V] states: (1) Aristotle argues
against Timaeus, not against Plato, for he certainly did not
hold that the soul was corporeal [19.21-24]; (2) Timaeus may
or may not think the 'circle' to be a body, in either case he is
accountable, either for the doctrine or the expression, for those
who do not know how to decide in philosophy [19.24-28];
(3) It is inconsistent for Timaeus to hold that the soul is a body
[20.21 - 21.4]. On Plato's style see Simplicius, *In L. De Caelo*,
II; III [CG VII, 370.15-16; 640.27-32; 646.10-13]; *In Cat.*,
Prooem. [CG VIII, 6. 28-32].

[18] *In* I *De An.*, 8 [P 109]
Primo ergo Aristoteles circa primam rationem, manifestat de qua anima
Plato intellexit, scilicet de anima universi.[1] 'Et hanc' scilicet animam,
'quae est omnis,' idest universi, vult esse intellectivam tantum.[2] Non

enim est vegetabilis, quia non indiget nutrimento:[3] nec est sensibilis, quia caret organo:[4] nec est desiderativa, quia desiderativa consequitur sensitivam. Et dixit ideo animam universi non esse sensibilem neque desiderativam, quia ipse voluit quod motus animae universi esset circularis. Unde cum motus harum, scilicet sensibilis et desiderativae, non sit circularis[5] (non enim sensus reflectitur super seipsum, intellectus vero reflectitur super seipsum, homo enim intelligit se intelligere);[6] ideo dicit illam animam intellectivam tantum esse; et ideo dicit intellectum esse magnitudinem quamdam et circulum.[7]

Source: 1. *Littera*; Themistius, *De An. Par.*, II [CG V, 20.19-25].
　　　　2. *Littera*; Themistius, *ibid.* [20.19-22].
　　　　3. This seems to be a development of Themistius though not explicitly in his text.
　　　　4. *Littera*; Themistius, *ibid.* [20.22]. The explanation seems to be St. Thomas' own.
　　　　5. *Littera*; Themistius, *ibid.* [20.24-26].
　　　　6. This seems to be an interpretative explanation.
　　　　7. *Littera*.

[19] *In* I *De An.*, 8 [P 110]
Et hoc Aristoteles reprobat dicens, quod Plato non bene dixit animam esse magnitudinem.[1] Et quod locutus est de ea sicut de magnitudine circulari, dividens eam in duos circulos,[2] male fecit.

Source: 1. *Littera*.
　　　　2. Themistius, *De An. Par.*, II [CG V, 20.11-13].

[20] *In* I *De An.*, 8 [P 111]
Et quod male fecerit ostendit. In natura enim animae hoc est, ut judicium de aliqua potentia animae sumatur ex actu seu operatione ipsius potentiae, judicium vero operationis ex objecto: potentiae enim cognoscuntur per actus, actus vero per objecta: et inde est, quod in definitione potentiae ponitur ejus actus, et in definitione actus ponitur objectum. Constat autem quod res ab eo a quo habet esse et speciem, ab eo etiam habet unitatem. Si ergo intellectus sit et sortiatur speciem ab intelligibili, cum sit ejus objectum (dico intellectum in actu, cum nihil sit ante intelligere), manifestum est, quod si sit unus et continuus sicut Plato posuit, quod eodem modo intellectus erit unus et continuus, quo intelligibilia sunt unum et continuum; intellectus enim non est unus nisi sicut intelligentia, idest operatio ejus quae est intelligere, nec actus est unus nisi sicut objectum ejus est unum, quia actus distinguuntur penes objecta. Unde, cum objectum intellectus sint intelligibilia, haec autem, scilicet intelligibilia, non sunt unum ut magnitudo seu continuum, sed sicut numerus, eo quod consequenter se habeant, manifestum est, quod intellectus non est magnitudo, sicut Plato dicebat. Sed aut est impartibilis, sicut se habet ratio primorum terminorum, aut non est continuus sicut aliqua magnitudo, sed sicut numerus, inquantum unum post aliud intelligimus, et saepe plures terminantur in unum, sicut in syllogismis terminantur proportiones in conclusionem.

Source: The arguments and the illustrations [e.g., the example of the syllogism] are found in Themistius, *De An. Par.*, II [CG V, 20.27 - 21.3].

[21] *In* I *De An.*, 8 [P 112]
Secundam rationem ponit ibi 'qualiter autem'
Quae talis est. Posset aliquis dicere, quod Plato non posuit magnitudinem in intellectu propter multa intelligibilia; sed oportet quod sit in intellectu magnitudo etiam propter unumquodque intelligibilium.
Source: This seems to be St. Thomas' interpretation of the objection dealt with in the *littera*.

[22] *In* I *De An.*, 8 [P 113]
Contra. Hoc non potest esse. Plato enim ponit, et opinatus est, quod intelligere non fiat per acceptionem specierum in intellectu, sed quod intellectus intelligat per quemdam contactum, inquantum scilicet occurrit et obviat speciebus intelligibilibus;[1] et istum contactum attribuit circulo, sicut supra dictum est. Quaero ergo a te, si intellectus est magnitudo, et intelligit secundum contactum, qualiter intelligat. Aut enim hoc quod intelligit, tangit secundum totum, aut secundum partem ejus: si secundum totum contingens intelligit totum, tunc partes non erunt necessariae, sed erunt frustra; et sic non est necesse, quod sit intellectus magnitudo et circulus. Si vero secundum partes contingens, intelligit partes, aut hoc erit secundum plures partes, aut secundum unam tantum: si secundum unam tantum, sic idem quod prius, quia aliae erunt superfluae, et sic non erit necessarium ponere intellectum habere partes. Si vero contingens secundum omnes partes, intelliget, aut hoc erit secundum partes punctales, aut secundum partes quantitativas: si secundum partes punctales, tunc, cum in qualibet magnitudine sint infinita puncta, oportet quod infinities tangat antequam intelligat; et sic nunquam intelliget, cum non sit infinita pertransire.[2]
Source: 1. Themistius, *De An. Par.*, II [CG V, 21.5-6].
         2. The argument is developed by Themistius, *ibid.* [21.6-11]

[23] *In* I *De An.*, 8 [P 114]
Dicit autem 'partes punctales,' non quod velit magnitudinem in partes punctales dividi, sed disputat ad rationem Platonis, qui fuit hujus opinionis, quod corpus componeretur ex superficiebus, et superficies ex lineis, et linea ex punctis. Quod ipse improbat in sexto (in principio) Physicorum, ubi ostendit quod punctum additum puncto nihil addit.
Source: Aristotle, *De Caelo*, III, 1 [298b 33 - 299a 1; 299a 6-11; 300a 1]; *De Gen. et Cor.*, I, 2 [315b 24 - 316a 4]; *Phy.*, IV, 2 [209b 6-13]; VI, 1 [231a 21 - 232a 16].

[24] *In* I *De An.*, 8 [P 115]
Si vero intelligit contingens secundum partes quantitativas, tunc, cum quaelibet pars dividatur in multas partes, sequitur, quod multoties intelligat idem. Item cum omnis quantitas sit divisibilis in infinitum secundum eamdem proportionem, et non secundum eamdem quantitatem, sequitur quod infinities intelligat, quod est inconveniens. Videtur ergo quod non contingat nisi semel; et sic nullo modo debet attribui intellectui magnitudo, neque quantum ad multa intelligibilia, neque quantum ad unum.
Source: Themistius, *De An. Par.*, I [CG V, 21.11-12].

[25] *In* I *De An.*, 8 [P 117]
Tertiam rationem ponit cum dicit 'amplius quomodo'

Quae talis est. Constat quod si nos ponimus intellectum impartibilem, de facili patebit ratio, quomodo intelligat impartibile et partibile: quia impartibile intelliget secundum proprietatem suae naturae, eo quod impartibilis est, ut dictum est; partibile vero intelliget abstrahendo a partibili. Sed si intellectus ponatur partibilis secundum quod Plato vult, impossibile erit invenire rationem quomodo intelligit impartibile. Et sic videtur, quod inconvenienter Plato ponat intellectum esse magnitudinem seu partibilem.

Source: Themistius, *De An. Par.*, I [CG V, 21.24 - 22.15].

[26] *In* I *De An.*, 8 [P 122]
Supra enim probatum est, quod si intellectus est circulus, sicut Plato posuit, intelligentia erit circulatio;...

Source: See *Source* under *In De An.* [18].

[27] *In* I *De An.*, 8 [P 127]
Septimam rationem ponit cum dicit 'at vero'
Quae talis est. Constat quod beatitudo animae est in intelligendo: sed beatitudo non potest esse in eo quod est violentum et praeter naturam, cum sit perfectio et finis ultimus animae: ergo, cum motus non sit secundum naturam et secundum substantiam animae, sed praeter naturam ejus, impossibile est quod intelligere, quod est operatio animae et in quo est beatitudo animae, sit motus, ut Plato dicebat. Quod autem motus sit praeter naturam animae, patet ex positione Platonis. Ipse enim dixit animam componi ex numeris,[1] et postea dixit eam dispartitam in duos circulos,[2] et reflexit in septimo:[3] et ex hoc sequitur motus:[4] ex quo apparet, quod motus non inest ei naturaliter, sed per accidens.[4]

Source: 1. See *In De An.* [6] and *Source*.
2. Themistius, *De An. Par.*, II [CG V, 20.11-13]; Aristotle, *De An.*, I, 3 [406b 29].
3. Aristotle, *De An.*, I, 3 [406b 29 - 407a 2].
4. Themistius, *De An. Par.*, II [CG V, 22.26-27; 33-35; 23. 14-20]. Themistius develops the general argument.

[28] *In* I *De An.*, 8 [P 128]
Octavam rationem ponit cum dicit 'laboriosum autem'
Quae talis est: videtur quod secundum opinionem Platonis, anima de sua natura non sit unita corpori. Nam ipse posuit eam primo compositam ex elementis, et postea complexam et adunatam corpori, et inde non posse recedere cum vult. Inde sic. Quandocumque est aliquid unitum contra naturam suam alicui, et non potest inde cum vult recedere, ei est poenale: et quandocumque aliquid in unione ad aliud deterioratur, est fugiendum et nocivum. Sed anima unitur corpori contra naturam suam, ut dictum est, nec potest inde recedere cum vult, nec non et deterioratur in unione ad corpus, sicut consuetum est dici a platonicis et multis ex eis. Videtur ergo quod animae poenale est et fugiendum, esse cum corpore. Non ergo conveniens est dictum Platonis, scilicet quod anima composita ex elementis, primo commisceatur corpori.

Source: *Littera*; Themistius, *De An. Par.*, II [CG V, 23.8-20].

[29] *In* I *De An.*, 8 [P 129]
Nonam rationem ponit cum dicit 'immanifesta autem'
Quae talis est. Plato loquitur de anima universi, et dicit eam moveri circulariter: sed secundum opinionem suam causa quare caelum movetur circulariter est immanifesta, idest non assignatur. Si enim caelum movetur circulariter, aut ergo hoc erit propter principia naturaliter, aut propter finem. Si dicatur quod naturaliter propter principia, aut erit propter naturam animae, aut propter naturam corporis caelestis. Sed non est propter naturam animae, quia moveri circulariter non inest animae secundum substantiam suam, sed per accidens, quia, ut dictum est, anima movetur per se et secundum suam substantiam motu recto, et deinde aspectum rectum reflexit in circulos. Nec etiam propter naturam ipsius corporis caelestis, quia corpus non est causa motus animae, sed anima est magis corpori causa quod moveatur. Si autem dicatur quod propter finem, non potest assignari aliquis finis determinatus secundum eum, cum quaeritur quare sic movetur, et non alio motu, nisi quod sic Deus voluerit eum moveri. Sed Deus propter aliquam causam dignatus est caelum potius moveri quam manere, et moveri sic, idest circulariter, quam alio motu, quam causam Plato non assignat. Sed quia hanc assignare est magis proprium 'aliis rationibus,' idest in alio tractatu, scilicet in libro de Caelo, ideo dimittamus ipsam ad praesens.

Source: This is a combination of the *littera* with the comment of Themistius, *De An. Par.*, II [CG V, 23.13-23].

[30] *In* I *De An.*, 8 [P 130-131]
Decimam rationem ponit cum dicit 'illud autem'
Quae non solum est contra Platonem, sed etiam contra multos alios; et ducens est ad inconvenientia, et ostendens eorum positiones deficientes. Quae talis est. Constat quod inter movens et motum est aliqua proportio, et inter agens et patiens, et inter formam et materiam. Non similiter enim quaelibet forma cuilibet corpori convenit et unitur, neque omne agens agit in omne patiens. Neque quodlibet movens movet quodlibet motum, sed oportet quod sit inter ea aliqua communicatio et proportio, ex qua hoc sit aptum natum movere, illud vero moveri. Patet autem quod isti philosophi posuerunt animam esse in corpore, et movere corpus: cum ergo loquantur de ipsa natura animae, videtur etiam necessarium, quod aliquid dixissent de natura corporis, propter quam causam uniatur corpori, et quomodo se habeat corpus ad eam, et quomodo comparatur corpus ad animam. Non ergo sufficienter determinant de anima dum conantur dicere solum quale quid sit anima, et negligunt ostendere quale quid sit corpus suscipiens ipsam.
...Sic ergo Plato et alii philosophi loquentes tantum de animae natura, insufficienter dixerunt, non determinantes quod sit corpus conveniens cuilibet animae, et qualiter et quale existens uniatur sibi.

Source: Mainly the *littera* but with some dependence on Themistius, *De An. Par.*, II [CG V, 23.23 - 24.12].

[31] *In* I *De An.*, 9 [P 132]
Postquam Philosophus reprobavit opinionem Platonis, hic consequenter reprobat quamdam aliam opinionem conformem opinioni Platonis quantum ad aliquid. Fuerunt enim quidam, qui dixerunt quod anima

erat harmonia: et isti concordaverunt cum Platone in hoc, quod Plato dixit quod anima erat composita ex numeris harmonicis, hi vero quod erat harmonia. Sed differebant in hoc, quod Plato dixit quod anima erat harmonia numerorum, hi vero dixerunt, quod harmonia tam compositorum quam mixtorum, vel contrariorum, erat anima.

Source: Reference to Plato is not repeated in the *littera*; St. Thomas repeats the attribution from *Lectio* 7 [94-96] and from Aristotle, *De An.*, I, 3 [406b 28-32].

[32] *In* I *De An.*, 9 [P 145]
Concludit et epilogat, quod anima non movetur circulariter, sicut Plato dixit.

Source: Aristotle, *De An.*, I, 3 [406b 33 - 407a 2].

[33] *In* I *De An.*, 10 [P 148]
Illi enim, et maxime Platonici, opinati sunt, quod tristari, gaudere, irasci, sentire, et intelligere, et hujusmodi quae dicta sunt, sint motus animae. Et quod quodlibet illorum, etiam intelligere, fiat per organum determinatum, et quantum ad hoc non sit differentia inter sensitivam et intellectivam, et quod omnis anima, non solum intellectiva, sit incorruptibilis.

Source: Themistius, *De An. Par.*, II [CG V, 37.2-9]; *littera*. See *Source* under *In Sent.* [36].

[34] *In* II *De An.*, 2 [P 243]
Et quia Plato ponebat quod anima est actus corporis non sicut forma, sed sicut motor, subjungit quod hoc nondum est manifestum, si anima sic sit actus corporis sicut nauta est actus navis, scilicet ut motor tantum.

Source: Plato is not mentioned in the *littera* [B 413a 8-10]; 'Amplius autem immanifestum si corporis actus anima, sicut nauta navis.' See *Source* under *In Sent.* [36].

[35] *In* II *De An.*, 5 [P 295]
Deinde cum dicit 'manifestum igitur'
   Ostendit qualiter se habet praedicta definitio animae ad partes enumeratas. Et ad hujus intellectum, sciendum est, quod Plato posuit universalia esse separata secundum esse;[1] tamen in illis, quae se habent consequenter, non posuit unam ideam communem, sicut in numeris et figuris: non enim posuit unam numeri praeter omnes numeros, sicut posuit unam ideam hominis praeter omnes homines, eo quod numerorum species naturali ordine consequenter se habent.[2] Et sic prima earum, scilicet dualitas, est causa omnium consequentium. Unde non oportet ponere aliquam ideam communem numeris, ad causandum speciem numerorum. Et similis ratio est de figuris. Nam ejus species consequenter se habent, sicut et species numerorum: trigonum enim est ante tetragonum, et tetragonum ante pentagonum.[2]

Source: 1. Aristotle, *Meta.*, I, 6 [987b 1-14]; VII, 14 [1039a 24-33].
        2. The discussion is largely contained in the *littera* but without mention of Plato. Aristotle, *Meta.*, III, 2 [999a 6-10]; *Eth.*, I, 2 [1096a 17-23].

[36] *In* II *De An.*, 5 [P 297]
Sed quamvis non sit una figura separata in esse praeter omnes figuras, etiam secundum Platonicos, qui ponunt species communes separatas; tamen invenitur una ratio communis, quae convenit omnibus figuris, et non est propria alicujus earum; ita est et in animalibus.

Source: See *Source* under *In De An.* [35].

[37] *In* III *De An.*, 5 [P 640]
Unde etiam dicit quod phantasia est habitus vel potentia de numero eorum, ad ostendendum quod inter haec, aliquid est ut potentia, et aliquid ut habitus. Cognoscere autem possumus quod haec tantum apprehensionis principia apud antiquos nota erant, ex positione Platonis superius in primo libro posita, qui solum haec quatuor ad numeros reduxit, tribuens intellectum uni, scientiam dualitati, opinionem ternario, sensum quaternario.

Source: Aristotle, *De An.*, I, 2 [404b 21-27].

[38] *In* III *De An.*, 7 [P 673]
Circa hanc autem partem aliquid est quod praetermittit, de quo erat apud antiquos dubium. Utrum scilicet haec pars animae sit separabilis ab aliis partibus animae subjecto, sive non sit separabilis subjecto, sed ratione tantum. Intelligit autem esse separabile subjecto, per hoc quod dicit esse separabile secundum magnitudinem, propter Platonem, qui ponens partes animae subjecto abinvicem separatas, attribuit eis organa in diversis partibus corporis. Hoc est ergo quod praetermittit.

Source: Themistius, *De An. Par.*, V [CG V, 93.32 - 94.3]; Averroes, *In De An.*, I, *com.* 90 [45F].

[39] *In* III *De An.*, 8 [P 705]
Ostendit Philosophus quid sit objectum intellectus. Ad cujus evidentiam sciendum est, quod Philosophus in septimo Metaphysicae inquirit, utrum quod quid est, idest quidditas, vel essentia rei, quam definitio significat, sit idem quod res. Et quia Plato ponebat quidditates rerum esse separatas a singularibus, quas dicebat ideas, vel species; ideo ostendit, quod quidditates rerum non sunt aliud a rebus nisi per accidens; utputa non est idem quidditas hominis albi, et homo albus; quia quidditas hominis non continet in se nisi quod pertinet ad speciem hominis; sed hoc quod dico homo albus habet aliquid in se praeter illud quod est de specie humana.

Source: Aristotle, *Meta.*, I, 6 [987b 1-18].

[40] *In* III *De An.*, 8 [P 715]
Et supponamus ad praesens, exempli causa cum Platone, quod dualitas sit quod quid erat esse lineae rectae. Plato enim ponebat, quod numeri erant species et quidditates mathematicorum; puta unitas lineae, dualitas lineae rectae, et sic de aliis.

Source: Themistius, *De An. Par.*, I [CG V, 11.27-36]; Aristotle, *Meta.*, VII, 10 [1036b 12-17].

[41] *In* III *De An.*, 8 [P 717]
Apparet autem ex hoc quod Philosophus hic dicit, quod proprium

objectum intellectus est quidditas rei, quae non est separata a rebus, ut Platonici posuerunt.[1] Unde illud, quod est objectum intellectus nostri non est aliquid extra res sensibiles existens, ut Platonici posuerunt,[1] sed aliquid in rebus sensibilibus existens; licet intellectus apprehendat alio modo quidditates rerum, quam sint in rebus sensibilibus. Non enim apprehendit eas cum conditionibus individuantibus, quae eis in rebus sensibilibus adjunguntur. Et hoc sine falsitate intellectus contingere potest. Nihil enim prohibet duorum adinvicem conjunctorum, unum intelligi absque hoc quod intelligatur aliud. Sicut visus apprehendit colorem, absque hoc quod apprehendat odorem, non tamen absque hoc quod apprehendat magnitudinem, quae est proprium subjectum coloris. Unde et intellectus potest intelligere aliquam formam absque individuantibus principiis, non tamen absque materia, a qua dependet ratio illius formae: sicut non potest intelligere simum sine naso, sed potest curvum sine naso intelligere. Et quia hoc non distinxerunt Platonici, posuerunt quod mathematica et quidditates rerum sunt separatae in esse, sicut sunt separatae in intellectu.[2]

Source: 1. Aristotle, *Meta.*, I, 6 [987b 1-18].
　　　　 2. *Ibid.*, I, 6 [987b 7-18]; VII, 4 [1039a 24-33]; Boethius, *In Isag., ed. sec.*, I, 10; 11 [CSEL 48, 163.14-22; 167.7-11]; Abelard, *Glossae super Porphyrium* [Geyer, 25.15 - 26.15].

[42] *In* III *De An.*, 9 [P 723]
Et per hoc excluditur tam opinio antiquorum naturalium, qui ponebant animam compositam ex omnibus, ut intelligeret omnia, quam etiam opinio Platonis, qui posuit naturaliter animam humanam habere omnem scientiam,[1] sed esse eam quodammodo oblitam, propter unionem ad corpus:[2] dicens, quod addiscere nihil aliud est quam reminisci.[1]

Source: 1. Aristotle, *Meta.*, I, 9 [993a 1-2]; *Post. Anal.*, II, 19 [99b 26-27]; St. Augustine, *De Trin.*, XV [PL 42, 1011].
　　　　 2. Macrobius, *In Som. Scip.*, I, 12, 7 [E 420.20-26]; Boethius, *De Con. Phil.*, III, *Metrum* XI [F 95-96]; *De Sp. et An.*, 1 [PL 40, 781].

[43] *In* III *De An.*, 10 [P 731]
Inducitur autem Aristoteles ad ponendum intellectum agentem, ad excludendum opinionem Platonis, qui posuit quidditates rerum sensibilium esse a materia separatas,[1] et intelligibiles actu;[2] unde non erat ei necessarium ponere intellectum agentem. Sed quia Aristoteles ponit, quod quidditates rerum sensibilium sunt in materia, et non intelligibiles actu, oportuit quod poneret aliquem intellectum qui abstraheret a materia, et sic faceret eas intelligibiles actu.

Source: 1. Aristotle, *Meta.*, I, 6 [987b 1-18].
　　　　 2. It does not seem that Aristotle ever explicitly made this statement. However, it comes as a simple inference from the Platonic positions. For example: 'Posuit enim Plato formas rerum naturalium sine materia subsistere et *per consequens* eas intelligibiles esse; quia ex hoc est aliquid intelligibile actu, quod est immateriale.' [*S.T.*, I, 79, 3, *c.*].

[44] *In* III *De An.*, 11 [P 753]
Et hoc est contra opinionem Platonis in primo positam, qui posuit

intelligentiam fieri quasi per motum quemdam continuum magnitudinis....

Source: Aristotle, *De An.*, I, 3 [406b 25 - 407a 30].

[45] *In* III *De An.*, 11 [P 755]
...non quod intellectus intelligens sit aliqua magnitudo, ut Plato posuit....

Source: Aristotle, *De An.*, I, 3 [406b 24 - 407a 1].

[46] *In* III *De An.*, 12 [P 766]
Et secundum hunc motum anima movet seipsam secundum Platonem, inquantum cognoscit et amat seipsam.

Source: Nemesius, *De Nat. Hom.*, 2 [PG 40, 537]; Aristotle, *De An.*,I, 2 [404b 29-30]; Macrobius, *In Som. Scip.*, II, 13, 6-12 [E 616. 23 - 618.6]; 14-16 [E 618-638]; Averroes, *In* VIII *Phy.*, com. 40 [Z 380]; Alexander Hal., *S.T.*, II, *Inq.* 4, *Tr.*, 3, *Q.* 1, *Tit.*, 2, *Mem.*, 2, *c.* 1, *a.* 1, *ad* 5 [Q II, 659].

[47] *In* III *De An.*, 12 [P 769]
Et hoc dicit contra Platonem, qui ponebat in alia parte corporis organum appetitivi, et in alia organum sensitivi.

Source: Themistius, *De An. Par.*, V [CG V, 93.32 - 94.3]; Averroes, *In De An.*, I, com. 90 [45F].

[48] *In* III *De An.*, 12 [P 784]
Et quia hunc modum abstractionis Plato non consideravit, coactus fuit ponere mathematica et species separatas, loco cujus ad praedictam abstractionem faciendam Aristoteles posuit intellectum agentem.

Source: Aristotle, *Meta.*, I, 6 [987b 1-18]; VII, 14 [1039a 24-33]; Boethius, *In Isag.*, ed. sec., I, 10; 11 [CSEL 48, 163.14-22; 167.7-11]; Abelard, *Glossae super Porphyrium* [Geyer, 25.15 - 26. 15].

[49] *In* III *De An.*, 13 [P 791]
Quia dixerat quod intellectus est quodammodo intelligibilis, sicut sensus sensibilis, posset aliquis credere, quod intellectus non dependeret a sensu. Et hoc quidem verum esset si intelligibilia nostri intellectus essent a sensibilibus separata secundum esse, ut Platonici posuerunt. Et ideo hic ostendit, quod intellectus indiget sensu.

Source: Aristotle, *Meta.*, I, 6 [987b 1-18].

[50] *In* III *De An.*, 14 [P 795]
Sed nunc speculandum est de alia parte, scilicet principio movente, quid animae sit. Utrum scilicet sit aliqua pars animae separabilis ab aliis, *vel magnitudine, id est subjecto*, ita quod habeat distinctum locum in corpore ab aliis potentiis, sicut Platonici posuerunt:...

Source: Themistius, *De An. Par.*, V; VII [CG V, 93.32 - 94.3; 117.2]; Averroes, *In De An.*, I, com. 90 [45F].

[51] *In* III *De An.*, 14 [P 815]
Et hoc dicit propter opinionem Platonis, qui posuit partes animae esse subjecto distinctas; ita quod irascibilis, cujus est timere, sit in corde, et concupiscibilis sit in aliqua alia parte corporis, puta in hepate.

Source: Themistius, *De An. Par.*, V; VII [CG V, 93.32 - 94.3; 117.2];
Averroes, *In De An.*, I, *com.* 90 [45F].

[52] *In* III *De An.*, 17 [P 857]
Quia igitur haec expositio extorta videtur, dicendum est, quod per
corpus ingenerabile non intelligit corpus caeleste, sed corpora quorumdam animalium aereorum quae ponebant Platonici nominantes ea
daemones; quos quidem Apulejus platonicus sic definit. Daemones
sunt animalia corpore aerea, mente rationalia, animo passiva, tempore
aeterna. Et de hujusmodi animalium corporibus vult Philosophus ostendere, quod non est possibile quod habeant intellectum sine sensu,
sicut Platonici posuerunt; ut interrogative legatur quod dicitur: 'Quare
enim non habebit,' scilicet hujusmodi corpus sensum? quasi dicat:
Non est hujus rationem assignare. Si enim non habet, aut hoc est propter bonum animae, aut propter bonum corporis. Sed neutrum horum;
quia sine sensu neque anima ejus intelligit melius, neque corpus magis
conservabitur. Et ex hoc statim directe sequitur conclusio, quam inducit, quod nullum corpus mobile habens animam, careat sensu.
Apparet autem, hanc esse intentionem Aristotelis, ex hoc quod immediate subjungit, quod impossibile est aliquod corpus simplex esse corpus
animalis.

Source: There is no suggestion of 'daemones' in the *littera* or in Themistius.
St. Augustine, *De Civ. Dei*, VIII, 16 [A]; IX, 8 [A]; 12 [A].

[53] *In* III *De An.*, 17 [P 864]
Et ideo circa repercussionem sensus, melius est dicere, quod aer patiatur a figura et colore, quousque permanet unus et continuus, quod
contingit quando est lenis, et non interruptus, quam quod radii egre-
dientes a visu repercutiantur a visibili, ut Platonici posuerunt.

Source: Aristotle, *De S. et S.*, 2 [437b 10-13]; Alexander, *In L. De
Sensu*, 2 [CG III, 20-23].

[54] *In* III *De An.*, 18 [P 865]
Postquam Philosophus ostendit quod tactus de necessitate inest omnibus animalibus, hic intendit ostendere quod impossibile sit corpus
animalis esse simplex, puta quod sit igneum, vel aereum, sicut Platonici
posuerunt quaedam animalia esse aerea.

Source: There is no reference to this Platonic doctrine in the *littera* of
Aristotle or in Themistius. St. Augustine, *De Civ. Dei*, VIII, 16
[A]; IX, 8 [A]; 12 [A].

In librum de sensu et sensato Expositio

[1] *In De S. et S.*, 3 [P 41-45]
Deinde cum dicit 'quoniam si'
Accedit ad improbandum ipsam positionem. Et primo quantum ad
hoc quod visum attribuebant igni. Secundo quantum ad hoc quod
ponebant visum videre extramittendo, ibi, 'Irrationale vero omnino
est.' Circa primum tria facit. Primo proponit opinionem Platonis.
Secundo Empedoclis, ibi, 'Empedocles autem videtur.' Tertio opinionem Democriti, ibi, 'Democritus autem quoniam.' Circa primum duo
facit. Primo objicit contra Platonem. Secundo removet ejus responsio-

nem, ibi, 'Dicere autem quod extinguatur.' Circa primum sciendum est, quod Empedocles et Plato in Timaeo in duobus conveniebant, quorum unum est quod organum visus pertinet ad ignem: secundum est quod visio contingit per hoc quod lumen exit ab oculo, sicut ex lucerna. Ex his autem duabus positionibus concludit Philosophus quod visus deberet videre in tenebris, sicut in luce. Potest enim etiam in tenebris lumen a lucerna emitti illuminans medium. Et ita, si per emissionem luminis oculus videt, sequitur quod etiam in tenebris oculus videre possit.

Deinde cum dicit 'dicere autem'

Excludit positionem Platonis quam in Timaeo ponit dicens, quod, quando lumen egreditur ex oculo, si quidem inveniat in medio lumen, salvatur per ipsum, sicut per sibi simile, et ex hoc accidit visio. Si autem non inveniat lumen, sed tenebras, propter dissimilitudinem tenebrarum ad lumen ab oculo egrediens extinguitur, et ideo oculus non videt.

Sed Aristoteles dicit hanc causam non esse veram; et hoc probat ibi 'quae enim'

Non enim potest assignare ratio, quare lumen oculi a tenebris extinguitur. Dicebant enim Platonici tres esse species ignis: scilicet lumen, flammam, et carbonem. Ignis autem, cum sit naturaliter calidus et siccus, extinguitur, vel ex frigido, vel ex humido: et hoc manifeste apparet in carbonibus et flamma. Sed neutrum contingit in lumine, quia nec per frigidum nec per humidum extinguitur. Non ergo bene dicitur, quod extinguitur ignis per modum ignis. Alexander autem in Commento dicit, quod invenitur alia litera talis: 'qualis videtur quidem in carbonibus esse ignis et flamma in lumine: neutrum autem videtur conveniens. Neque enim humidum, nec frigidum, quibus extinctio fit.' Et secundum hanc literam ratio Aristotelis magis videtur esse ad propositum. Lumen enim igneum quod apparet in carbonibus et flamma extinguitur frigido aut humido. Tenebrae autem neque sunt aliquid frigidum nec humidum. Non ergo per tenebras potest extingui lumen igneum egrediens ab oculo.

Posset autem aliquis dicere, quod lumen igneum egrediens ab oculo non extinguitur in tenebris, sed quia debile est, nec confortatur ab exteriori lumine, ideo latet nos. Et propter hoc non fit visio.

Sed Aristoteles hoc reprobat ibi 'si igitur'

Circa quod sciendum est, quod lumen igneum extinguitur vel obtenebratur dupliciter. Uno quidem modo secundum proprietatem luminis, prout parvum lumen extinguitur ex praesentia majoris luminis. Alio modo secundum proprietatem ignis, qui extinguitur in aqua. Si ergo illud debile lumen ab oculo egrediens esset igneum, oporteret quod extingueretur in die propter excellentiorem claritatem, et in aqua propter contrarietatem ad ignem; et per consequens inter glacies magis obtenebraretur praedictum lumen visibile. Videmus enim hoc accidere in flamma et in corporibus igneis vel ignitis, quod tamen non accidit circa visum. Unde patet praedictam responsionem vanam esse.

Source: The substance of the text is contained in the *littera* and in Alexander (*In L. De Sensu*, 2 [CG III, 20-23]) who has a similar exposition, naming Plato and giving the pertinent citation from the *Timaeus*. The three species of fire are mentioned in Simplicius (*In L. De Caelo*, I, 3 [CG VII, 85.7-8]).

[2] *In De S. et S.*, 4 [P 56-58]

Alia opinio est Platonis qui posuit quod lumen egrediens ab oculo non procedit usque ad rem, sed 'quodantenus,' idest aliquod determinatum spatium, ubi scilicet cohaeret lumini exteriori, ratione cujus cohaerentiae fit visio, ut prius dictum est.

Deinde cum dicit 'Isto enim melius'

Praetermissa prima opinione tamquam maxime inconvenienti, consequenter improbat secundam dupliciter. Primo quidem, quia inutiliter et vane aliquid ponitur. Et hoc est quod dicit: Melius esset dicere quod lumen interius conjungeretur exteriori in ipsa interiore extremitate oculi, quam extra per aliquam distantiam. Et hoc ideo, quia in illo spatio intermedio, si non est lumen exterius, extingueretur lumen interius a tenebris, secundum ejus positionem, ut supra habitum est. Si vero attingat lumen usque ad oculum, melius est quod statim conjungatur; quia quod potest fieri sine medio melius est quam quod fiat per medium: cum aliquid fieri per pauciora melius sit quam per plura.

Deinde cum dicit 'sed hoc'

Improbat conjunctionem luminis interioris ad exterius, etiam si fiat in principio oculi. Et hoc tripliciter. Primo quidem, quia conjungi vel separari est proprie corporum, quorum utrumque habet per se subsistentiam, non autem qualitatum, quae non sunt nisi in subjecto. Unde cum lumen non sit corpus sed accidens quoddam, nihil est dictum quod lumen adjungatur lumini, nisi forte corpus luminosum adjungeretur corpori luminoso. Potest autem contingere quod lumen intendatur in aere per multiplicationem luminarium: sicut et calor intenditur per augmentum calefacientis, quod tamen non est per additionem, ut patet in quarto Physicorum. Secundo improbat per hoc, quod etiam dato quod utrumque lumen esset corpus, non tamen esset possibile quod utrumque conjungeretur, cum non sint ejusdem rationis. Non enim quodlibet corpus natum est conjungi cuilibet corpori, sed solum illa quae sunt aliqualiter homogenea. Tertio, quia cum inter lumen interius et exterius intercidat corpus medium, scilicet meninga, idest tunica oculi, non potest utriusque luminis esse conjunctio.

Source: The content is to be found in the *littera* and in Alexander who has a lengthy exposition of Plato (*In L. De Sensu*, 2 [CG III, 27-28]).

[3] *In De S. et S.*, 5 [P 71]

Sed tunc videtur convenienter attribuisse Plato visum igni, sicut et hic Aristoteles odoratum. Dicendum est autem quod organum odoratus est aquae, inquantum aqua est potentia calidum, quod est ignis; organum autem visus est aqua inquantum est perspicua, et per consequens lucida in potentia.

Source: The *littera* does not mention Plato nor does it raise this difficulty. Alexander (*In L. De Sensu*, 2 [CG III, 39.5-21]) presents the difficulty without naming Plato [though the reference to him is obvious] and proposes the solution here adopted by St. Thomas.

[4] *In De S. et S.*, 6 [P 82]

Deinde cum dicit 'quod autem'

Determinat de perspicuo: et dicit quod, hoc quod dicitur perspicuum, non est proprium vel aeris vel aquae, vel alicujus hujusmodi corporum, sicut est vitrum et alia corpora transparentia; sed est quaedam natura communis, quae in multis corporibus invenitur; scilicet quaedam naturalis proprietas in multis inventa, quam etiam virtutem nominat, inquantum est quoddam principium visionis. Et quia Platonici ponebant communia, sicut sunt separata secundum rationem, ita etiam separata esse secundum esse, ideo ad hoc excludendum subiungit, quod natura perspicuitatis non est aliqua natura separata, sed est in his corporibus sensibilibus, scilicet in aere et aqua et in aliis; in quibusdam quidem magis, in quibusdam vero minus.

Source: Alexander has no reference to Plato or Platonic separation. The point is suggested to St. Thomas by the brief statement, 'perspicuum…est quaedam communis natura et virtus quae separata quidem non est. In his vero est et in aliis corporibus' [439a 21-24]. (See Aristotle, *Meta.*, I, 6 [987b 1-18].)

[5] *In De S. et S.*, 10 [P 138]
Si enim in elementis non est principium actionis forma substantialis, sed accidentalis; cum nihil agat ultra suam speciem, non videtur, quod per actionem naturalem elementorum materia transmutetur ad formam substantialem, sed solum ad formam accidentalem. Et propter hoc quidam posuerunt quod omnes formae substantiales sunt a causa supernaturali, et quod agens naturale solum alterando disponat ad formam. Et hoc reducitur ad opinionem Platonicorum, qui posuerunt quod species separatae sunt causae generationis, et quod omnis actio est a virtute incorporea. Stoici autem, sicut Alexander dicit, posuerunt quod corpora secundum seipsa agunt, inquantum scilicet sunt corpora. Aristoteles autem hic tenet mediam viam, quod corpora agunt secundum qualitates suas.

Source: Alexander(*In L. De Sensu*, 4 [CG III, 73-74]) discusses the difficulty which is suggested by the Aristotelian *littera*: 'Qua quidem igitur ignis et qua terra, nihil natum est facere vel pati, nec aliud quicquam. Quatenus autem inest contrarietas in unoquoque, eatenus omnia, et faciunt et patiuntur' [441b 12-15] and mentions the Platonists and the Stoics. St. Thomas, however, rejects Alexander's solution. His discussion here is parallel to that of *S.T.*, I, 115, 1, wherein Avicebron and Avicenna are mentioned and related to Plato. (See *Source* under *S.T.* [78].)

[6] *In De S. et S.*, 15 [P 213]
Dicit autem hoc ad excludendum opinionem Platonis, qui posuit formas intellectas esse extra animam.

Source: Aristotle, *Meta.*, I, 6 [987b 1-18]. Neither Aristotle nor Alexander here mentions Plato, but there is a clear reference in Alexander to the Theory of Ideas (*In L. De Sensu*, 6 [CG III, 112.2-7]).

In librum de memoria et reminiscentia Expositio

[1] *In I De Mem. et Rem.*, 7 [P 388]
Hujusmodi autem magnitudines cognoscit anima non extendendo ibi

intelligentiam, quasi anima cognoscat magnitudinem, contingendo eas secundum intellectum: quod videtur dicere propter Platonem, ut patet in primo de Anima....

Source: Aristotle, *De An.*, I, 2 [404b 16-21]; 3 [407a 10-18].

In primos libros de Caelo et Mundo Expositio

[1] *In De C. et M., Prooem.* [S 4]
Si autem intentio principalis Philosophi esset determinare de universo, sive de mundo oporteret quod Aristoteles considerationem suam extenderet ad omnes partes mundi, etiam usque ad plantas et animalia, sicut Plato in Timaeo.

Source: Simplicius, *In L. De Caelo, Prooem.* [CG VII, 3.17-21].

[2] *In I De C. et M.,* 4 [S 38]
Videtur autem Aristoteles, secundum ea quae hic dicit, contrarius esse Platoni, qui posuit corpus quod circulariter fertur, esse ignem. Sed secundum veritatem eadem est circa hoc utriusque philosophi opinio.[1] Plato enim corpus quod circulariter fertur, ignem vocat propter lucem, quae species ignis ponitur; non quod sit de natura ignis elementaris.[2] Unde et posuit quinque corpora in universo, quibus adaptavit quinque figuras corporales quas geometrae tradunt, quintum corpus aetherem nominans.[3]

Source: 1. Simplicius, *In L. De Caelo,* I [CG VII, 86.8-11].
         2. *Ibid.* [12.26-29; 85.7-9].
         3. *Ibid.* [12.16-26].

[3] *In I De C. et M.,* 5 [S 53]
Utitur autem tali modo definiendi, ut observet se a contrarietate Platonis, qui dicebat quod in mundo secundum se non est sursum et deorsum, propter rotunditatem mundi: corpus enim rotundum est undique uniforme. Dicebat autem quod sursum et deorsum est in mundo solum quoad nos, qui nominamus sursum id quod est supra caput nostrum, deorsum autem id quod est sub pedibus nostris: si autem essemus e contrario situati, e contrario nominaremus sursum et deorsum. Sic ergo Plato non accipit id quod est sursum et deorsum, secundum rei naturam, sed quoad nos.

Source: Simplicius, *In L. De Caelo,* IV [CG VII, 679.27 - 680.26].

[4] *In I De C. et M.,* 6 [S 60-61]
Sciendum est autem circa primum, quod quidam posuerunt corpus caeli esse generabile et corruptibile secundum suam naturam, sicut Ioannes Grammaticus, qui dictus est Philoponus. Et ad suam intentionem adstruendam, primo utitur auctoritate Platonis,[1] qui posuit caelum esse genitum et totum mundum.[2]

Sed haec necessitatem non habent. Quod enim Plato posuit caelum genitum, non intellexit ex hoc quod est generationi subiectum, quod Aristoteles hic negare intendit: sed quod necesse est ipsum habere esse ab aliqua superiori causa, utpote multitudinem et distensionem in suis partibus habens; per quod significatur esse eius a primo uno causari, a quo oportet omnem multitudinem causari.[3]

Source: 1. Simplicius, *In L. De Caelo*, I [CG VII, 105.25-28]. The
οὗτοι of this passage is interpreted to include Joannes
Grammaticus probably in view of 119.7 sq.
2. *Ibid.* [103.3-4].
3. *Ibid.* [140.9-19].

[5] *In* I *De C. et M.*, 19 [S 191]
Deinde cum dicit: Sive enim sint species etc., manifestat praedictam
propositionem tam secundum opinionem Platonicam, quam secundum
opinionem propriam. Et dicit quod sive sint species, idest ideae separatae,[1] sicut Platonici dicunt, necesse est hoc accidere, scilicet quod sint
plura individua unius speciei (quia species separata ponitur sicut exemplar rei sensibilis;[2] possibile est autem ad unum exemplar fieri multa
exemplata); sive etiam nullum talium, idest nulla specierum, separatim
existat; nihilominus plura individua possunt esse unius speciei.

Source: 1. Aristotle, *Meta.*, I, 6 [987b 1-18].
      2. *Ibid.*, I, 9 [991a 20 - b 1]; VII, 8 [1033b 19 - 1034a 8]; XII,
         5 [1071a 17-30]. [Exemplarity is not mentioned in the
         Aristotelian *littera* here but Simplicius introduces it into the
         discussion (*In L. De Caelo*, I [CG VII, 276.7 sq.])].

[6] *In* I *De C. et M.*, 19 [S 193]
Sed videtur hic esse contrarietas inter Aristotelem et Platonem. Nam
Plato in Timaeo ex unitate exemplaris probavit unitatem mundi: hic
autem Aristoteles ex unitate speciei separatae concludit possibile esse
quod sint plures mundi.

Et potest dupliciter responderi. Uno modo ex parte ipsius exemplaris.
Quod quidem si sic sit unum quod unitas sit essentia eius, necesse est
exemplatum etiam imitari exemplar in sua unitate. Et tale est primum
exemplar separatum: unde et mundum, qui est primum exemplatum,
necesse est esse unum: et secundum hoc procedit probatio Platonis.
Si vero unitas non sit essentia exemplaris, sed sit praeter essentiam
eius, sic exemplatum poterit assimilari exemplari in eo quod pertinet
ad eius speciem, puta in ratione hominis vel equi, non autem quantum
ad ipsam unitatem: et hoc modo procedit hic ratio Aristotelis.

Alio modo potest solvi ex parte exemplati, quod tanto est perfectius,
quanto magis assimilatur exemplari. Alia ergo exemplata assimilantur
exemplari uni secundum unitatem speciei, non secundum unitatem
numeralem: sed caelum, quod est perfectum exemplatum, assimilatur
suo exemplari secundum unitatem numeralem.

Source: Plato, *Timaeus*, interp. Chal., 11 [D II, 159-160]; Simplicius,
In L. De Caelo, I [CG VII, 276.11; 13-14; 277.17-19].

[7] *In* I *De C. et M.*, 22 [S 227]
Secundo ibi: Sed genitum etc., ponit in quo differunt. Et tangit tres
opiniones.

Quidam enim dicebant quod, quamvis incoeperit esse ab aliquo
principio temporis, tamen in sempiternum durabit; sicut primo dixerunt quidam poëtae, ut Orpheus et Hesiodus, qui dicti sunt Theologi,
quia res divinas poëtice et fabulariter tradiderunt; quos in hac positione
secutus est Plato, qui posuit mundum generatum, sed indissolubilem.

Source: Simplicius, *In L. De Caelo*, I [CG VII, 296.1-6].

[8] *In* I *De C. et M.*, 22 [S 228]

Dicunt autem quidam quod isti poëtae et philosophi, et praecipue Plato, non sic intellexerunt secundum quod sonat secundum superficiem verborum; sed suam sapientiam volebant quibusdam fabulis et aenigmaticis locutionibus occultare; et quod Aristotelis consuetudo fuit in pluribus non obiicere contra intellectum eorum, qui erat sanus, sed contra verba eorum, ne aliquis ex tali modo loquendi errorem incurreret, sicut dicit Simplicius in commento. Alexander tamen voluit quod Plato et alii antiqui philosophi hoc intellexerunt quod verba eorum exterius sonant; et sic Aristoteles non solum contra verba, sed contra intellectum eorum conatus est argumentari. Quidquid autem horum sit, non est nobis multum curandum: quia studium philosophiae non est ad hoc quod sciatur quid homines senserint sed qualiter se habeat veritas rerum.

Source: Simplicius, *In L. De Caelo*, I [CG VII, 352.27-33]; III [CG VII, 587.37 - 588.7; 640.27-31].

[9] *In* I *De C. et M.*, 23 [S 231]

Praemissis rationibus contra opinionem Platonis, hic Philosophus excludit quandam excusationem praedictae opinionis, quam Xenocrates et alii Platonici afferebant.

Et circa hoc duo facit: primo proponit excusationem; secundo excludit eam, ibi: Hoc autem est, quemadmodum dicimus etc.

Dicit ergo primo quod non est verum illud auxilium, idest illa excusatio, quam quidam Platonicorum, dicentium mundum esse incorruptibilem sed tamen factum vel genitum, conantur ferre sibi ipsis, ut non irrationabiliter posuisse videantur. Dicunt enim se dixisse de generatione mundi, ad similitudinem eorum qui describunt figuras geometricas, qui primo describunt quasdam partes figurae, puta trianguli, et postea alias, non quasi prius fuerint huiusmodi partes antequam talis figura ex huiusmodi partibus constitueretur, sed ut magis explicite demonstrent ea quae ad figuram requiruntur. Et similiter dicunt Platonem dixisse mundum factum esse ex elementis, non tanquam aliquo tempore determinato mundus sit generatus, sed causa doctrinae; ut facilius instruerentur aliqui de natura mundi, dum prius demonstrantur eis partes mundi, et quid habeant huiusmodi partes ex seipsis, postea demonstratur eis compositio quam habent a causa mundi, quae Deus est. Et ita aspiciunt, idest considerant, mundum esse genitum, ad modum descriptionis qua utuntur geometrae in descriptione figurarum.

Source: The identification of 'Xenocrates et alii Platonici' and the development of the *littera* are from Simplicius, *In L. De Caelo*,I [CG VII, 303.31 - 304.15].

[10] *In* I *De C. et M.*, 23 [S 232]

Deinde cum dicit: Hoc autem est, quaemadmodum dicimus etc., improbat quod dictum est. Et dicit quod non eodem modo se habet quod ipsi [*sc.* Platonici] dicunt circa generationem mundi, et quod geometrae dicunt circa descriptiones figurarum, sicut manifestabitur per ea quae nunc dicemus. Quia in descriptionibus geometricalibus, idem accidit si omnes partes figurae simul accipiantur ut constituunt figuram, et si non accipiantur simul: quia quando non accipiuntur simul, nihil aliud dicitur de eis nisi quod sunt lineae vel anguli; et hoc

etiam salvatur in eis quando accipiuntur omnia simul in figura constituta ex eis. Sed in demonstrationibus eorum qui ponunt generationem
mundi, non idem accipitur cum sunt simul et cum non sunt simul; sed
impossibile est quod idem ex utraque parte accipiatur, sicut impossibile
est opposita esse simul; illa enim quae accipiuntur prius, scilicet ante
constitutionem mundi, et posterius, scilicet mundo iam constituto,
sunt subcontraria, idest habent quandum adiunctam et latentem contrarietatem.

Source: Simplicius, *In L. De Caelo*, I [CG VII, 304.23 - 306.16].

[11] *In* I *De C. et M.*, 23 [S 233]
Volunt autem quidam adhuc excusare Platonem, quasi non posuerit
quod inordinatio prius tempore fuerit in elementis mundi, et postea
aliquo tempore incoeperint ordinari; sed quia inordinatio semper
quantum ad aliquid adiuncta est elementis mundi, licet quantum ad
aliquid ordinentur; sicut etiam ipse Aristoteles ponit quod materiae
semper adiungitur privatio, quamvis et semper sit secundum aliquid
formata. Potest etiam intelligi Platonem dedisse intelligere quid elementa ex se haberent, si non essent ordinata a Deo; non quod prius tempore
fuerint inordinata.[1] – Sed quidquid Plato intellexerit, Aristoteles, sicut
dictum est, obiiciebat contra id quod verba Platonis exprimunt.[2]

Source: 1. Simplicius, *In L. De Caelo*, I [CG VII, 306.18 - 307.11];
Averroes, *In L. De Caelo*, III, *com.* 11 [188E-F].
2. See *Source* under *In De C. et M.* [8].

[12] *In* I *De C. et M.*, 23 [S 236]
...sicut in Timaeo dicit Plato non solum quod caelum sit factum de
novo, sed etiam quod duret de cetero sempiterno tempore;...

Source: *Littera*.

[13] *In* I *De C. et M.*, 29 [S 277]
Hoc autem videtur dicere contra Platonem, qui posuit mundum genitum sed incorruptibilem, et ex consequenti posuit quod illud inordinatum ex quo mundus est genitus, fuerit ingenitum sed corruptibile:
quamvis quidam dicant hoc Platonem non sic intellexisse sicut sonant
verba eius, contra quae hic Aristoteles disputat.[1] Sed quantum pertinet
ad expositionem huius libri, non refert utrum sic vel aliter Plato sense-
rit, dummodo videatur qualiter haec positio improbetur per rationes
Aristotelis.[2]

Source: 1. Simplicius, *In L. De Caelo*, I [CG VII, 346.16-29; 352.27-33];
III [CG VII, 587.37 - 588.7; 640.27-31].
2. St. Thomas frequently does not undertake to adjudicate
the arguments which are reported in the pages of Simplicius.
Cf. *In De C. et M.* [14].

[14] *In* I *De C. et M.*, 29 [S 283]
...sicut Plato posuit quod mundus est genitus et corruptibilis secundum
seipsum, sed semper manebit propter voluntatem Dei[1] (quamvis quidam dicant quod Plato non sic intellexerit mundum esse corruptibilem
sicut ea quae in se habent necessariam causam corruptionis, sed per
hoc voluerit designare dependentiam sui esse ab alio, quia scilicet
necessitas essendi non est ei a seipso, sed a Deo.[2] Sed quicumque fuerit

intellectus Platonis non refert ad propositum, quia Aristoteles obiicit contra verba ipsius).[3]

Source: 1. Simplicius, *In L. De Caelo*, I [CG VII, 298.11-16; 351.36-42].
         2. *Ibid.* [301.1-22].
         3. *Ibid.* [352.27-33]. Cf. *ibid.*, III [CG VII, 587.37 - 588.7; 640.27-31].

[15] *In* II *De C. et M.*, 1 [S 291]
Et sic etiam Plato in Timaeo Deum mundi conditorem inducit dicentem caelestibus diis: alimentum dantes augete, et detrimentum passa iterum suscipite.

Source: Simplicius, *In L. De Caelo*, II [CG VII, 372.21-22].

[16] *In* II *De C. et M.*, 1 [S 297-298]
Tertio ibi: Sed adhuc neque ab anima etc., excludit tertiam opinionem, quae est Platonis, qui posuit in Timaeo quod in medio mundi anima eius, ad extremum caelum omniquaque complexa, incoepit incessabilem et prudentem vitam ad omne tempus.[1]

                                                                         – – –

Quod quidem videtur Aristoteles dicere contra dictum Platonis, qui dixit quod ex medio mundi ad extremum caelum anima omniquaque complexa incoepit incessabilem et prudentem vitam ad omne tempus: secundum hoc enim videtur anima caeli alligata caelo sicut Ixion trocho.[2] Et videtur quod vita talis animae non sit prudens, sed insipiens, utpote quae incoepit perpetuum laborem.[3] Non autem reprehendit hic Aristoteles Platonem, qui posuit caelum animatum, quia et inferius hoc ipse ponit: sed de hoc quod videtur ponere quod moveat caelum in sempiternum contra suam naturam.[4] Sed forte Plato non intellexit motum hunc esse contra naturam caeli; sed voluit exprimere quod natura secundum quam convenit ei talis motus, est ei ab alio.[5]

Source: 1. Simplicius, *In L. De Caelo*, II [CG VII, 376.35-36].
         2. *Ibid.* [377.1-19].
         3. *Ibid.* [376.28-36].
         4. *Ibid.* [378.10-22].
         5. Simplicius argues that the heavenly bodies, prior to animation, were fitted for circular motion. St. Thomas interprets the dependence on a first cause.

[17] *In* II *De C. et M.*, 3 [S 315]
...quod attendentes Plato et Aristoteles, posuerunt caelum animatum.[1] ...unde et Plato posuit in bonum animae rationali esse quod quandoque a corpore separatur.[2]...alioquin videretur, secundum dictum Platonis, quod anima caeli esset peioris conditionis quam anima humana.[3]

Source: 1. Simplicius, *In L. De Caelo*, II [CG VII, 378.10-22]; Macrobius, *In Som. Scip.*, I, 14 [E 529]; Boethius, *In Isag.*, ed. sec., II, 5 [CSEL 48, 185.21-22]; III, 4 [CSEL 48, 209.1-2]; IV, 6 [CSEL 48, 257.9-10]; 7 [CSEL 48, 259.19-21]; St. Augustine, *De Civ. Dei*, XIII, 16 [E].
         2. See *Source* under *S.T.* [56].
         3. See 2 above and Simplicius, *In L. De Caelo*, II [CG VII, 376.12-27].

[18] *In* II *De C. et M.*, 4 [S 334]

Circa quod considerandum est quod Platonici ponebant unum Deum summum, qui est ipsa essentia bonitatis et unitatis,[1] sub quo ponebant ordinem superiorem intellectuum separatorum, qui apud nos consueverunt intelligentiae vocari; et sub hoc ordine ponebant ordinem animarum, sub quo ordine ponebant ordinem corporum.[2] Dicebant ergo quod inter intellectus separatos, superiores et primi dicuntur intellectus divini, propter similitudinem et propinquitatem ad Deum; alii vero non sunt divini, propter distantiam ad Deum;[3] sicut etiam animarum supremae sunt intellectivae, infimae autem non intellectivae, sed irrationales. Corporum autem suprema et nobiliora dicebant esse animata, alia vero inanimata. Rursus dicebant quod supremae animae, propter hoc quod dependent ex intelligentiis divinis, sunt animae divinae; et iterum corpora suprema, propter hoc quod sunt coniuncta animabus divinis, sunt corpora divina.[4]

– – –

Subdit autem quod operatio Dei est immortalitas. Nominat autem hic Deum, non solum primam causam omnium rerum, sed, more Platonicorum et aliorum gentilium, omnia quae dicuntur divina, secundum morem praedictum.[5]

Source: 1. Proclus, *Elementatio Theologica*, interp. Moer., *Prop.* 8 [V 268]; *Prop.* 12 [V 269-270]; *Prop.* 13 [V 270]; *Prop.* 20 [V 273]; *Prop.* 115 [V 496]; *Prop.* 119 [V 497-498]; *Prop.* 133 [V 503]; Aristotle, *Eth.*, I, 6 [1096a 22-23; 1096a 35 - b 3]; Boethius, *De Con. Phil.*, III, *Prosa* X [F 90.127-137]; *Prosa* XI [F 91-95]; Macrobius, *In Som. Scip.*, I, 2, 13-14 [E 471.9-12]; 6, 7-8 [E 486.1-14]; St. Augustine, *De Civ. Dei*, VIII, 6 [A-C]; 8 [F]; Dionysius, *De Div. Nom.*, 4, 1 [P 95]; 5, 1 [P 257]; 5, 3 [P 259-260]; 13, 2 [P 439-444].

2. Proclus, *op. cit.*, *Prop.* 139 [V 505]; *Liber De Causis*, 4 [B 165. 19 - 168.19]; 13 [B 176.8 - 177.4]; 18 [B 180.9 - 181.5].

3. Proclus, *op. cit.*, *Prop.* 181 [V 520-521]; *Liber De Causis*, 18 [B 180.9-12].

4. Proclus, *op. cit.*, *Prop.* 111 [V 495]; *Liber De Causis*, 18 [B 180.13-14].

5. Proclus, *op. cit.*, *Prop.* 139 [V 505]; cf. Plato, *Timaeus*, interp. Chal., 15-16 [D II, 168-169]; St. Augustine, *De Civ. Dei*, IX, 23; *Liber De Causis*, 3 [B 165.1-3; 166.15]; 18 [B 180.9]; Dionysius, *De Div. Nom.*, 11, 6.

[19] *In* II *De C. et M.*, 4 [S 337-338]

Et est considerandum quod Plato in Timaeo probavit esse terram et ignem, per hoc quod necesse est corpora esse visibilia propter ignem, et palpabilia propter terram.[1]

– – –

Plato autem probavit ex extremis elementis quod necesse est esse media, per proportiones numerales: quia inter duos cubicos numeros necesse est esse duos alios numeros secundum continuam proportionalitatem; sicut cubicus binarii est octonarius, cubicus autem ternarii sunt viginti septem, inter quos cadunt media in proportione duodeviginti et duodecim, quae omnia se habent secundum sesquialteram proportionem.[2]

Source: 1. Simplicius, *In L. De Caelo*, II [CG VII, 401.9-11].
2. *Ibid*. [401.11-13]. Simplicius does not work out the numerical proportions.

[20] *In* II *De C. et M.*, 10 [S 384]

Unde et Plato dixit quod in corporibus caelestibus sunt excellentiae seu sublimitates elementorum, quasi primordialia eorum activa principia:...

Source: Simplicius, *In L. De Caelo*, II [CG VII, 435.32 - 436.1]. Cf. *ibid.*, I [CG VII, 88.5-25; 91.7-20].

[21] *In* II *De C. et M.*, 12 [S 408]

Et est sciendum quod Plato posuit stellas, praeter hoc quod moventur motu orbium, moveri motu circumgyrationis.

Source: Simplicius, *In L. De Caelo*, II [CG VII, 454.24-27].

[22] *In* II *De C. et M.*, 13 [S 416]

Unde videtur hic loqui de quibusdam corporibus animatis, quae Platonici daemones nominabant, dicentes eos esse animalia corpore aërea, tempore aeterna, sicut Apuleius Platonicus dicit in libro de Deo Socratis. Ponebant autem huiusmodi corpora moveri motu progressivo, et non mansiva in eodem loco.

Source: St. Augustine, *De Civ. Dei*, VIII, 16 [A]; IX, 8 [A]; 12 [A].

[23] *In* II *De C. et M.*, 17 [S 451]

Secundo considerandum est quod circa motus planetarum quaedam anomaliae, idest irregularitates, apparent; prout scilicet planetae quandoque velociores, quandoque tardiores, quandoque stationarii, quandoque retrogradi videntur. Quod quidem non videtur esse conveniens caelestibus motibus, ut ex supra dictis patet. Et ideo Plato primus hanc dubitationem Eudoxo, sui temporis astrologo, proposuit; qui huiusmodi irregularitates conatus est ad rectum ordinem reducere, assignando diversos motus planetis; quod etiam posteriores astrologi diversimode facere conati sunt. Illorum tamen suppositiones quas adinvenerunt, non est necessarium esse veras: licet enim, talibus suppositionibus factis, apparentia salvarentur, non tamen oportet dicere has suppositiones esse veras; quia forte secundum aliquem alium modum, nondum ab hominibus comprehensum, apparentia circa stellas salvantur. Aristoteles tamen utitur huiusmodi suppositionibus quantum ad qualitatem motuum, tanquam veris.

Tertio considerandum est quod circa solem et lunam non apparent tot irregularitatum genera, sicut circa alios planetas: nam in sole et luna nunquam apparet statio vel retrogradatio, sicut in aliis planetis, sed solum velocitas et tarditas. Et ideo Eudoxus, qui primo conatus est has irregularitates dirigere, ad instantiam Platonis, pauciores motus assignavit soli et lunae, quos dicebat esse infimos planetas, quam superioribus planetis.

Source: Simplicius, *In L. De Caelo*, I [CG VII, 36.25-33]; II [CG VII 488.2 - 489.4; 492.25-34].

[24] *In* II *De C. et M.*, 20 [S 481]

Sed plures eorum qui posuerunt totum mundum esse finitum, dixerunt terram esse positam in medio mundi, sicut Anaximander, Anaxagoras, Democritus, Empedocles et Plato.

Source: The list of names is exactly reproduced from Simplicius, *In L. De Caelo*, II [CG VII, 511.24-25].

[25] *In* II *De C. et M.*, 21 [S 490]

Deinde cum dicit: Quidam autem et positam etc., ponit secundam opinionem. Et dicit quod, licet quidam dicant terram in centro positam, dicunt tamen ipsam moveri et revolvi circa polum semper statutum, idest circa axem mundi (nam polus quandoque dicitur caelum, quandoque autem dicitur axis, quandoque vero dicitur extrema pars axis, sicut dicitur polus arcticus et antarcticus). Et hoc dicit scriptum esse in Timaeo.

Est autem notandum quod illud quod hic dicitur revolvi vel converti, sumpsit Aristoteles ex eo quod Plato in Timaeo, secundum linguam Graecam dixit, illomenam circa eum qui per omne ordinatum polum. Hoc autem quod dicitur illomenum, si in Graeco scribatur per iota, significat alligationem; si vero scribatur per diphthongum, significat prohibitionem. Videtur autem a Platone sumptum istud vocabulum secundum quod significat alligationem, ut patet per ea quae ipse dicit de terra in libro Phaedonis, ubi asserit eam in medio quiescentem et quasi ligatam: et sic videtur contra intentionem Platonis, Aristoteles verba eius assumpsisse.

Dicit igitur Alexander, Aristotelem excusans, quod hoc quod dicitur illomenum, significat proprie prohibitionem vel violentiam: sed quia ista significatio non competit secundum ea quae ibi intendit Plato, Aristoteles intellexit quod illomenum translative acciperetur a Platone, prout consuevit translatum significare conversionem, quae designat motum. Nec pertinet aliquid ad rationem praesentem, si Plato alibi aliter dixit ab his quae dixerat in Phaedone, motus ex aliqua alia ratione: nam Aristoteles hic proponit id quod in Timaeo scribitur, sive hoc sit inductum tanquam Platoni placens, sive tanquam Timaei opinio, quam Plato non approbat: unde non dicit quemadmodum Plato dicit, sed quemadmodum in Timaeo scriptum est.

Sed contra hoc multipliciter obiicit Simplicius. Primo quidem quia Timaeus ibi probat terram in medio esse locatam et firmatam. Secundo quia illomenam ibi scribitur per unum iota, prout significat alligationem. Tertio quia conversio non semper significat motum: dicuntur enim circulares figurae conversae, idest ad omnem partem versae, etiam si sint quiescentes. Quarto quia, cum dictio multa significet, non oportuit significationem eius trahere ad manifestum sensum contra intentionem Platonis.

Sed contra hoc iterum obiicit Simplicius: quia non est probabile quod Aristoteles ignoraret aut significationem vocabuli, aut intentionem Platonis. Et ideo potest dici quod, quia possibile erat aliquos false intelligere verba Platonis, Aristoteles removet falsum intellectum qui ex his verbis haberi posset, sicut frequenter consuevit facere circa verba Platonis. – Vel potest dici quod hoc quod dicitur et moveri, est ab aliquo alio appositum. In graeco autem dicitur illesthai, pro quo hic est translatum revolvi: potest autem significare quod in Graeco positum est, et alligationem et motum: ita quod intelligamus quod, postquam Aristoteles posuit opinionem Pythagoricorum de motu terrae circa medium, hic ponit opinionem Platonis de quiete terrae in medio.

Possumus autem et brevius dicere quod quidam Heraclitus Ponticus posuit terram in medio moveri, et caelum quiescere; cuius opinionem hic Aristoteles ponit. Quod autem addit, quemadmodum in Timaeo scriptum est, referendum est non ad id quod dictum est, revolvi et moveri, sed ad id quod sequitur, quod sit super statutum polum.

Source: Same explanation and development in Simplicius, *In L. De Caelo*, II [CG VII, 517.3 - 519.11].

[26] *In* II *De C. et M.*, 25 [S 514]

Dicit ergo primo quod quidam dixerunt terram quiescere in medio propter similitudinem, idest similem eius habitudinem ad omnem partem caeli. Et hoc inter antiquos dixit Anaximander. Per quod dat intelligere quod etiam aliquibus sui temporis hoc videbatur. Dicitur enim Plato hoc posuisse: sed tamen Aristoteles hoc ei non imponit, quia supra ei imposuerat quod moveretur in medio circa axem mundi.

Source: Simplicius, *In L. De Caelo*, II [CG VII, 531.32 - 532.7].

[27] *In* II *De C. et M.*, 26 [S 521]

...alii vero, sicut in Timaeo scribitur, ponentes terram esse in medio, dicunt eam revolvi circa medium poli, idest circa axem dividentem caelum per medium.

Source: *Littera*. For reference to *Timaeus*, see *In De C. et M.* [25].

[28] *In* III *De C. et M.*, 2 [S 556]

Tertiam opinionem ponit ibi: Sunt autem quidam etc. Et dicit quod quidam sunt, qui posuerunt omne corpus esse generabile; quia ponunt quod omnia corpora componuntur ex superficiebus, et iterum resolvuntur in superficies. Et haec fuit opinio Platonis.

Source: Aristotle, *De Caelo*, III, 1 [298b 33 - 299a 1; 299a 6-11; 300a 1]; Simplicius, *In L. De Caelo*, III [CG VII, 562.1 - 566.16].

[29] *In* III *De C. et M.*, 3 [S 562]

Dicit ergo primo impossibile esse, si utrumque eorum ex quibus aliquid componitur, nullam habeat gravitatem, quod compositum ex ambobus habeat gravitatem. Sed corpora sensibilia habent gravitatem; aut omnia, sicut dicebat Democritus, aut quaedam, scilicet terra et aqua, sicut ipsimet Platonici dicebant.[1] Ergo corpus sensibile non potest componi ex rebus non habentibus gravitatem. Sed punctum nullam habet gravitatem: ergo ex punctis non potest componi aliquid habens gravitatem. Componitur autem ex eis secundum praedictam positionem linea: ergo etiam linea non potest habere gravitatem. Et per consequens neque superficies, quae componitur ex lineis: et ulterius neque corpus, quod componitur ex superficiebus: quod est contra praedicta.[2]

Source: 1. *Littera*.
        2. Aristotle, *De Caelo*, III, 1 [298b 33 - 299a 1; 299a 6-11; 300a 1]; Simplicius, *In L. De Caelo*, III [CG VII, 562.1-566.16].

[30] *In* III *De C. et M.*, 4 [S 568]

Praemissa prima ratione quam Aristoteles posuit ad improbandum opinionem Platonis, ponentis corpora ex superficiebus generari, hic ponit secundam rationem.

Ad cuius evidentiam sciendum est quod Plato, quia non distinguebat inter unum quod est principium numeri, et unum quod convertitur cum ente,[1] quod significat substantiam rei, ponebat per consequens quod unum quod est principium numeri, esset substantia rei: et per consequens omnes res ponebat esse numeros.[2] Unde et dimensiones quantitatis continuae dicebat esse quosdam numeros positionem habentes: et sic secundum ipsum punctus est unitas positionem habens, et sic de aliis.[3] Et quia dualitatem attribuebat materiae,[4] unitatem autem formae,[5] aestimabat quod formae omnium corporum essent accipiendae secundum rationem figurarum, secundum quas corpora terminantur. Ultimi autem termini dimensionum sunt puncta, quae sunt unitates positae, ut dictum est. Et ideo diversas figuras corporeas diversis corporibus attribuebat: sicut figuram pyramidalem igni, figuram autem octo basium aëri, figuram autem viginti basium aquae, figuram autem cubicam terrae, figuram autem duodecim basium aetheri, idest caelo. Manifestum est autem figuras corporeas ex superficiebus constitui, inquantum ad invicem coniunguntur secundum tactum linearem: sic enim faciunt angulum corporalem.[6] Et ideo, formalem compositionem corporum distribuens, Plato dicebat quod corpora componuntur ex superficiebus secundum lineam coniunctis.[7]

Source: 1. See *Source* 2 under *S.T.* [5].
2. Aristotle, *Meta.*, I, 5; 6 [987a 17-19; 987b 22-25].
3. Aristotle, *De Caelo*, III, 1 [298b 33 - 299a 1; 299a 6-11]; Simplicius, *In L. De Caelo*, III [CG VII, 562.21 - 566.16].
4. Aristotle, *Meta.*, I, 6 [987b 20-21].
5. *Ibid.* and [988a 8-14].
6. Frequently referred to in Simplicius, e.g., *In L. De Caelo*, III [CG VII, 670.21; 638.3-8]; Averroes, *In L. De Caelo*, III, *com.* 13 [181vM, 182A].
7. *Littera.*

[31] *In* III *De C. et M.*, 4 [S 570]
Quia igitur duplex est modus quo superficies coniungi possunt; et secundum alterum modum, scilicet secundum contactum linearem, compositae faciunt omnia elementa; sequetur quod, si componantur secundum latitudinem, idest supponendo superficiem superficiei, id quod componetur ex superficiebus sic compositis, erit corpus quod nec est elementum nec ex elementis. Quod autem non sit elementum patet, quia omnia elementa constituuntur secundum alium modum coniunctionis superficierum. Quod autem non sit ex elementis patet, quia ista compositio superficierum, quae est secundum superpositionem, videtur constituere ipsam profunditatem corporis, quae est eius substantia; alia vero compositio superficierum constituit corpus secundum figuram, quae est forma adveniens substantiae corporali. Unde compositio suppositionis erit prior: et id quod est constitutum ex tali modo compositionis, videtur comparari ad id quod est constitutum secundum alium modum compositionis, sicut materia ad formam. Ex superficiebus autem, secundum opinionem Platonis, natum est componi corpus. Sequitur igitur quod id quod praecedit omnia elementa, sicut elementorum materia suscipiens omnes figuras seu formas eorum, sit corpus. Et hoc reputabat Plato inconveniens: non enim primam materiam dicebat esse corpus, sicut quidam antiqui naturales posuerunt.

Source: *Littera* and Simplicius, *In L. De Caelo*, III [CG VII, 574.25-575.31].

[32] *In* III *De C. et M.*, 6 [S 581]

Circa quarum primam dicit quod idem inconveniens quod accidit Democrito et Leucippo, necesse est accidere si quis ponat quod antequam mundus esset factus, elementa ex quibus mundus constituitur, movebantur motu inordinato, sicut in Timaeo scribitur a Platone, narrante quod antequam mundus a Deo fieret, materia inordinate fluctuabat.[1]... Nam cum omnis motus, etiam secundum Platonem, reducatur sicut in causam in primum movens, si elementa quocunque modo movebantur, necesse est dicere quod primum movens movebat seipsum secundum naturam.[2]

Source: 1. Aristotle, *De Caelo*, I, 11 [280a 6-7]; III, 1-2 [300b 16 - 301a 11]; Simplicius, *In L. De Caelo*, I [CG VII, 311.32-33; 312.10-12]; Averroes, *In L. De Caelo*, III, *com*. 11 [188E-F].

2. Simplicius, *op. cit.* [585.1-5] quotes Alexander's reference to the Platonic doctrine of soul as the self-mover and source of motion. See also *Source* under *In Sent.* [3].

[33] *In* III *De C. et M.*, 6 [S 584]

Sic igitur accidit ipsis Platonicis ponere simul contraria: scilicet quod inordinatio motus sit secundum naturam, eo quod fuit tempore infinito ante mundum; et quod ordinatio motus, et mundus constitutus motu iam ordinato, sit praeter naturam, eo quod pauciori tempore fuit; quamvis nihil eorum quae sunt secundum naturam, sit ut contingit, idest absque certo ordine.[1]

Est autem attendendum quod rationes Aristotelis directe contra positionem Platonis procedunt, si ex verbis eius intelligatur quod prius tempore erat inordinatio motus elementorum, quam fieret mundus. Sectatores autem Platonis dicunt eum hoc non intellexisse; sed quod omnis ordinatio motus sensibilium est a primo principio, ita quod alia, in se considerata, praeter influentiam primi principii, sunt inordinata. Et secundum hoc Aristoteles non obiicit hic contra sensum Platonis, sed contra Platonicorum verba, ne ab eis aliquis in errorem inducatur.[2]

Source: 1. *Littera.*

2. Simplicius, *In L. De Caelo*, III [CG VII, 587.37 - 588.7; 640.27-31].

[34] *In* III *De C. et M.*, 6 [S 585]

Deinde cum dicit: Videtur autem hoc ipsum etc., improbat praedictam positionem ex dictis aliorum philosophorum, qui super hoc melius sensisse videntur. Circa quod considerandum est quod tam Democritus et Leucippus, quam etiam Plato, duo videbantur posuisse circa corpora existentia ante mundum: primo quidem quia ponebant ea moveri; secundo quia ponebant ea segregata. Quantum ergo ad primum, dicit quod hoc ipsum quod consideratur circa constitutionem mundi, videtur Anaxagoras bene sumere. Posuit enim quod mundus incoeperit ex corporibus non prius motis. Quod quidem rationabilius est quam dicere mundum fieri ex corporibus prius motis. Nam motus actus quidam est in potentia existentis, et ita medium est inter primam potentiam et primum actum; in his autem quae fiunt, principium sumitur ab his quae sunt omnino in potentia; et ideo rationabilius est principium mundi constituere ex his quae omnino non moventur, quam ex rebus motis.

Source: Aristotle, *De Caelo*, III, 2 [300b 16-18].

In primos libros Meteorologicorum Expositio

|1| *In* II *Meteor.*, 3 [S 156]

Tertio ibi: Quod autem scriptum est in Phaedone etc., excludit quandam falsam solutionem praedictae dubitationis. Et primo ponit ipsam solutionem. Et dicit quod impossibile est esse verum quod a Platone de mari et fluviis dicitur in libro suo qui intitulatur Phaedo. Dicit enim ibi quod omnia flumina et mare concurrunt sub terra ad aliquod principium, quasi terra sit perforata a mari et fluviis. Hoc autem principium, quod secundum ipsum est principium aquarum omnium, vocatur Tartarus, qui est quaedam magna multitudo aquae existens circa medium mundi: ex quo quidem principio dicit prodire omnes aquas quae non fluunt, sicut sunt mare et stagna, et quae fluunt, sicut fontes et flumina. Dicit autem quod Tartarus undique fluit ad singula rheumatum, idest ad singulos discursus aquarum: quod ideo contingit, quia illud principium aquarum semper movetur. Et hoc ideo, quia non habet aliquem locum fixum in quo quiescat, sed semper movetur circa medium, quasi vacillans hinc inde. Et sic, dum movetur sursum, facit effusionem rheumatum, idest discursus marium et fluviorum, non tantum versus istam partem terrae quam nos habitamus; sed ex multis aliis partibus terrae effundit et alia stagna, quale est mare quod est apud nos.

Sed omnia maria et flumina quadam circulatione reducuntur ad illud principium unde primo effluxerunt, sed diversimode. Nam quaedam redeunt secundum eundem locum secundum quem effluxerunt, ut sit quidam motus reflexus: quaedam vero ex contraria parte redeunt parti unde effluxerant, ut, puta, si effluxerunt de subtus, reingrederentur desuper. Non est tamen sic intelligendum de subtus et desuper, quod aliquid possit esse subtus respectu medii, in quo ponitur primum principium aquarum: quia a superficie terrae usque ad medium, est descensus, sed de cetero, si secundum rectam lineam ultra procederet aqua, esset motus ad sursum; idem enim est moveri a medio, et moveri sursum. Et secundum hoc facile est assignare causam diversitatis colorum et saporum in aquis: quia aqua fluens recipit colorem et saporem secundum modum terrae per quam effluit.

Source: All the information here given is contained in the *littera* (Aristotle, *Meteor.*, II, 2 [355b 32 - 356a 14]).

In libros de Generatione et corruptione Expositio

[1] *In* I *De Gen. et Cor.*, 3 [S 19]

Deinde cum dicit: Plato igitur etc., assignat rationem suae intentionis, ex eo quod alii philosophi de his insufficienter tractaverunt. Et dicit quod Plato inquisivit de generatione et corruptione tantum, quomodo sint in rebus: non tamen de omni generatione, sed solum de generatione elementorum, non autem quomodo generentur carnes et ossa, aut aliquod aliorum mixtorum corporum: neque etiam tractavit de alteratione et augmentatione, quomodo sint in rebus.

Source: *Littera.*

[2] *In* I *De Gen. et Cor.*, 3 [S 23]
Secundo autem oportet inquirere, si sunt aliquae magnitudines indivisibiles, utrum illae magnitudines sint corpora, sicut dixerunt Democritus et Leucippus, vel sint planities, idest superficies, sicut Plato scripsit in Timaeo.

Source: *Littera.*

[3] *In* I *De Gen. et Cor.*, 3 [S 24]
Circa primum duo facit: primo ostendit convenientius posuisse, quantum ad ea quae considerantur in scientia naturali, Democritum quam Platonem; secundo causam huius assignat, ibi: Causa autem etc.

– – –

Sed Platonici, qui resolvebant corpora in superficies, non poterant assignare causam alicuius transmutationis formalis: quia ex superficiebus, quando componuntur adinvicem, nihil est rationabile fieri nisi solida. Cum enim puncta, lineae et superficies purae sint res mathematicae, non possunt causare ex seipsis aliquam passionem naturalem: unde, sicut ex punctis non fit nisi linea, et ex lineis non fit nisi superficies, ita ex superficiebus non potest causari nisi corpus. Sed nec ipsi Platonici conantur ad hoc quod ex commixtione superficierum assignent causam alicuius passionis naturalis.

Source: *Littera.*

[4] *In* I *De Gen. et Cor.*, 3 [S 25]
Deinde cum dicit: Causa autem etc., assignat rationem quare circa hoc magis defecit Plato quam Democritus. Et dicit quod causa huius quod Plato minus potuit videre confessa, idest ea quae sunt omnibus manifesta, fuit inexperientia: quia scilicet, circa intelligibilia intentus, sensibilibus non intendebat, circa quae est experientia. Et ideo illi philosophi qui magis studuerunt circa res sensibiles et naturales, magis potuerunt adinvenire talia principia, quibus possent multa sensibilia adaptare. Sed Platonici, qui erant indocti existentium, idest circa entia naturalia et sensibilia, respicientes ad pauca sensibilium quae eis occurrebant, ex multis sermonibus vel rationibus, idest ex multis quae in universali rationaliter considerabant, de facili enuntiant, idest absque diligenti perscrutatione sententiam proferunt de rebus sensibilibus.

Potest autem considerari ex his quae prae manibus habentur, quantum differunt in perscrutatione veritatis illi qui considerant physice, idest naturaliter, attendentes rebus sensibilibus, ut Democritus, et illi qui considerant logice, idest rationaliter, attendentes communibus rationibus, sicut Platonici. Ad ostendendum enim quod magnitudines aliquae sunt indivisibiles, Platonici, logice procedentes, dicunt quod aliter sequeretur quod autotrigonum, idest per se triangulus, hoc est idea trianguli, multa erit, idest in multos triangulos dividetur: quod est inconveniens.[1]

Ponebat enim Plato omnium sensibilium esse quasdam ideas separatas, puta hominis et equi et similium, quas vocabat per se hominem et per se equum: quia scilicet, logice loquendo, homo, secundum quod est species, est praeter materialia et individualia principia, ita quod idea nihil habet nisi quod pertinet ad rationem speciei.[2] Et eadem ratione hoc ponebat in figuris. Unde ponebat ideam triangulorum sensibilium, quae hic dicitur autotrigonum, esse indivisibilem: alioquin sequeretur quod divideretur in multa, quod est contra rationem ideae, ad quam pertinet quod sit unum praeter multa. Et ita non est inconveniens quod sint multae superficies triangulares indivisibiles conformes ideae: et eadem ratio est de aliis superficiebus.[3]

Source: 1. *Littera.*
       2. Aristotle, *Meta.*, I, 6 [987b 1-18].
       3. *Ibid.*, I, 9 [991a 1-5]; III, 3 [999a 6-11].

[5] *In* I *De Gen. et Cor.*, 9 [S 71]
Et solvit quod non est ita, sed terra est ens: quia scilicet terra fit per hoc quod materia recipit quandam formam, quae facit esse in actu. Non ens ergo est materia terrae et ignis. Non tamen materia est non ens per se, sicut Plato posuit: sed est non ens per accidens, ratione privationis cui adiungitur.

Source: Aristotle, *Phy.*, I, 8 [192a 2-6].

[6] *In* I *De Gen. et Cor.*, 13 [S 92]
Secundo ibi: Illud autem etc., improbat hoc per ipsam positionem Platonicorum, qui ponebant quod mathematica erant substantia corporum naturalium. Et quia puncta et lineae sunt termini dimensionum, sicut forma est terminus materiae, ponebant quod illud quod per huiusmodi terminatur, esset materia corporum: ipsi autem termini magis se habent in ratione formae. Et hoc est quod dicit, quod illud, scilicet dimensio vel magnitudo, cuius haec, scilicet puncta et lineae, sunt ultima, erat materia secundum Platonicos.

Source: Aristotle, *De Caelo*, III, 1 [298b 33 - 299a 1; 299a 6-11; 300a 1]; *De Gen. et Cor.*, I, 2 [315b 24 - 316a 4]; *Phy.*, IV, 2 [209b 6-13].

[7] *In* I *De Gen. et Cor.*, 13 [S 93]
Tertio ibi: Quam nunquam etc., ostendit communiter quod nihil horum potest esse materia corporum. Quia scilicet, secundum eos [sc. Platonicos], mathematica sunt separata a formis naturalibus et passionibus sensibilibus, sicut secundum intellectum, ita et secundum esse; sed materia non potest separari a formis naturalibus et passionibus sensibilibus; ergo impossibile est quod aliquid mathematicorum sit materia corporum naturalium.
    Primo ergo proponit medium suae rationis, dicens: quam, scilicet materiam, neque possibile est esse sine passione, idest passibili qualitate, neque sine forma, vel morphe, quod idem est: sine quibus tamen, secundum Platonicos, sunt mathematica.

Source: Aristotle, *Meta.*, I, 6 [987b 7-18]; VII, 14 [1039a 24-33]; Boethius, *In Isag.*, *ed. sec.*, I, 10; 11 [CSEL 48, 163.14-22; 167.7-11]; Abelard, *Glossae super Porphyrium* [Geyer, 25.15 - 26.15].

Quaestiones super librum Boetii De Trinitate

[1] *In B. de Trin.*, 1, 4, *arg.* 8 *et ad* 8
Item. Platonici non habuerunt cognitionem de Deo nisi per rationem. Sed ipsi posuerunt ad minus duas personas, scilicet Patrem et Mentem ab ipso genitam, qui omnium rerum rationes continet, quod nos dicimus de Filio. Ergo et ratione naturali potest personarum pluralitas cognosci.

Ad octavum dicendum, quod Platonicorum positio nihil facit ad propositum secundum rei veritatem, quamvis videatur facere secundum verba. Non enim posuerunt quod illa mens esset ejusdem essentiae cum Deo Patre, sed quod esset quaedam alia substantia separata a prima procedens; et tertiam ponebant animam mundi, ut patet per Macrobium. Et quia omnes substantias separatas deos vocabant, inde est quod istas vocabant seu dicebant tres deos, ut dicit Augustinus 10 de civ. Dei. Quia tamen non ponebant aliquid Spiritui sancto simile, sicut Patri et Filio (anima enim mundi non est nexus illorum duorum secundum eos, sicut Spiritus sanctus Patris et Filii); ideo dicuntur in tertio signo defecisse, idest in cognitione tertiae personae. Vel dicendum, sicut communiter dicitur, quod cognoverunt duas personas quantum ad appropriata potentiae et sapientiae, non autem quantum ad propria. Bonitas autem quae Spiritui sancto appropriatur, maxime respicit effectus quos illi non cognoverunt.

Source: See *Source* under *In Sent.* [2].

[2] *In B. de Trin.*, 3, 4, *c.*
Respondeo dicendum, quod Arianorum positio, inaequalitatem in divinis personis constituens, non est catholicae fidei confessio, sed magis gentilis impietas: quod sic patet. Apud gentiles enim omnes substantiae immortales dii dicebantur. Inter has autem dicebant vel ponebant Platonici tres personas principales, ut patet per Augustinum de civ. Dei lib. 10, et per Macrobium super somnium Scipionis: scilicet Deum omnium creatorem, quem dicebant tantum Patrem propter hoc quod ab ipso omnia deducebantur; et quamdam inferiorem substantiam, quam paternam mentem, sive paternum intellectum dicebant, plenam omnium rerum ideis, et hanc factam a Deo Patre dicebant; et post haec ponebant animam mundi quasi spiritum vitae totius mundi. Et has tres substantias tres principales deos nominabant, et tria principia, per quae animae purgarentur. Origenes autem Platonicis documentis insistens, arbitratus est, hoc modo in fide ponendum esse; quia dicitur 1 Joan. ult. 7: 'Tres sunt qui testimonium dant in caelo:' sicut Platonici tres principales substantias posuerunt: unde posuit Filium esse creaturam et minorem Patre in lib. qui dicitur Periarchon, idest de principiis, ut patet per Hieronymum in quadam epistola de erroribus Origenis.

Source: See *Source* under *In Sent.* [2].

[3] *In B. de Trin.*, 5, 2, *arg.* 1
Materia enim est individuationis principium. Sed nulla scientia est de individuis, sed de solis universalibus, secundum sententiam Platonis, quae ponitur in Porphyrio. Ergo scientia naturalis non est de his, quae sunt in materia.

Source: Boethius, *Porphyrii Intro. Translata* [CG IV, 31.22 - 32.23].

[4] *In B. de Trin.*, 5, 2, *c.*
Dicendum quod propter difficultatem huius quaestionis coactus est Plato ad ponendum ideas. Cum enim, ut dicit Philosophus in I Metaphysicorum, crederet omnia sensibilia semper esse in fluxu secundum opinionem Cratuli et Heracliti, et ita existimaret de eis non posse esse scientiam, posuit quasdam substantias a sensibilibus separatas, de quibus essent scientiae et darentur definitiones.
Source: Aristotle, *Meta.*, I, 6 [987a 29 - b 7].

[5] *In B. de Trin.*, 5, 3, *c.*
Et quia quidam non intellexerunt differentiam duarum ultimarum a prima, inciderunt in errorem, ut ponerent mathematica et universalia a sensibilibus separata, ut Pythagorici et Platonici.
Source: Aristotle, *Meta.*, I, 6 [987b 7-18]; VII, 14 [1039a 24-33]; Boethius, *In Isag.*, ed. sec., I, 10; 11 [CSEL 48, 163.14-22; 167.7-11]; Abelard, *Glossae super Porphyrium* [Geyer, 25.15-26.15].

[6] *In B. de Trin.*, 5, 4, *arg.* 2 *et ad* 2
Praeterea, illud cui aliquo modo motus convenit, non est omnino a motu et materia separatum. Sed motus aliquo modo Deo convenit; unde dicitur Sap. VII. de spiritu sapientiae, quod est mobilis et mobilior omnibus mobilibus. Et Augustinus dicit VIII super Genes., quod Deus movet [se] sine tempore et loco; et Plato posuit primum movens movere seipsum. Ergo scientia divina, quae de Deo determinat, non est omnino a motu separata.
Ad secundum dicendum quod moveri [Deo] non attribuitur proprie, sed quasi metaphorice, et hoc dupliciter: uno modo, secundum quod improprie operatio intellectus vel voluntatis motus dicitur, et secundum hoc dicitur aliquis movere seipsum, quando intelligit vel diligit se, et per hunc modum potest verificari dictum Platonis, qui dixit, quod primus motor movet seipsum, quia scilicet intelligit et diligit se, ut Commentator dicit in VIII Physicorum;...
Source: Averroes, *In VIII Phy.*, com. 40 [Z 357], and see *Source* under *In Sent.* [3].

Expositio in librum Boetii De Hebdomadibus

[1] *In B. de Hebd.*
Hoc etiam verum est secundum sententiam Platonis, qui posuit aliam esse ideam animalis, et bipedis hominis.
Source: Aristotle, *Meta.*, I, 9 [991a 26-28].

[2] *In B. de Hebd.*, 2
Puta, secundum opinionem Platonis, ponamus formam immaterialem subsistere, quae sit idea et ratio hominum materialium, et aliam formam quae sit idea et ratio equorum:...
Source: Aristotle, *Meta.*, I, 6 [987b 1-14]; VII, 14 [1039a 30-32]; *Eth.*, I, 6 [1096a 35 - b 3].

Comm. in librum Dionysii de Divinis Nominibus

[1] *In De Div. Nom., Prooem.*, IIa

Est autem considerandum quod beatus Dionysius in omnibus libris suis obscuro utitur stilo. Quod quidem non ex imperitia fecit, sed ex industria ut sacra et divina dogmata ab irrisione infidelium occultaret. Accidit etiam difficultas in praedictis libris, ex multis:

a) Primo, quidem, quia plerumque utitur stilo et modo loquendi quo utebantur platonici, qui apud modernos est inconsuetus. Platonici enim omnia composita vel materialia, volentes reducere in principia simplicia et abstracta, posuerunt species rerum separatas, dicentes quod est homo extra materiam, et similiter equus, et sic de aliis speciebus naturalium rerum. Dicebant, ergo, quod hic homo singularis sensibilis non est hoc ipsum quod est homo, sed dicitur homo participatione illius hominis separati. Unde in hoc homine sensibili invenitur aliquid quod non pertinet ad speciem humanitatis, sicut materia individualis et alia huiusmodi. Sed in homine separato nihil est nisi quod ad speciem humanitatis pertinet. Unde hominem separatum appellavit per se hominem, propter hoc quod nihil habet nisi quod est humanitatis; et principaliter hominem, inquantum humanitas ad homines sensibiles derivatur ab homine separato, per modum participationis. Sic etiam dici potest quod homo separatus sit super homines et quod homo separatus sit humanitas omnium hominum sensibilium, inquantum natura humana pure competit homini separato, et ab eo in homines sensibiles derivatur.[1]

Nec solum huiusmodi abstractione Platonici considerabant circa ultimas species rerum naturalium, sed etiam circa maxime communia, quae sunt bonum, unum et ens.

Ponebant, enim, unum primum quod est ipsa essentia bonitatis et unitatis et esse, quod dicimus Deum et quod omnia alia dicuntur bona vel una vel entia per derivationem ab illo primo. Unde illud primum nominabant ipsum bonum vel per se bonum vel principale bonum vel superbonum vel etiam bonitatem omnium bonorum seu etiam bonitatem aut essentiam et substantiam, eo modo quod de homine separato expositum est.[2]

Haec igitur Platonicorum ratio fidei non consonat nec veritati, quantum ad hoc quod continet de speciebus naturalibus separatis, sed quantum ad id quod dicebant de primo rerum Principio, verissima est eorum opinio et fidei christianae consona.

Unde Dionysius Deum nominat quandoque ipsum quidem bonum aut superbonum aut principale bonum aut bonitatem omnis boni. Et similiter nominat Ipsum supervitam, supersubstantiam et ipsam Deitatem thearchicam, idest principalem Deitatem, quia etiam in quibusdam creaturis recipitur nomen deitatis secundum quamdam participationem.

Source: 1. Aristotle, *Meta.*, I, 6 [987b 1-18]; VII, 14; 16 [1039a 30-32; 1040b 32-34]; *Eth.*, I, 6 [1096a 35 - b 3].
    2. Aristotle, *Eth.*, I, 6 [1096a 22-23; 1096a 35 - b 3]; Boethius, *De Con. Phil.*, III, *Prosa* X [F 90.127-137]; *Prosa* XI [F 91-95]; Macrobius, *In Som. Scip.*, I, 2, 13-14 [E 471.9-12]; I, 6, 7-8 [E 486.1-14]; St. Augustine, *De Civ. Dei*, VIII, 6 [A-C]; 8 [F]; Dionysius, *De Div. Nom.*, 4, 1 [P 95]; 5, 1 [P 257];

5, 3 [P 259-260]; 13, 2 [P 439-444]; Proclus, *Elementatio Theologica*, interp. Moer., *Props*. 12-13 [V 269-270].

[2] *In De Div. Nom.*, 1, 3 [94]

Est autem ulterius considerandum quod omnis effectus convertitur ad causam a qua procedit, ut Platonici dicunt. Cuius ratio est quia unaquaeque res convertitur ad suum bonum, appetendo illud; bonum autem effectus est ex sua causa, unde omnis effectus convertitur ad suam causam, appetendo ipsam. Et ideo postquam dixerat quod a Deitate deducuntur omnia, subiungit quod omnia convertuntur ad Ipsam per desiderium; et hoc est quod dicit: et omnia Ipsam desiderant.

Source: Proclus, *Elementatio Theologica*, interp. Moer., *Prop*. 31 [V 278-279].

[3] *In De Div. Nom.*, 1, 3 [100]

Deinde, cum dicit: Et vere laudatur... excludit quorumdam errorem. Fuerunt enim quidam Platonici qui processiones perfectionum ad diversa principia reducebant, ponentes unum principium esse vitae, quod appellabant primam vitam, et aliud principium esse intelligendi, quod appellabant primum intellectum et aliud existendi quod appellabant primum ens et bonum. Et ad hoc excludendum, dicit quod Deus vere laudatur ut principalis substantia omnium, inquantum est principium existendi omnibus; et dicitur causa perfectiva omnium, inquantum dat omnes perfectiones rebus; et dicitur causa contentiva, custodia et cibus, quae tria ad conservationem rerum pertinere videntur.

Source: Proclus, *Elementatio Theologica*, interp. Moer., *Prop*. 101 [V 491]; and see *Source 2* under *In De Div. Nom.* [1].

[4] *In De Div. Nom.*, 2, 1 [113]

Totum autem hic non accipitur secundum quod ex partibus componitur, sic enim Deitati congruere non posset, utpote Eius simplicitati repugnans, sed prout secundum Platonicos totalitas quaedam dicitur ante partes, quae est ante totalitatem quae est ex partibus; utpote si dicamus quod domus, quae est in materia, est totum ex partibus et quae praeexistit in arte aedificatoris, est totum ante partes. Et in hunc modum tota rerum universitas, quae est sicut totum ex partibus, praeexistit sicut in primordiali causa in ipsa Deitate; ut sic, ipsa Deitas Patris et Filii et Spiritus Sancti, dicatur tota, quasi praehabens in se universa.

Source: Eustratius, *In Eth. Nicom.*, I, 4 [CG 20, 40.22 - 41.4]; Proclus, *Elementatio Theologica*, interp. Moer., *Prop*. 67 [V 290].

[5] *In De Div. Nom.*, 3, 1 [226]

Et ad huiusmodi nominationem accipiendam, considerandum est quod Platonici, materiam a privatione non distinguentes, ponebant eam in ordine non-entis,[1] ut dicit Aristoteles in I Physicorum. Causalitas autem entis non se extendit nisi ad entia. Sic igitur secundum eos causalitas entis non se extendebat ad materiam primam, ad quam tamen se extendit causalitas boni. Cuius signum est quod ipsa maxime appetit bonum. Proprium autem est effectus ut convertatur per desiderium in suam causam. Sic igitur bonum est universalior et altior causa quam ens, quia ad plura se extendit eius causalitas.[2]

Source: 1. Aristotle, *Phy.*, I, 8 [192a 2-6].
       2. Proclus, *Elementatio Theologica*, interp. Moer., *Prop.* 31 [V 278]; *Prop.* 60 [V 287-288]; *Prop.* 72 [V 292].

[6] *In De Div. Nom.*, 3, 1 [241]

Ad hoc autem quod ista exempla ad propositum adaptentur, considerandum quod circa orationem secundum quinque opiniones oportet diversimode iudicare:... e) quinta fuit opinio quorumdam Platonicorum dicentium quod divina Providentia immutabilis est, sed sub ea res aliquae mutabiliter et contingenter continentur.

Source: A similar theory is attributed to Plato by Nemesius (*De Nat. Hom.*, 38 [PG 40, 753; 756]).

[7] *In De Div. Nom.*, 4, 1 [276]

Et dicuntur intelligibiles, inquantum sunt actu secundum suam naturam et intellectuales, inquantum actu intelligunt; quamvis Platonici in substantiis separatis distinguerent intelligibilia ab intellectualibus. Nam intellectus per participationem intelligibilis fit intelligens et ideo intelligibile est magis abstractum et altius.

Source: Proclus, *Elementatio Theologica*, interp. Moer., *Prop.* 101 [V 491]; *Prop.* 161 [V 512-513]; *Prop.* 163 [V 513].

[8] *In De Div. Nom.*, 4, 2 [295]

Deinde, cum dicit: Si autem... prosequitur de materia prima. Circa quod considerandum est quod Plato correxit errorem antiquorum naturalium, qui non distinxerunt inter materiam et formam in rebus generabilibus et corruptibilibus, ponentes primam materiam esse aliquod corpus in actu, ut ignem aut aërem aut aliquod huiusmodi.[1] Intellexit enim Plato formae corporali subesse materiam quae in sui essentia non habet aliquam speciem;[2] sed tamen materiam a privatione non distinxit,[3] ut Aristoteles dicit in I Physicorum. Unde tam ipse quam sui sectatores materiam appellabant 'non-ens,'[3] propter privationem adiunctam. Et hoc modo loquendi etiam Dionysius utitur, quamvis secundum Aristotelem necessarium sit materiam a privatione distinguere, quia materia quandoque invenitur sub forma, quandoque sub privatione; unde privatio adiungitur ei per accidens.

Source: 1. Aristotle, *Meta.*, I, 6 [988a 18 - 988b 6].
       2. See *Source* under *In Meta.* [28].
       3. Aristotle, *Phy.*, I, 8 [192a 2-6].

[9] *In De Div. Nom.*, 4, 2 [296]

Item, considerandum est, secundum Platonicos, quod quanto aliqua causa est altior, tanto ad plura se extendit eius causalitas. Unde oportet quod id quod est primum subiectum in effectibus, idest materia prima, sit effectus solius primae Causae quae est bonum, causalitate secundarum causarum usque ad hoc non pertingente. Omne autem causatum convertitur in suam causam per desiderium, unde materia prima desiderat bonum, secundum quod desiderium nihil aliud esse videtur quam privatio et ordo ipsius ad actum.

Source: *Liber De Causis*, 1 [B 163.3-4].

[10] *In De Div. Nom.*, 4, 5 [340]

Quomodo autem Deus sit causa claritatis, ostendit subdens, quod Deus immittit omnibus creaturis, cum quodam fulgore, traditionem sui radii luminosi, qui est fons omnis luminis; quae quidem traditiones fulgidae divini radii, secundum participationem similitudinis sunt intelligendae et istae traditiones sunt pulchrificae, idest facientes pulchritudinem in rebus. Rursus exponit aliud membrum, scilicet quod Deus sit causa consonantiae in rebus; est autem duplex consonantia in rebus: prima quidem, secundum ordinem creaturarum ad Deum et hanc tangit cum dicit quod Deus est causa consonantiae, sicut vocans omnia ad seipsum, inquantum convertit omnia ad seipsum sicut ad finem, ut supra dictum est et propter hoc pulchritudo in graeco callos dicitur quod est a vocando sumptum; secunda autem consonantia est in rebus, secundum ordinationem earum ad invicem; et hoc tangit cum subdit, quod congregat omnia in omnibus, ad idem. Et potest hoc intelligi, secundum sententiam Platonicorum, quod superiora sunt in inferioribus, secundum participationem; inferiora vero sunt in superioribus, per excellentiam quamdam et sic omnia sunt in omnibus; et ex hoc quod omnia in omnibus inveniuntur ordine quodam, sequitur quod omnia ad idem ultimum ordinentur.

Source: *Liber De Causis*, 11 [B 175]; Proclus, *Elementatio Theologica*, interp. Moer., *Prop.* 103 [V 492].

[11] *In De Div. Nom.*, 4, 21 [550]
Quidam ergo posuerunt naturam universalem esse aliquid separatum, communiter se habens ad omnia naturalia, sicut homo separatus, secundum Platonicos, communiter se habet ad homines singulares. Sed quia species rerum non sunt separatae, sed ipsae formae in materia existentes sunt principia actionum, ut probatur in VII Metaphys., melius est dicendum quod natura universalis dicitur vis activa primi corporis, quod est primum in genere causarum naturalium.

Source: Proclus, *Elementatio Theologica*, interp. Moer., *Prop.* 21 [V 273-274]; *Prop.* 109 [V 494].

[12] *In De Div. Nom.*, 4, 21 [559]
Circa primum, sciendum est quod apud multos antiquorum vulgariter dicebatur quod materia est secundum se mala et hoc ideo quia non distinguebant inter privationem et materiam; privatio autem est non-ens et malum. Unde, sicut Plato, dicebant materiam esse non-ens et ita quidem materiam esse secundum se malam. Sed Aristoteles in I Physic. dicit quod materia non est non-ens nec malum, nisi per accidens, idest ratione privationis quae ei accidit; et hoc est etiam quod hic Dionysius dicit quod in materia non est malum, secundum quod est materia; et hoc probat tribus rationibus;...

Source: Aristotle, *Phy.*, I, 8 [192a 2-6].

[13] *In De Div. Nom.*, 5, 1 [606]
Postquam Dionysius tractavit de bono in 4⁰ capitulo, hic in 5⁰ determinat de ente; de quo determinat primum post bonum, quia bonum quodammodo ad plura se extendit, ut Platonici dixerunt: nam etiam non existens actu, quod est ens in potentia, ex hoc ipso quod habet ordinem ad bonum, habet rationem boni; sed causalitatem entis participat quando fit ens actu. Et quia quidam ponebant res fieri in actu, secundum aliquod exemplum alicuius formae praeexistentis, ideo in

capitulo de ente, determinat etiam et de exemplis ad quae sunt entia, ut ex titulo patet.

Source: See *In De Div. Nom.* [5].

[14] *In De Div. Nom.*, 5, 1 [612]
Deinde, cum dicit: Non autem... excludit errorem quorumdam Platonicorum qui universales effectus in intelligibiliores causas reducebant. Et quia videbant effectum boni universalissimum esse, dicebant suam causam esse ipsum bonum quod effundit bonitatem in omnia, et sub ea ponebant aliam causam quae dat vitam et sic de aliis et huiusmodi principia dicebant deos.

Source: Proclus, *Elementatio Theologica*, interp. Moer., *Prop.* 101 [V 491]; *Prop.* 60 [V 287-288]; *Prop.* 139 [V 505]; *Prop.* 12 [V 269-270].

[15] *In De Div. Nom.*, 5, 1 [625]
Deinde, enumerat ea quae ad esse pertinere videntur: et primo, ponit duo universalia: scilicet existens et mentem, idest intellectum. Nam mens comprehensiva est totius esse. Sed quia mens, idest intellectus non fit actu intelligens nisi per participationem intelligibilis quod est ipsum existens, posuerunt Platonici quod ipsum existens, quod separatum ponebant, est supra intellectum creatum primum, sicut intelligibile est ante intelligens et participatum ante participans. Et propter hoc, Dionysius hic dixit, quod Deus est et ipsius existentis causa creatrix et ipsius mentis.

Source: *Liber De Causis*, 4 [B 166.19-21]; Proclus, *Elementatio Theologica*, interp. Moer., *Prop.* 161 [V 513]; *Prop.* 163 [V 513]; *Prop.* 164 [V 514]; *Prop.* 167 [V 514-515].

[16] *In De Div. Nom.*, 5, 1 [634]
Ad cuius evidentiam sciendum est quod Platonici, quos multum in hoc opere Dionysius imitatur, ante omnia participantia compositionem, posuerunt separata per se existentia, quae a compositis participantur; sicut ante homines singulares qui participant humanitatem, composuerunt hominem separatum sine materia existentem, cuius participatione singulares homines dicuntur.[1] Et similiter dicebant quod, ante ista viventia composita, esset quaedam vita separata, cuius participatione cuncta viventia vivunt, quam vocabant per se vitam; et similiter per se sapientiam et per se esse.[2] Haec autem separata principia ponebant ab invicem[3] diversa a primo principio quod nominabant per se bonum et per se unum.[4]

Source: 1. Aristotle, *Meta.*, I, 6 [987b 1-14]. See *Source* under *S.T.* [56].
2. Proclus, *Elementatio Theologica*, interp. Moer., *Prop.* 101 [V 491]; ['Per se sapientia' is supplied by the *littera*].
3. Aristotle, *Meta.*, I, 6 [987b 1-14].
4. See 3 above. Also cf. Proclus, *op. cit.*, *Prop.* 12 [V 269-270]; *Prop.* 13 [V 270]; *Prop.* 115 [V 496]; *Prop.* 101 [V 491].

[17] *In De Div. Nom.*, 5, 1 [639]
Etiam si aliquis velit dicere, secundum opinionem Platonicorum, quod per se vita, idest vita quaedam separata sub Deo, sit principium viventium, inquantum sunt viventia et similium, per se similitudo et similiter de omnibus aliis participantibus, quaecumque participant hoc vel illo

vel ambobus vel multis, semper invenies quod huiusmodi, licet participentur ab aliis, tamen ipsa etiam participant ipso esse, et primo intelliguntur ut participantes esse, quam quod sint principia aliorum, per
hoc quod ab aliis participantur. Potest autem et hoc intelligi, secundum
quod per se vita intelligitur ipsa vita quae inest viventibus, quae est
formale viventibus principium et similiter de aliis. Ergo si ista quae
sunt principia aliorum, non sunt nisi per participationem essendi, multo magis ea quae participant ipsis, non sunt nisi per participationem
ipsius esse. Et sic patet quod Deus per ipsum esse omnia causat. Ex quo
concludit principale intentum et dicit quod Deus, qui est per se bonitas et primo proponens idest tribuens rebus creatis hoc donum quod
est per se esse, laudatur hoc nomine, quod est quasi a digniore et prima
suarum participationum.

Source: Proclus, *Elementatio Theologica*, interp. Moer., *Prop.* 101 [V 491].

[18] *In De Div. Nom.*, 5, 1 [646]
Tertium exemplum ponit de natura universali, quae, secundum Platonem, est aliqua substantia separata;...

Source: Proclus, *Elementatio Theologica*, interp. Moer., *Prop.* 21 [V 273-
        274]; *Prop.* 109 [V 494].

[19] *In De Div. Nom.*, 5, 3 [664]
Circa primum, considerandum est quod Platonici, ponentes Deum
esse totius esse causam,[1] quia credebant quod idem non posset esse causa plurium, secundum propria in quibus differunt, sed solum secundum
id quod est omnibus commune,[2] posuerunt quasdam secundas causas
per quas res ad proprias naturas determinantur et quae communiter
esse a Deo recipiunt et has causas exemplaria rerum vocabant, sicut
exemplar hominis dicebant quemdam hominem separatum, qui esset
causa humanitatis omnibus singularibus hominibus; et similiter de
aliis.[3]

Source: 1. St. Augustine, *De Civ. Dei*, VIII, 4 [F]; X, 31 [A-B];
           Proclus, *Elementatio Theologica*, interp. Moer., *Prop.* 12 [V
           269-270]. See also *Source* 3 under *S.T.* [3].
        2. Proclus, *Elementatio Theologica*, interp. Moer., *Prop.* 21 [V
           273-274].
        3. Aristotle, *Meta.*, I, 9 [991a 20 - b 1]; VII, 8; 14; 16 [1033b
           19 - 1034a 8; 1039a 30-32; 1040b 32-34]; XII, 4 [1071a
           17-30]; *Eth.*, I, 6 [1096a 35 - b 3].

[20] *In De Div. Nom.*, 11, 4 [931-933]
Deinde, cum dicit: Hoc autem... excludit erroneum intellectum. Ad
cuius evidentiam sciendum est quod Platonici, ponentes ideas rerum
separatas,[1] omnia quae sic in abstracto dicuntur, posuerunt in abstracto
subsistere[2] causas secundum ordinem quemdam;[3] ita scilicet quod
primum rerum principium dicebant esse per se bonitatem et per se
unitatem et hoc primum principium, quod est essentialiter bonum et
unum, dicebant esse summum Deum.[4] Sub bono autem ponebant esse,
ut supra dictum est et sub esse ponebant vitam et sic de aliis. Et ideo
dicebant sub summo Deo, esse quamdam divinam substantiam quae
nominatur per se esse et sub hac aliam, quae nominatur per se vita.[5]
  Hoc ergo excludere intendens, dicit quod id quod supra dixerat,

quod per se esse et per se vita primo a Deo subsistunt, non est aliquid erroneum, sed est rectum et planas manifestationes habens: non enim nominamus per se esse aliquam substantiam divinam aut angelicam, quae sit causa essendi omnibus; addit autem angelicam, quia quos Platonici deos secundos dicebant, nos Angelos nominamus.[6] Solum enim ipsum esse supersubstantiale divinum est principium et substantia et causa quod omnia existentia sint: ut hoc quod dicit principium referatur ad ordinem naturae, secundum quod esse divinum praecedit omnia entia; substantia, vero, importet rationem exemplaris: id enim cuius substantia est suum esse, est exemplar omnium existentium; quod autem dicitur causa pertinet ad hoc quod dat esse existentibus. Similiter autem cum dicimus per se vitam, non intelligimus quamdam deitatem causativam vitae, quae sit alia praeter vitam summi Dei, qui est causa omnium quae vivunt et etiam ipsius per se vitae.

Et ut in summa omnia colligamus, non dicimus esse aliquas essentias et hypostases separatas quae sint principia rerum et creatrices earum, quas Platonici dixerunt esse deos existentium et creatores, quasi per se operantes ad rerum productionem.[7] Huiusmodi autem deos, si vere et proprie loqui volumus, dicamus non existere in rebus; neque illi qui tales deos posuerunt, per aliquam certitudinem scientiae hoc invenerunt aut ipsi aut patres eorum; quia neque primi Platonici neque posteriores, huius rei scientiam per certas et firmas scientias accipere potuerunt, sed per quasdam humanas rationes decepti sunt ad opinandum.

Source: 1. Aristotle, *Meta.*, I, 6 [987b 1-19].
2. *Ibid.* [987b 7-18]; VII, 14 [1039a 24-33]; Boethius, *In Isag.*, *ed. sec.*, I, 10; 11 [CSEL 48, 163.14-22; 167.7-11]; Abelard, *Glossae super Porphyrium* [Geyer, 25.15 - 26.15].
3. St. Thomas connects this doctrine with Aristotle, *Meta.*, I, 9 [991a 27-29].
4. Aristotle, *Eth.*, I, 6 [1096a 22-23; 1096a 35 - b 3]; Boethius, *De Con. Phil.*, III, *Prosa* X [F 90.127-137]; *Prosa* XI [F 91-95]; Macrobius, *In Som. Scip.*, I, 2, 13-14 [E 471.9-12]; I, 6, 7-8 [E 486.1-14]; St. Augustine, *De Civ. Dei*, VIII, 6 [A-C]; 8 [F]; Dionysius, *De Div. Nom.*, 4, 1 [P 95]; 5, 1 [P 257]; 5, 3 [P 259-260]; 13, 2 [P 439-444]; Proclus, *Elementatio Theologica*, interp. Moer., *Props.* 12-13 [V 269-270].
5. Proclus, *op. cit.*, *Prop.* 92 [V 299]; *Prop.* 101 [V 491].
6. Nemesius, *De Nat. Hom.*, 44 [PG 40, 793; 796]; St. Augustine, *De Civ. Dei*, IX, 23; XII, 16 [C; D]; Plato, *Timaeus*, interp. Chal., 15-16 [D II, 168-169]; *Liber De Causis*, 3 [B 165.1-3; 166.15]; 18 [B 180.9].
7. *Littera.*

[21] *In De Div. Nom.*, 13, 2 [981]
Patet ergo ex praemissis, quod unum quinque modis habet rationem principii: uno modo, sicut participatum participantium;[1] alio modo, sicut universale a quo non convertitur consequentia essendi.[2] Et hi duo modi procedunt secundum opinionem Platonis.

Source: 1. Proclus, *Elementatio Theologica*, interp. Moer., *Prop.* 24 [V 275].
2. See Aristotle, *Meta.*, V, 11 [1019a 1-4] and St. Thomas' comment (*Lectio* 13 [950]).

[22] *In De Div. Nom.*, 13, 3 [994]

Est autem considerandum quod Platonici posuerunt Deum summum esse quidem super ens et super vitam et super intellectum, non tamen super ipsum bonum quod ponebant primum principium. Sed ad hoc excludendum, Dionysius subdit quod neque ipsum nomen bonitatis afferimus ad divinam praedicationem, sicut concordantes ipsi, quasi hoc nomen per quamdam aequiparantiam Ei respondeat. Sed quia desiderabile est nobis ut de illa ineffabili Dei natura aliquid quantumcumque modicum intelligamus et dicamus, consecramus Deo, primo et principaliter, dignissimum nominum, quod est bonum.

Source: Proclus, *Elementatio Theologica*, interp. Moer., *Prop.* 92 [V 299]; *Prop.* 101 [V 491].

In librum de Causis Expositio

[1] *In L. De Causis*, 1

Et in graeco quidem invenitur, scilicet traditus liber Proculi Platonici, continens ducentas et novem propositiones, qui intitulatur Elevatio theologica. In arabico vero invenitur hic liber, qui apud latinos de Causis dicitur, quem constat de arabico esse translatum, et in graeco penitus non haberi. Unde videtur ab aliquo philosophorum arabum ex praedicto libro Proculi excerptus; praesertim quia omnia quae in hoc libro continentur, multo plenius et diffusius continentur in illo.

Source: The conclusion is the result of St. Thomas' own comparison of the two works.

[2] *In L. De Causis*, 2

Quaecumque igitur res cum indeficientia essendi habet immobilitatem, et est absque temporali successione, potest dici aeterna: et secundum hunc modum substantias immateriales separatas Platonici et Peripatetici aeternas dicebant, superaddentes ad rationem aeternitatis, quod semper esse habuit, quod fidei christianae non est consonum;...

Source: *Littera.* Cf. St. Augustine, *De Civ. Dei*, IX, 8 [E]; X, 31; Macrobius, *In Som. Scip.*, II, 13, 7-12 [E 616-618].

[3] *In L. De Causis*, 2

Proculus enim hanc propositionem inducit secundum platonicorum suppositiones, qui universalium abstractionem ponentes,[1] quanto aliquid est abstractius et universalius, tanto prius esse ponebant. Manifestum est enim quod haec dictio aeternitas abstractius est quam aeternum. Nam nomine aeternitatis ipsa essentia aeternitatis designatur. Nomine autem aeterni, id quod aeternitatem participat.[2] Rursumque ipsum esse communius est quam aeternitas: omne enim aeternum est ens, non autem omne ens est aeternum. Unde per dicta, ipsum esse separatum est ante aeternitatem; id autem quod est cum aeternitate est ipsum esse sempiternum. Id autem quod est aeternitatem participans, et quasi post aeternitatem, est omne id quod esse aeternum participat.[3] Sed hujus libri auctor in primo quidem aliqualiter cum praedictis propositionibus concordat. Unde exponit, quod esse quod est ante aeternitatem, est causa prima, quoniam est causa aeternitati. Et ad hoc probandum inducit quod in ipsa, idest aeternitate, est omne acquisitum idest participatum. Et hoc probat, quia ea quae sunt minus communia participant ea quae sunt magis communia: aeternitas autem est minus commune quam esse. Unde subdit: Et dico, quod omnis aeternitas est esse: sed non omne esse est aeternitas, ergo esse est plus commune quam aeternitas. Sic igitur probat auctor quod aeternitas participat esse: ipsum autem esse abstractum est causa prima, cujus substantia est suum esse. Unde relinquitur quod causa prima est causa a qua acquiritur esse sempiternum cuique rei semper existenti. Sed in aliis duobus membris divisionis recedit auctor hujus libri ab intentione Proculi, et magis accedit ad communes sententias et platonicorum,[4] et peripateticorum. Exponit enim secundum gradum qui cum aeternitate est intelligentia. Quia enim aeternitas, ut dictum est, importat indeficientiam cum immobilitate, illud quod secundum omnia est indeficiens et immobile, totaliter attingit aeternitatem. Ponitur autem secundum praedictos philosophos, quod intelligentia sive intellectus separatus habet indeficientiam et immobilitatem, et quantum ad esse, et quantum ad virtutem, et quantum ad operationem:[3] unde centesima sexagesima nona propositio Proculi est: Omnis intellectus in aeternitate substantiam habet, et potestatem, et operationem. Et secundum hoc probatur hic, quod intelligentia est cum aeternitate: quia est omnino secundum habitudinem unam, ita quod non patiatur aliquam alteritatem, nec virtutis nec operationis, neque destruitur secundum substantiam. Et propter hoc etiam postea dicit quod parificatur aeternitati, quoniam extenditur cum ea et non alteratur. Quia scilicet ad omne id quod est intelligentiae, aeternitas se extendit. Tertium vero gradum exponit de anima quae habet esse superius, idest supra motum et tempus: hujusmodi enim anima magis appropinquat ad motum quam intelligentia: quae ut intelligentia non attingitur a motu neque secundum substantiam, neque secundum operationem: anima autem secundum substantiam quidem excedit tempus et motum et attingit aeternitatem: sed secundum operationem attingit motum: quia ut philosophi probant oportet omne quod movetur ab aliquo reduci in aliquod primum quod seipsum movet.[5]...

Source: 1. Aristotle, *Meta.*, I, 6 [987b 7-18]; VII, 14 [1039a 24-33];
　　　　　　 Boethius, *In Isag., ed. sec.*, I, 10; 11 [CSEL 48, 163.14-22;
　　　　　　 167.7-11]; Abelard, *Glossae super Porphyrium* [Geyer, 25.15-
　　　　　　 26.15].
　　　　2. Proclus, *Elementatio Theologica*, interp. Moer., *Prop.* 53 [V
　　　　　　 285].
　　　　3. *Ibid., Prop.* 88 [V 298].
　　　　4. *Littera.* Proclus, *op. cit., Prop.* 169 [V 515-516].
　　　　5. See *Source* under *In Sent.* [3].

[4] *In L. De Causis*, 3

Ex quo patet, quod anima nobilis dicitur hic anima divina. Ad cujus evidentiam sciendum est quod Plato posuit universales rerum formas separatas per se subsistentes.[1] Et quia hujusmodi formae universales universalem quamdam causalitatem habent, secundum ipsam habent particularia entia quae ipsa participant.[2] Ideo omnes hujusmodi formas subsistentes Deos vocabat.[3] Nam hoc nomen Deus universalem quamdam providentiam et causalitatem importat.[4] Inter has tamen formas hunc ordinem ponebat; quod quanto aliqua forma est universalior, tanto est magis simplex et prior causa: participatur enim a posterioribus formis.[5] Sicut si ponamus animal participari ab homine et vitam ab animali, et sic de aliis. Ultimum autem quod ab omnibus participatur, et ipsum nihil aliud participat, est ipsum unum et bonum separatum, quod dicebat summum Deum et primam omnium causam.[6] Unde et in libro Proculi inducitur propositio centesimadecimasexta talis. Omnis Deus participabilis est, idest participat, excepto uno. Et quia hujusmodi formae quas Deos dicebant, sunt secundum se intelligentes,[7] intellectus autem fit actu intelligens per speciem intelligibilem; sub ordine Deorum, idest praedictarum formarum, posuerunt ordinem intellectuum qui participent formas praedictas ad hoc quod sint intelligentes, inter quas formas est etiam intellectus idealis.[8] Sed intellectus praedicti participant praedictas formas secundum modum immobilem inquantum intelligunt eas.[9] Unde sub ordine intellectuum ponebant tertium ordinem animarum, quae mediantibus intellectibus participant formas praedictas secundum motum, inquantum scilicet sunt principia corporalium motuum, per quos superiores formae participant in materia corporali: et sic quartus ordo rerum est ordo corporum.[10] Inter intellectus autem superiores quidam dicebant esse divinos intellectus: inferiores autem intellectus quidem sed non divinos, quia intellectus idealis qui est per se Deus secundum eos, participatur quidem a superioribus intellectibus secundum utrumque, scilicet secundum quod est intellectus, et secundum quod est Deus; ab inferioribus vero intellectibus secundum quod est intellectus tantum; et ideo non sunt intellectus divini. Sortiuntur enim intellectus superiores non solum quod sint intellectus, sed etiam quod sint divini.[11] Similiter et cum animae applicentur diis mediantibus intellectibus quasi propinquioribus, ipsae etiam animae superiores sunt divinae propter intellectus divinos quibus applicantur vel quos participant: inferiores autem animae veluti applicatae intellectibus non divinis sunt non divinae.[12] Et quia corpora non recipiunt motum nisi per animam, consequens est etiam ut superiora corpora sint divina secundum eos, et inferiora corpora non divina.[13]

Source: 1. Aristotle, *Meta.*, I, 6 [987b 1-14]; VII, 14 [1039a 24-33].
2. See *Source* under *S.T.* [56].
3. St. Thomas identifies these Forms as in the Divine order of Proclus which lies between intellect and the One. Proclus, *Elementatio Theologica*, interp. Moer., *Prop.* 129 [V 501-502].
4. *Ibid.*, *Prop.* 113 [V 495]; *Prop.* 120 [V 498].
5. *Ibid.*, *Prop.* 60 [V 287-288]; *Prop.* 126 [V 500-501]; *Prop.* 24 [V 275].
6. Aristotle, *Eth.*, I, 6 [1096a 22-23; 1096a 35 - b 3]; Boethius, *De Con. Phil.*, III, *Prosa* X [F 90.127-137]; *Prosa* XI [F 91-95]; Macrobius, *In Som. Scip.*, I, 2, 13-14 [E 471.9-12]; I, 6, 7-8 [E 486.1-14]; St. Augustine, *De Civ. Dei*, VIII, 6 [A-C]; 8 [F]; Dionysius, *De Div. Nom.*, 4, 1 [P 95]; 5, 1 [P 257]; 5, 3 [P 259-260]; 13, 2 [P 439-444]; Proclus, *Elementatio Theologica*, interp. Moer., *Props.* 12-13 [V 269-270].
7. Proclus, *Elementatio Theologica*, interp. Moer., *Prop.* 124 [V 500].
8. *Ibid.*, *Prop.* 166 [V 514]; *Prop.* 167 [V 514-515].
9. *Ibid.*, *Prop.* 169 [V 515-516].

10. *Ibid.*, *Prop.* 129 [V 501-502]; *Prop.* 191 [V 524]; *Prop.* 194 [V 525]; *Prop.* 195 [V 525]; *Prop.* 201 [V 527].
11. *Ibid.*, *Prop.* 181 [V 520-521].
12. *Ibid.*, *Prop.* 184 [V 521].
13. *Ibid.*, *Prop.* 129 [V 501-502]; *Prop.* 20 [V 273]; *Prop.* 165 [V 514].

[5] *In L. De Causis*, 3

Secundum hoc igitur dicitur anima nobilis, idest divina anima caelestis corporis secundum opinionem Platonicorum, qui posuerunt caelum animatum.

Source: Macrobius, *In Som. Scip.*, I, 14 [E 529]; Boethius, *In Isag.*, *ed. sec.*, II, 5 [CSEL 48, 185.21-22]; III, 4 [CSEL 48, 209.1-2]; IV, 6 [CSEL 48, 257.9-10]; 7 [CSEL 48, 259.19-21]; St. Augustine, *De Civ. Dei*, XIII, 16 [E].

[6] *In L. De Causis*, 3

Sed hoc est contra positiones Platonicas, hujusmodi enim causalitates simplicium entium ponebant secundum participationem. Participatur autem, non quidem id quod est participans, sed id quod est primum, per essentiam scilicet tale: puta si albedo esset separata, ipsa albedo simplex esset causa omnium alborum inquantum sunt alba, non autem aliquid albedine participans.[1] Secundum hoc ergo Platonici ponebant, quod id quod est ipsum esse, est causa existendi omnibus; id autem quod est ipsa vita, est causa vivendi omnibus; id autem quod est ipsa intelligentia, est causa intelligendi omnibus.[2]

Source: 1. St. Thomas sees the Platonic relationship of particulars to separated causes in accordance with the fundamental pattern of participation set up in the First Book of Aristotle's *Metaphysics*. The standard examples are, therefore, the relationship of man to the separated *homo per essentiam*. See Aristotle, *Meta.*, I, 6 [987b 9-10]; (the albedo example) [991a 14-16; 991b 3-4; 992a 24-29]; VII, 14; 16 [1039a 30-32; 1040b 32-34]; *Eth.*, I, 6 [1096a 35 - b 3].
2. Proclus, *Elementatio Theologica*, interp. Moer., *Prop.* 101 [V 491]; Dionysius, *De Div. Nom.*, 11, 6 [P 344-345].

[7] *In L. De Causis*, 3

Unde Proculus dicit decimaoctava propositione sui libri: omne dans esse aliis, ipsum primo est hoc quod tradidit recipientibus durationem.[1] Cui sententiae concordat quod Aristoteles dicit in secundo Metaphysicorum, quod illud quod est primum et maxime ens, est causa subsequentium. Est ergo intelligendum quod ipsa essentia animae secundum praedicta, causata est a causa prima, quae est suum ipsum esse: sed consequentes participationes habet ab aliquibus posterioribus principiis: ita scilicet quod vivere habet a prima vita, et intelligere a prima intelligentia.[2] Unde etiam in vigesimaoctava propositione hujus libri dicitur: 'Res omnes habent essentiam per ens primum, et res vivae sunt per vitam primam, et res intellectuales habent scientiam propter intelligentiam primam.'[3] Sic ergo intelligit quod prima causa causavit esse animae mediante intelligentia: quod causa prima sola causavit essentiam animae: sed quod anima sit intellectualis, hoc habet ex operatione intelligentiae. Et hic sensus ostenditur manifeste per verba quae sequuntur. Postquam ergo, inquit, causavit causa prima esse animae posuit eam sicut stramentum intelligentiae, idest substravit eam operationi intelligentiae, ut scilicet intelligentia agat in ipsam operationem, scilicet dans ei ut sit intellectualis. Unde concludit quod propter hoc anima intellectualis efficit operationem intellectualem. Et hoc etiam concordat cum eo quod dictum est in prima propositione, quod effectus causae primae praeexistit effectui causae secundae, et universalius diffunditur. Esse enim quod est communissimum, diffunditur in omnia a causa prima: sed intelligere communicatur ab omnibus intelligentia: sed quibusdam praesupponendo esse quod habet a prima causa. Sed etiam haec propositio, si non sane intelligatur, repugnat veritati et sententiae Aristotelis; qui arguit in primo Metaphysicorum contra Platonicos ponentes hujusmodi ordinem causarum separatarum secundum ea quae de individuis praedicantur, quod sequitur quod Socrates erit multa animalia, scilicet ipse Socrates et homo separatus et etiam animal separatum; homo enim separatus participat animal, et ita est animal: Socrates autem participat utrumque, unde et est homo et est animal.[4] Non igitur Socrates esset vere unum si ab alio haberet quod esset animal, et ab alio quod esset homo. Unde cum esse intellectuale pertineat ad ipsam naturam animae, utpote essentialis differentia ejus; si ab alio habet esse, et ab alio naturam intellectivam, sequeretur quod non esset unum simpliciter. Oportet ergo dicere, quod a prima causa a qua habet essentiam, habet etiam intellectualitatem. Et hoc concordat sententiae Dionysii supra positae; scilicet quod non aliud sit ipsum bonum, ipsum esse, et ipsa vita, et ipsa sapientia: sed unum et idem, quod est Deus: a quo derivatur in res et quod sint et quod vivant, et quod intelligant, ut ipse ibidem dicit. Unde et Aristoteles in duodecimo Metaphysicorum, signanter attribuit Deo et intelligentiam et vivere, dicens quod ipse est vita et intelligentia, ut excludat praedictas Platonicas propositiones. Aliquo tamen modo potest habere veritatem, si referatur non ad naturam intellectualem, sed ad formas intelligibiles quas animae intellectivae recipiunt per operationem intelligentiarum; unde Dionysius dicit 10 cap. de Divinis nominibus, quod animae per angelos fiunt participes illuminationum a Deo emanantium.

Source: 1. Proclus, *Elementatio Theologica*, interp. Moer., *Prop.* 18 [V 272].
    2. See *Source* under *In De Causis* [6].
    3. B 17; Parma, 18.
    4. Aristotle, *Meta.*, I, 9 [991a 27-29].

[8] *In L. De Causis*, 4
Cujus quidem ratio est secundum positiones Platonicas, quia sicut supra dictum est, quanto aliquod est communius, tanto ponebant illud esse magis separatum, et quasi prius a posterioribus participatum, et sic esse posteriorum causam;[1] in ordine autem eorum, quae de rebus dicuntur, communissimum ponebat unum, et bonum communius etiam quam ens, quia bonum vel unum de aliquo invenitur praedicari, de quo non praedicatur ens secundum eos,[2] scilicet de materia prima quam Plato conjungebat cum non ente,[3] non distinguens inter materiam et privationem, ut habetur in primo Physicorum:[4] et tamen materiae attribuebat unitatem et bonitatem inquantum habet ordinem ad formam. Bonum enim non solum dicitur de fine, sed de eo quod est ad

finem. Sic igitur summum et primum rerum principium ponebant Platonici ipsum unum et ipsum bonum separatum.[5] Sed post unum et bonum nihil invenitur ita commune sicut ens; et ideo ipsum ens separatum ponebant quidem creatum, utpote participans bonitatem et unitatem in numero, ponebant ipsum primum inter omnia creata.[6] Dionysius autem ordinem quidem separatorum abstulit, sicut supra dictum est, ponens eumdem ordinem quem et Platonici in perfectionibus quas ceterae res participant ab uno principio quod est Deus: unde in 4 cap. de Divinis Nominibus praeordinat nomen boni in Deo omnibus divinis nominibus, et dicit quod ejus participatio usque ad non ens extenditur; intelligens per non ens materiam primam. Dicit enim: et si fas est dicere, bonum quod est super omnia existentia et ipsum non existens desiderat. Sed inter ceteras perfectiones a Deo participatas in rebus in primo ponit esse. Sicut enim dicit 2 cap. de Divinis nominibus, ante alias Dei participationes esse propositum est: et est ipsum secundum se esse senius, eo quod est per se vitam esse, et eo quod est per se sapientiam esse, et eo quod est per se divinam similitudinem esse. Secundum quem modum etiam auctor hujus libri hic intelligere videtur. Dicit enim quod hujus ratio est, quia esse est supra sensum, et supra animam, et supra intelligentiam. Et quod sit supra ista, ostendit subdens, 'Et non est post causam primam latius,' idest aliquid communius, et per consequens neque prius causatum ipso. Causa autem prima est latior, quia extendit etiam se ad non entia secundum praedicta. Et ex hoc concludit quod propter illud quod dictum est, ipsum esse, factum est superius omnibus rebus creatis, scilicet inter ceteros Dei effectus communius est, et est vehementius unum et magis simplex. Nam ea quae sunt minus communia, videntur se habere ad magis communia per modum additionis cujusdam. Videtur tamen non esse ejus intentio, ut loquatur de aliquo esse separato, sicut Platonici loquebantur[7] de esse participato communiter in omnibus existentibus, sicut loquitur Dionysius; sed de esse participato in primo gradu entis creati quod est esse superius. Et quamvis esse superius sit et in intelligentia et in anima, tamen in ipsa intelligentia prius consideratur ipsum esse quam intelligentiae ratio, et similiter est in anima. Et propter hoc praemisit quod est super animam et supra intelligentiam. De hoc igitur esse in intelligentiis participato rationem assignat, quare sit maxime unitum: dicit enim quod hoc contingit propter propinquitatem suam primae causae, quae est esse purum subsistens, et est vere unum non participatum, in quo non potest aliqua, multitudo inveniri differentiam secundum essentiam: quod autem est propinquius ei quod est per se unum, est magis unitum, quia magis participans unitatem. Unde intelligentia, quae est propinquissima causae primae, habet esse maxime unitum.

Source: 1. Proclus, *Elementatio Theologica*, interp. Moer., *Prop.* 60 [V 287-288]; *Prop.* 126 [V 500-501]; *Prop.* 24 [V 275].

   2. *Ibid.*, *Prop.* 138 [V 505].

   3. Aristotle, *Phy.*, I, 8 [192a 2-6].

   4. *Ibid.*

   5. Boethius, *De Con. Phil.*, III, *Prosa* XI [F 91-94]; Proclus, *op. cit.*, *Prop.* 13 [V 270]; *Prop.* 119 [V 497-498].

   6. *Liber De Causis*, 4 [B 166.19]; 'Prima rerum creatarum est esse...' Proclus, *op. cit.*, *Prop.* 138 [V 505].

   7. *Ibid.*, *Prop.* 101 [V 491].

[9] *In L. De Causis*, 4
Ostendit rationem distinctionis quae potest esse in intelligentiis secundum esse. Ubi considerandum est, quod si aliqua forma vel natura sit omnino separata simplex, non potest in ea cadere multitudo: sicut si aliqua albedo esset separata, non esset nisi una: nunc autem inveniuntur multae albedines diversae, quae participant albedinem. Sic igitur si esse causatum primum esset esse abstractum, ut Platonici posuerunt,[1] tale esse non posset multiplicari, sed esset unum tantum. Sed quia esse causatum primum est esse participatum in natura intelligentiae, multiplicabile est secundum diversitatem participantium.

Source: 1. In accordance with the general argument of the Platonists, Aristotle, *Meta.*, I, 6 [987b 7-18]; VII, 14 [1039a 24-33]; Boethius, *In Isag.*, ed. sec., I, 10; 11 [CSEL 48, 163.14-22; 167.7-11]; Abelard, *Glossae super Porphyrium* [Geyer, 25.15-26.15].

[10] *In L. De Causis*, 4
Circa primum considerandum est, quod sicut supra dictum est, Platonici ponebant formas rerum separatas per quarum participationem intellectus fierent intelligentes actu, sicut per earum participationem materia corporalis consistit in hac vel illa specie.

Source: See *Source* under *S.T.* [56].

[11] *In L. De Causis*, 5
Si ergo loquamur de anima per se stante, scilicet intellectuali quacumque sive caelesti (si ponantur corpora caelestia animata secundum quod auctor hujus libri supponit) sive de anima humana ex parte ipsius animae; tunc secundum radices propositionum plurimarum quas in multis auctor hujus libri sequitur, talis anima est ex impressione intelligentiae: quia, sicut supra dictum est in tertia propositione, Platonici posuerunt, quod ab alio principio causatur in aliqua re id quod est commune, et ab alio inferiori principio id quod est magis proprium. Secundum hoc igitur anima per se stans suum esse habet a prima causa: quod autem sit intellectualis, et quod sit anima, habet a secundis causis quae sunt intelligentiae.

Source: Proclus, *Elementatio Theologica*, interp. Moer., *Prop*. 101 [V 491].

[12] *In L. De Causis*, 5
In hoc autem melius sentit auctor hujus libri attribuens corruptibilitatem horum corporum debilitati impressionis ipsius animae, quam Platonici, qui posuerunt etiam animam humanam habere quoddam corpus incorruptibile sibi semper unitum.

Source: Proclus, *Elementatio Theologica*, interp. Moer., *Prop*. 196 [V 525].

[13] *In L. De Causis*, 6
Per hoc autem quod dicit quod ens intelligit omnem formam idealem secundum Platonicorum positiones, puta per se hominem, per se vitam et caetera hujusmodi, quae deos dicebant,[1] ut supra dictum est: hujusmodi autem habens unitatem secundum ipsos super-substantialem,[2] quae extendunt omnia subjecta participari; et ideo dicit, quod neque dici, neque cognosci potest unumquodque eorum ab inferioribus: sed a superioribus cognosci possunt: puta idea vitae cognosci potest ab

idea entis. Et quamvis non possint perfecte cognosci vel dici ab inferioribus, aliqualiter tamen capi et cognosci possunt a participantibus, idest per participantia; sicut per ea quae participant vitam aliquid cognoscitur de ipsa vita:[3] sed illud quod est primum simpliciter, quod secundum Platonicos est ipsa essentia bonitatis,[4] est penitus ignotum, quia non habet aliquid supra quod possit ipsum cognoscere: et hoc signat cum dicitur ametechum, idest non post existens alicui.[3] Et quia auctor hujus libri non concordat cum Platonicis in positione aliarum naturarum separatarum idealium, sed ponit solum primum, ut supra dictum est, ideo praetermissis aliis, de hac causa prima dicit, quod est superior narratione.

Source: 1. St. Thomas identifies these Forms as in the Divine order of Proclus which lies between intellect and the One. Proclus, *Elementatio Theologica*, interp. Moer., *Prop.* 129 [V 501-502].
2. *Ibid., Prop.* 119 [V 497-498].
3. *Ibid., Prop.* 123 [V 499].
4. Aristotle, *Eth.*, I, 6 [1096a 22-23; 1096a 35 - b 3]; Boethius, *De Con. Phil.*, III, *Prosa* X [F 90.127-137]; *Prosa* XI [F 91-95]; Macrobius, *In Som. Scip.*, I, 2, 13-14 [E 471.9-12]; I, 6, 7-8 [E 486.1-14]; St. Augustine, *De Civ. Dei*, VIII, 6 [A-C]; 8 [F]; Dionysius, *De Div. Nom.*, 4, 1 [P 95]; 5, 1 [P 257]; 5, 3 [P 259-260]; 13, 2 [P 439-444]; Proclus, *Elementatio Theologica*, interp. Moer., *Props.* 12-13 [V 269-270].

[14] *In L. De Causis*, 9
...bonitas enim pura dicitur bonitas non participata; scilicet ipsa essentia bonitatis subsistens, quam Platonici vocabant ipsum bonum: quod quidem essentialiter et pure et per se bonum oportet quod sit prima causa omnium: quia, ut Proculus probat, semper causa est melior causato. Unde oportet quod id quod est prima causa esse optimum: hoc autem est id quod est ipsa bonitatis essentia: unde oportet id quod est essentialiter bonum esse primam omnium causam. Et hoc est quod Dionysius dicit, 1 cap. de Divinis nominibus: quoniam autem Deus est ipsa bonitas essentia, per ipsum suum esse omnium est existentium causa. Unde et intelligentiae quae habent esse et bonitatem participatam, oportet quod dependeant a Deo, qui est ipsa bonitas pura, sicut effectus a causa.

Source: See *Source* 4 under *In De Causis* [13].

[15] *In L. De Causis*, 10
Circa primum ergo considerandum est, quod sicut jam diximus supra, Platonici ponentes formas rerum separatas, sub harum formarum ordine ponebant ordinem intellectuum. Quia enim omnis cognitio fit per assimilationem intellectus ad rem intellectam, necesse erat quod intellectus separati ad intelligendum participarent formas abstractas. Et hujusmodi participationes formarum sunt species vel formae intelligibiles, de quibus hic dicitur.[1]... oportet nos dicere, quod sicut Platonici ponebant intellectus separatos ex participatione diversarum specierum separatarum diversas intelligibiles species consequi,[1]... quia et Platonici ponebant secundum participationem idearum, et intellectus separatos res cognoscere, et materiam corporalem secundum diversas species variari.[2]

Source: 1. Proclus, *Elementatio Theologica*, interp. Moer., *Props*. 176 and 177 [V 518-519].
2. See *Source* under *S.T.* [56].

[16] *In L. De Causis*, 12

Haec etiam propositio proponitur centesimatertia in libro Proculi sub his verbis. Omnia in omnibus, proprie autem in unoquoque.[1] Idem autem est quod Proculus dicit, proprie autem in unoquoque et quod hic dicitur per modum quo licet ut sit unum eorum in alio. Utrobique enim signatur, quod unum est in alio secundum convenientem modum ei in quo est. Sed a Proculo quidem inducitur haec propositio secundum positiones Platonicas quibus ponuntur formae separatae subsistentes,[2] quarum (ut supra dictum est) una tanto est altior, quanto est universalior, et ad plura suam participationem extendens. Et secundum hoc, ipsum esse est superius quam in ipsa vita. Et haec quam ipse intellectus.[3] Et ideo hic, Proculus hoc determinans, in sua propositione addit: Etenim in ente vita et intellectus, et in vita esse et intelligere, et intellectus esse et vivere. Et sic etiam videtur Auctor hujus libri loqui hujusmodi separata prima nominans. Subdit enim, quasi exponens, 'quod est quia in esse sunt vita et intelligentia, et vita sunt esse et intelligentia, et in intelligentia sunt esse et vita,' quod est omnino idem cum verbis Proculi. Addit autem Proculus in sua propositione expositionem modi quo unum horum sit in alio, dicens: Sed alicubi quidem intellectualiter, alicubi autem vitaliter, alicubi vero enter, idest per modum entis entia omnia: quasi dicat quod omnia tria praedicta sunt in intellectu intellectualiter, in vita vitaliter, in esse essentialiter. Sed hoc quod ponitur loco hujus in hoc libro, videtur esse corruptum, et malum intellectum habere. Sequitur enim: 'verumtamen esse et vita in intelligentia sunt duae intelligentiae.' Debet enim intelligi quod ista duo, scilicet esse et vita, sunt in intelligentia intellectualiter: 'et esse et intelligentia in vita sunt duae vitae,' idest ambo sunt in vita vitaliter: 'et intelligentia et vita sunt duo esset:' idest ambo sunt in ipso esse essentialiter.[4] Si autem intelligatur secundum quod verba sonant, falsum continent intellectum. Vivere enim viventis est ipsum esse ejus, ut dicitur in secundo de Anima: et ipsum intelligere primi intelligentis est vita ejus et esse ipsius, ut in duodecimo Metaphysicorum dicitur. Unde et hoc Proculus excludens, dicit, quod esse intellectus est cognitivum et vita ejus est cognitio. Alioquin sequeretur inconveniens quod Aristoteles inducit in tertio Metaphysicorum contra Platonicos: quod scilicet Socrates esset tria animalia, quia et ipse est animal et de eo praedicatur idea animalis communis quam participat, et similiter idea hominis qui idem est animal.[5] Sequeretur enim, quod unumquodque istorum trium esset non unum, sed multa. Apponit autem Proculus probationem manifestam ad ea quae dicta sunt, distinguens quod tripliciter aliquid de aliquo dicitur. Uno modo causaliter, sicut calor de sole. Alio modo essentialiter, sive naturaliter, sicut calor de igne. Tertio modo secundum quamdam posthabitationem, idest consecutionem, sive participationem: quando scilicet aliquid non plene habetur, sed posteriori modo, et particulariter. Sicut calor invenitur in corporibus essentialiter, tamen non in ea plenitudine secundum quam est in igne. Sic ergo illud quod est essentialiter in primo, est participative in secundo et tertio: quod autem est essentialiter in secundo, est in primo quidem causaliter, et in ultimo participative. Quod vero est in tertio essentialiter, est causaliter in primo et in secundo. Et per hunc modum, omnia sunt in omnibus.[6]

Source: 1. Proclus, *Elementatio Theologica*, interp. Moer., *Prop.* 103 [V 492].
2. Aristotle, *Meta.*, I, 6 [987b 1-14].
3. Proclus, *op. cit.*, *Prop.* 101 [V 491].
4. *Ibid.*, *Prop.* 103 [V 492].
5. Aristotle, *Meta.*, III, 6 [1003a 9-11].
6. Proclus, *op. cit.*, *Prop.* 65 [V 289-290]; *Prop.* 103 [V 492].

[17] *In L. De Causis*, 13
Sed hujus propositionis et probationis eius intellectum oportet nos accipere ex his quae Proculus dicit. Ut enim supra dictum est secundum opiniones Platonicas, ordo intellectuum ponitur sub ordine formarum separatarum, ex quarum participatione fiunt intelligentes in actu. Unde formae separatae comparantur ad eos sicut intelligibile ad intellectum.[1] Sicut autem aliarum rerum ponebant quasdam ideas: ita et ipsorum intellectuum ponebant quamdam ideam quam vocabant primum intellectum.[2] Iste ergo intellectus idealis, inquantum est intellectus, intelligit; et inquantum est forma idealis, est forma intellecta. Sic igitur in eo unitur omnino intellectus et intellectum. Et per hoc perfecte seipsum intelligit: quia essentia sua totaliter est intelligibile, non solum intelligens. Omnis autem intellectus secundum Platonicos habet intellectum participatum. Sed superiores intellectus participant ipsum intellectum perfectivum. Unde participant ipsum non solum quod sint intellectus, sed etiam quod sint intelligibiles et quodammodo formales intellectus. Sic igitur conjungitur in eis secundum eorum substantiam quodammodo intellectus et intellectum. Et ideo etiam ipsi intelligunt suam essentiam. Sed diversimode a primo intellectu. Nam primus intellectus idealis non participat aliquam priorem formam intellectualitatis, sed ipsemet est prima forma intellectualitatis. Unde suum intelligibile non est aliud quam ipse. Posteriores vero intellectus sic habent de forma intelligibilitatis in sua substantia, quod tamen illud derivatur a superiori intellectu ideali. Sic ergo intelligunt essentiam suam, quod etiam intelligunt superiorem intellectum quem participant. Et hoc est quod Proculus addit in praedicta propositione. Sed prius, quod seipsum solum, et unum secundum numerum in hoc intellectus et intelligibile. Unusquisque autem consequentium seipsum simul, et quae ante ipsum; et intelligibile huic, hoc quidem est quod est, hoc autem a quo est.[3]

Source: 1. Proclus, *Elementatio Theologica*, interp. Moer., *Prop.* 161 [V 513].
2. *Ibid.*, *Props.* 160 and 166 [V 512-513; 514].
3. *Ibid.*, *Prop.* 169 [V 515].

[18] *In L. De Causis*, 14
Vel dicit, res immobiles per modum motus, quia secundum Platonicos animae proprium est quod sit movens seipsam:...

Source: See *Source* under *In Sent.* [3].

[19] *In L. De Causis*, 15
Sed quia anima intellectiva inferiori modo participat primum intellectum in substantia sua, non habet nisi vim intellectualitatis. Unde

intelligit substantiam suam non per essentiam suam, sed secundum Platonicos per superiora quae participat,...

Source: Proclus, *Elementatio Theologica*, interp. Moer., *Prop.* 186 [V 522].

[20] *In L. De Causis*, 16
Secundum autem Platonicas positiones, omne quod in pluribus invenitur, oportet reducere ad aliquod primum quod per suam essentiam est tale, a quo alia per participationem talis dicuntur. Unde secundum eos virtutes infinitae reducuntur ad aliquod primum, quod est essentialiter infinitas virtutes; non quod sit virtus participata in aliqua re subsistente, sed quia est subsistens per seipsam. Hoc autem secundum Platonicos non est ipsa idea entis: quia hujusmodi ens separatum habet quidem potentiam infinitam, sed cum hoc habet etiam finitatem, sicut supra in quarta propositione habitum est. Unde relinquitur, quod non sit prima potentia quae essentialiter est ipsa infinitas. Neque tamen ponebant, quod illa infinitas idea sit primum simpliciter; quia ipsa infinitas participat unitate et bonitate. Unde primum simpliciter est unum et bonum. Hoc autem infinitum ideale a quo omnes virtutes infinitae dependent, est medium inter unum et bonum quod est primum simpliciter, et inter ens: et ita hanc propositionem Proculus exponit.

Source: Proclus, *Elementatio Theologica*, interp. Moer., *Props.* 90, 91 and 92 [V 298-299].

[21] *In L. De Causis*, 16
Sed secundum Proculum hoc dicitur de idea universi et boni, quod est secundum Platonicos supra ideam infiniti.... Sed Proculus hoc ponit tamquam idea infiniti sit media inter boni et ideam entis.

Source: Proclus, *Elementatio Theologica*, interp. Moer., *Prop.* 92 [V 299].

[22] *In L. De Causis*, 18
Sicut autem supra dictum est, secundum Platonicos, primum ens, quod est idea entis, est aliquid supra primum intellectum idealem.[1]... Tertio considerandum: quod ista tria [sc. esse, vivere, intelligere] diversimode causantur in rebus, sive a diversis principiis secundum Platonicos,[2] sive ab eodem principio secundum fidei doctrinam et Aristotelis.

Source: 1. Proclus, *Elementatio Theologica*, interp. Moer., *Prop.* 161 [V 513].
2. *Ibid.*, *Prop.* 101 [V 491].

[23] *In L. De Causis*, 19
Ad cujus evidentiam sciendum est, quod secundum Platonicos, quadruplex ordo invenitur in rebus. Primus erat ordo deorum, idest formarum idealium. Inter quas erat ordo secundum ordinem universalitatis formarum: ut supra dictum est. Sub hoc autem ordine est ordo intellectuum separatorum, sub quo est ordo animarum, sub quo iterum est ordo corporum.[1]

Et hi tres inferiores ordines accipiuntur secundum tria, quae in praemissa propositione sunt tacta. Nam corpora participant esse tantum: animae autem secundum propriam naturam participant ulterius esse, et vivere: intellectus autem participant esse, vivere et intelligere.[2] Causalitas autem horum ad ordinem divinum pertinet: sive ponantur multi dii ordinati sub uno secundum Platonicos: sive unus tantum in se omnia habens, secundum nos. Universalitas enim causalitatis, propria est Deo. Hujusmodi autem ordines cum ab uno primo procedant, continuitatem quamdam habent adinvicem: ita quod ordo corporum attingit ordinem animarum; et ordo animarum attingit ordinem intellectuum qui attingit ordinem divinum. Ubicumque autem diversi per ordinem subinvicem conjunguntur, oportet quod id quod est supremum inferioris ordinis, propter propinquitatem ad superiorem ordinem aliquid participet de superioris ordinis perfectione. Et hoc manifeste videmus in rebus naturalibus. Nam quaedam animalia participant aliquam rationis similitudinem, et quaedam plantae participant aliquid de distinctione sexus quae est propria animalium. Unde et Dionysius dicit, 7 cap. de Divinis nominibus, quod per divinam sapientiam fines primorum conjunguntur principiis secundorum. Sic igitur illi qui sunt supremi in ordine intellectuum vel intelligentiarum, dependent per quamdam perfectiorem participationem propinquius a Deo, et magis participant de bonitatibus ejus, et de universali causalitate ipsius. Et ideo dicuntur divini intellectus vel divinae intelligentiae: sicut et Dionysius dicit, quod supremi angeli sunt quasi in vestibulis deitatis collocati. Inferiores vero intellectus qui non pertingunt ad tam excellentem participationem divinae similitudinis, sunt intellectus tantum, non habentes illam divinam dignitatem. Et eadem ratio est de animalibus respectu intellectuum. Nam supremae animae sunt intellectuales, utpote propinquae ordini intellectuum; aliae vero animae inferiores non sunt intellectuales, sed habent solum id quod est animae, ut scilicet sint vivificativae, sicut maxime patet de animabus animalium et plantarum. Et eadem ratio est de ordine corporum respectu animarum. Nam corpora nobiliora, quae perfectiori ratione sunt constituta, sunt animata: alia vero corpora sunt inanimata. Et eadem ratio est de omnibus aliis ordinibus, in quos praedicti generales ordines distinguuntur; quia etiam in corporibus sunt diversi ordines, et similiter in animabus et intellectibus.

Source: 1. Proclus, *Elementatio Theologica*, interp. Moer., *Prop.* 111 [V 495]. (St. Thomas identifies the order of ideal forms – Being, Life, Intelligence – as the divine order between the One [and Good] and the order of intelligences. See *ibid.*, *Prop.* 138 [V 505].)

2. Proclus, *op. cit.*, *Prop.* 101 [V 491].

[24] *In L. De Causis*, 32

Et ad intellectum hujus quod hic dicitur, sumenda est centesimasexagesima propositio Proculi, quae talis est. Omnis Deus participabilis est excepto uno.[1] Quae quidem propositio ab eo inducitur, ad ostendendum quomodo Platonici ponebant plures Deos. Non enim ponebant omnes aequales: sed unum ponebant primum qui nihil participabat, sed est essentialiter unum et bonum.[2] Alios vero Deos ponebant inferiores participantes ipsum unum et bonum. Et hujus probationem inducit: quia dicit: primo et supremo Deo manifestum est quod nihil participat; alioquin non esset causa prima omnium.[3] Semper enim participans praesupponit aliquid prius quod est per essentiam.[4] Sed quod omnes alii dii sint participantes, probat per hoc,[5] quia si primus Deus est unum essentialiter, et non participative, et non aliquis aliorum deorum est similiter unum, et sic in nullo differunt a primo, aut oporte quod sit unum participative. Si enim ipsum unum est essentia primi, oportet quod si aliquid ab eo differat, quasi secundum post ipsum existens, non sit tale quod essentia ejus sit ipsum unum, sed sit participans unitatem. Et hos est quod hic proponitur, quod necesse est ponere unum primum faciens adipisci unitates, idest a quo participant unitatem quantumcumque sint unum, et ipsum non adipiscitur, idest non participat unitatem ab aliquo alio.

Source: 1. Proclus, *Elementatio Theologica*, interp. Moer., *Prop.* 116 [V 496-497].
2. *Ibid.*, *Prop.* 113 [V 495]; *Prop.* 116 [V 496-497]; Aristotle, *Eth.*, I, 6 [1096a 22-23; 1096a 35 - b 3]; Boethius, *De Con. Phil.*, III, *Prosa* X [F 90.127-137]; *Prosa* XI [F 91-95]; Macrobius, *In Som. Scip.*, I, 2, 13-14 [E 471.9-12]; I, 6, 7-8 [E 486.1-14]; St. Augustine, *De Civ. Dei*, VIII, 6 [A-C]; 8 [F]; Dionysius, *De Div. Nom.*, 4, 1 [P 95]; 5, 1 [P 257]; 5, 3 [P 259-260]; 13, 2 [P 439-444].
3. Proclus, *op. cit.*, *Prop.* 116 [V 496-497].
4. *Ibid.*, *Prop.* 23 [V 275]. Cf. *Prop.* 90 [V 298].
5. *Ibid.*, *Prop.* 116 [V 496-497].

5. SUMMA DE VERITATE CATHOLICAE FIDEI CONTRA GENTILES

[1] *C.G.*, I, 13

Sciendum autem quod Plato, qui posuit omne movens moveri, communius accepit nomen motus quam Aristoteles. Aristoteles enim proprie accepit motum, secundum quod est actus existentis in potentia secundum quod huiusmodi: qualiter non est nisi divisibilium et corporum, ut probatur in VI Physic. Secundum Platonem autem movens seipsum non est corpus: accipiebat enim motum pro qualibet operatione, ita quod intelligere et opinari sit quoddam moveri; quem etiam modum loquendi Aristoteles tangit in III de Anima. Secundum hoc ergo dicebat primum movens seipsum movere quod intelligit se et vult vel amat se. Quod in aliquo non repugnat rationibus Aristotelis: nihil enim differt devenire ad aliquod primum quod moveat se, secundum Platonem; et devenire ad primum quod omnino sit immobile, secundum Aristotelem.

Source: See *Source* under *In Sent.* [3].

[2] *C.G.*, I, 20

Tertia obiectio est quia, si cuiuslibet corporis est potentia finita, ut in praedicto processu ostenditur; per potentiam autem finitam non potest aliquid durare tempore infinito: sequetur quod nullum corpus possit durare tempore infinito. Et sic corpus caeleste de necessitate corrumpetur.

Ad hoc autem a quibusdam respondetur quod corpus caeleste secundum potentiam suam potest deficere, sed perpetuitatem durationis acquirit ab alio quod est potentiae infinitae. Et huic solutioni videtur attestari Plato, qui de corporibus caelestibus Deum loquentem inducit in hunc modum: 'Natura vestra estis dissolubilia, voluntate autem mea indissolubilia: quia voluntas mea maior est nexu vestro.'

Source: Plato, *Timaeus*, interp. Chal., 16 [D II, 169].

[3] *C.G.*, I, 24
Unde etiam Platonici, ponentes ideas, non posuerunt ideas per se existentes generum, quae designantur ad esse speciei per differentias essentiales; sed posuerunt ideas per se existentes solarum specierum, quae
ad sui designationem non indigent essentialibus differentiis.

Source: See *Source* under *In Meta*. [148].

[4] *C.G.*, I, 51 and 52
Nec iterum potest poni huiusmodi formas intelligibiles per se existere:
quod Plato, praedicta inconvenientia vitans, videtur posuisse, intro-
ducendo ideas.[1] Nam formae rerum naturalium sine materia existere
non possunt: cum nec sine materia intelligantur.[2]

Source: 1. There is no source, as far as I can discover, which gives *this*
          reason for Plato's positing the Ideas.
        2. Aristotle, *Meta.*, VII, 10-11 [1034b 32 - 1035b 3 and 1036b
          21 - 1037b 7].

[5] *C.G.*, I, 54
Unde, cum hoc sit secundum quod Deus intelligit proprium respectum
assimilationis quam habet unaquaeque creatura ad ipsum, relinquitur
quod rationes rerum in intellectu divino non sint plures vel distinctae
nisi secundum quod Deus cognoscit res pluribus et diversis modis esse
assimilabiles sibi. Et secundum hoc Augustinus dicit quod Deus alia
ratione facit hominem et alia equum; et rationes rerum pluraliter in
mente divina esse dicit. In quo etiam aliqualiter salvatur Platonis
opinio ponentis ideas, secundum quas formarentur omnia quae in rebus
materialibus existunt.

Source: Aristotle, *Meta.*, I, 6 [987b 9-14]; VII, 8 [1033b 19 - 1034a 8];
          XII, 5 [1071a 17-28].

[6] *C.G.*, II, 57
Ex his autem et similibus rationibus aliqui moti, dixerunt quod nulla
substantia intellectualis potest esse forma corporis. Sed quia huic positioni ipsa hominis natura contradicere videbatur, qui ex anima intellectuali et corpore videtur esse compositus, excogitaverunt quasdam vias
per quas naturam hominis salvarent.

Plato igitur posuit, et eius sequaces, quod anima intellectualis non
unitur corpori sicut forma materiae, sed solum sicut motor mobili,
dicens animam esse in corpore sicut nautam in navi.[1] Et sic unio animae
et corporis non esset nisi per contactum virtutis, de quo supra dictum
est.

Hoc autem videtur inconveniens. Secundum praedictum enim contactum non fit aliquid unum simpliciter, ut ostensum est. Ex unione
autem animae et corporis fit homo. Relinquitur igitur quod homo non
sit unum simpliciter: et per consequens nec ens simpliciter, sed ens per
accidens.

Ad hoc autem evitandum, Plato posuit quod homo non sit aliquid
compositum ex anima et corpore: sed quod ipsa anima utens corpore
sit homo; sicut Petrus non est aliquid compositum ex homine et indumento, sed homo utens indumento.[1]

Hoc autem esse impossibile ostenditur. Animal enim et homo sunt quaedam sensibilia et naturalia. Hoc autem non esset si corpus et eius partes non essent de essentia hominis et animalis, sed tota essentia utriusque esset anima, secundum positionem praedictam: anima enim non est aliquid sensibile neque materiale. Impossibile est igitur hominem et animal esse animam utentem corpore, non autem aliquid ex corpore et anima compositum.

Item. Impossibile est quod eorum quae sunt diversa secundum esse, sit operatio una. Dico autem operationem unam, non ex parte eius in quod terminatur actio, sed secundum quod egreditur ab agente: multi enim trahentes navim unam actionem faciunt ex parte operati, quod est unum, sed tamen ex parte trahentium sunt multae actiones, quia sunt diversi impulsus ad trahendum; cum enim actio consequatur formam et virtutem, oportet quorum sunt diversae formae et virtutes, esse et actiones diversas. Quamvis autem animae sit aliqua operatio propria, in qua non communicat corpus, sicut intelligere; sunt tamen aliquae operationes communes sibi et corpori, ut timere et irasci et sentire et huiusmodi: haec enim accidunt secundum aliquam transmutationem alicuius determinatae partis corporis, ex quo patet quod simul sunt animae et corporis operationes. Oportet igitur ex anima et corpore unum fieri, et quod non sint secundum esse diversa.

Huic autem rationi secundum Platonis sententiam obviatur. Nihil enim inconveniens est moventis et moti, quamvis secundum esse diversorum, esse eundem actum: nam motus est idem actus moventis sicut a quo est, moti autem sicut in quo est. Sic igitur Plato posuit praemissas operationes esse animae corporique communes: ut videlicet sint animae sicut moventis et corporis sicut moti.[2]

Sed hoc esse non potest. Quia, ut probat Philosophus in II de Anima, sentire accidit in ipso moveri a sensibilibus exterioribus. Unde non potest homo sentire absque exteriori sensibili: sicut non potest aliquid moveri absque movente. Organum igitur sensus movetur et patitur in sentiendo, sed ab exteriori sensibili. Illud autem quo patitur est sensus: quod ex hoc patet, quia carentia sensu non patiuntur a sensibilibus tali modo passionis. Sensus igitur est virtus passiva ipsius organi. Anima igitur sensitiva non se habet in sentiendo sicut movens et agens, sed sicut id quo patiens patitur. Quod impossibile est esse diversum secundum esse a patiente. Non est igitur anima sensibilis secundum esse diversa a corpore animato.

Praeterea. Licet motus sit communis actus moventis et moti, tamen alia operatio est facere motum et recipere motum: unde et duo praedicamenta ponuntur facere et pati. Si igitur in sentiendo anima sensitiva se habet ut agens et corpus ut patiens, alia erit operatio animae et alia corporis. Anima igitur sensitiva habebit aliquam operationem propriam. Habebit igitur et subsistentiam propriam. Non igitur, destructo corpore, esse desinet. Animae igitur sensitivae, etiam irrationabilium animalium, erunt immortales. Quod quidem improbabile videtur. Tamen a Platonis opinione non discordat, sed de hoc infra erit locus quaerendi.[3]

Amplius. Mobile non sortitur speciem a suo motore. Si igitur anima non coniungitur corpori nisi sicut motor mobili, corpus et partes eius non consequuntur speciem ab anima. Abeunte igitur anima, remanebit corpus et partes eius eiusdem speciei. Hoc autem est manifeste falsum: nam caro et os et manus et huiusmodi partes post abscessum animae non dicuntur nisi aequivoce; cum nulli harum partium propria operatio adsit, quae speciem consequitur. Non igitur unitur anima corpori solum sicut motor mobili, vel sicut homo vestimento.

Adhuc. Mobile non habet esse per suum motorem, sed solummodo motum. Si igitur anima uniatur corpori solummodo ut motor, corpus movebitur quidem ab anima, sed non habebit esse per eam. Vivere autem est quoddam esse viventis. Non igitur corpus vivet per animam.

Item. Mobile neque generatur per applicationem motoris ad ipsum, neque per eius separationem corrumpitur: cum non dependeat mobile a motore secundum esse, sed secundum moveri tantum. Si igitur anima uniatur corpori solum ut motor, sequetur quod in unione animae et corporis non erit aliqua generatio, neque in separatione corruptio. Et sic mors, quae consistit in separatione animae et corporis, non erit corruptio animalis. Quod est manifeste falsum.

Praeterea. Omne movens seipsum ita se habet quod in ipso est moveri et non moveri, et movere et non movere. Sed anima, secundum Platonis opinionem, movet corpus sicut movens seipsum.[4] Est ergo in potestate animae movere corpus vel non movere. Si igitur non unitur ei nisi sicut motor mobili, erit in potestate animae separari a corpore cum voluerit, et iterum uniri ei cum voluerit. Quod patet esse falsum.

Source: 1. Nemesius, *De Nat. Hom.*, 1 [PG 40, 505]; 2 [PG 40, 537]; 3 [PG 40, 593]; Aristotle, *De An.*, I, 2 [404a 23]; II, 1 [413a 9].
2. Nemesius, *De Nat. Hom.*, 6 [PG 40, 637]; *De Sp. et An.*, XIII [PL 40, 788]; St. Augustine, *De Genesi ad Lit.*, XII, 24 [PL 34, 475]. St. Thomas refers to this passage [*S.T.*, I, 77, 5, *arg. 3 et ad* 3].
3. Nemesius, *De Nat. Hom.*, 2 [PG 40, 581].
4. *Ibid.* [PG 40, 537]; Aristotle, *De An.*, I, 2 [404b 29-30]; Macrobius, *In Som. Scip.*, II, 13, 6-12 [E 616.23 - 618.6].

[7] *C.G.*, II, 58
Ponit enim Plato non esse eandem animam in nobis intellectivam, nutritivam et sensitivam.[1]... Si homo, secundum Platonis sententiam, non est aliquid ex anima et corpore compositum, sed est anima utens corpore,[2] aut hoc intelligitur solum de anima intellectiva, aut de tribus animabus, si tres sunt, sive de duabus earum.... Quod etiam a positione Platonis non discordat: ponebat enim animam rationalem in cerebro, nutritivam in hepate, concupiscibilem in corde.[3]

Source: 1. Averroes, *In De An.*, I, *com.* 90 [45F]; Themistius, *De An. Par.*, V [CG V, 93.32 - 94.3].
2. Nemesius, *De Nat. Hom.*, 3 [PG 40, 593].
3. Averroes, *In De An.*, I, *com.* 90 [45F].

[8] *C.G.*, II, 68
Si enim substantia intellectualis non unitur corpori solum ut motor, ut Plato posuit,...

Source: Aristotle, *De An.*, I, 2 [404a 23]; II, 1 [413a 9]; Nemesius, *De Nat. Hom.*, 1 [PG 40, 505]; 2 [PG 40, 537]; 3 [PG 40, 593].

[9] *C.G.*, II, 73
Si unus est intellectus possibilis omnium hominum, oportet ponere

intellectum possibilem semper fuisse, si homines semper fuerunt, sicut ponunt: et multo magis intellectum agentem, quia agens est honorabilius patiente, ut Aristoteles dicit. Sed si agens est aeternum, et recipiens aeternum, oportet recepta esse aeterna. Ergo species intelligibiles ab aeterno fuerunt in intellectu possibili. Non igitur de novo recipit aliquas species intelligibiles. Ad nihil autem sensus et phantasia sunt necessaria ad intelligendum nisi ut ab eis accipiantur species intelligibiles. Sensus igitur non erit necessarius ad intelligendum, neque phantasia. Et redibit opinio Platonis, quod scientiam non acquirimus per sensus, sed ab eis excitamur ad rememorandum prius scita.

Source: Macrobius, *In Som. Scip.*, I, 12, 7 [E 420.20-26]; Boethius, *De Con. Phil.*, III, *Metrum* XI [F 95-96]; *De Sp. et An.*, 1 [PL 40, 781].

[10] *C.G.*, II, 74

Oportet ergo quod vel ipsae species intelligibiles conserventur in aliquo organo corporeo, sive in aliqua virtute habente organum corporeum; vel oportet quod formae intelligibiles sint per se existentes, ad quas comparetur intellectus possibilis noster sicut speculum ad res quae videntur in speculo: vel oportet quod species intelligibiles fluant in intellectum possibilem de novo ab aliquo agente separato, quandocumque actu intelligit. Primum autem horum trium est impossibile: quia formae existentes in potentiis utentibus organis corporalibus, sunt intelligibiles in potentia tantum. Secundum autem est opinio Platonis,[1] quam reprobat Aristoteles, in Metaphysica. Unde concludit tertium: quod quandocumque intelligimus actu, fluunt species intelligibiles in intellectum possibilem nostrum ab intellectu agente, quem ponit ipse quandam substantiam separatam.

Si vero aliquis obiiciat contra eum quod tunc non est differentia inter hominem cum primo addiscit, et cum postmodum vult considerare in actu quae prius didicit: respondet quod addiscere nihil aliud est quam acquirere perfectam habitudinem coniungendi se intelligentiae agenti ad recipiendum ab eo formam intelligibilem. Et ideo ante addiscere est nuda potentia in homine ad talem receptionem: addiscere vero est sicut potentia adaptata.

Videtur etiam huic positioni consonare quod Aristoteles, in libro de Memoria, ostendit memoriam non esse in parte intellectiva, sed in parte animae sensitiva. Ex quo videtur quod conservatio specierum intelligibilium non pertineat ad partem intellectivam.

Sed si diligenter consideretur, haec positio, quantum ad originem, parum aut nihil differt a positione Platonis. Posuit enim Plato formas intelligibiles esse quasdam substantias separatas, a quibus scientia fluebat in animas nostras.[1] Hic [sc. Avicenna] autem ponit ab una substantia separata, quae est intellectus agens secundum ipsum, scientiam in animas nostras fluere. Non autem differt, quantum ad modum acquirendi scientiam, utrum ab una vel pluribus substantiis separatis scientia nostra causetur: utrobique enim sequetur quod scientia nostra non causetur a sensibilibus. Cuius contrarium apparet per hoc quod qui caret aliquo sensu, caret scientia sensibilium quae cognoscuntur per sensum illum.

Dicere autem quod per hoc quod intellectus possibilis inspicit singularia quae sunt in imaginatione, illustratur luce intelligentiae agentis ad cognoscendum universale; et quod actiones virium inferiorum, scilicet imaginationis et memorativae et cogitativae, sunt aptantes animam ad recipiendam emanationem intelligentiae agentis, est novum. Videmus enim quod anima nostra tanto magis disponitur ad recipiendum a substantiis separatis, quanto magis a corporalibus et sensibilibus removetur: per recessum enim ab eo quod infra est, acceditur ad id quod supra est. Non igitur est verisimile quod per hoc quod anima respicit ad phantasmata corporalia, quod disponatur ad recipiendam influentiam intelligentiae separatae.

Plato autem radicem suae positionis melius est prosecutus. Posuit enim quod sensibilia non sunt disponentia animam ad recipiendum influentiam formarum separatarum, sed solum expergefacientia intellectum ad considerandum ea quorum scientiam habebat ab exteriori causatam. Ponebat enim quod a principio a formis separatis causabatur scientia in animabus nostris omnium scibilium: unde addiscere dixit esse quoddam reminisci.[2] Et hoc necessarium est secundum eius positionem. Nam, cum substantiae separatae sint immobiles et semper eodem modo se habentes, semper ab eis resplendet scientia rerum in anima nostra, quae est eius capax.[1]

Source: 1. Aristotle, *Meta.*, I, 6 [987b 1-14]; see *Source* under *S.T.* [56].
2. Macrobius, *In Som. Scip.*, I, 12, 7 [E 420.20-26]; Boethius, *De Con. Phil.*, III, *Metrum* XI [F 95-96]; *De Sp. et An.*, 1 [PL 40, 781].

[11] *C.G.*, II, 77

Haec autem intelligibilia quae anima intellectiva humana intelligit, Plato posuit esse intelligibilia per seipsa, scilicet ideas: unde non erat ei necessarium ponere intellectum agentem ad intelligibilia. Si autem hoc esset verum, oporteret quod, quanto aliqua sunt secundum se magis intelligibilia, magis intelligerentur a nobis. Quod patet esse falsum: nam magis sunt nobis intelligibilia quae sunt sensui proximiora, quae in se sunt minus intelligibilia. Unde Aristoteles fuit motus ad ponendum quod ea quae sunt nobis intelligibilia, non sunt aliqua existentia intelligibilia per seipsa, sed quod fiunt ex sensibilibus. Unde oportuit quod poneret virtutem quae hoc faceret. Et haec est intellectus agens. Ad hoc ergo ponitur intellectus agens, ut faceret intelligibilia nobis proportionata. Hoc autem non excedit modum luminis intelligibilis nobis connaturalis. Unde nihil prohibet ipsi lumini nostrae animae attribuere actionem intellectus agentis: et praecipue cum Aristoteles intellectum agentem comparet lumini.

Source: See *S.T.* [49] and *Sources*.

[12] *C.G.*, II, 79

Praeterea apparet ex ipsis verbis Aristotelis in XI Metaphysicae. Ubi dicit, contra Platonem loquens, quod causae moventes praeexistunt, causae vero formales sunt simul cum his quorum sunt causae: quando enim sanatur homo, tunc sanitas est, et non prius: contra hoc quod Plato posuit formas rerum praeexistere rebus.

Source: Aristotle, *Meta.*, XII, 3 [1070a 21-23].

[13] *C.G.*, II, 81

Alii autem posuerunt animas in sua multitudine post corpora remanere: sed, ne cogerentur animarum ponere infinitatem, dixerunt easdem animas diversis corporibus uniri post determinatum tempus. Et haec fuit Platonicorum opinio, de qua infra agetur.

Source: St. Augustine, *De Civ. Dei*, X, 30.

[14] *C.G.*, II, 82

Aristoteles etiam in II de Anima dicit quod intellectiva pars animae separatur ab aliis sicut incorruptibile a corruptibili.

Per hoc autem excluditur positio Platonis, qui posuit etiam brutorum animas immortales.[1]

Videtur tamen posse probari brutorum animas esse immortales. Cuius enim est aliqua operatio per se separatim, et ipsum est per se subsistens. Sed animae sensitivae in brutis est aliqua operatio per se in qua non communicat corpus, scilicet movere: nam movens componitur ex duobus, quorum unum est movens et alterum est motum; unde, cum corpus sit motum, relinquitur quod anima sola sit movens. Ergo est per se subsistens. Non igitur potest per accidens corrumpi, corpore corrupto: illa enim solum per accidens corrumpuntur quae per se non habent esse. Per se autem non potest corrumpi: cum neque contrarium habeat, neque sit ex contrariis composita. Relinquitur igitur quod sit omnino incorruptibilis.

Ad hoc etiam videbatur redire Platonis ratio qua probabat omnem animam esse immortalem: quia scilicet anima est movens seipsum; omne autem movens seipsum oportet esse immortale. Corpus enim non moritur nisi abscedente eo a quo movebatur; idem autem a seipso non potest discedere; unde sequitur secundum ipsum, quod movens seipsum non possit mori. Et sic relinquebatur quod anima omnis motiva esset immortalis, etiam brutorum. – Ideo autem hanc rationem in idem redire diximus cum praemissa, quia cum, secundum Platonis positionem, nihil moveat nisi motum, illud quod est seipsum movens, est per seipsum motivum, et sic habet aliquam operationem per se.[2]

Non solum autem in movendo, sed etiam in sentiendo ponebat Plato animam sensitivam propriam operationem habere. Dicebat enim quod sentire est motus quidam ipsius animae sentientis: et ipsa, sic mota, movebat corpus ad sentiendum. Unde, definiens sensum, dicebat quod est motus animae per corpus.[3]

Haec autem quae dicta sunt, patet esse falsa. Non enim sentire est movere, sed magis moveri: nam ex potentia sentiente fit animal actu sentiens per sensibilia, a quibus sensus immutantur. Non autem potest dici similiter sensum pati a sensibili sicut patitur intellectus ab intelligibili, ut sic sentire possit esse operatio animae absque corporeo instrumento, sicut est intelligere: nam intellectus apprehendit res in abstractione a materia et materialibus conditionibus, quae sunt individuationis principia; non autem sensus. Quod exinde apparet quia sensus est particularium, intellectus vero universalium. Unde patet quod sensus patiuntur a rebus secundum quod sunt in materia: non autem intellectus, sed secundum quod sunt abstractae. Passio igitur intellectus est absque materia corporali, non autem passio sensus.

Adhuc. Diversi sensus sunt susceptivi diversorum sensibilium: sicut visus colorum, auditus sonorum. Haec autem diversitas manifeste ex dispositione diversa organorum contingit: nam organum visus oportet esse in potentia ad omnes colores, organum auditus ad omnes sonos. Si autem haec receptio fieret absque organo corporali, eadem potentia esset omnium sensibilium susceptiva: nam virtus immaterialis se habet aequaliter, quantum de se est, ad omnes huiusmodi qualitates; unde intellectus, qui non utitur organo corporali, omnia sensibilia cognoscit. Sentire igitur non fit absque organo corporeo.

Praeterea. Sensus corrumpitur ab excellentia sensibilium: non autem intellectus, quia qui intelligit altiora intelligibilium, non minus poterit alia speculari, sed magis. Alterius igitur generis est passio sensus a sensibili, et intellectus ab intelligibili. Intellectus quidem passio fit absque organo corporali: passio vero sensus cum organo corporali, cuius harmonia solvitur per sensibilium excellentiam.

Quod autem Plato dixit, animam esse moventem seipsam, certum esse videtur ex hoc quod circa corpora apparet. Nullum enim corpus videtur movere nisi sit motum. Unde Plato ponebat omne movens moveri. Et quia non itur in infinitum ut unumquodque motum ab alio moveatur, ponebat primum movens in unoquoque ordine movere seipsum. Et ex hoc sequebatur animam, quae est primum movens in motibus animalium, esse aliquod movens seipsum.[2]

Hoc autem patet esse falsum, dupliciter. Primo quidem, quia probatum est quod omne quod movetur per se, est corpus. Unde, cum anima non sit corpus, impossibile est ipsam moveri nisi per accidens.

Secundo quia, cum movens inquantum huiusmodi sit actu, motum autem inquantum huiusmodi sit in potentia; nihil autem potest esse secundum idem actu et potentia: impossibile erit quod idem secundum idem sit movens et motum, sed oportet, si aliquid dicitur movens seipsum, quod una pars eius sit movens et alia pars sit mota. Et hoc modo dicitur animal movere seipsum: quia anima est movens, et corpus est motum. Sed quia Plato animam non ponebat esse corpus, licet uteretur nomine motus, qui proprie corporum est, non tamen de hoc motu proprie dicto intelligebat, sed accipiebat motum communius pro qualibet operatione: prout etiam Aristoteles dicit, in III de Anima, quod sentire et intelligere sunt motus quidam. Sic autem motus non est actus existentis in potentia, sed actus perfecti.[4] Unde, cum dicebat animam movere seipsam, intendebat per hoc dicere quod ipsa operatur absque adminiculo corporis, e contrario ei quod accidit in aliis formis, quae non agunt absque materia: non enim calor calefacit separatim, sed calidum. Ex quo volebat concludere omnem animam motivam esse immortalem: nam quod per se habet operationem, et per se existentiam habere potest.

Source: 1. Nemesius, *De Nat. Hom.*, 2 [PG 40, 581].
2. Macrobius, *In Som. Scip.*, II, 13, 10-12 [E 617-618]; Averroes, *In Phy.*, VIII, *com.* 46 [Z 364].
3. Nemesius, *De Nat. Hom.*, 6 [PG 40, 637]; *De Sp. et An.*, XIII [PL 40, 788]; St. Augustine, *De Genesi ad Lit.*, XII, 24 [PL 34, 475].
4. See *Source* under *In Sent.* [3].

[15] *C.G.*, II, 83
Propter has ergo et similes rationes quidam, aeternitatem mundi ponentes, dixerunt animam humanam, sicut est incorruptibilis, ita et ab

aeterno fuisse. Unde qui posuerunt animas humanas in sui multitudine esse immortales, scilicet Platonici, posuerunt easdem ab aeterno fuisse, et nunc quidem corporibus uniri, nunc autem a corporibus absolvi, hac vicissitudine secundum determinata annorum curricula observata. – Qui vero posuerunt animas humanas esse immortales secundum aliquid unum quod ex omnibus hominibus manet post mortem, posuerunt hoc ipsum unum ab aeterno fuisse: sive hoc sit intellectus agens tantum, ut posuit Alexander; sive, cum eo, etiam intellectus possibilis, ut posuit Averroes. – Hoc etiam videntur sonare et Aristotelis verba: nam, de intellectu loquens, dicit ipsum non solum incorruptibilem, sed etiam perpetuum esse.

Quidam vero Catholicam fidem profitentes, Platonicorum doctrinis imbuti, viam mediam tenuerunt. Quia enim, secundum fidem Catholicam, nihil est aeternum praeter Deum, humanas quidem animas aeternas non posuerunt, sed eas cum mundo, sive potius ante mundum visibilem, creatas fuisse, et tamen eas de novo corporibus alligari. Quam quidem positionem primus inter Christianae fidei professores Origenes posuisse invenitur, et post eum plures ipsum sequentes. Quae quidem opinio usque hodie apud haereticos manet: quorum Manichaei eas etiam aeternas asserunt, cum Platone, et de corpore ad corpus transire.

Source: Nemesius, *De Nat. Hom.*, 1 [PG 40, 505]; St. Augustine, *De Civ. Dei*, X, 30; *De Trin.*, XV [PL 42, 1011]; Macrobius, *In Som. Scip.*, II, 13, 10-12 [E 617-618]; Averroes, *In Phy.*, VIII, com. 46 [Z 364].

[16] *C.G.*, II, 83

Si autem dicatur quod neque per violentiam neque per naturam corporibus uniuntur, sed spontanea voluntate: – hoc esse non potest. Nullus enim vult in statum peiorem venire nisi deceptus. Anima autem separata est altioris status quam corpori unita: et praecipue secundum Platonicos, qui dicunt quod ex unione corporis patitur oblivionem eorum quae prius scivit, et retardatur a contemplatione pura veritatis.[1] Non igitur volens corpori unitur nisi decepta. Deceptionis autem nulla in ea causa potest existere: cum ponatur, secundum eos, scientiam omnem habere.[2] Nec posset dici quod iudicium ex universali scientia procedens in particulari eligibili subvertatur propter passiones, sicut accidit in incontinentibus: quia passiones huiusmodi non sunt absque corporali transmutatione; unde non possunt esse in anima separata. Relinquitur ergo quod anima, si fuisset ante corpus, non uniretur corpori propria voluntate.

Source: 1. See *Source* under *S.T.* [56].
   2. Macrobius, *In Som. Scip.*, I, 12, 7 [E 420.20-26]; Boethius, *De Con. Phil.*, III, *Metrum* XI [F 95-96]; *De Sp. et An.*, 1 [PL 40, 781].

[17] *C.G.*, II, 83

Si autem anima humana non indiget sensibus ad intelligendum, et propter hoc dicitur absque corpore fuisse creata; oportet dicere quod, antequam corpori uniretur, omnium scientiarum veritates intelligebat per seipsam.[1] Quod et Platonici concesserunt, dicentes ideas, quae sunt formae rerum intelligibiles separatae secundum Platonis sententiam, causam scientiae esse:[2] unde anima separata, cum nullum impedimentum adesset, plenarie omnium scientiarum cognitionem accipiebat. Oportet igitur dicere quod, dum corpori unitur, cum inveniatur ignorans, oblivionem praehabitae scientiae patiatur.[3] Quod etiam Platonici confitentur: huius rei signum esse dicentes quod quilibet, quantumcumque ignoret, ordinate interrogatus de his quae in scientiis traduntur, veritatem respondet; sicut, cum aliquis iam oblito aliquorum quae prius scivit, seriatim proponit ea quae prius fuerat oblitus, in eorum memoriam ipsum reducit. Ex quo etiam sequebatur quod discere non esset aliud quam reminisci.[4] – Sic igitur ex hac positione de necessitate concluditur quod unio corporis animae praestet intelligentiae impedimentum. Nulli autem rei natura adiungit aliquid propter quod sua operatio impediatur: sed magis ea per quae fiat convenientior. Non igitur erit unio corporis et animae naturalis. Et sic homo non erit res naturalis, nec eius generatio naturalis. Quae patet esse falsa.

Source: 1. Macrobius, *In Som. Scip.*, I, 12, 7 [E 420.20-26]; Boethius, *De Con. Phil.*, III, *Metrum* XI [F 95-96]; *De Sp. et An.*, 1 [PL 40, 781].
2. Aristotle, *Meta.*, I, 6; 9 [987b 1-8; 991a 12]; St. Augustine, *Oct. Tri. Quaes.*, 46.
3. See 1 above.
4. St. Augustine, *De Trin.*, II, 15 [PL 42, 1011]; Averroes, *In L. Post. Resol.*, com. 6 [26].

[18] *C.G.*, II, 83

Praeterea. Id quod per sensum in nobis acquiritur, non infuit animae ante corpus. Sed ipsorum principiorum cognitio in nobis ex sensibilibus causatur: nisi enim aliquod totum sensu percepissemus, non possemus intelligere quod totum esset maius parte; sicut nec caecus natus aliquid percipit de coloribus. Ergo nec ipsorum principiorum cognitio affuit animae ante corpus. Multo igitur minus aliorum. Non igitur firma est Platonis ratio quod anima fuit antequam corpori uniretur.

Source: Nemesius, *De Nat. Hom.*, 1 [PG 40, 505]; St. Augustine, *De Civ. Dei*, X, 30; *De Trin.*, XV [PL 42, 1011]; Macrobius, *In Som. Scip.*, II, 13, 10-12 [E 617-618]; Averroes, *In Phy.*, VIII, com. 46 [Z 364].

[19] *C.G.*, II, 83

Item. In his quae generantur et corrumpuntur, impossibile est per generationem reiterari idem numero: cum enim generatio et corruptio sit motus in substantiam, in his quae generantur et corrumpuntur non manet substantia eadem, sicut manet in his quae secundum locum moventur. Sed si una anima diversis corporibus generatis unitur successive,[1] redibit idem numero homo per generationem. Quod Platoni de necessitate sequitur, qui dixit hominem esse animam corpore indutam.[2] Sequitur etiam et aliis quibuscumque: quia, cum unitas rei sequatur formam, sicut et esse, oportet quod illa sint unam numero quorum est forma numero una. Non igitur est possibile unam animam diversis corporibus uniri. Ex quo etiam sequitur quod nec animae fuerunt ante corpora.[3]

Source: 1. Nemesius, *De Nat. Hom.*, 2 [PG 40, 580].
2. *Ibid.*, 3 [PG 40, 593].

3. Nemesius, *De Nat. Hom.*, 1 [PG 40, 505]; St. Augustine,
De Civ. Dei, X, 30; *De Trin.*, XV [PL 42, 1011]; Macrobius,
In Som. Scip., II, 13, 10-12 [E 617-618]; Averroes, *In Phy.*,
VIII, *com.* 46 [Z 364].

[20] *C.G.*, II, 90

Per hoc autem excluditur opinio Apuleii, et quorundam Platonicorum,
qui dixerunt daemonia esse animalia corpore aerea, mente rationabilia,
animo passiva, tempore aeterna; ...

Source: St. Augustine, *De Civ. Dei*, VIII, 8 [A]; 16 [A]; IX, 8 [A];
12 [A].

[21] *C.G.*, II, 92

Item. Species rerum materialium non multiplicantur per materiam,
sed per formam. Formae autem quae sunt extra materiam, habent
esse completius et universalius quam formae quae sunt in materia:
nam formae in materia recipiuntur secundum materiae capacitatem.
Non videntur igitur esse minoris multitudinis formae quae sunt extra
materiam, quas dicimus substantias separatas, quam sint species materialium rerum.

Non autem propter hoc dicimus quod substantiae separatae sint
species istorum sensibilium: sicut Platonici senserunt. Cum enim non
possent ad praedictarum substantiarum notitiam pervenire nisi ex sensibilibus, apposuerunt istas substantias esse eiusdem speciei cum istis,
vel magis species istarum: sicut, si aliquis non videret solem et lunam
et alia astra, et audiret esse quaedam corpora incorruptibilia, nomina-
ret ea nominibus istorum corporum corruptibilium, existimans ea esse
eiusdem speciei cum istis. Quod non esset possibile. – Similiter etiam
impossibile est substantias immateriales esse eiusdem speciei cum materialibus, vel species ipsarum: cum materia sit de ratione speciei
horum sensibilium, licet non haec materia, quae est proprium principium individui; sicut de ratione speciei hominis sunt carnes et ossa,
non autem hae carnes et haec ossa, quae sunt principia Sortis et Platonis. – Sic igitur non dicimus substantias separatas esse species istorum
sensibilium: sed esse alias species nobiliores istis, quanto purum est
nobilius permixto. Et tunc illas substantias esse plures oportet istis speciebus rerum materialium.

Source: Aristotle, *Meta.*, I, 6 [987b 7-14]; III, 2 [997b 6-8]; VII, 16
[1040b 30-34].

[22] *C.G.*, II, 98

Secundum autem positionem Platonis, intelligere fit per contactum
intellectus ad rem intelligibilem.

Source: This appears to be implied in Aristotle, *De An.*, I, 3 [407a
10-18]. Cf. *In De An.* [22] and Themistius, *De An. Par.*, II
[CG V, 21.5-6].

[23] *C.G.*, III, 24

Oportet autem quod species eorum quae causantur et intenduntur ab
intellectuali agente, praeexistant in intellectu ipsius: sicut formae arti-
ficiatorum praeexistunt in intellectu artificis, et ex eis deriventur in
effectus. Omnes igitur formae quae sunt in istis inferioribus, et omnes
motus, derivantur a formis intellectualibus quae sunt in intellectu

alicuis substantiae, vel aliquarum. Et propter hoc dicit Boetius, in libro de Trin., quod formae quae sunt in materia, venerunt a formis quae sunt sine materia. Et quantum ad hoc verificatur dictum Platonis, quod formae separatae sunt principia formarum quae sunt in materia: licet Plato posuerit eas per se subsistentes, et causantes immediate formas sensibilium; nos vero ponamus eas in intellectu existentes, et causantes formas inferiores per motum caeli.

Source: Aristotle, *Meta.*, I, 6 [987b 7-20]; 9 [990a 34 - 991b 2; 991a 13-14; 991b 3-4].

[24] *C.G.*, III, 41
Praeterea. Non est eiusdem rationis forma quae secundum esse non potest separari ab aliquo subiecto, cum illa quae separatur secundum esse a tali subiecto, licet utraque secundum considerationem accipiatur absque tali subiecto. Non enim est eadem ratio magnitudinis, et substantiae separatae, nisi ponamus magnitudines separatas medias inter species et sensibilia, sicut aliqui Platonici posuerunt.[1] Quidditas autem generis vel speciei rerum sensibilium non potest separari secundum esse ab hac individuali materia: nisi forte, secundum Platonicos, ponamus rerum species separatas, quod est ab Aristotele improbatum. Est igitur omnino dissimilis quidditas praedicta substantiis separatis, quae nullo modo sunt in materia. Non igitur per hoc quod hae quidditates intelliguntur, substantiae separatae intelligi possunt.

Adhuc. Si quidditas substantiae separatae detur esse eiusdem rationis cum quidditate generis vel speciei istorum sensibilium, non poterit dici quod sit eiusdem rationis secundum speciem nisi dicamus quod species horum sensibilium sint ipsae substantiae separatae, sicut Platonici posuerunt.[2] Remanet igitur quod non erunt eiusdem rationis nisi quantum ad rationem quidditatis inquantum est quidditas. Haec autem est ratio communis, generis scilicet et substantiae. Non igitur per has quidditates de substantiis separatis aliquid intelligi poterit nisi remotum genus ipsarum. Cognito autem genere, non propter hoc cognoscitur species nisi in potentia. Non poterit igitur intelligi substantia separata per intellectum quidditatum horum sensibilium.

Source: 1. Aristotle, *Meta.*, I, 6 [987b 14-18]; VII, 11 [1036b 13-17].
2. *Ibid.* [987b 7-14]; III, 2 [997b 6-8]; VII, 16 [1040b 30-34].

[25] *C.G.*, III, 62
Per haec autem excluditur error Platonicorum, qui dicebant separatas animas, postquam felicitatem ultimam adeptae fuissent, iterum ad corpora incipere velle redire; et, finita felicitate illius vitae, iterum miseriis huius vitae involvi.

Source: St. Augustine, *De Civ. Dei*, X, 30.

[26] *C.G.*, III, 69
Huic autem positioni partim etiam quorundam philosophorum opinio concordavit. Quia enim omne quod per se non est, ab eo quod est per se derivatum invenitur, videtur quod formae rerum quae non sunt per se existentes sed in materia, proveniant ex formis quae per se sine materia sint: quasi formae in materia existentes sint quaedam participationes illarum formarum quae sine materia sunt. Et propter hoc Plato posuit species rerum sensibilium esse quasdam formas separatas, quae

sunt causae essendi his sensibilibus, secundum quod eas participant.

Source: Aristotle, *Meta.*, I, 6 [987b 7-20]; 9 [990a 34 - 991b 2; 991a 13-14; 991b 3-4].

[27] *C.G.*, III, 69

Item. Apparet per inductionem in omnibus quod simile agat suum simile. Id autem quod generatur in rebus inferioribus non est forma tantum, sed compositum ex materia et forma: nam omnis generatio ex aliquo est, scilicet ex materia, et ad aliquid, scilicet formam. Oportet ergo quod generans non sit forma tantum, sed compositum ex materia et forma. Non igitur species rerum separatae, ut Platonici posuerunt; neque intelligentia agens, ut posuit Avicenna, est causa formarum quae sunt in materiis, sed magis hoc compositum ex materia et forma.

Source: Aristotle, *Meta.*, I, 6 [987b 7-20]; 9 [990a 34 - 991b 2; 991a 13-14; 991b 3-4].

[28] *C.G.*, III, 76

Quidam autem concesserunt providentiam divinam usque ad haec singularia procedere, sed quibusdam mediantibus causis. Posuit enim Plato, ut Gregorius Nyssenus dicit, triplicem providentiam. Quarum prima est summi Dei, qui primo et principaliter providet propriis, idest omnibus spiritualibus et intellectualibus; consequenter vero toti mundo quantum ad genera et species, et universales causas, quae sunt corpora caelestia. – Secunda vero est qua providetur singularibus animalium et plantarum, et aliorum generabilium et corruptibilium, quantum ad eorum generationem et corruptionem et alias mutationes. Quam quidem providentiam Plato attribuit diis qui caelum circueunt. Aristoteles vero horum causalitatem attribuit obliquo circulo. – Tertiam vero providentiam ponit rerum quae ad humanam vitam pertinent. Quam quidem attribuit quibusdam daemonibus circa terram existentibus, qui sunt, secundum ipsum, humanarum actionum custodes. – Sed tamen, secundum Platonem, secunda et tertia providentia a prima dependet: nam Deus summus secundos et tertios statuit provisores.

Source: Nemesius, *De Nat. Hom.*, 44 [PG 40, 793; 796].

[29] *C.G.*, III, 84

Omnes autem sequentes philosophi, intellectum a sensu discernentes, causam nostrae scientiae non aliquibus corporibus, sed rebus immaterialibus attribuerunt: sicut Plato posuit causam nostrae scientiae esse ideas; Aristoteles autem intellectum agentem.

Source: Aristotle, *Meta.*, I, 6; 9 [987b 1-8; 991a 12]; St. Augustine, *Oct. Tri. Quaes.*, 46, and see *Source* under *S.T.* [56].

[30] *C.G.*, III, 109

Si quis autem sequi vellet Platonicorum positiones, facilis esset via ad solvendum praedicta. Dicunt enim daemones esse animalia corpore aerea: et sic, cum habeant sibi corpora unita, potest in eis etiam esse pars sensitiva. Unde et passiones, quae nobis sunt causa peccati, eis attribuunt, scilicet iram, odium, et alia huiusmodi: propter quod dicit Apuleius quod sunt animo passiva.[1]

Praeter hoc etiam quod uniti corporibus esse perhibentur, secundum positiones Platonis, forte posset in eis aliud genus cognitionis poni quam intellectus. Nam secundum Platonem, etiam anima sensitiva incorruptibilis est.[2] Unde oportet quod habeat operationem cui non communicet corpus. Et sic nihil prohibet operationem sensitivae animae inveniri in substantia aliqua intellectuali, quamvis corpori non unita: et per consequens passiones. Et sic manet in eis eadem radix peccandi quae est in nobis.

Sed utrumque praemissorum est impossibile. Quod enim non sint aliquae aliae substantiae intellectuales unitae corporibus praeter animas humanas, ostensum est supra. – Quod autem operationes sensitivae animae non possint esse sine corpore, hinc apparet quod, corrupto aliquo organo sentiendi, corrumpitur operatio una sensus: sicut, corrupto oculo, visio deficit. Propter quod et, corrupto organo tactus, sine quo non potest esse animal, oportet quod animal moriatur.

Source: 1. St. Augustine, *De Civ. Dei*, VIII, 16 [A-C]; IX, 3 [B-C].
2. Nemesius, *De Nat. Hom.*, 2 [PG 40, 581]; 6 [PG 40, 637].

[31] *C.G.*, III, 124
Per hoc autem excluditur consuetudo habentium plures uxores; et opinio Platonis, qui posuit uxores debere esse communes.

Source: This doctrine is mentioned in the first part of the *Timaeus* (interp. Chal., 2 [D II, 150]). St. Thomas refers to this passage independently in *In Pol.* [4].

[32] *C.G.*, IV, 6
Est autem haec positio Arii et Eunomii. Et videtur a Platonicorum dictis exorta, qui ponebant summum Deum, patrem et creatorem omnium rerum, a quo primitus effluxisse dicebant quandam mentem, in qua essent omnium rerum formae, superiorem omnibus aliis rebus, quam paternum intellectum nominabant; et post hanc, animam mundi; et deinde alias creaturas. Quod ergo in Scripturis Sacris de Dei Filio dicitur, hoc de mente praedicta intelligebant: et praecipue quia Sacra Scriptura Dei Filium Dei sapientiam nominat et Verbum Dei. – Cui etiam opinioni consonat positio Avicennae, qui supra animam primi caeli ponit intelligentiam primam, moventem primum caelum, supra quam ulterius Deum in summo ponebat.

Sic igitur Ariani de Dei Filio suspicati sunt quod esset quaedam creatura supereminens omnibus aliis creaturis, qua mediante Deus omnia creasset: praecipue cum etiam quidam philosophi posuerunt quodam ordine res a primo principio processisse, ita quod per primum creatum omnia alia sint creata.

Source: See *Source* under *In Sent.* [2].

[33] *C.G.*, IV, 24
Si quis diversas species rerum consideret, in eis quidam ordo ostenditur: prout viventia sunt supra non viventia, et animalia supra plantas, et homo super alia animalia, et in singulis horum diversi gradus inveniuntur secundum diversas species; unde et Plato species rerum dixit esse numeros, qui specie variantur per additionem vel subtractionem unitatis.

Source: Aristotle, *Meta.*, I, 6 [987b 22].

[34] *C.G.*, IV, 65

Quod quidem praecipue dici potest de quantitatibus dimensivis: quas etiam Platonici posuerunt per se subsistere,[1] propter hoc quod secundum intellectum separantur.[2] Manifestum est autem quod plus potest Deus in operando quam intellectus in apprehendendo.

Source: 1. Aristotle, *Meta.*, I, 6 [987b 14-18].
　　　　 2. *Ibid.* [987b 7-18]; VII, 14 [1039a 24-33]; Boethius, *In Isag.*, *ed. sec.*, I, 10; 11 [CSEL 48, 163.14-22; 167.7-11]; Abelard, *Glossae super Porphyrium* [Geyer, 25.15 - 26.15].

6. SUMMA THEOLOGICA

[1] *S.T.*, I, 5, 2, *ad* 1

Et iterum quia secundum Platonicos qui, materiam a privatione non distinguentes, dicebant materiam esse non ens,[1] ad plura se extendit participatio boni quam participatio entis. Nam materia prima participat bonum, cum appetat ipsum, nihil autem appetit nisi simile sibi:[2] non autem participat ens, cum ponatur non ens. Et ideo dicit Dionysius quod 'bonum extenditur ad non existentia.'

Source: 1. Aristotle, *Phy.*, I, 9 [192a 2-6].
　　　　 2. *Ibid.* [192a 14-25].

[2] *S.T.*, I, 5, 3, *ad* 3

Dicendum quod materia prima, sicut non est ens nisi in potentia, ita nec bonum nisi in potentia. Licet secundum Platonicos dici possit quod materia prima est non ens, propter privationem adiunctam. Sed tamen participat aliquid de bono, scilicet ipsum ordinem vel aptitudinem ad bonum. Et ideo non convenit sibi quod sit appetibile, sed quod appetat.

Source: See *Source* under *S.T.* [1].

[3] *S.T.*, I, 6, 4, *c.*

Plato enim posuit omnium rerum species separatas; et quod ab eis individua denominantur, quasi species separatas participando, ut puta quod Socrates dicitur homo secundum ideam hominis separatam.[1] Et sicut ponebat ideam hominis et equi separatam, quam vocabat 'per se hominem' et 'per se equum,' ita ponebat ideam entis et ideam unius separatam, quam dicebat 'per se ens' et 'per se unum'; et eius participatione unumquodque dicitur ens vel unum.[2] Hoc autem quod est per se ens et per se unum, ponebat esse summum bonum. Et quia bonum convertitur cum ente, sicut et unum, ipsum per se bonum dicebat esse Deum, a quo omnia dicuntur bona per modum participationis.[3] – Et quamvis haec opinio irrationabilis videatur quantum ad hoc, quod ponebat species rerum naturalium separatas per se subsistentes, ut Aristoteles multipliciter improbat, tamen hoc absolute verum est, quod aliquid est primum, quod per suam essentiam est ens et bonum, quod dicimus Deum, ut ex superioribus patet. Huic etiam sententiae concordat Aristoteles.

Source: 1. Aristotle, *Meta.*, I, 6 [987b 1-10]; VII, 14; 16 [1039a 30-32; 1040b 32-34]; *Eth.*, I, 6 [1096a 35 - b 3].
　　　　 2. Aristotle, *Meta.*, III, 4 [999b 25-26]; VII, 6 [1031a 28 - b 3; 1031b 7-9]; X, 2 [1053b 9 - 1054a 13].

3. Aristotle, *Eth.*, I, 6 [1096a 22-23; 1096a 35 - b 3]; Boethius, *De Con. Phil.*, III, *Prosa* X [F 90.127-137]; *Prosa* XI [F 91-95]; Macrobius, *In Som. Scip.*, I, 2, 13-14 [E 471.9-12]; 1, 6, 7-8 [E 486.1-14]; St. Augustine, *De Civ. Dei*, VIII, 6 [A-C]; 8 [F]; Dionysius, *De Div. Nom.*, 4, 1 [P 95]; 5, 1 [P 257]; 5, 3 [P 259-260]; 13, 2 [P 439-444]; Proclus, *Elementatio Theologica*, interp. Moer., *Props.* 12-13 [V 269-270].

[4] *S.T.*, I, 9, 1, *ad* 1

Dicendum quod Augustinus ibi loquitur secundum modum quo Plato dicebat primum movens movere seipsum, omnem operationem nominans motum, secundum quod etiam ipsum intelligere et velle et amare motus quidam dicuntur.

Source: See *Source* under *In Sent.* [3].

[5] *S.T.*, I, 11, 1, *ad* 1

Dicendum quod quidam putantes idem esse unum quod convertitur cum ente, et quod est principium numeri,[1] divisi sunt in contrarias positiones. Pythagoras enim et Plato, videntes quod unum quod convertitur cum ente, non addit aliquam rem supra ens, sed significat substantiam entis prout est indivisa, existimaverunt sic se habere de uno quod est principium numeri; et quia numerus componitur ex unitatibus, crediderunt quod 'numeri essent substantiae omnium rerum.'[2]

Source: 1. St. Thomas frequently (e.g. *In Post. Anal.* [8]; [9]; *In Meta.* [13]; [14]; [107]; [116]; *In Phy.* [23]; *In De C. et M.* [30]) remarks that Plato and the Platonici failed to distinguish between the one of number and the one which is convertible with being. I have been unable to find any clear corresponding statement in Aristotle or in any other of his sources. St. Thomas seems to find it in *Meta.*, I, 6 [987b 21-22]: 'ut autem substantia unum: ex illis enim secundum participationes unius, species esse numeros' which seems to identify the *unum* of being with the order of number [text: Cathala, *In* I *Meta.*, 10]. The next section of the Aristotelian text [987b 22-23]: 'Unam tamen substantia et non aliquod aliud ens dici unum, consimiliter Pythagoricis dixit' [text: Cathala, *In* I *Meta.*, 10] seems to identify one and substance and so again bears out St. Thomas' comment: 'Et hoc ideo quia, ut dictum est, non distinguebat inter unum quod convertitur cum ente, et unum quod est principium numeri' (*In Meta.* [14]).

In another text St. Thomas indicates Aristotelian sources for the distinction itself and this as a background for the Platonic error: 'Unum autem, secundum quod dicitur de aliis rebus, dicitur dupliciter. Uno modo secundum quod convertitur cum ente; et sic unaquaeque res est una per essentiam suam *ut infra in quarto probabiter*, nec aliquid addit supra ens nisi solam rationem indivisionis. Alio modo dicitur unum secundum quod significat rationem primae mensurae, vel simpliciter, vel in aliquo genere. Et hoc quidem si sit simpliciter minimum et indivisibile, est unum quod est principium et mensura numeri. Si autem non sit simpliciter

minimum et indivisibile, nec simpliciter sed secundum positionem erit unum et mensura... *et hoc determinabit in decimo hujus.* Sed quia Platonici aestimaverunt idem esse unum quod est principium numeri, et quod convertitur cum ente....'
(*In III Meta.,* 12 [501]). The references are to Aristotle, *Meta.,* IV, 2 [1003b 22-34]; X, 1-2 [1052a 15 - 1054a 19]. In neither of these references is the error attributed to Plato. Avicenna's criticism of Plato includes an argument (*Meta.,* VII, 2 [B 224]) which turns on 'error eorum de uno' but this refers to the unity of the 'intentio.'
2. Aristotle, *Meta.,* I, 5 [987a 17-19]; 6 [987b 22-25].

[6] *S.T.,* I, 15, 1, *ad* 1
Dicendum quod Deus non intelligit res secundum ideam extra se existentem. Et sic etiam Aristoteles improbat opinionem Platonis de ideis, secundum quod ponebat eas per se existentes, non in intellectu.

Source: See the initial form of this response and *Source* under *In Sent.* [6].

[7] *S.T.,* I, 15, 3, *arg.* 4
Constat quod Deus scit non solum species, sed etiam genera et singularia et accidentia. Sed horum non sunt ideae,[1] secundum positionem Platonis, qui primus ideas introduxit,[2] ut dicit Augustinus.

Source: 1. See *Source* under *In Meta.* [148].
2. St. Augustine, *Oct. Tri. Quaes.,* 46.

[8] *S.T.,* I, 15, 3, *c.*
Dicendum quod cum ideae a Platone ponerentur principia cognitionis rerum[1] et generationis ipsarum,[2] ad utrumque se habet idea, prout in mente divina ponitur.

Source: 1. Aristotle, *Meta.,* I, 6 [987b 1-8]; 9 [991a 12]; St. Augustine, *Oct. Tri. Quaes.,* 46.
2. Aristotle, *Meta.,* I, 9 [991a 11; b 2-3; 992a 25-26].

[9] *S.T.,* I, 15, 3, *ad* 3
Dicendum quod Plato, secundum quosdam, posuit materiam non creatam; et ideo non posuit ideam esse materiae, sed materiae concausam. Sed quia nos ponimus materiam creatam a Deo, non tamen sine forma, habet quidem materia ideam in Deo, non tamen aliam ab idea compositi. Nam materia secundum se neque esse habet, neque cognoscibilis est.

Source: St. Ambrose, *In Hexaem.,* I, 1 [PL 14, 123]; Chalcidius, *In Tim. Pl.,* 298 [D II, 245]; Petrus Lomb., *Sent.,* II, 1, 1; Aristotle, *Meta.,* I, 6 [987b 18-21; 988a 8-14].

[10] *S.T.,* I, 15, 3, *ad* 4
Individua vero secundum Platonem non habebant aliam ideam quam ideam speciei:[1] tum quia singularia individuantur per materiam, quam ponebat esse increatam, ut quidam dicunt, et concausam ideae;[2] tum quia intentio naturae consistit in speciebus, nec particularia producit, nisi ut in eis species salventur.

Source: 1. Aristotle, *Meta.,* I, 6 [987b 1-14; 988a 7-11].
2. See *Source* under *S.T.* [9] and 1 above.

[11] *S.T.*, I, 18, 3, *ad* 1
Et per hunc modum etiam Plato posuit quod Deus movet seipsum, non eo modo quo motus est actus imperfecti.
Source: See *Source* under *In Sent.* [3].

[12] *S.T.*, I, 18, 4, *ad* 3
Dicendum quod si de ratione rerum naturalium non esset materia, sed tantum forma, omnibus modis veriori modo essent res naturales in mente divina per suas ideas quam in seipsis. Propter quod et Plato posuit quod homo separatus erat verus homo, homo autem materialis est homo per participationem.
Source: St. Augustine, *Ep.* 118 *ad Diosc.*, 3 [PL 33, 441]; Aristotle, *Meta.*, VII, 14 [1039a 30-32]; 16 [1040b 32-34]; *Eth.*, I, 6 [1096a 35 - b 3].

[13] *S.T.*, I, 19, 1, *ad* 3
Et secundum hoc Plato dixit quod primum movens movet seipsum.
Source: See *Source* under *In Sent.* [3].

[14] *S.T.*, I, 22, 3, *c.*
Et secundum hoc excluditur opinio Platonis, quam narrat Gregorius Nyssenus, triplicem providentiam ponentis. Quarum prima est summi Dei, qui primo et principaliter providet rebus spiritualibus; et consequenter toti mundi, quantum ad genera, species et causas universales. Secunda vero providentia est qua providetur singularibus generabilium et corruptibilium; et hanc attribuit diis qui circumeunt caelos, idest substantiis separatis, quae movent corpora caelestia circulariter. Tertia vero providentia est rerum humanarum, quam attribuebat daemonibus,[1] quos Platonici ponebant medios inter nos et deos, ut narrat Augustinus, IX De Civ. Dei.[2]
Source: 1. Nemesius, *De Nat. Hom.*, 44 [PG 40, 793 and 796].
2. St. Augustine, *De Civ. Dei*, IX, 1 [C]; 13.

[15] *S.T.*, I, 29, 2, *ad* 4
Dicendum quod Boethius dicit genera et species subsistere, inquantum individuis aliquibus competit subsistere, ex eo quod sunt sub generibus et speciebus in praedicamento substantiae comprehensis; non quod ipsae species vel genera subsistant, nisi secundum opinionem Platonis, qui posuit species rerum separatim subsistere a singularibus.
Source: Aristotle, *Meta.*, I, 6 [987b 1-18].

[16] *S.T.*, I, 32, 1, *arg.* 1
Augustinus etiam dicit, VII Confess.: 'Ibi legi,' scilicet in libris Platonicorum, 'non quidem his verbis, sed hoc idem omnino, multis et multiplicibus suaderi rationibus, quod in principio erat Verbum, et Verbum erat apud Deum, et Deus erat Verbum,' et huiusmodi quae ibi sequuntur, in quibus verbis distinctio divinarum Personarum traditur.
Source: St. Augustine, *Conf.*, VII, 9; see *Source* under *In Sent.* [2].

[17] *S.T.*, I, 32, 1, *ad* 1
In libro etiam Platonicorum invenitur: In principio erat verbum, non secundum quod verbum significat personam genitam in divinis; sed secundum quod per verbum intelligitur ratio idealis, per quam Deus

omnia condidit, quae Filio appropriatur. Et licet appropriata tribus
Personis cognoscerent, dicuntur tamen in tertio signo defecisse, idest
in cognitione tertiae Personae, quia a bonitate, quae Spiritui Sancto
appropriatur, deviaverunt, dum cognoscentes Deum, 'non sicut Deum
glorificaverunt,' ut dicitur Rom. I. Vel quia ponebant Platonici unum
primum ens, quod etiam dicebant esse 'patrem' totius universitatis
rerum, consequenter ponebant aliam substantiam sub eo, quam vocabant 'mentem' vel 'paternum intellectum' in qua erant rationes omnium rerum, sicut Macrobius recitat Super Somn. Scipion.: non autem
ponebant aliquam substantiam tertiam separatam, quae videretur
Spiritui Sancto respondere. Sic autem nos non ponimus Patrem et
Filium secundum substantiam differentes; sed fuit error Origenis et
Arii, sequentium Platonicos.

Source: See *Source* under *In Sent.* [2].

[18] *S.T.*, I, 44, 1, *c.*
Unde et Plato dixit quod necesse est ante omnem multitudinem ponere
unitatem.

Source: St. Thomas seems to find the principle in Dionysius, *De Div.*
Nom., 13, 2 [P 442]. See his comment [975-977] and *In I Sent.*,
2, 1, 1.

[19] *S.T.*, I, 44, 2, *c.*
Ulterius vero procedentes distinxerunt per intellectum inter formam
substantialem et materiam, quam ponebant increatam; et perceperunt
transmutationem fieri in corporibus secundum formas essentiales. Quarum transmutationum quasdam causas universaliores ponebant, 'ut
obliquum circulum' secundum Aristotelem, vel ideas secundum Platonem.

Source: Aristotle, *Meta.*, I, 9 [991a 11; b 2-3; 992a 25-26].

[20] *S.T.*, I, 46, 1, *c.*
Primo quidem, quia tam in VIII Phys. quam in I De Caelo, praemittit
quasdam opiniones, ut Anaxagorae et Empedoclis et Platonis, contra
quos rationes contradictorias inducit.

Source: Aristotle, *Phy.*, VIII, 1 [250b 24; 251b 17]; *De Caelo*, I, 10
[279b 4; 280a 30].

[21] *S.T.*, I, 47, 3, *ad* 1
Et Plato ex unitate exemplaris probat unitatem mundi, quasi exemplati.

Source: Plato, *Timaeus*, interp. Chal., 11 [D II, 159-160]; Simplicius,
In L. De Caelo, I [CG VII, 276.11; 13-14; 277.17-19].

[22] *S.T.*, I, 50, 3, *c.*
Dicendum quod circa numerum substantiarum separatarum, diversi
diversis viis processerunt. Plato enim posuit substantias separatas esse
species rerum sensibilium,[1] utpote si poneremus ipsam naturam humanam esse separatam. Et secundum hoc oportebat dicere quod substantiae separatae sint secundum numerum specierum sensibilium.[2] Sed
hanc positionem improbat Aristoteles, ex eo quod materia est de ratione
specierum sensibilium.[3] Unde substantiae separatae non possunt esse
species exemplares horum sensibilium, sed habent quasdam naturas
altiores naturis rerum sensibilium.

Source: 1. Aristotle, *Meta.*, I, 6 [987b 7-14].
      2. *Ibid.*, 9 [990b 6-17].
      3. *Ibid.*, VII, 1 [1042a 25-26].

[23] *S.T.*, I, 50, 5, *arg.* 2 *et ad* 2

Plato dicit in Timaeo: 'O dii deorum, quorum opifex idem paterque ego, opera siquidem vos mea dissolubilia natura.' Hos autem deos non aliud quam angelos intelligere potest. Ergo angeli natura sua sunt corruptibiles.

Dicendum quod Plato per deos intelligit corpora caelestia, quae existimabat esse ex elementis composita et ideo secundum suam naturam dissolubilia; sed voluntate divina semper conservabantur in esse.

Source: Plato, *Timaeus*, interp. Chal., 16 [D II, 169].

[24] *S.T.*, I, 51, 1, *ad* 1

Augustinus autem loquitur non asserendo, sed opinione Platonicorum utens, qui ponebant esse quaedam animalia aerea, quae daemones nominabant.

Source: St. Augustine, *De Civ. Dei*, VIII, 16 [A]; IX, 8 [A]; 12 [A].

[25] *S.T.*, I, 63, 7, *c.*

Dicendum quod in peccato est duo considerare: scilicet pronitatem ad peccandum; et motivum ad peccandum. Si ergo consideremus in angelis pronitatem ad peccandum, minus videtur quod peccaverint superiores angeli, quam inferiores. Et propter hoc Damascenus dicit quod maior eorum qui peccaverunt, fuit 'terrestri ordini praelatus.' – Et videtur haec opinio consonare positioni Platonicorum, quam Augustinus recitat in lib. De Civit. Dei VIII et X. Dicunt enim quod omnes dii erant boni, sed daemonum quidam boni, quidam mali; deos nominantes substantias intellectuales quae sunt a globo lunari superius, daemones vero substantias intellectuales quae sunt a globo lunari inferius, superiores hominibus ordine naturae.

Source: St. Augustine, *De Civ. Dei*, VIII, 13 [A, B]; 14 [A]; 10, 1 [C].

[26] *S.T.*, I, 65, 4, *c.*

Plato enim posuit formas quae sunt in materia corporali, derivari et formari a formis sine materia subsistentibus,[1] per modum participationis cuiusdam.[2] Ponebat enim hominem quendam immaterialiter subsistentem, et similiter equum, et sic de aliis, ex quibus constituuntur haec singularia sensibilia,[3] secundum quod in materia corporali remanet quaedam impressio ab illis formis separatis, per modum assimilationis cuiusdam, quam participationem vocabat.[4] Et secundum ordinem formarum ponebant Platonici ordinem substantiarum separatarum; puta quod una substantia separata est quae est equus, quae est causa omnium equorum; supra quam est quaedam vita separata, quam dicebant per se vitam et causam omnis vitae; et ulterius quandam quam nominabant ipsum esse, et causam omnis esse.[5]

– – –

Omnes autem hae opiniones ex una radice processisse videntur. Quaerebant enim causam formarum, ac si ipsae formae fierent secundum seipsas. Sed sicut probat Aristoteles in VII Metaph., id quod proprie fit, est compositum; formae autem corruptibilium rerum habent ut aliquando sint, aliquando non sint, absque hoc quod ipsae generentur

aut corrumpantur, sed compositis generatis aut corruptis; quia etiam
formae non habent esse, sed composita habent esse per eas; sic enim
alicui competit fieri, sicut et esse. Et ideo, cum simile fiat a suo simili,
non est quaerenda causa formarum corporalium aliqua forma immaterialis; sed aliquod compositum, secundum quod hic ignis generatur
ab hoc igne. Sic igitur formae corporales causantur, non quasi influxae
ab aliqua immateriali forma, sed quasi materia reducta de potentia in
actum ab aliquo agente composito.[6]

Source: 1. Aristotle, *Meta.*, I, 9 [991b 3-4]; cf. St. Augustine, *Oct. Tri.
Quaes.*, 46.

2. Aristotle, *Meta.*, I, 6 [987b 9-10]; cf. St. Augustine, *Oct. Tri.
Quaes.*, 46.

3. Aristotle, *Meta.*, III, 2 [997b 6-8]; *Eth.*, I, 6 [1096a 35 -
b 3].

4. The 'impressio' terminology is to be found in the *Liber De
Causis*; e.g. '[anima] imprimit res corporeas...' [B 176.12].
For the 'assimilatio' and participation, cf. Aristotle, *Meta.*,
I, 9 [991a 21-22].

5. *Liber De Causis*, 1 [B 163.14]; Dionysius, *De Div. Nom.*, 5, 1
[P 258]; 11, 6 [P 344-345]; Proclus, *Elementatio Theologica*,
interp. Moer., *Prop.* 101 [V 491].

6. This is a summary of the argument of Aristotle, *Meta.*, VII,
7 [1032a 12 - 1034a 8].

[27] *S.T.*, I, 65, 4, *ad* 2
Dicendum quod formae participatae in materia reducuntur, non ad
formas aliquas per se subsistentes[1] rationis eiusdem,[2] ut Platonici
posuerunt;...

Source: 1. Aristotle, *Meta.*, I, 9 [991b 3-4].

2. *Ibid.*, III, 2 [997b 6-8].

[28] *S.T.*, I, 66, 1, *ad* 1
Secundum hoc ergo dicitur terra inanis et vacua, vel invisibilis et in-
composita, quia materia per formam cognoscitur: unde in se considerata
dicitur invisibilis vel inanis; et eius potentia per formam repletur: unde
et Plato materiam dicit 'esse locum.'

Source: Aristotle, *Phy.*, II, 3 [209b 11-17].

[29] *S.T.*, I, 66, 1, *ad* 2
Quamvis Plato aerem intellexerit significari per hoc quod dicitur spiritus Domini, quia etiam aer spiritus dicitur; ignem vero intellexerit
significari per caelum, quod igneae naturae esse dixit, ut Augustinus
refert in VIII libro De Civit. Dei. Sed Rabbi Moyses, in aliis cum
Platone concordans, dicit ignem significari per tenebras; quia, ut dicit,
in propria sphaera ignis non lucet.

Source: St. Augustine, *De Civ. Dei*, VIII, 11 [D, E]; 15 [E].

[30] *S.T.*, I, 66, 2, *c.*
Dicendum quod circa hoc fuerunt diversae opiniones philosophorum.
Plato enim, et omnes philosophi ante Aristotelem posuerunt omnia
corpora esse de natura quatuor elementorum.[1] Unde cum quatuor
elementa communicent in una materia, ut mutua generatio et corruptio
in eis ostendit; per consequens sequebatur quod omnium corporum sit
materia una. Quod autem quaedam corpora sint incorruptibilia, Plato

adscribebat non conditioni materiae, sed voluntati artificis, scilicet Dei, quem introducit corporibus caelestibus dicentem: 'Natura vestra estis dissolubilia, voluntate autem mea indissolubilia, quia voluntas mea maior est nexu vestro.'[2]

Source: 1. Nemesius, *De Nat. Hom.*, 5 [PG 40, 625]; St. Augustine, *De Civ. Dei*, VIII, 15.

       2. St. Augustine, *De Civ. Dei*, XIII, 16 [C, D]; Plato, *Timaeus*, interp. Chal., 16 [D II, 169].

[31] *S.T.*, I, 66, 2, *ad* 1

Dicendum quod Augustinus sequitur in hoc opinionem Platonis non ponentis quintam essentiam.

Source: Nemesius, *De Nat. Hom.*, 15 [PG 40, 625]. But see *In De C. et M.* [2].

[32] *S.T.*, I, 66, 3, *c.*

Sciendum est autem quod Augustinus, X De Civit. Dei, dicit quod Porphyrius 'discernebat a daemonibus angelos, ut aerea loca esse daemonum, aetherea vero vel empyrea diceret angelorum.' – Sed Porphyrius, tanquam Platonicus, caelum istud sidereum igneum esse existimabat, et ideo empyreum nominabat; vel aethereum, secundum quod nomen aetheris sumitur ab inflammatione, et non secundum quod sumitur a velocitate motus, ut Aristoteles dicit. Quod pro tanto dictum sit, ne aliquis opinetur Augustinum caelum empyreum posuisse sicut nunc ponitur a modernis.

Source: For the Platonic opinion: St. Augustine, *De Civ. Dei*, VIII, 11 [D, E]; 15 [E].

[33] *S.T.*, I, 68, 1, *c.*

Alii vero dixerunt firmamentum esse de natura quatuor elementorum. non quasi ex elementis compositum, sed quasi elementum simplex; et haec opinio fuit Platonis, qui posuit corpus caeleste esse elementum ignis... Secundum veroo pinionem Platonis non est conveniens quod firmamentum credatur secundum suam substantiam esse factum secunda die.

Source: St. Augustine, *De Civ. Dei*, VIII, 11 [D, E]; 15 [E].

[34] *S.T.*, I, 70, 3, *c.*

Platonici vero posuerunt corpora caelestia animata.

Source: Macrobius, *In Som. Scip.*, I, 14 [E 529]; Boethius, *In Isag.*, ed. sec., II, 5 [CSEL 48, 185.21-22]; III, 4 [CSEL 48, 209.1-2]; IV, 6 [CSEL 48, 257.9-10]; 7 [CSEL 48, 259.19-21]; St. Augustine, *De Civ. Dei*, XIII, 16 [E].

[35] *S.T.*, I, 70, 3, *c.*

Platonici etiam animas corporibus uniri non ponebant nisi per contactum virtutis, sicut 'motor mobili.'[1] Et sic per hoc quod Plato ponit corpora caelestia animata,[2] nihil aliud datur intelligi quam quod substantiae spirituales uniuntur corporibus caelestibus ut motores mobilibus.

Source: 1. Aristotle, *De An.*, I, 2 [404a 23]; II, 1 [413a 9]; Nemesius, *De Nat. Hom.*, 1 [PG 40, 505]; 2 [PG 40, 537]; 3 [PG 40, 593].

       2. See *Source* under *S.T.* [34].

[36] *S.T.*, I, 74, 3, *ad* 4
Dicendum quod Rabbi Moyses per Spiritum Domini intelligit aerem
vel ventum, sicut et Plato intellexit.

Source: St. Augustine, *De Civ. Dei*, VIII, 11 [D, E]; 15 [E].

[37] *S.T.*, I, 75, 3, *c.*
Plato autem distinxit inter intellectum et sensum;[1] utrumque tamen
attribuit principio incorporeo, ponens quod, sicut intelligere, ita et
sentire convenit animae secundum seipsam.[2] Et ex hoc sequebatur
quod etiam animae brutorum animalium sint subsistentes.[3]

Source: 1. Nemesius, *De Nat. Hom.*, 1 [PG 40, 505]; 3 [PG 40, 593].
      2. *Ibid.*, 6 [PG 40, 637]; *De Sp. et An.*, XIII [PL 40, 788];
        St. Augustine, *De Genesi. ad Lit.*, XII, 24 [PL 34, 475].
      3. Nemesius, *De Nat. Hom.*, 2 [PG 40, 581].

[38] *S.T.*, I, 75, 4, *c.*
Plato vero ponens sentire esse proprium animae,[1] ponere potuit quod
homo esset 'anima utens corpore.'[2]

Source: 1. See *Source* under *S.T.* [37].
      2. Nemesius, *De Nat. Hom.*, 1 [PG 40, 505].

[39] *S.T.*, I, 76, 1, *c.*
Aut ergo oportet dicere quod Socrates intelligit secundum se totum,
sicut Plato posuit dicens hominem esse animam intellectivam;...

Source: Nemesius, *De Nat. Hom.*, 1 [PG 40, 593].

[40] *S.T.*, I, 76, 2, *c.*
Dicendum quod intellectum esse unum omnium hominum, omnino
est impossibile. Et hoc quidem patet, si secundum Platonis sententiam
homo sit ipse intellectus.

Source: See *Source* under *S.T.* [39].

[41] *S.T.*, I, 76, 2, *ad* 4
Sed secundum sententiam Platonis, res intellecta eo modo est extra
animam, quo intelligitur; posuit enim naturas rerum a materia separatas.

Source: Aristotle, *Meta.*, I, 6 [987b 1-10]; VII, 14 [1039a 24-33];
      Boethius, *In Isag.*, ed. sec., I, 10; 11 [CSEL 48, 163.14-22;
      167.7-11]; Abelard, *Glossae super Porphyrium* [Geyer, 25.15 -
      26.15].

[42] *S.T.*, I, 76, 3, *c.*
Dicendum quod Plato posuit diversas animas esse in corpore uno etiam
secundum organa distinctas quibus diversa opera vitae attribuebat;
dicens 'vim nutritivam esse in hepate, concupiscibilem in corde, cognoscitivam in cerebro.' Quam quidem opinionem Aristoteles reprobat
in libro De An., quantum ad illas animae partes quae corporeis organis
in suis operibus utuntur,...

Source: Averroes, *In De An.*, I, com. 90 [45F]; Themistius, *De An. Par.*,
      V [CG V, 93.32 - 94.3].

[43] *S.T.*, I, 76, 3, *c.*

Opinio autem Platonis sustineri utique posset, si poneretur quod anima unitur corpori non ut forma, sed ut motor, ut posuit Plato.[1] Nihil enim inconveniens sequitur, si idem mobile a diversis motoribus moveatur, praecipue secundum diversas partes. Sed si ponamus animam corpori uniri sicut formam, omnino impossibile videtur plures animas per essentiam differentes in uno corpore esse. Quod quidem triplici ratione manifestari potest.

Primo quidem, quia animal non esset simpliciter unum, cuius essent animae plures. Nihil enim est simpliciter unum nisi per formam unam, per quam habet res esse; ab eodem enim habet res quod sit ens, et quod sit una; et ideo ea quae denominantur a diversis formis, non sunt unum simpliciter, sicut homo albus. Si igitur homo ab alia forma haberet quod sit vivum, scilicet ab anima vegetabili; et ab alia forma quod sit animal, scilicet ab anima sensibili; et ab alia quod sit homo, scilicet ab anima rationali; sequeretur quod homo non esset unum simpliciter; sicut et Aristoteles argumentatur contra Platonem in VIII Metaph., quod si alia esset idea animalis, et alia bipedis, non esset unum simpliciter animal bipes.[2] Et propter hoc, in I De An., contra ponentes diversas animas in corpore inquirit quid contineat illas, idest quid faciat ex eis unum.[3] Et non potest dici quod uniantur per corporis unitatem, quia magis anima continet corpus, et facit ipsum esse unum, quam e converso.

Source: 1. Aristotle, *De An.*, I, 2 [404a 23]; II, 1 [413a 9]; Nemesius, *De Nat. Hom.*, 1 [PG 40, 505]; 2 [PG 40, 537]; 3 [PG 40, 593].
      2. Aristotle, *Meta.*, VII, 6 [1045a 14].
      3. Aristotle, *De An.*, I, 5 [411b 6].

[44] *S.T.*, I, 76, 4, *c.*

Dicendum quod si poneretur anima intellectiva non uniri corpori ut forma, sed solum ut motor, ut Platonici posuerunt; necesse esset dicere quod in homine esset alia forma substantialis, per quam corpus ab anima mobile in suo esse constitueretur.

Source: See *Source* 1 under *S.T.* [43].

[45] *S.T.*, I, 76, 7, *c.*

Dicendum quod si anima, secundum Platonicos corpori uniretur solum ut motor, conveniens esset dicere quod inter animam hominis vel cuiuscumque animalis, et corpus, aliqua alia corpora media intervenirent; convenit enim motori aliquid distans per media magis propinqua movere.

Source: See *Source* 1 under *S.T.* [43].

[46] *S.T.*, I, 76, 7, *c.*

Unde patet esse falsas opiniones eorum qui posuerunt aliqua corpora esse media inter animam et corpus hominis. Quorum quidam Platonici dixerunt quod anima intellectiva habet corpus incorruptibile sibi naturaliter unitum, a quo nunquam separatur, et eo mediante unitur corpori hominis corruptibili.

Source: Proclus, *Elementatio Theologica*, interp. Moer., *Prop.* 196 [V 525].

[47] *S.T.*, I, 76, 8, *c.*

Dicendum quod, sicut in aliis iam dictum est, si anima uniretur corpori solum ut motor, posset dici quod non esset in qualibet parte corporis, sed in una tantum, per quam alias moveret.

Source: See *Source* 1 under *S.T.* [43].

[48] *S.T.*, I, 77, 5, *ad* 3

Dicendum quod opinio Platonis fuit quod sentire est operatio animae propria, sicut et intelligere. In multis autem quae ad philosophiam pertinent, Augustinus utitur opinionibus Platonis, non asserendo, sed recitando.

Source: Nemesius, *De Nat. Hom.*, 6 [PG 40, 637]; *De Sp. et An.*, XIII [PL 40, 788]; St. Augustine, *De Genesi ad Lit.*, XII, 24 [PL 34, 475].

[49] *S.T.*, I, 79, 3, *c.*

Respondeo. Dicendum quod 'secundum opinionem Platonis, nulla necessitas erat ponere intellectum agentem' ad faciendum intelligibilia in actu; sed forte ad praebendum lumen intelligibile intelligenti,[1] ut infra dicetur. Posuit enim Plato formas rerum naturalium sine materia subsistere,[2] et per consequens eas intelligibiles esse; quia ex hoc est aliquid intelligibile actu, quod est immateriale. Et huiusmodi vocabat species, sive ideas;[2] ex quarum participatione dicebat etiam materiam corporalem formari, ad hoc quod individua naturaliter constituerentur in propriis generibus et speciebus;[3] et intellectus nostros, ad hoc quod de generibus et speciebus rerum scientiam haberent.[3]

Source: 1. This qualification is introduced in view of Plato's comparison of the 'separated intellect' to the sun (see *S.T.* [50] and *Source* thereunder).
2. Aristotle, *Meta.*, I, 6 [987b 1-10].
3. *Ibid.*, I, 6 [987b 1-18]; 9 [991a 12; b 3-4]; St. Augustine, *Oct. Tri. Quaes.*, 46.

[50] *S.T.*, I, 79, 4, *c.*

Et ideo Aristoteles comparavit intellectum agentem lumini, quod est aliquid receptum in aere. Plato autem intellectum separatum imprimentem in animas nostras comparavit soli, ut Themistius dicit in Commentario III De An.

Source: Themistius, *De An. Par.*, VI [CG V, 103.33-35].

[51] *S.T.*, I, 79, 5, *ad* 3

Et sic illa communicatio hominum in primis intelligibilibus demonstrat unitatem intellectus separati, quem Plato comparat soli; non autem unitatem intellectus agentis, quem Aristoteles comparat lumini.

Source: See *Source* under *S.T.* [50].

[52] *S.T.*, I, 84, 1, *c.*

Respondeo. Dicendum, ad evidentiam huius quaestionis, quod primi philosophi qui de naturis rerum inquisiverunt, putaverunt nihil esse in mundo praeter corpus. Et quia videbant omnia corpora mobilia esse, et putabant ea in continuo fluxu esse, existimaverunt quod nulla certitudo de rerum veritate haberi posset a nobis. Quod enim est in continuo fluxu, per certitudinem apprehendi non potest, quia prius labitur quam mente diiudicetur; sicut Heraclitus dixit quod 'non est possibile aquam fluvii currentis bis tangere,' ut recitat Philosophus in IV Metaph.

His autem superveniens Plato, ut posset salvare certam cognitionem veritatis a nobis per intellectum haberi,[1] posuit praeter ista corporalia aliud genus entium a materia et motu separatum, quod nominabat species sive ideas, per quarum participationem unumquodque istorum singularium et sensibilium dicitur vel homo vel equus vel aliquid huiusmodi. Sic ergo dicebat scientias et definitiones et quidquid ad actum intellectus pertinet, non referri ad ista corpora sensibilia, sed ad illa immaterialia et separata; ut sic anima non intelligat ista corporalia, sed intelligat horum corporalium species separatas.[2]... Videtur autem in hoc Plato deviare a veritate, quia cum aestimaret omnem cognitionem per modum alicuius similitudinis esse,[3] credidit quod forma cogniti ex necessitate sit in cognoscente eo modo quo est in cognito. Consideravit autem quod forma rei intellectae est in intellectu universaliter et immaterialiter et immobiliter; quod ex ipsa operatione intellectus apparet, qui intelligit universaliter et per modum necessitatis cuiusdam; modus enim actionis est secundum modum formae agentis. Et ideo existimavit quod oporteret res intellectas hoc modo in seipsis subsistere, scilicet immaterialiter et immobiliter.[4]

Hoc autem necessarium non est. Quia etiam in ipsis sensibilibus videmus quod forma alio modo est in uno sensibilium quam in altero, puta cum in uno est albedo intensior, in alio remissior, et cum in uno est albedo cum dulcedine, in alio sine dulcedine. Et per hunc etiam modum forma sensibilis alio modo est in re quae est extra animam et alio modo in sensu, qui suscipit formas sensibilium absque materia, sicut colorem auri sine auro. Et similiter intellectus species corporum, quae sunt materiales et mobiles, recipit immaterialiter et immobiliter secundum modum suum: nam receptum est in recipiente per modum recipientis. Dicendum est ergo quod anima per intellectum cognoscit corpora cognitione immateriali, universali et necessaria.

Source: 1. Aristotle, *Meta.*, I, 6 [987b 6].
       2. *Ibid.* [987b 1-18]; 9 [990b 11-14; 991a 12-13; 992b 24 - 993a 10].
       3. Aristotle, *De An.*, I, 2 [404b 16-19].
       4. Boethius, *De Con. Phil.*, V, *Prosa* IV [F 150.71-73]; *Liber De Causis*, 7 [B 171.7-9]; 9 [B 174.15-17]; 19 [B 181.15-16]; 23 [B 185.9-10]; Aristotle, *Meta.*, I, 6 [987b 7-18]; VII, 14 [1039a 24-33]; Boethius, *In Isag.*, *ed. sec.*, I, 10; 11 [CSEL 48, 163.14-22; 167.7-11]; Abelard, *Glossae super Porphyrium* [Geyer, 25.15 - 26.15].

[53] *S.T.*, I, 84, 2, *c.*

Dicendum quod antiqui philosophi posuerunt quod anima per suam essentiam cognoscit corpora. Hoc enim animis omnium communiter inditum fuit, quod 'simile simili cognoscitur.' Existimabant autem quod forma cogniti sit in cognoscente eo modo quo est in re cognita. E contrario tamen Platonici posuerunt. Plato enim, quia perspexit intellectualem animam immaterialem esse et immaterialiter cognoscere, posuit formas rerum cognitarum immaterialiter subsistere.

Source: The description here given is a synthesis of Aristotle, *De An.*,
I, 2 [404b 16-19] and *Meta.*, I, 6 [987b 1-18]. For the imma-
teriality of the soul, see Nemesius, *De Nat. Hom.*, 2 [PG 40, 572].
See also *Source* 4 under *S.T.* [52].

[54] *S.T.*, I, 84, 3, *arg.* 3
Sed aliquis etiam idiota, non habens scientiam acquisitam, respondet
verum de singulis, si tamen ordinate interrogetur, ut narratur in Menone Platonis de quodam.

Source: St. Augustine, *De Trin.*, II, 15 [PL 42, 1011].

[55] *S.T.*, I, 84, 3, *c.*
Sed quia id quod habet actu formam, interdum non potest agere secundum formam propter aliquod impedimentum, sicut leve si impediatur
sursum ferri, propter hoc Plato posuit quod intellectus hominis naturaliter est plenus omnibus speciebus intelligibilibus, sed per unionem
corporis impeditur ne possit in actum exire. ¹ – Sed hoc non videtur
convenienter dictum. Primo quidem quia si habet anima naturalem
notitiam omnium, non videtur esse possibile quod huius naturalis notitiae tantam oblivionem capiat, quod nesciat se huiusmodi scientiam
habere. Nullus enim homo obliviscitur ea quae naturaliter cognoscit,
sicut quod omne totum sit maius sua parte, et alia huiusmodi. Praecipue
autem hoc videtur esse inconveniens, si ponatur esse animae naturale
corpori uniri, ut supra habitum est; inconveniens enim est quod naturalis operatio alicuius rei totaliter impediatur per id quod est sibi
secundum naturam. Secundo, manifeste apparet huius positionis falsitas
ex hoc quod, deficiente aliquo sensu, deficit scientia eorum quae appre-
henduntur secundum illum sensum; sicut caecus natus nullam potest
habere notitiam de coloribus. Quod non esset, si intellectui animae
essent naturaliter inditae omnium intelligibilium rationes. Et ideo dicendum est quod anima non cognoscit corporalia per species naturaliter
inditas.

Source: 1. Aristotle, *Meta.*, I, 9 [993a 1-2]; *Post. Anal.*, II, 19 [99b
26-27]; St. Augustine, *De Trin.*, XV [PL 42, 1011]; Macrobius, *In Som. Scip.*, I, 12, 7 [E 520.20-25]; Boethius, *De Con.
Phil.*, III, *Metrum* XI [F 95-96]; *De Sp. et An.*, 1 [PL 40, 781].

[56] *S.T.*, I, 84, 4, *c.*
Dicendum quod quidam posuerunt species intelligibiles nostri intellectus procedere ab aliquibus formis vel substantiis separatis. Et hoc dupliciter. Plato enim, sicut dictum est, posuit formas rerum sensibilium per
se sine materia subsistentes, sicut formam hominis, quam nominabat
per se hominem, et formam vel ideam equi, quam nominabat per se
equum, et sic de aliis.¹ Has ergo formas separatas ponebat participari
et ab anima nostra et a materia corporali: ab anima quidem nostra ad
cognoscendum, a materia vero corporali ad essendum; ut sicut materia
corporalis per hoc quod participat ideam lapidis, fit hic lapis, ita intellectus noster per hoc quod participat ideam lapidis, fit intelligens lapi-
dem.² Participatio autem ideae fit per aliquam similitudinem ipsius
ideae in participante ipsam, per modum quo exemplar participatur ab
exemplato. Sicut igitur ponebat formas sensibiles quae sunt in materia
corporali, effluere ab ideis sicut quasdam earum similitudines; ita ponebat species intelligibiles nostri intellectus esse similitudines quasdam

idearum ab eis effluentes.[3] Et propter hoc, ut supra dictum est, scientias et definitiones ad ideas referebat.[4]... Et sic in hoc Avicenna cum Platone concordat quod species intelligibiles nostri intellectus effluunt a quibusdam formis separatis, quas tamen Plato dicit per se subsistere; Avicenna vero ponit eas in intelligentia agente. Differunt etiam quantum ad hoc quod Avicenna ponit species intelligibiles non remanere in intellectu nostro postquam desinit actu intelligere; sed indiget ut iterato se convertat ad recipiendum de novo. Unde non ponit scientiam animae naturaliter inditam, sicut Plato, qui ponit participationes idearum immobiliter in anima permanere.[5]

Sed secundum hanc positionem sufficiens ratio assignari non posset quare anima nostra corpori uniretur. Non enim potest dici quod anima intellectiva corpori uniatur propter corpus, quia nec forma est propter materiam, nec motor propter mobile, sed potius e converso. Maxime autem videtur corpus esse necessarium animae intellectivae ad eius propriam operationem, quae est intelligere, quia secundum esse suum a corpore non dependet. Si autem anima species intelligibiles secundum suam naturam apta nata esset recipere per influentiam aliquorum separatorum principiorum tantum, et non acciperet eas ex sensibus, non indigeret corpore ad intelligendum; unde frustra corpori uniretur. – Si autem dicatur quod indiget anima nostra sensibus ad intelligendum, quibus quodammodo excitetur ad consideranda ea quorum species intelligibiles a principiis separatis recipit, hoc non videtur sufficere. Quia huiusmodi excitatio non videtur necessaria animae nisi inquantum est 'consopita,' secundum Platonicos, quodammodo et 'obliviosa' propter unionem ad corpus;[6] et sic sensus non proficerent animae intellectivae nisi ad tollendum impedimentum quod animae provenit ex corporis unione. Remanet igitur quaerendum quae sit causa unionis animae ad corpus.

Source: 1. Aristotle, *Meta.*, I, 6 [987b 1-18]; *Eth.*, I, 6 [1096a 35 - b 3].
2. The use of the term 'participare' to describe the Platonic relationships between natural forms and the separated Ideas is, of course, commonplace in the Platonists. It is so used by Aristotle in reporting Platonism (*Meta.*, I, 6 [987b 9-14; 21]; 9 [990b 28; 30 - 991a 3; 991a 14, b 5]; VII, 4 [1030a 13]; 6 [1031b 18]; 12 [1037b 18]; 15 [1040a 27]; VIII, 6 [1045b 8; 18]; XII, 10 [1075b 19-20]; XIII, 4 [1079a 25]; 5 [1079b 18]). St. Augustine uses the same mode of expression with regard to God and the Divine Ideas: '...quarum [= idearum] participatione fit ut sit quidquid est, quoquomodo est' [*Oct. Tri. Quaes.*, 46]; Boethius has it ['Sed omne quod bonum est boni participatione bonum esse concedis an minime?' (*De Con. Phil.*, III, 11 [F 92])] and it is common in the pseudo-Dionysius (*De Div. Nom.*, 2, 5 [P 49]). The *Liber De Causis* employs the terms 'recipere,' 'influere' etc., yet St. Thomas recognizes correctly that the Platonic *participation* is here involved.

I have, however, been unable to discover any use of the term *participation* to describe the relationship between the intellect and the Ideas in knowing and this despite the fact that St. Thomas frequently employs the parallel exposition of our present text. (For the Ideas as causes of knowledge, see Aristotle, *Meta.*, I, 6; 9 [987b 1-8; 991a 12]; St. Augustine, *Oct. Tri. Quaes.*, 46).

3. Aristotle, *Meta.*, I, 9 [991a 20-21]; cf. Avicenna, *De An.*, V, 5 [26Rb, K, 130]; 'Omnis autem apprehensio intelligibilis est similitudo aliqua ad formam separatam a materia.... Sed anima habet hoc ex hoc quod est substantia recipiens impressa ab eo.'

4. See *Source* under *S.T.* [52].

5. Macrobius, *In Som. Scip.*, I, 12, 7 [E 520.20-25]; Boethius, *De Con. Phil.*, III, *Prosa* XI and *Metrum* XI [F 91-96]; Aristotle, *Prior. Anal.*, II, 21 [67a 21-22]; cf. Albertus Magnus, *Meta.*, VII, 5, 7 [B VII, 485]; 'Plato autem et quidam Pythagoricorum quia universalia dicebant esse principia et substantiarum singularium et scientiae, dicebant illa semper esse in intellectu agente et possibili.'

6. Macrobius, *In Som. Scip.*, I, 12, 7 [E 520.20-25]; Boethius, *De Con. Phil.*, III, *Metrum* XI [F 95-96]; *De Sp. et An.*, 1 [PL 40, 781].

[57] *S.T.*, I, 84, 5, *arg.* 3

Praeterea. Rationes aeternae nihil aliud sunt quam ideae; dicit enim Augustinus, in libro Octog. trium Quaest., quod 'ideae sunt rationes stabiles rerum in mente divina existentes.' Si ergo dicatur quod anima intellectiva cognoscit omnia in rationibus aeternis, redibit opinio Platonis, qui posuit omnem scientiam ab ideis derivari.

Source: Aristotle, *Meta.*, I, 6 [987b 1-8]; 9 [991a 12]; St. Augustine, *Oct. Tri. Quaes.*, 46.

[58] *S.T.*, I, 84, 5, *c.*

Et ideo Augustinus, qui doctrinis Platonicorum imbutus fuerat, si qua invenit fidei accommoda in eorum dictis, assumpsit; quae vero invenit fidei nostrae adversa, in melius commutavit. Posuit autem Plato, sicut supra dictum est, formas rerum per se subsistere a materia separatas, quas ideas vocabat,[1] per quarum participationem dicebat intellectum nostrum omnia cognoscere; ut sicut materia corporalis per participationem ideae lapidis fit lapis, ita intellectus noster per participationem eiusdem ideae cognosceret lapidem.[2] Sed quia videtur esse alienum a fide quod formae rerum extra res per se subsistant absque materia, sicut Platonici posuerunt, dicentes per se vitam aut per se sapientiam esse quasdam substantias creatrices,[3] ut Dionysius dicit XI cap. De Div. Nom.; ideo Augustinus in libro Octog. trium Quaest. posuit loco harum idearum quas Plato ponebat, rationes omnium creaturarum in mente divina existere, secundum quas omnia formantur, et secundum quas etiam anima humana omnia cognoscit.... Quia tamen praeter lumen intellectuale in nobis exiguntur species intelligibiles a rebus acceptae ad scientiam de rebus materialibus habendam; ideo non per solam participationem rationum aeternarum de rebus materialibus notitiam habemus, sicut Platonici posuerunt quod sola idearum participatio sufficit ad scientiam habendam.[4]

Source: 1. Aristotle, *Meta.*, I, 6 [987b 1-14].

2. See *Source* 2 under *S.T.* [56].

3. Dionysius, *De Div. Nom.*, 11, 6 [P 344].

4. See *Source* 2 under *S.T.* [56].

[59] *S.T.*, I, 84, 6, *c.*

Plato vero e contrario posuit intellectum differre a sensu; et intellectum quidem esse virtutem immaterialem organo corporeo non utentem in suo actu.[1] Et quia incorporeum non potest immutari a corporeo, posuit quod cognitio intellectualis non fit per immutationem intellectus a sensibilibus, sed per participationem formarum intelligibilium separatarum, ut dictum est.[2] Sensum etiam posuit virtutem quandam per se operantem. Unde nec ipse sensus, cum sit quaedam vis spiritualis, immutatur a sensibilibus; sed organa sensuum a sensibilibus immutantur, ex qua immutatione anima quodammodo excitatur ut in se species sensibilium formet.[3] Et hanc opinionem tangere videtur Augustinus, XII Super Genesim ad Litt., ubi dicit quod 'corpus non sentit, sed anima per corpus, quo velut nuntio utitur ad formandum in seipsa quod extrinsecus nuntiatur.' Sic igitur secundum Platonis opinionem, neque intellectualis cognitio a sensibili procedit, neque etiam sensibilis totaliter a sensibilibus rebus; sed sensibilia excitant animam sensibilem ad sentiendum, et similiter sensus excitant animam intellectivam ad intelligendum.

Aristoteles autem media via processit. Posuit enim cum Platone intellectum differre a sensu. Sed sensum posuit propriam operationem non habere sine communicatione corporis; ita quod 'sentire non sit actus animae tantum,' sed coniuncti. Et similiter posuit de omnibus operationibus sensitivae partis. Quia igitur non est inconveniens quod sensibilia quae sunt extra animam, causent aliquid in coniunctum, in hoc Aristoteles cum Democrito concordavit, quod operationes sensitivae partis causentur per impressionem sensibilium in sensum, non per modum defluxionis, ut Democritus posuit, sed per quandam operationem. Nam et Democritus omnem actionem fieri posuit per influxionem atomorum, ut patet in I De Gener. – Intellectum vero posuit Aristoteles habere operationem absque communicatione corporis. Nihil autem corporeum imprimere potest in rem incorpoream. Et ideo ad causandam intellectualem operationem, secundum Aristotelem, non sufficit sola impressio sensibilium corporum, sed requiritur aliquid nobilius, quia 'agens est honorabilius patiente,' ut ipse dicit. Non tamen ita quod intellectualis operatio causetur ex sola impressione aliquarum rerum superiorum, ut Plato posuit; sed illud superius et nobilius agens quod vocat intellectum agentem, de quo iam supra diximus, quod facit phantasmata a sensibus accepta intelligibilia in actu per modum abstractionis cuiusdam.

Source: 1. Nemesius, *De Nat. Hom.*, 2 [PG 40, 572].
        2. See *Source* 2 under *S.T.* [56].
        3. Nemesius, *De Nat. Hom.*, 6 [PG 40, 637]; *De Sp. et An.*, XIII [PL 40, 788]; St. Augustine, *De Genesi ad Lit.*, XII, 24 [PL 34, 475]. St. Thomas refers to this passage [*S.T.*, I, 77, 5, *arg.* 3 *et ad* 3].

[60] *S.T.*, I, 84, 6, *ad* 2

Et quia secundum Platonis opinionem vis imaginaria habet operationem quae est animae solius;...

Source: See *Source* 3 under *S.T.* [59].

[61] *S.T.*, I, 84, 7, *c.*
Si autem proprium obiectum intellectus nostri esset forma separata; vel si formae rerum sensibilium subsisterent non in particularibus, secundum Platonicos, non oporteret quod intellectus noster semper intelligendo converteret se ad phantasmata.
Source: Aristotle, *Meta.*, I, 6 [987b 1-18].

[62] *S.T.*, I, 85, 1, *c.*
Plato vero, attendens solum immaterialitatem intellectus humani, non autem ad hoc quod est corpori quodammodo unitus, posuit obiectum intellectus ideas separatas;[1] et quod intelligimus non quidem abstrahendo, sed magis abstracta participando,[2] ut supra dictum est.
Source: 1. Aristotle, *Meta.*, I, 6 [987b 1-14].
2. See *Source* 2 under *S.T.* [56].

[63] *S.T.*, I, 85, 1, *ad* 1
Dicendum quod abstrahere contingit dupliciter. Uno modo, per modum compositionis et divisionis; sicut cum intelligimus aliquid non esse in alio, vel esse separatum ab eo. Alio modo, per modum simplicitatis; sicut cum intelligimus unum, nihil considerando de alio. Abstrahere igitur per intellectum ea quae secundum rem non sunt abstracta secundum primum modum abstrahendi, non est absque falsitate. Sed secundo modo abstrahere per intellectum quae non sunt abstracta secundum rem, non habet falsitatem, ut in sensu apparet. Si enim dicamus colorem non inesse corpori colorato, vel esse separatum ab eo, erit falsitas in opinione vel in oratione. Si vero consideremus colorem et proprietatem eius, nihil considerantes de pomo colorato; vel sic quod intelligimus, voce exprimamus, erit absque falsitate opinionis et orationis. Pomum enim non est de ratione coloris; et ideo nihil prohibet colorem intelligi, nihil intelligendo de pomo. Similiter dico quod ea quae pertinent ad rationem speciei cuiuslibet rei materialis, puta lapidis aut hominis aut equi, possunt considerari sine principiis individualibus, quae non sunt de ratione speciei. Et hoc est abstrahere universale a particulari, vel speciem intelligibilem a phantasmatibus, considerare scilicet naturam speciei absque consideratione individualium principiorum, quae per phantasmata repraesentantur. – Cum ergo dicitur quod intellectus est falsus qui intelligit rem aliter quam sit, verum est si ly aliter referatur ad rem intellectam. Tunc enim intellectus est falsus, quando intelligit rem esse aliter quam sit. Unde falsus esset intellectus, si sic abstraheret speciem lapidis a materia, ut intelligeret eam non esse in materia, ut Plato posuit.[1] Non est autem verum quod proponitur, si ly aliter accipiatur ex parte intelligentis. Est enim absque falsitate ut alius sit modus intelligentis in intelligendo, quam modus rei in essendo; quia intellectum est in intelligente immaterialiter per modum intellectus, non autem materialiter per modum rei materialis.
Source: 1. Aristotle, *Meta.*, I, 6 [987b 1-8].

[64] *S.T.*, I, 85, 1, *ad* 2
Et quia Plato non consideravit quod dictum est de duplici modo abstractionis, omnia quae diximus abstrahi per intellectum, posuit abstracta esse secundum rem.
Source: Aristotle, *Meta.*, I, 6 [987b 7-18]; VII, 14 [1039a 24-33]; Boethius, *In Isag.*, *ed sec.*, I, 10; 11 [CSEL 48, 163.14-22; 167. 7-11]; Abelard, *Glossae super Porphyrium* [Geyer, 25.15 - 26.15].

[65] *S.T.*, I, 85, 2, *c.*
...sicut secundum Platonicos omnes scientiae sunt de ideis,[1] quas ponebant esse intellecta in actu.[2]
Source: 1. Aristotle, *Meta.*, I, 6 [987b 1-18].
      2. See *Source* under *S.T.* [49].

[66] *S.T.*, I, 85, 3, *ad* 1
Sed secundum Platonem, qui posuit universalia subsistentia, secundum hanc considerationem universale esset prius quam particularia, quae secundum eum non sunt nisi per participationem universalium subsistentium, quae dicuntur ideae.
Source: Aristotle, *Meta.*, I, 6 [987b 1-18]; VII, 6 [1038b 1 - 1041a 5].

[67] *S.T.*, I, 85, 3, *ad* 4
Non autem est necesse quod omne quod est principium cognoscendi, sit principium essendi, ut Plato existimavit,...
Source: Aristotle, *Meta.*, I, 6 [987b 7-20].

[68] *S.T.*, I, 85, 8, *c.*
Si autem intellectus noster intelligeret per participationem indivisibilium separatorum, ut Platonici posuerunt,[1] sequeretur quod indivisibile huiusmodi esset primo intellectum, quia secundum Platonicos prius participantur a rebus.[2]
Source: 1. See *Source* 2 under *S.T.* [56].
      2. *Liber De Causis*, 1 [B 163.3-4; 164.6-9]; Proclus, *Elementatio Theologica*, interp. Moer., *Props.* 70 and 71 [V 291-292].

[69] *S.T.*, I, 86, 4, *ad* 2
Dicendum quod, sicut Augustinus dicit XII Confess., anima habet quandam vim sortis, ut ex sui natura possit futura cognoscere; et ideo quando retrahitur a corporeis sensibus, et quodammodo revertitur ad seipsam, fit particeps notitiae futurorum. – Et haec quidem opinio rationabilis esset, si poneremus quod anima acciperet cognitionem rerum secundum participationem idearum,[1] sicut Platonici posuerunt; quia sic anima ex sui natura cognosceret universales causas omnium effectuum, sed impeditur per corpus;[2] unde quando a corporis sensibus abstrahitur, futura cognoscit.
Source: 1. See *Source* 2 under *S.T.* [56].
      2. Aristotle, *Meta.*, I, 6; 9 [987b 1-8; 991a 12]; Cicero, *Tusc.*, I, 24; St. Augustine, *De Trin.*, II, 15 [PL 42, 1011]; *Oct. Tri. Quaes.*, 46; Plato, *Timaeus*, interp. Chal., 17 [D II, 170-172]; Chalcidius, *In Timaeum Platonis*, 193-209 [D II, 223-225]; Macrobius, *In Som. Scip.*, I, 12, 7 [E 520.20-25]; Boethius, *De Con. Phil.*, III, *Metrum* XI [F 95-96]; St. John Damascene, *De Fide Orth.*, III, 14 [PG 1037B and 1045B]; *De Sp. et An.*, 1 [PL 40, 781].

[70] *S.T.*, I, 87, 1, *c.*
Sic enim etiam Platonici posuerunt ordinem entium intelligibilium supra ordinem intellectuum,[1] quia intellectus non intelligit nisi per participationem intelligibilem: participans autem est infra participatum secundum eos.[2]
Si igitur intellectus humanus fieret actu per participationes formarum

intelligibilium separatarum, ut Platonici posuerunt,[3] per huiusmodi participationem rerum incorporearum intellectus humanus seipsum intelligeret.

Source: 1. Proclus, *Elementatio Theologica*, interp. Moer., *Prop*. 101 [V 491]; *Prop*. 161 [V 512-513]; *Prop*. 163 [V 513].

2. *Liber De Causis*, 9 [B 173.18-27; 174.1-17]; Proclus, *Elementatio Theologica*, interp. Moer., *Prop*. 24 [V 275]; *Prop*. 167 [V 514-515].

3. Proclus, *ibid*. See *Source* under *S.T.* [56].

[71] *S.T.*, I, 88, 1, *c.*

Dicendum quod secundum opinionem Platonis substantiae immateriales non solum a nobis intelliguntur, sed etiam sunt prima a nobis intellecta. Posuit enim Plato formas immateriales subsistentes, quas ideas vocabat, esse propria obiecta nostri intellectus; et ita primo et per se intelliguntur a nobis. Applicatur tamen animae cognitio rebus materialibus, secundum quod intellectui permiscetur phantasia et sensus. Unde quanto magis intellectus fuerit depuratus, tanto magis percipit immaterialium intelligibilem veritatem.

Source: Aristotle, *Meta.*, I, 6 [987b 1-18]; 9 [990b 11-14; 991a 12-13; 992b 24 - 993a 10].

[72] *S.T.*, I, 88, 2, *c.*

Quod quidem efficaciter diceretur, si substantiae immateriales essent formae et species horum materialium, ut Platonici posuerunt.

Source: Aristotle, *Meta.*, I, 6 [987b 1-18].

[73] *S.T.*, I, 89, 1, *c.*

Dicendum quod ista quaestio difficultatem habet ex hoc quod anima, quandiu est corpori coniuncta, non potest aliquid intelligere non convertendo se ad phantasmata, ut per experimentum patet. Si autem hoc non est ex natura animae, sed per accidens hoc convenit ei ex eo quod corpori alligatur, sicut Platonici posuerunt, de facili quaestio solvi posset. Nam remoto impedimento corporis, rediret anima ad suam naturam, ut intelligeret intelligibilia simpliciter, non convertendo se ad phantasmata, sicut est de aliis substantiis separatis.

Source: Plato, *Timaeus*, interp. Chal., 17 [D II, 170-172]; Chalcidius, *In Timaeum Platonis*, 193-209 [D II, 223-225]; Aristotle, *Meta.*, I, 6 [987b 1-8]; 9 [991a 12]; Cicero, *Tusc.*, I, 24; St. Augustine, *De Trin.*, II, 15 [PL 42, 1011]; *Oct. Tri. Quaes.*, 46; Macrobius, *In Som. Scip.*, I, 12, 7 [E 520.20-25]; Boethius, *De Con. Phil.*, III, *Metrum* XI [F 95-96]; St. John Damascene, *De Fide Orth.*, III, 14 [PG 1037B and 1045B]; *De Sp. et An.*, 1 [PL 40, 781].

[74] *S.T.*, I, 103, 6, *arg.* 1 *et ad* 1

Gregorius enim Nyssenus reprehendit opinionem Platonis, qui divisit providentiam in tria: primam quidem primi dei, qui providet rebus caelestibus et universalibus omnibus; secundam vero providentiam esse dixit secundorum deorum, qui caelum circumeunt, scilicet respectu eorum quae sunt in generatione et corruptione; tertiam vero providentiam dixit quorundam daemonum, qui sunt custodes circa terram humanarum actionum. Ergo videtur quod omnia immediate a Deo gubernentur.

Dicendum quod opinio Platonis reprehenditur, quia etiam quantum ad rationem gubernationis, posuit Deum non immediate omnia gubernare. Quod patet per hoc, quod divisit in tria providentiam, quae est ratio gubernationis.

Source: Nemesius, *De Nat. Hom.*, 44 [PG 40, 793; 796].

[75] *S.T.*, I, 110, 1, *ad* 3

Dicendum quod de substantiis immaterialibus diversimode philosophi sunt locuti. Plato enim posuit substantias immateriales esse rationes et species sensibilium corporum, et quasdam aliis universaliores, et ideo posuit substantias immateriales habere praesidentiam immediatam circa omnia sensibilia corpora, et diversas circa diversa. – Aristoteles autem posuit quod substantiae immateriales non sunt species corporum sensibilium, sed aliquid altius et universalius; et ideo non attribuit eis immediatam praesidentiam supra singula corpora, sed solum supra universalia agentia, quae sunt corpora caelestia. – Avicenna vero mediam viam secutus est. Posuit enim cum Platone, 'aliquam substantiam spiritualem praesidentem immediate sphaerae activorum et passivorum,' eo quod, sicut Plato ponebat quod formae horum sensibilium derivantur a substantiis immaterialibus, ita etiam Avicenna hoc posuit. Sed in hoc a Platone differt, quod posuit unam tantum substantiam immaterialem praesidentem omnibus corporibus inferioribus, quam vocavit intelligentiam agentem.

Doctores autem sancti posuerunt, sicut et Platonici, diversas rebus corporeis substantias spirituales esse praepositas.

Source: Aristotle, *Meta.*, I, 6 [987b 8-10]; 9 [991b 3-4]; III, 2 [997b 8-9]; *Liber De Causis*, 1 [B 163.14 - 164.2]; 17 [B 179.19-22]; Dionysius, *De Div. Nom.*, 5, 2 [P 258]; 11, 6 [P 421-424].

[76] *S.T.*, I, 110, 2, *c.*

Dicendum quod Platonici posuerunt formas quae sunt in materia, causari ex immaterialibus formis, quia formas materiales ponebant esse participationes quasdam immaterialium formarum.

Source: Aristotle, *Meta.*, I, 6 [987b 8-9; 18-19]; 9 [991b 2-3]; III, 2 [997b 2-3; 8-9].

[77] *S.T.*, I, 112, 4, *ad* 2

Et hoc procedit secundum rationem Platonicorum qui dicebant quod quanto aliqua sunt uni primo principio propinquiora, tanto sunt minoris multitudinis; sicut quanto numerus est propinquior unitati, tanto est multitudine minor.

Source: *Liber De Causis*, 4 [B 166.22-25]. Cf. Avicenna, *Meta.*, IX, 4 [F 299; 304]; Dionysius, *De Div. Nom.*, 13, 2 [P 439-444].

[78] *S.T.*, I, 115, 1, *c.*

Et videtur haec opinio derivata esse ab opinione Platonis. Nam Plato posuit omnes formas quae sunt in materia corporali, esse participatas et determinatas et contractas ad hanc materiam; formas vero separatas esse absolutas et quasi universales;[1] et ideo illas formas separatas dicebat esse causas formarum quae sunt in materia.[2]... Unde si esset forma ignis separata, ut Platonici posuerunt,[3] esset aliquo modo causa omnis ignitionis. Sed haec forma ignis quae est in hac materia corporali, est causa huius ignitionis quae est ab hoc corpore in hoc corpus.... Nam Plato ponebat solum formas substantiales separatas;[4] accidentia vero reducebat ad principia materialia quae sunt magnum et parvum, quae ponebat esse prima contraria, sicut et alii rarum et densum.[5] Et ideo tam Plato quam Avicenna, in aliquo ipsum sequens, ponebant quod agentia corporalia agunt secundum formas accidentales, disponendo materiam ad formam substantialem; sed ultima perfectio, quae est per inductionem formae substantialis, est a principio immateriali.[2]

Source: 1. Aristotle, *Meta.*, I, 6 [987b 1-18].
   2. *Ibid.*, 9 [991a 11; 991b 3-4; 992a 24-29]; Averroes, *In Meta.*, VII, *com.* 31 [180E - 181I]; XII, *com.* 18 [303E - 305vI].
   3. See 1 above.
   4. Aristotle, *Meta.*, I, 9 [990b 29].
   5. Aristotle, *Phy.*, I, 4 [187a 16-20]; *Meta.*, I, 9 [992b 1-6].

[79] *S.T.*, I, 115, 3, *ad 2*

Unde Platonici posuerunt species separatas, secundum quarum participationem inferiora corpora substantiales formas consequuntur.[1] – Sed hoc non videtur sufficere. Quia species separatae semper eodem modo se haberent, cum ponantur immobiles; et sic sequeretur quod non esset aliqua variatio circa generationem et corruptionem inferiorum corporum; quod patet esse falsum.[2]

Source: 1. See *Source* 1 and 2 under *S.T.* [78].
   2. Aristotle, *Meta.*, I, 7 [988b 3-4].

[80] *S.T.*, I, 115, 5, *c.*

Ex quibus Platonici moti fuerunt ut ponerent 'daemones esse animalia corpore aerea, animo passiva'; ut ab Apuleio dictum Augustinus introducit VIII De Civit. Dei. Et haec est secunda opinio: secundum quam dici posset quod daemones hoc modo subduntur corporibus caelestibus, sicut et de hominibus dictum est.

Source: St. Augustine, *De Civ. Dei*, VIII, 16 [A]; IX, 8 [A]; 12 [A].

[81] *S.T.*, I, 117, 1, *c.*

Alia est opinio Platonicorum, qui posuerunt quod scientia inest a principio animabus nostris[1] per participationem formarum separatarum sicut supra habitum est;[2] sed anima ex unione corporis impeditur ne possit considerare libere ea quorum scientiam habet. Et secundum hoc discipulus a magistro non acquirit scientiam de novo, sed ab eo excitatur ad considerandum ea quorum scientiam habet; ut sic addiscere nihil aliud sit quam reminisci.[3] Sic etiam ponebant quod agentia naturalia solummodo disponunt ad susceptionem formarum, quas acquirit materia corporalis per participationem specierum separatarum.[4]

Source: 1. Aristotle, *Meta.*, I, 9 [993a 1-2]; *Post. Anal.*, II, 19 [99b 26-27]; St. Augustine, *De Trin.*, XV [PL 42, 1011].
   2. See *Source* 2 under *S.T.* [56].
   3. Macrobius, *In Som. Scip.*, I, 12, 7 [E 520.20-25]; Boethius, *De Con. Phil.*, III, *Metrum* XI [F 95-96]; *De Sp. et An.*, 1 [PL 40, 781].
   4. Aristotle, *Meta.*, 9 [991a 11; 991b 3-4; 992a 24-29]; Averroes, *In Meta.*, VII, *com.* 31 [180E - 181I]; XII, *com.* 18 [303E - 305vI].

[82] *S.T.*, I-II, 5, 4, *c.*

Si vero loquamur de beatitudine perfecta quae expectatur post hanc vitam, sciendum quod Origenes posuit, quorundam Platonicorum errorem sequens, quod post ultimam beatitudinem homo potest fieri miser.

Source: St. Augustine, *De Civ. Dei*, X, 30.

[83] *S.T.*, I-II, 13, 6, *arg.* 3

Si aliqua duo sunt penitus aequalia, non magis movetur homo ad unum quam ad aliud; sicut famelicus, si habet cibum aequaliter appetibilem in diversis partibus, et secundum aequalem distantiam, non magis movetur ad unum quam ad alterum, ut Plato dixit, assignans rationem quietis terrae in medio, sicut dicitur in II De Caelo.

Source: Aristotle, *De Caelo*, II, 13 [295b 12; 25]. Aristotle does not expressly attribute to Plato. Averroes (*In L. De Caelo*, II, *com.* 90 [157c]) explicitly mentions Plato and more clearly expresses the reason: '...quoniam tunc necessarium est ut illud corpus stet in centro *propter aequalitatem attractionis...*' Cf. Simplicius, *In L. De Caelo*, II [CG VII, 531.34 - 533.5].

[84] *S.T.*, I-II, 34, 3, *c.*

Dicendum quod Plato non posuit omnes delectationes esse malas, sicut Stoici; neque omnes esse bonas, sicut Epicurei; sed quasdam esse bonas, et quasdam esse malas; ita tamen quod nulla sit summum bonum, vel optimum. Sed quantum ex eius rationibus datur intelligi, in duobus deficit. In uno quidem quia, cum videret delectationes sensibiles et corporales in quodam motu et generatione consistere, sicut patet in repletione ciborum et huiusmodi, aestimavit omnes delectationes consequi generationem et motum. Unde cum generatio et motus sint actus imperfecti, sequeretur quod delectatio non haberet rationem ultimae perfectionis. Sed hoc manifeste apparet falsum in delectationibus intellectualibus. Aliquis enim non solum delectatur in generatione scientiae, puta cum addiscit aut miratur, sicut supra dictum est, sed etiam in contemplando secundum scientiam iam acquisitam.[1] – Alio vero modo, quia dicebat optimum illud quod est simpliciter summum bonum, quod scilicet est ipsum bonum quasi abstractum et non participatum, sicut ipse Deus est summum bonum.[2]

Source: See *In Sent.* [38].
> 1. For this argument and its criticism, see Aristotle, *Eth.*, X, 2 [1173a 29 - 1173b 20].
> 2. See *ibid.*, I, 6 [1096a 11 - 1096b 35]. St. Thomas in his commentary applies this discussion to the present point (*In Eth.* [20]).

[85] *S.T.*, I-II, 36, 3, *c.*

Dicendum quod eo modo quo concupiscentia vel cupiditas boni est causa doloris, etiam appetitus unitatis vel amor causa doloris ponendus est. Bonum enim uniuscuiusque rei in quadam unitate consistit, prout scilicet unaquaeque res habet in se unita illa ex quibus consistit eius perfectio;[1] unde et Platonici posuerunt unum esse principium, sicut et bonum.[2]

Source: 1. Aristotle, *Eth.*, I, 4 [1095a 26-28]; 6 [1096a 22-33; 1096a
35 - b 3]; *Meta.*, VII, 14; 15 [1040b 16-22]; X, 2 [1053b
11-13]; XII, 4 [1070b 7]; Boethius, *De Con. Phil.*, III, *Prosa*
X [F 90.127-137]; *Prosa* XI [F 91-95]; Macrobius, *In Som.
Scip.*, I, 2, 13-14 [E 471.9-12]; 6, 7-8 [E 486.1-14]; St. Augustine, *De Civ. Dei*, VIII, 6 [A-C]; 8 [F]; Dionysius, *De
Div. Nom.*, 4, 1 [P 95]; 5, 1 [P 257]; 5, 3 [P 259-260]; 13, 2
[P 439-444]; Proclus, *Elementatio Theologica*, interp. Moer.,
Prop. 8 [V 268]; *Prop.* 12 [V 269].
2. Aristotle, *Eth.*, I, 6 [1096a 22-23; 1096a 35 - b 3]; Boethius,
De Con. Phil., III, *Prosa* X [F 90.127-137]; *Prosa* XI [F 91-
95]; Macrobius, *In Som. Scip.*, I, 2, 13-14 [E 471.9-12]; I, 6,
7-8 [E 486.1-14]; St. Augustine, *De Civ. Dei*, VIII, 6 [A-C];
8 [F]; Dionysius, *De Div. Nom.*, 4, 1 [P 95]; 5, 1 [P 257]; 5,
3 [P 259-260]; 13, 2 [P 439-444]; Proclus, *Elementatio Theologica*, interp. Moer., *Props.* 12-13 [V 269-270].

[86] *S.T.*, I-II, 52, 1, *c.*
Plotinus enim et alii Platonici ponebant ipsas qualitates et habitus suscipere magis et minus, propter hoc quod materiales erant, et ex hoc
habebant indeterminationem quandam propter materiae infinitatem.
Source: Simplicius, *In Cat.*, VIII [CG VIII, 284.13-17].

[87] *S.T.*, I-II, 58, 4, *ad* 3
Et ideo etsi virtus moralis non sit ratio recta, ut Socrates dicebat, non
tamen solum est secundum rationem rectam, inquantum inclinat ad id
quod est secundum rationem rectam, ut Platonici posuerunt, sed etiam
oportet quod sit cum ratione recta, ut Aristoteles dicit in VI Eth.
Source: The opinion is said, in the *Ethics* (VI, 13 [1144b 21-48]), to be
that of all current thinkers. St. Thomas in his commentary
(VI, 11 [1281 and 1283]) calls them 'qui suo tempore erant'
and 'moderni.'

[88] *S.T.*, I-II, 61, 5, *sed contra*
Sed contra est quod Macrobius ibidem dicit: 'Plotinus, inter philosophiae professores cum Platone princeps: Quatuor sunt, inquit, quaternarum genera virtutum. Ex his primae politicae vocantur; secundae,
purgatoriae; tertiae autem, iam purgati animi; quartae, exemplares.'
Source: Macrobius, *In Som. Scip.*, I, 6, 5 [E 506.30 - 507.3].

[89] *S.T.*, I-II, 63, 1, *c.*
Dicendum quod circa formas corporales, aliqui dixerunt quod sunt
totaliter ab intrinseco, sicut ponentes latitationem formarum. Aliqui
vero, quod totaliter sint ab extrinseco, sicut ponentes formas corporales
esse ab aliqua causa separata. Aliqui vero, quod partim sint ab intrinseco, inquantum scilicet praeexistunt in materia in potentia, et partim
ab extrinseco, inquantum scilicet reducuntur ad actum per agens.
– Ita etiam circa scientias et virtutes, aliqui quidem posuerunt eas totaliter esse ab intrinseco, ita scilicet quod omnes virtutes et scientiae
naturaliter praeexistunt in anima; sed per disciplinam et exercitium
impedimenta scientiae et virtutis tolluntur, quae adveniunt animae ex
corporis gravitate, sicut cum ferrum clarificatur per limitationem. Et
haec fuit opinio Platonicorum.

Source: Plato, *Timaeus*, interp. Chal., 17 [D II, 170-172]; Chalcidius, *In Timaeum Platonis*, 193-209 [D II, 223-225]; Aristotle, *Meta.*, I, 6; 9 [987b 1-8; 991a 12]; Cicero, *Tusc.*, I, 24; St. Augustine, *De Trin.*, II, 15 [PL 42, 1011]; *Oct. Tri. Quaes.*, 46; Macrobius, *In Som. Scip.*, I, 12, 7 [E 520.20-25]; Boethius, *De Con. Phil.*, III, *Metrum* XI [F 95-96]; St. John Damascene, *De Fide Orth.*, III, 14 [PG 1037B and 1045B]; *De Sp. et An.*, 1 [PL 40, 781].

[90] *S.T.*, I-II, 105, 1, *arg.* 2

'Optimi est optima adducere,' ut Plato dicit.

Source: See *In Sent.* [9].

[91] *S.T.*, II-II, 23, 2, *ad* 1

Dicendum quod ipsa essentia divina caritas est, sicut et sapientia est, et bonitas est. Unde sicut dicimur boni bonitate quae est Deus, et sapientes sapientia quae est Deus, quia bonitas qua formaliter boni sumus est participatio quaedam divinae bonitatis, et sapientia qua formaliter sapientes sumus est participatio quaedam divinae sapientiae; ita etiam caritas qua formaliter diligimus proximum est quaedam participatio divinae caritatis. Hic enim modus loquendi consuetus est apud Platonicos, quorum doctrinis imbutus fuit Augustinus. Quod quidam non advertentes, ex verbis eius sumpserunt occasionem errandi.

Source: Aristotle, *Eth.*, I, 6 [1096a 22-23; 1096a 35 - b 3]; Boethius, *De Con. Phil.*, III, *Prosa* X [F 90.127-137]; *Prosa* XI [F 91-95]; Macrobius, *In Som. Scip.*, I, 2, 13-14 [E 471.9-12]; I, 6, 7-8 [E 486.1-14]; St. Augustine, *De Civ. Dei*, VIII, 6 [A-C]; 8 [F]; Dionysius, *De Div. Nom.*, 4, 1 [P 95]; 5, 1 [P 257]; 5, 3 [P 259-260]; 13, 2 [P 439-444]; Proclus, *Elementatio Theologica*, interp. Moer., *Props.* 12-13 [V 269-270].

[92] *S.T.*, II-II, 48, *un.*, *arg.* 1

Tullius enim in II Rhet., ponit tres partes prudentiae, scilicet 'memoriam, intelligentiam et prudentiam.' Macrobius autem, secundum sententiam Platonis, attribuit prudentiae sex: scilicet 'rationem, intellectum, circumspectionem, providentiam, docilitatem et cautionem.'

Source: Macrobius, *In Som. Scip.*, I, 8, 7 [E 507.14-16].

[93] *S.T.*, II-II, 94, 1, *c.*

Alii vero, scilicet Platonici, posuerunt unum esse summum Deum, causam omnium;[1] post quem ponebant esse substantias quasdam spirituales a summo Deo creatas, quas deos nominabant, participatione scilicet divinitatis, nos autem eos angelos dicimus;[2] post quos ponebant animas caelestium corporum;[3] et sub his daemones, quos dicebant esse aerea quaedam animalia;[4] et sub his ponebant animas hominum, quas per virtutis meritum ad deorum vel daemonum societatem assumi credebant.[5] Et his omnibus cultum divinitatis exhibebant,[6] ut Augustinus narrat in XVIII De Civit. Dei.

Source: 1. Aristotle, *Eth.*, I, 6 [1096a 22-23; 1096a 35 - b 3]; Boethius, *De Con. Phil.*, III, *Prosa* X [F 90.127-137]; *Prosa* XI [F 91-95]; Macrobius, *In Som. Scip.*, I, 2, 13-14 [E 471.9-12]; I, 6, 7-8 [E 486.1-14]; St. Augustine, *De Civ. Dei*, VIII, 6 [A-C];

8 [F]; Dionysius, *De Div. Nom.*, 4, 1 [P 95]; 5, 1 [P 257];
5, 3 [P 259-260]; 13, 2 [P 439-444]; Proclus, *Elementatio
Theologica*, interp. Moer., *Props.* 12-13 [V 269-270].
2. St. Augustine, *De Civ. Dei*, VIII, 14 [A]; IX, 23; Plato,
Timaeus, interp. Chal., 15-16 [D II, 168-169]; *Liber De
Causis*, 3 [B 165.1-3; 166.15]; 18 [B 180.9]; Dionysius, *De
Div. Nom.*, 11, 6.
3. Proclus, *Elementatio Theologica*, interp. Moer., *Prop.* 190 [V
523-524].
4. St. Augustine, *De Civ. Dei*, VIII, 14 [A]; 16 [A]; IX, 8 [A];
12 [A].
5. *Ibid.*, IX, 11.
6. *Ibid.*, VIII, 12 [A]; 13 [B]; 14 [A]; 16; X, 1 [C]. If the
reference to Book 18 is correct, chapter 14 is probably
intended.

[94] *S.T.*, II-II, 145, 2, *ad* 1
Unde et Tullius dicit in I De Off.: 'Formam ipsam, et tanquam faciem
honesti vides: quae si oculis cerneretur, mirabiles amores ut ait Plato,
excitaret sapientiae.'

Source: Cicero, *De Off.*, I, 5.

[95] *S.T.*, II-II, 152, 2, *arg. 3 et ad 3*
Praeterea. Poena non debetur nisi vitio. Sed apud antiquos puniebantur
secundum leges illi qui semper caelibem vitam ducebant, ut Maximus
Valerius dicit. Unde et Plato, secundum Augustinum in libro De Vera
Relig., 'sacrificasse dicitur ut perpetua eius continentia tanquam peccatum aboleretur.' Ergo virginitas est peccatum.
  Ad tertium. Dicendum quod leges feruntur secundum ea quae ut in
pluribus accidunt. Hoc autem rarum erat apud antiquos, ut aliquis
amore veritatis contemplandae ab omni delectatione venerea abstineret: quod solus Plato legitur fecisse. Unde non sacrificavit quasi hoc
peccatum reputaret, sed perversae opinioni civium cedens, ut ibidem
Augustinus dicit.

Source: St. Augustine, *De Vera Religione*, III, 5 [PL 34, 125].

[96] *S.T.*, II-II, 169, 2, *ad* 4
Si tamen operibus alicuius artis pluries aliqui male uterentur, quamvis
de se non sint illicitae, sunt tamen per officium principis a civitate ex-
tirpandae, secundum documenta Platonis.

Source: St. Augustine, *De Civ. Dei*, II, 14.

[97] *S.T.*, II-II, 172, 1, *c.*
Et sic, sicut Augustinus dicit, XII Super Genesim ad Litt., 'quidam
voluerunt animam humanam habere quandam vim divinationis in
seipsa.' Et hoc videtur esse secundum opinionem Platonis, qui posuit
quod animae habent omnium rerum cognitionem per participationem
idearum,[1] sed ista cognitio obnubilatur in eis per coniunctionem corporis;[2]
in quibusdam tamen plus, in quibusdam vero minus, secundum corporis
puritatem diversam.[3] Et secundum hoc posset dici quod homines
habentes animas non multum obtenebratas ex corporum unione, possunt talia futura praecognoscere secundum propriam scientiam.

Source: 1. See *Source* 2 under *S.T.* [56].
       2. See *Source* 6 under *S.T.* [56].
       3. Macrobius, *In Som. Scip.*, I, 12, 7-12 [E 520-521].

[98] *S.T.*, III, 2, 5, *ad* 2
Nisi forte diceretur quod humana natura est quaedam idea separata, sicut Platonici posuerunt hominem sine materia.

Source: Aristotle, *Meta.*, I, 6 [987b 1-14]; VII, 14 [1039a 30-32]; *Eth.*, I, 6 [1096a 35 - b 3].

[99] *S.T.*, III, 4, 4, *arg. 2, c., et ad* 2
Ergo Filius Dei debuit assumere hominem per se. Qui quidem secundum Platonicos est humana natura ab individuis separata.[1]...

Dicendum quod natura hominis, vel cuiuscumque alterius rei sensibilis, praeter esse quod in singularibus habet, dupliciter potest intelligi: uno modo, quasi per seipsam esse habeat, sicut Platonici posuerunt;[1] alio modo, sicut in intellectu existens, vel humano vel divino.

Ad secundum. Dicendum quod per se homo non invenitur in rerum natura ita quod sit praeter singularia, ut Platonici posuerunt.[1] Quamvis quidam dicant quod Plato non intellexit hominem separatum esse nisi in intellectu divino.[2] Et sic non oportuit quod assumeretur a Verbo, cum ab aeterno sibi affuerit.

Source: 1. Aristotle, *Meta.*, I, 6 [987b 1-14]; VII, 14 [1039a 30-32]; *Eth.*, I, 6 [1096a 35 - b 3].
       2. Perhaps St. Augustine, *Oct. Tri. Quaes.*, 46; cf. Macrobius, *In Som. Scip.*, I, 6, 20 [E 488.21-22].

[100] *S.T.*, III, 77, 2, *c.*
Secundo, quia prima dispositio materiae est quantitas dimensiva; unde et Plato posuit primas differentias materiae magnum et parvum.

Source: Aristotle, *Meta.*, I, 6 [987b 20-26].

7. OPUSCULA, ETC.

De propositionibus modalibus

No text.

De fallaciis ad quosdam nobiles artistas

No text.

*Principium Fr. Thomae de Aq.,
quando incepit Parisius ut Baccelarius Biblicus*

No text.

De ente et essentia

[1] *De Ente et Essentia*, 3 [R-G 23.19-25]
Similiter eciam non potest dici quod ratio generis et speciei conueniat essentie secundum quod est res quedam existens extra singularia, ut platonici ponebant,[1] quia sic genus et species non predicarentur de hoc indiuiduo; non enim potest dici quod Socrates sit hoc quod ab eo separatum est,[2] nec iterum illud separatum proficiet in cognitionem huius singularis.[3]

Source: Although St. Thomas makes extensive use of Avicenna in the *De Ente et Essentia* and although Avicenna criticized the Platonic theory (especially in *Met.* VII), this formulation of objections is not to be found in Avicenna's *Metaphysics*.
1. Aristotle, *Meta.*, I, 6 [987b 1-6].
2. *Ibid.*, VII, 14 [1038b 8-23].
3. *Ibid.*, I, 9 [991a 12-13].

De principiis naturae ad fratrem Silvestrum

No text.

Breve principium Fr. Thomae de Aq.,
quando incepit Parisius ut magister in theologia

No text.

Contra impugnantes Dei cultum et religionem

No text.

Expositio super Decretalem I

No text.

Expositio super Decretalem II

No text.

De Regimine Judaeorum ad ducissam Brabantiae

No text.

De articulis fidei et ecclesiae sacramentis

[1] *In Art. Fidei et Sacramenta Eccl. Expositio*
Secundus est error Platonis et Anaxagorae, qui posuerunt mundum factum a Deo, sed ex materia praejacenti: contra quos dicitur in Psalm. 168, 3: 'Mandavit, et creata sunt,' idest ex nihilo facta....

Source: St. Ambrose, *In Hexaem.*, I, 1 [PL 14, 123]; Chalcidius, *In Timaeum Platonis*, 298 [D II, 245]; Petrus Lomb., *Sent.*, II, 1, 1.

De emptione et venditione ad tempus

No text.

Contra errores Graecorum

No text.

De rationibus fidei contra Saracenos, Graecos et Armenos

No text.

De regimine principum sive de regno

No text.

Responsio ad Fr. Joannem Vercellensem de articulis CVIII

No text.

De perfec.ione vitae spiritualis

No text.

De sortibus ad dominum Jacobum

No text.

De forma absolutionis

No text.

De occultis operibus naturae

[1] *De Occ. Oper. Nat.*

Formarum autem substantialium Platonici quidem principium attribuebant in substantiis separatis,[1] quas species vel ideas vocabant,[2] quarum imagines dicebant esse formas naturales materiae impressas.[3] Sed hoc principium non potest sufficere. Primo quidem, quia oportet faciens simile esse facto. Id autem quod fit in rebus naturalibus, non est forma, sed compositum ex materia et forma; ad hoc enim aliquid fit, ut sit: proprie autem esse dicitur compositum subsistens; forma autem dicitur esse ut quo aliquid est. Non igitur forma proprie est id quod fit, sed compositum. Id igitur quod facit res naturales esse, non est forma tantum, sed compositum.[4] Deinde formas absque materia existentes oportet immobiles esse, quia motus est actus existentis in potentia, quod primae materiae convenit: unde oportet quod semper eodem modo se habeant. A causa autem eodem modo se habente procedunt formae eodem modo se habentes: quod quidem in formis inferiorum corporum non apparet propter generationem et corruptionem talium corporum.[5]

Source: 1. Aristotle, *Meta.*, I, 6; 9 [987b 18-19; 991b 3-4].
2. *Ibid.* [987b 7-8]. Aristotle has only the *Vetus* 'ydeas'; the Cathala 'ideas et species.' St. Thomas comments (*In I Meta.*, 10 [C 153]) the last.
3. Aristotle, *Meta.*, I, 9 [991a 21-22]. 'Imprimere' is used in the *Liber De Causis* and by Avicenna. See *Source* under *S.T.* [26].
4. This summarizes the argumentation of Aristotle, *Meta.*, VII, 6-8 [1032a 12 - 1034a 8].
5. Aristotle, *Meta.*, VII, 6 [987b 1-18].

De judiciis astrorum ad Fr. Reginaldum

No text.

*Contra pestiferam doctrinam retrahentium homines
a religionis ingressu*

No text.

De aeternitate mundi contra murmurantes

No text.

De unitate intellectu contra Averroistas

[1] *De Un. Intell.*, 1 [K 5]
...et praecipue quia Plato posuit animam non uniri corpori ut formam, sed magis ut motorem et rectorem, ut patet per Plotinum[1] et Gregorium Nyssenum,[2] (quos ideo induco quia non fuerunt Latini sed Graeci).

Source: 1. Macrobius, *In Som. Scip.*, II, 12, 7-10 [E 613.32 - 614.25].
2. Nemesius, *De Nat. Hom.*, 1 [PG 40, 505]; 3 [PG 40, 593].

[2] *De Un. Intell.*, 1 [K 7]
Et Plato posuit diversas esse animas in homine, secundum quas diversae operationes vitae ei conveniant. Consequenter movet dubitationem: 'utrum unumquodque horum sit anima per se, vel sit aliqua pars animae; et si sint partes unius animae, utrum differant solum secundum rationem, aut etiam differant loco,' i.e. organo.

Source: Averroes, *In De An.*, I, *com.* 90 [45F]; Themistius, *De An. Par.*, V [CG V, 93.32 - 94.3].

[3] *De Un. Intell.*, 1 [K 24]

Et quod intellectus animae non habet organum, manifestat per dictum 'quorundam qui dixerunt quod anima est locus specierum,' large accipientes 'locum' pro omni receptivo, more Platonico.

Source: Aristotle, *Phy.*, IV, 2 [209b 1-16].

[4] *De Un. Intell.*, 1 [K 32-33]

Videtur autem quod nihil incorruptibile possit esse forma corporis corruptibilis. Non enim est accidentale formae, sed per se ei convenit esse in materia; alioquin ex materia et forma fieret unum per accidens. Nihil autem potest esse sine eo, quod inest ei per se. Ergo forma corporis non potest esse sine corpore. Si ergo corpus sit corruptibile, sequitur formam corporis corruptibilem esse. Praeterea, formae separatae a materia, et formae quae sunt in materia, non sunt eaedem specie, ut probatur in VII Metaph. Multo ergo minus una et eadem forma numero potest nunc esse in corpore nunc autem sine corpore. Destructo ergo corpore, vel destruitur forma corporis, vel transit ad aliud corpus. Si ergo intellectus est forma corporis, videtur ex necessitate sequi quod intellectus sit corruptibilis.

Est autem sciendum, quod ratio haec Platonicos movit. Nam Gregorius Nyssenus imponit Aristoteli, e contrario, quod quia posuit animam esse formam, quod posuerit eam esse corruptibilem.[1] Quidam vero posuerunt propter hoc, animam transire de corpore in corpus.[2] Quidam etiam posuerunt, quod anima haberet corpus quoddam incorruptibile, a quo nunquam separaretur.[3] Et ideo ostendendum est per verba Aristotelis, quod sic posuit intellectivam animam esse formam quod tamen posuit eam incorruptibilem.

Source: 1. Nemesius, *De Nat. Hom.*, 2 [PG 40, 560-561].
      2. *Ibid.* [PG 40, 580]; St. Augustine, *De Civ. Dei*, X, 30 [A].
      3. Proclus, *Elementatio Theologica*, interp. Moer., *Prop.* 196 [V 525].

[5] *De Un. Intell.*, 1 [K 48]

...utrum intellectus differat ab aliis partibus animae subjecto et loco, ut Plato dixit, vel ratione tantum.

Source: Themistius, *De An. Par.*, V [CG V, 93.32 - 94.3]; VIII [CG V, 117.2]; Averroes, *In De An.*, I, *com.* 90 [45F].

[6] *De Un. Intell.*, 3 [K 76]

Si autem dicatur quod hoc individuum, quod est Socrates, neque est aliquid compositum ex intellectu et corpore animato, neque est corpus animatum tantum, sed est solum intellectus; haec iam erit opinio Platonis, qui, ut Gregorius Nyssenus refert, 'propter hanc difficultatem non vult hominem ex anima et corpore esse, sed animam corpore utentem et velut indutam corpore.'[1] Sed et Plotinus, ut Macrobius refert, ipsam animam hominem esse testatur, sic dicens: 'Ergo qui videtur, non ipse verus homo est, sed ille a quo regitur quod videtur. Sic, cum morte animalis discedit animatio, cadit corpus a regente viduatum; et hoc est quod videtur in homine mortale. Anima vero, quae verus homo est, ab omni mortalitatis conditione aliena est.'[2]

Source: 1. Nemesius, *De Nat. Hom.*, 3 [PG 40, 593].
         2. Macrobius, *In Som. Scip.*, II, 12, 7-10 [E 613.32 - 614.25].

[7] *De Un. Intell.*, 3 [K 78]
Quod enim homo non sit intellectus tantum, vel anima tantum, multi-pliciter probatur. Primo quidem, ab ipso Gregorio Nysseno, qui inducta opinione Platonis subdit: 'Habet autem hic sermo difficile vel indisso-lubile quid. Qualiter enim unum esse potest cum indumento anima? Non enim unum est tunica cum induto.'
Source: Nemesius, *De Nat. Hom.*, 1 [PG 40, 593].

[8] *De Un. Intell.*, 4 [K 86]
Nihil enim inconveniens videtur sequi, si ab uno agente multa perfi-ciantur, quemadmodum ab uno sole perficiuntur omnes potentiae visi-vae animalium ad videndum; quamvis etiam hoc non sit secundum intentionem Aristotelis, qui posuit intellectum agentem esse aliquid in anima, unde comparavit ipsum lumini. Plato autem ponens intellectum unum separatum, comparavit ipsum soli, ut Themistius dicit. Est enim unus sol, sed plura lumina diffusa a sole ad videndum.
Source: Themistius, *De An. Par.*, VI [CG V, 103.33-35].

[9] *De Un. Intell.*, 5 [K 102]
Nec etiam hoc verum est, quod substantia separata non sit singularis et individuum aliquid: alioquin non haberet aliquam operationum, cum actus sint solum singularium, ut Philosophus dicit: unde contra Platonem argumentatur in VII Metaph., quod si ideae sunt separatae, non praedicabitur de multis idea, nec poterit definiri sicut nec alia individua quae sunt unica in sua specie, ut sol et luna. Non enim materia est principium individuationis in rebus materialibus, nisi in quantum materia non est participabilis a pluribus, cum sit primum subiectum non existens in alio. Unde et de idea Aristoteles dicit quod, si idea esset separata, esset quaedam, i.e. individua, quam impossibile esset praedicari de multis.
Source: Aristotle, *Meta.*, VII, 14 [1039a 32; 1039b 8-23]; 15 [1040a 8-9].

[10] *De Un. Intell.*, 5 [K 109]
Sed inquirendum restat quid sit ipsum intellectum. Si enim dicant quod intellectum est una species immaterialis existens in intellectu, latet ipsos quod quodammodo transeunt in dogma Platonis, qui posuit quod de rebus sensibilibus nulla scientia potest haberi, sed omnis scien-tia habetur de forma una separata. Nihil enim refert ad propositum, utrum aliquis dicat quod scientia quae habetur de lapide, habetur de una forma lapidis separata, an de una forma lapidis quae est in intellec-tu: utrobique enim sequitur quod scientiae non sunt de rebus quae sunt hic, sed de rebus separatis solum. Sed quia Plato posuit huiusmodi formas immateriales per se subsistentes, poterat etiam cum hoc ponere plures intellectus, participantes ab una forma separata unius veritatis cognitionem. Isti autem quia ponunt huiusmodi formas immateriales (quas dicunt esse intellecta) in intellectu, necesse habent ponere quod sit unus intellectus tantum, non solum omnium hominum, sed etiam simpliciter.
Source: Aristotle, *Meta.*, I, 6 [987b 1-18].

[11] *De Un. Intell.*, 5 [K 120-121]

Et ut Graecos non omittamus, ponenda sunt circa hoc verba Themistii in Commento. Cum enim quaesivisset de intellectu agente, utrum sit unus aut plures, subiungit solvens: 'Aut primus quidem illustrans est unus, illustrati autem et illustrantes sunt plures. Sol quidem enim est unus, lumen autem dices modo aliquo partiri ad visus. Propter hoc enim non solem in comparatione posuit [scil. Aristoteles], sed lumen; Plato autem solem.' Ergo patet per verba Themistii quod nec intellectus agens, de quo Aristoteles loquitur, est unus qui est illustrans, nec etiam possibilis qui est illustratus. Sed verum est quod principium illustrationis est unum, scil. aliqua substantia separata, – vel Deus secundum Catholicos, vel intelligentia ultima secundum Avicennam. Unitatem autem huius separati principii probat Themistius per hoc, quod docens et addiscens idem intelligit, quod non esset nisi esset idem principium illustrans. Sed verum est quod postea dicit quosdam dubitasse de intellectu possibili, utrum sit unus.

Nec circa hoc plus loquitur, quia non erat intentio eius tangere diversas opiniones philosophorum, sed exponere sententias Aristotelis, Platonis et Theophrasti; unde in fine concludit: 'Sed quod [quidem] dixi pronunciare quidem de eo quod videtur philosophis, singularis est studii et sollicitudinis. Quod autem maxime aliquis utique ex verbis quae collegimus, accipiat de his sententiam Aristotelis et Theophrasti, magis autem et ipsius Platonis, hoc promptum est propalare.' Ergo patet quod Aristoteles et Theophrastus et Themistius et ipse Plato non habuerunt pro principio, quod intellectus possibilis sit unus in omnibus. Patet etiam quod Averroes perverse refert sententiam Themistii et Theophrasti de intellectu possibili et agente. Unde merito supradiximus eum philosophiae peripateticae perversorem. Unde mirum est quomodo aliqui, solum commentum Averrois videntes, pronuntiare praesumunt, quod ipse dicit, hoc sensisse omnes philosophos Graecos et Arabes, praeter Latinos.

Source: Themistius, *De An. Par.*, VI [CG V, 103.33-35].

Responsio (vel Declaratio) ad XLII art.
ad magistrum Ordinis

[1] *Responsio ad Magistrum Jo. de Vercellis, De Art. XLII*, 5

His respondeo, quod philosophi tam platonici quam peripatetici hoc [sc. Angelos esse motores corporum caelestium] probare conati sunt rationibus quas efficaces putaverunt:[1] et eorum rationes fundantur super praedicto rerum ordine, quod scilicet Deus inferiora per superiora regit,[2] ut etiam sancti Doctores tradunt.

Source: 1. Macrobius, *In Som. Scip.*, I, 14 [E 529]; Boethius, *In Isag.*, *ed.sec.*, II, 5 [CSEL 48, 185.21-22]; III, 4 [CSEL 48, 209. 1-2]; IV, 6 [CSEL 48, 257.9-10]; 7 [CSEL 48, 259.19-21]; St. Augustine, *De Civ. Dei*, XIII, 16 [E].
2. Nemesius, *De Nat. Hom.*, 44 [PG 40, 793; 796]; Proclus, *Elementatio Theologica*, interp. Moer., *Prop.* 129 [V 501-502]; *Prop.* 141 [V 506].

[2] *Responsio ad Magistrum Jo. de Vercellis, De Art. XLII*, 15
Quintus decimus articulus est, an Angelus habeat virtutem infinitam
inferius.

Ad quod dicendum, quod hoc potest capi dupliciter. Uno modo
quod virtus Angeli non sit comprehensibilis ab aliquo inferiorum; et
hoc modo inducitur in libro de causis, et a philosophis Platonicis: et
Dionysius dicit, 6 cap. caelestis Hierarchiae: 'Quot quidem sunt et
quales supercaelestium substantiarum ornatus, et qualiter secundum
ipsas hierarchiae perficiuntur, solam manifeste scire dico deificam ipsarum hierarchiam; praeterea et ipsas cognovisse proprias virtutes et
illuminationes, et ipsorum sanctam et supermundanam bonam ordinationem.' Impossibile est enim nos scire supercaelestium mentium minis-
teria. Hoc enim dicitur esse unicuique infinitum quod est ei incompre-
hensibile.

Source: *Liber De Causis*, 15 [B 178.1]. See St. Thomas' comment, *In L.
De Causis*, 16, *c. med.*; Proclus, *Elementatio Theologica*, interp.
Moer., *Prop.* 93 [V 299].

Responsio ad lectorem Bisentinum de art. VI

No text.

Responsio de art. XXXVI ad lectorem Venetum

No text.

Compendium Theologiae ad Fr. Reginaldum

[1] *Comp. Th.*, 83
Inde manifestum fit quod scientia rerum in intellectu nostro non causatur per participationem aut influxum aliquarum formarum actu intelligibilium per se subsistentium, sicut Platonici posuerunt,[1]... Necesse
est igitur ponere alium intellectum, qui species intelligibiles in potentia
faciat intelligibiles actu, sicut lumen facit colores visibiles potentia,
esse visibiles actu; et hunc dicimus intellectum agentem: quem ponere
non esset necesse, si formae rerum essent intelligibiles actu sicut Platonici posuerunt.[2]

Source: 1. See *Source* 2 under *S.T.* [56].
       2. For St. Thomas this is a simple inference from the immate-
riality of the Forms. See *S.T.* [49].

De substantiis separatis, sive de natura Angelorum

[1] *De Sub. Sep.*, 1 [P 4-7]; 2 [P 8]
Unde Plato sufficientiori via processit ad opinionem priorum Naturalium evacuandam. Cum apud antiquos Naturales poneretur ab hominibus certam rerum veritatem sciri non posse, tum propter rerum corporalium continuum defluxum,[1] tum propter deceptionem sensuum

quibus corpora cognoscuntur,[2] posuit naturas quasdam a natura fluxibilium rerum separatas, in quibus esset veritas fixa; et sic eis inhaerendo
anima nostra cognosceret veritatem.[3] Unde secundum hoc quod intellectus veritatem cognoscens aliqua seorsum apprehendit praeter naturam sensibilium rerum, sic existimavit esse aliqua a sensibilibus
separata.

Intellectus autem noster duplici abstractione utitur circa intelligentiam veritatis. Una quidem secundum quod apprehendit numeros mathematicos et magnitudines et figuras mathematicas sine materiae sensibilis intellectu; non enim intelligendo binarium aut ternarium, aut
lineam et superficiem, aut triangulum et quadratum, simul in nostra
apprehensione quid cadit quod pertineat ad calidum et frigidum aut
aliquid hujusmodi quod sensu percipi possit. Alia autem abstractione
utitur intellectus noster intelligendo aliquid universale absque consideratione alicujus particularis, puta cum intelligimus hominem nihil intelligentes de Socrate aut Platone aut alio quocumque; et idem apparet
in aliis.

Unde Plato duo genera rerum a sensibilibus abstracta ponebat, scilicet mathematica et universalia, quae species seu ideas nominabat. Inter
quae tamen haec differentia videbatur quod in mathematicis apprehen-
dere possumus plura unius speciei, puta duas lineas aequales vel duos
triangulos aequilateros et aequales; quod in speciebus omnino esse non
potest, sed homo in universali acceptus secundum speciem est unus
tantum. Sic igitur mathematica ponebat media inter species seu ideas
et sensibilia; quae quidem cum sensibilibus conveniunt in hoc quod
plura in eadem specie continentur, cum speciebus autem in hoc quod
sunt a materia sensibili separata.[4] In ipsis etiam speciebus ordinem
quemdam ponebat, quia secundum quod erat aliquid simplicius in
intellectu secundum hoc prius erat in ordine rerum.[5] Id enim quod
primo est in intellectu est unum et bonum. Nihil enim intelligit qui
non intelligit unum; unum autem et bonum se consequuntur. Unde
ipsam primam ideam unius, quod nominabat secundum se unum et
secundum se bonum, primum rerum principium esse ponebat et hanc
summum bonum esse dicebat.[6] Sub hoc autem uno diversos ordines
participantium et participatorum instituebat in substantiis a materia
separatis;[7] quos quidem omnes ordines deos secundos esse dicebat,[8]
quasi unitates quasdam subsistentes post primam simplicem unitatem.[9]

Rursus, quia sicut omnes aliae species participant uno,[10] ita etiam
oportet quod intellectus ad hoc quod intelligat participet entium speciebus.[11] Ideo sicut sub summo Deo, qui est unitas prima, simplex et
imparticipata,[12] sunt aliae rerum species quae unitates secundae[9] et
dii secundi sunt,[8] ita sub ordine harum specierum seu unitatum ponebat
ordinem intellectuum separatorum, qui participant praedictas species
ad hoc quod sint intelligentes in actu;[13] inter quos tanto unusquisque
est superior quanto propinquior est primo intellectui qui plenam habebat participationem specierum,[14] sicut et in diis sive unitatibus tanto
unusquisque est superior quanto perfectius participat unitate prima.[15]
Separando autem intellectum a diis non excludebat quin dii essent intelligentes, sed volebat quod superintellectualiter intelligerent, non
quidem quasi participantes aliquas species sed per se ipsos,[16] ita tamen
quod nullus eorum esset bonus et unum nisi per participationem primi
unius et boni.[17]

Rursus, quia animas quasdam intelligentes videmus, non autem convenit hoc animae ex hoc quod est anima, alioquin sequeretur quod omnis
anima esset immaterialis et quod anima secundum id totum quod est
esset intelligens; ponebat ulterius quod secundum ordinem intellectuum
separatorum esset ordo animarum, quarum quaedam, videlicet superiores, participant intellectuali virtute, infimae vero ab hac virtute deficiunt.[18]

Rursus, quia corpora non videmus per se moveri nisi sint animata,
hoc ipsum quod per se est moveri dicebat corporibus accidere inquantum participabant animam; nam illa corpora quae ab animae participatione deficiunt non moventur nisi ab alio. Unde ponebat animabus
proprium esse quod se ipsas moverent secundum se ipsas.[19]

Sic ergo sub ordine animarum ponebat ordinem corporum; ita tamen
quod supremum corporum, scilicet primum coelum quod proprio motu
movetur participat motum a suprema anima, et sic deinceps usque ad
infimum coelestium corporum.[20] Sub his autem ponebant Platonici et
alia immortalia corpora quae perpetuas animas participant, scilicet
aerea vel aetherea. Horum autem quaedam ponebant a terrenis corporibus esse penitus absoluta, quae dicebant esse corpora daemonum;
quaedam vero terrenis corporibus indita, quod pertinet ad animas hominum.[21] Non enim ponebant hoc corpus terrenum humanum, quod
palpamus et videmus, immediate participare animam, sed esse aliud
corpus superius animae incorruptibile et perpetuum, sicut et ipsa anima incorruptibilis est;[22] ita quod anima cum suo perpetuo invisibili
corpore est in hoc corpore grossiori non sicut forma in materia, sed sicut
nauta in navi.[23] Et sicut quosdam hominum dicebant esse bonos, quosdam autem malos, ita et daemonum. Animas autem coelestes et intellectus separatos et deos omnes dicebant esse bonos.[24]

Sic igitur patet quod inter nos et summum Deum quatuor ordines
ponebant, scilicet deorum secundorum, intellectuum separatorum, animarum coelestium et daemonum bonorum seu malorum. Quae, si vera
essent, omnes hujusmodi medii ordines apud nos Angelorum nomine
censerentur; nam et daemones in sacra Scriptura Angeli nominantur,
Matth. xxii. Ipsae tamen coelestium animae corporum, si tamen sint
animata, inter Angelos sunt connumerandae, ut Augustinus definit in
Enchiridion.

Hujus autem positionis radix invenitur efficaciam non habere. Non
enim necesse est ut ea quae intellectus separatim intelligit, separatim
esse ea in rerum natura; unde nec universalia oportet separata ponere
subsistentia praeter singularia, nec etiam mathematica praeter sensibilia, quia universalia sunt essentiae ipsorum particularium et mathematica sunt terminationes quaedam sensibilium corporum. Et ideo
Aristoteles manifestiori et certiori via processit ad investigandum substantias separatas a materia, scilicet per viam motus.

Source: 1. Aristotle, *Meta.*, I, 6 [987b 1-18].
2. *Ibid.*, IV, 5 [1009a 38 - 1009b 33].
3. *Ibid.*, I, 6 [987b 1-14].
4. *Ibid.*, I, 6 [987b 14-18].
5. This is an application of the principle of correspondence.
6. Aristotle, *Eth.*, I, 6 [1096a 22-23; 1096a 35 - b 3]; Boethius,
De Con. Phil., III, *Prosa* X [F 90.127-137]; *Prosa* XI [F 91-95];

Macrobius, *In Som. Scip.*, I, 2, 13-14 [E 471.9-12]; I, 6, 7-8 [E 486.1-14]; St. Augustine, *De Civ. Dei*, VIII, 6 [A-C]; 8 [F]; Dionysius, *De Div. Nom.*, 4, 1 [P 95]; 5, 1 [P 257]; 5, 3 [P 259-260]; 13, 2 [P 439-444]; Proclus, *Elementatio Theologica*, interp. Moer., *Props.* 12-13 [V 269-270].

7. Proclus, *Elementatio Theologica*, interp. Moer., *Prop.* 63 [V 288-289]; *Prop.* 129 [V 501-502]; *Prop.* 139 [V 505].

8. *Ibid.*, *Prop.* 129 [V 501-502]; St. Augustine, *De Civ. Dei*, XII, 16 [C, D]; Plato, *Timaeus*, interp. Chal., 15 [D II, 169]; Nemesius, *De Nat. Hom.*, 44 [PG 40, 793; 796].

9. Proclus, *op. cit.*, *Prop.* 6 [V 267]; *Prop.* 14 [V 271-272]; *Prop.* 21 [V 273-274]; *Prop.* 116 [V 496-497].

10. *Ibid.*, *Prop.* 114 [V 496].

11. *Ibid.*, *Prop.* 161 [V 513].

12. *Ibid.*, *Prop.* 5 [V 266]; *Prop.* 116 [V 496-497].

13. *Ibid.*, *Prop.* 129 [V 501-502]. Cf. *Prop.* 161 [V 513]; *Prop.* 166 [V 514].

14. Proclus, *Elementatio Theologica*, interp. Moer., *Prop.* 166 [V 514]; *Prop.* 170 [V 516]; *Prop.* 177 [V 519].

15. *Ibid.*, *Prop.* 62 [V 288].

16. *Ibid.*, *Prop.* 115 [V 496]; *Prop.* 121 [V 498-499].

17. *Ibid.*, *Prop.* 114 [V 496].

18. Proclus has three orders of souls (*Prop.* 184 [V 521]) but the lowest of these exercises intelligence intermittently.

19. *Ibid.*, *Prop.* 20 [V 273]; *Prop.* 188 [V 522-523]; *Prop.* 201 [V 527].

20. Macrobius, *In Som. Scip.*, I, 14 [E 529]; Boethius, *In Isag.*, *ed. sec.*, II, 5 [CSEL 48, 185.21-22]; III, 4 [CSEL 48, 209. 1-2]; IV, 6 [CSEL 48, 257.9-10]; 7 [CSEL 48, 259.19-21]; St. Augustine, *De Civ. Dei*, XIII, 16 [E].

21. For the *daemones*, St. Augustine, *De Civ. Dei*, VIII, 13 [A, B]; 14 [A]; X, 1 [C].

22. Proclus, *op. cit.*, *Prop.* 196 [V 525].

23. Aristotle, *De An.*, II, 1 [413a 9]; Nemesius, *De Nat. Hom.*, 1 [PG 40, 505]; 3 [PG 40, 593].

24. St. Augustine, *De Civ. Dei*, VIII, 24 [B]; IX, 1 [A-B]; 2 [A-B].

[2] *De Sub. Sep.*, 2 [P 11]

Haec autem Aristotelis positio certior quidem videtur esse eo quod non multum recedit ab his quae sunt manifesta secundum sensum; tamen minus sufficiens videtur quam Platonis positio.... Hujusmodi autem effectuum causam plane quis poterit secundum Platonicos assignare, nisi dicatur hoc per daemones procreari?

Source: St. Augustine, *De Civ. Dei*, X, 11; 12 [A].

[3] *De Sub. Sep.*, 3 [P 15]

His igitur visis, de facili accipere possumus in quo conveniant et in quo differant positiones Aristotelis et Platonis circa immateriales substantias.

Primo quidem conveniunt in modo existendi ipsarum. Posuit enim Plato omnes inferiores immateriales substantias esse unum et bonum per participationem primi, quod est secundum se unum et bonum.

Omne autem participans aliquid accipit id quod participat ab eo a quo participat, et quantum ad hoc id a quo participat est causa ipsius, sicut aer habet lumen participatum a sole qui est causa illuminationis ipsius. Sic igitur secundum Platonem summus Deus causa est omnibus immaterialibus substantiis, quod unaquaeque earum sit et unum et bonum.

Source: Aristotle, *Eth.*, I, 6 [1096a 22-23; 1096a 35 - b 3]; Boethius, *De Con. Phil.*, III, *Prosa* X [F 90.127-137]; *Prosa* XI [F 91-95]; Macrobius, *In Som. Scip.*, I, 2, 13-14 [E 471.9-12]; I, 6, 7-8 [E 486.1-14]; St. Augustine, *De Civ. Dei*, VIII, 6 [A-C]; 8 [F]; Dionysius, *De Div. Nom.*, 4, 1 [P 95]; 5, 1 [P 257]; 5, 3 [P 259-260]; 13, 2 [P 439-444]; Proclus, *Elementatio Theologica*, interp. Moer., *Props.* 12-13 [V 269-270].

[4] *De Sub. Sep.*, 3 [P 16]

Id enim quod recipitur ut participatum oportet esse actum ipsius substantiae participantis; et sic, cum omnes substantiae praeter supremam, quae est per se unum et per se bonum, sint participantes secundum Platonem, necesse est quod omnes sint compositae ex potentia et actu;...

Source: See *Source* under *De Sub. Sep.* [3].

[5] *De Sub. Sep.*, 3 [P 17]

Tertio vero conveniunt in ratione providentiae. Posuit enim Plato quod summus Deus, qui ex hoc quod est ipsum unum est et ipsum bonum,[1] ex primaeva ratione bonitatis proprium habet ut omnibus inferioribus provideat, et unumquodque inferiorum, inquantum participat bonitatem primi boni, etiam providet his quae post se sunt, non solum ejusdem ordinis sed etiam diversorum; et secundum hoc, primus intellectus separatus provident toti ordini separatorum et quilibet superior suo inferiori, totusque ordo separatorum intellectuum provident ordini animarum et inferioribus ordinibus. Rursumque observari putat in ipsis animabus, ut supremae quidem animae coelorum provideant omnibus inferioribus animabus et toti generationi inferiorum corporum; itemque superiores animae inferioribus,[2] scilicet animae daemonum animabus hominum. Ponebant enim Platonici daemones mediatores esse inter nos et superiores substantias.[3]... Propter quod et Plato posuit daemonum quosdam esse bonos quosdam malos, sicut et homines; deos vero et intellectus et coelorum animas omnino absque malitia esse.[4]

Secundum igitur haec tria circa substantias separatas invenitur Platonis opinio cum Aristotelis opinione concordare.

Source: 1. See *Source* under *De Sp. Creat.* [3].
2. Plato, *Timaeus*, interp. Chal., 10 [D II, 158-159]; 16 [D II, 169-170]; *Liber De Causis*, 19 [B 181.6-26; 182.1-14]; 22 [B 183.19-25; 184.1-12]; Proclus, *Elementatio Theologica*, interp. Moer., *Prop.* 119 [V 497-498]; *Prop.* 120 [V 498]; *Prop.* 122 [V 499]; *Prop.* 134 [V 503-504]; *Prop.* 141 [V 506]; *Prop.* 156 [V 511-512]; *Prop.* 201 [V 527]; Nemesius, *De Nat. Hom.*, 44 [PG 40, 793; 796].
3. St. Augustine, *De Civ. Dei*, VIII, 14 [A]; IX, 1 [C]; 8; 9.
4. *Ibid.*, VIII, 13; IX, 2.

[6] *De Sub. Sep.*, 3 [P 18]

Sunt autem alia in quibus differunt, ut supra dictum est. Plato enim supra coelorum animas duplicem ordinem substantiarum immaterialium posuit, scilicet intellectus et deos; quos deos dicebat esse species intelligibiles separatas, quarum participatione intellectus intelligunt.[1] Aristoteles vero universalia separata non ponens, unum solum rerum ordinem posuit supra coelorum animas, in quorum etiam ordine primum esse posuit summum Deum sicut et Plato summum Deum esse posuit primum in ordine specierum, quarum summus Deus sit ipsa idea unius et boni.[2] Hunc autem ordinem Aristoteles posuit utrumque habere, ut scilicet esset intelligens et intellectum; ita scilicet quod summus Deus intelligeret non participatione alicujus superioris quod esset ejus perfectio, sed per essentiam suam; et idem existimavit esse dicendum in ceteris substantiis separatis sub summo Deo ordinatis, nisi quod inquantum a simplicitate primi deficiunt et summa perfectione ipsius, earum intelligere perfici potest per superiorum substantiarum participationem. Sic ergo secundum Aristotelem hujusmodi substantiae, quae sunt fines coelestium motuum, sunt intellectae et intelligentes et intelligibiles species; non autem ita quod sint species vel naturae sensibilium substantiarum, sicut Platonici posuerunt,[3] sed omnino altiores.

Source: 1. Proclus, *Elementatio Theologica*, interp. Moer., *Prop.* 101 [V 491]; *Prop.* 161 [V 512-513]; *Prop.* 163 [V 513].
2. See *Source* under *De Sub. Sep.* [3].
3. Aristotle, *Meta.*, I, 6 [987b 1-10].

[7] *De Sub. Sep.*, 3 [P 18]
Secundo vero, quia Plato non coaptavit numerum intellectuum separatorum numero coelestium motuum; non enim ex hac causa movebatur ad ponendum intellectus separatos, sed ipsam naturam rerum secundum se considerans.

Source: This is an interpretative evaluation of Plato's argument.

[8] *De Sub. Sep.*, 3 [P 18]
Tertio autem, quia Aristoteles non posuit aliquas animas medias inter coelorum animas et animas hominum, sicut posuit Plato; unde de daemonibus nullam invenitur nec ipse nec ejus sequaces fecisse mentionem.
Haec igitur sunt quae de opinionibus Platonis et Aristotelis circa substantias separatas ex diversis scripturis collegimus.

Source: St. Augustine, *De Civ. Dei*, VIII, 13 [A-B]; 14 [A]; 16 [A]; IX, 2 [B]; 8 [A]; 12 [A]; X, 1 [C].

[9] *De Sub. Sep.*, 4 [P 19]
Existimavit enim omnes substantias sub Deo constitutas ex materia et forma compositas esse, quod tam ab opinione Platonis quam Aristotelis discordat; qui quidem dupliciter deceptus fuisse videtur.

Source: Aristotle, *Meta.*, I, 6 [987b 1-18] *et passim*.

[10] *De Sub. Sep.*, 5 [P 24]
Suprema autem in entibus oportet esse maxime entia; nam et in unoquoque genere suprema, quae sunt aliorum principia, esse maxime dicuntur, sicut ignis est maxime calidus. Unde et Plato, investigando suprema entium, processit resolvendo in principia formalia, sicut supra dictum est.

Source: Aristotle, *Meta.*, I, 7 [988a 34 - b 6]; Proclus, *Elementatio Theologica*, interp. Moer., *Prop.* 18 [V 272].

[11] *De Sub. Sep.*, 5 [P 25]
...qui ponebant omnia esse unum dum ponebant substantiam omnium rerum non esse aliud quam materiam; quam non ponebant aliquid esse in potentia tantum sicut et Plato et Aristoteles,...

Source: See *Source* under *In Meta.* [28].

[12] *De Sub. Sep.*, 5 [P 35]
Corporalium autem materia est potentia pura, secundum sententiam Aristotelis et Platonis....

Source: See *Source* under *In Meta.* [28].

[13] *De Sub. Sep.*, 7 [P 47]
Sicut autem praedicta positio circa conditionem spiritualium substantiarum a sententia Platonis et Aristotelis deviavit, eis immaterialitatis simplicitatem auferens,...

Source: Aristotle, *Meta.*, I, 6 [987b 1-18] *et passim.*

[14] *De Sub. Sep.*, 7 [P 48]
Posset etiam aliquis ad hoc argumentari ex opinione Aristotelis et Platonis qui hujusmodi substantias [sc. spirituales substantias] ponunt esse sempiternas.

Source: St. Augustine, *De Civ. Dei*, IX, 8 [A, E]; X, 31 [B]; Macrobius, *In Som. Scip.*, I, 6, 8 [E 486.5-15]; II, 13, 6-12 [E 616-618]; Proclus, *Elementatio Theologica*, interp. Moer., *Prop.* 169 [V 515-516].

[15] *De Sub. Sep.*, 7 [49]
Posteriores vero philosophi ulterius processerunt, resolventes sensibiles substantias in partes essentiae, quae sunt materia et forma; et sic fieri rerum naturalium in quadam transmutatione posuerunt, secundum quod materia alternatim diversis formis subjicitur. Sed ultra hunc modum fiendi necesse est, secundum sententiam Platonis et Aristotelis, ponere alium altiorem.[1] Cum enim necesse sit primum principium simplicissimum esse,[2] necesse est quod non hoc modo ponatur quasi esse participans, sed quasi ipsum esse existens.[3]

Source: 1. Proclus, *Elementatio Theologica*, interp. Moer., *Prop.* 26 [V 276].
2. *Ibid.*, *Props.* 4 and 5 [V 265-266].
3. This seems to be an interpretative conclusion. But see *Source* under *De Sub. Sep.* [3].

[16] *De Sub. Sep.*, 7 [P 53]
Non ergo existimandum est quod Plato et Aristoteles, propter hoc quod posuerunt substantias materiales [immateriales?] seu etiam coelestia corpora semper fuisse, eis substraxerunt causam essendi. Non enim in hoc a sententia catholicae fidei deviaret quod hujusmodi posuerunt increata, sed quia posuerunt ea semper fuisse, cujus contrarium fides catholica tenet.

Source: St. Augustine, *De Civ. Dei*, X, 31 [A-B]; Macrobius, *In Som. Scip.*, I, 6, 8-10 [E 486.5-22]; 14, 4-15 [E 528-530]; 17, 8-11 [E 541-542]; *Liber De Causis, passim* but see 17 and 20.

[17] *De Sub. Sep.*, 8 [P 59]

Relinquitur igitur quod oportet super omnes participantes naturam equinam esse aliquam universalem causam totius speciei, quam quidem causam Platonici posuerunt speciem separatam a materia, ad modum quo omnium artificialium principium est forma artis non in materia existens.

Source: Aristotle, *Meta.*, I, 6; 9 [987b 1-14; 991a 20 - b 1]; VII, 8 [1033b 19 - 1034a 8]; XII, 5 [1071a 17-30].

[18] *De Sub. Sep.*, 9 [P 61]

His autem rationibus moti Platonici posuerunt quidem omnium immaterialium substantiarum et universaliter omnium existentium Deum esse immediate causam essendi secundum praedictum productionis modum, qui est absque mutatione vel motu;[1] posuerunt tamen secundum alias participationes bonitatis divinae ordinem quemdam causalitatis in praedictis substantiis.[2] Ut enim supra dictum est, posuerunt abstracta principia secundum ordinem intelligibilium conceptionum,[3] ut scilicet sicut unum et ens sunt communissima et primo cadunt in intellectu, sub hoc autem est vita sub qua iterum est intellectus et sic inde, ita etiam primum et supremum inter separata est id quod est ipsum ens et ipsum unum, et hoc est primum principium, quod est Deus, de quo jam dictum est quod est suum esse.[4] Sub hoc autem posuerunt aliud principium separatum quod est vita, et iterum aliud quod est intellectus. Si igitur sit aliqua immaterialis substantia quae sit intelligens, vivens et ens, erit quidem ens per participationem primi principii, quod est ipsum esse; erit autem vivens per participationem alterius principii separati, quod est vita; erit autem intelligens per participationem alterius principii separati quod est intellectus ipse,[5] sicut si ponatur quod homo sit animal per participationem alterius separati principii quod est animal; sit autem bipes per participationem secundi principii, quod est bipes.[6]

Source: 1. Proclus, *Elementatio Theologica*, interp. Moer., *Prop.* 26 [V 276].
2. *Ibid.*, *Prop.* 101 [V 491]; Dionysius, *De Div. Nom.*, 11, 6 [P 344-345].
3. Aristotle, *Meta.*, I, 6 [987b 7-18]; VII, 14 [1039a 24-33]; Boethius, *In Isag.*, ed. sec., I, 10; 11 [CSEL 48, 163.14-22; 167.7-11]; Abelard, *Glossae super Porphyrium* [Geyer, 25.15 - 26.15].
4. See 1 above.
5. See 2 above.
6. Aristotle, *Meta.*, VII, 14; 15 [1039a 30-32; 1040b 32-34]; *Eth.*, I, 6 [1096a 35 - b 3].

[19] *De Sub. Sep.*, 9 [P 62]

Unde et Aristoteles hac ratione utitur contra Platonicos quia, si esset aliud animal et aliud bipes in principiis separatis, non esset simpliciter unum animal bipes.... Si quid autem advenit eis supra eorum essentiam, puta intelligibiles species vel aliquid hujusmodi, quantum ad talia potest Platonicorum opinio procedere, ut scilicet hujusmodi in inferioribus immaterialium substantiarum inveniantur ordine quodam a superioribus derivata.

Source: Aristotle, *Meta.*, VII, 12 [1037b 21-24].

[20] *De Sub. Sep.*, 12 [P 74]
Sciendum igitur est quod, secundum Platonicos, ordo intelligibilium praeexistebat ordini intellectuum, ita quod intellectus participando intelligibile fieret intelligens actu, ut supra jam diximus.

Source: See *Source* under *De Sub. Sep.* [6].

[21] *De Sub. Sep.*, 12 [P 77]
Inferiores vero intellectus separati, quos angelos dicimus, intelligunt quidem se ipsos singuli per suam essentiam, alia vero quidem intelligunt secundum Platonicorum positionem per participationem formarum intelligibilium separatarum quas deos vocabant,...

Source: Proclus, *Elementatio Theologica*, interp. Moer., *Prop.* 117 [V 493].

[22] *De Sub. Sep.*, 14 [P 83]
Superiores autem intellectus Angelorum species intelligibiles participant vel ab ideis secundum Platonicos, vel a prima substantia quae Deus est secundum quod est consequens ad positiones Aristotelis et sicut se rei veritas habet.

Source: Proclus, *Elementatio Theologica*, interp. Moer., *Prop.* 117 [V 493].

[23] *De Sub. Sep.*, 16 [P 92]
Quia igitur ostensum est quid de substantiis spiritualibus praecipui philosophi Plato et Aristoteles senserunt quantum ad earum originem, conditionem naturae, distinctionis et gubernationis ordinem, et in quo alii ab eis errantes dissenserunt, ostendere oportet quid de singulis habeat christianae religionis assertio. Ad quod utemur praecipue Dionysii documentis, qui super alios ea quae ad spirituales substantias pertinent tradidit excellentius.

[24] *De Sub. Sep.*, 16 [P 94]
...in quo removet opinionem Platonicorum qui ponebant quod ipsa essentia bonitatis erat summus Deus,[1] sub quo erat alius Deus qui est ipsum esse,[2] et sic de aliis, ut supra dictum est.... Ad hanc etiam positionem excludendam signanter dicit Dionysius: 'sub essentiali bonitate' quam Platonici summum Deum esse dicebant;[1] dicit Dionysius: 'in substantiis spiritualibus procedere quod sunt et vivunt et intelligunt, et omnia alia hujusmodi ad earum perfectionem pertinentia subjiciuntur.'

Source: 1. Proclus, *Elementatio Theologica*, interp. Moer., *Prop.* 8 [V 268]; *Prop.* 13 [V 270] and see *Source* under *De Sub. Sep.* [3].
2. *Ibid.*, *Prop.* 101 [V 491]; *Prop.* 138 [V 505]; Dionysius, *De Div. Nom.*, 11, 6 [P 344-345].

[25] *De Sub. Sep.*, 16 [P 95]
Est autem christianae doctrinae contrarium ut sic dicantur spirituales substantiae a summa deitate originem trahere quod fuerint ab aeterno, sicut Platonici et Peripatetici posuerunt;...

Source: St. Augustine, *De Civ. Dei*, IX, 8 [E]; 12 [B]; 13 [C]; 23; X, 31 [A-B].

[26] *De Sub. Sep.*, 18 [P 108]

Sciendum est ergo quod Platonici posuerunt, ut etiam supra dictum est, daemones esse animalia quaedam corporea, habentia intellectum;[1] et inquantum habent corpoream et sensitivam naturam sunt variis animae passionibus subjecti, sicut et homines, ex quibus inclinantur ad malum.[2] Unde Apuleius in libro De Deo Socratis definiens daemones dixit eos esse 'genere animalia, animo passiva, mente rationabilia, corpore aerea, tempore aeterna,'[1] et sicut ipse dicit, subjecta est mens daemonum passionibus libidinum, formidinum, irarum atque hujusmodi ceteris.[2] Sic ergo daemones etiam loco discernuntur a diis, quos Angelos dicimus, aerea loca daemonibus attribuentes, aetherea vero Angelis sive diis.[3]

Source: 1. St. Augustine, *De Civ. Dei*, VIII, 8 [A]; 16 [A]; IX, 8 [A]; 12 [A].
   2. *Ibid.*, VIII, 14 [E-F]; IX, 6 [A-B].
   3. *Ibid.*, VIII, 14 [A].

[27] *De Sub. Sep.*, 18 [P 111]

Huic autem sententiae consonare videtur Platonicorum opinio qui daemonum quosdam bonos quosdam malos dicunt, quasi eos proprio arbitrio bonos vel malos factos.[1] Unde et Plotinus ulterius procedens dicit animas hominum daemones fieri, et ex hominibus fieri Lares si meriti boni sunt, Lemures autem si mali, seu Larvas, Manes autem eos dici si incertum est eos bonorum aut malorum esse meritorum, sicut Augustinus introducit IX De civit. Dei;[2]... Nec tamen putandum est Plotinum in hoc a Platonicorum opinione deviasse, daemones ponentium esse corpora aerea, quod animas hominum post mortem daemones fieri aestimabat, quia etiam animae hominum secundum Platonicorum opinionem praeter ista corpora corruptibilia habent quaedam aetherea corpora, quibus semper etiam post horum sensibilium corporum dissolutionem quasi incorruptibilibus uniuntur. Unde Proclus dicit in Libro divinarum coelementationum: 'Omnis anima participabilis corpore utitur primo perpetuo et habente hypostasim ingenerabilem et incorruptibilem.' Et sic animae a corporibus separatae secundum eos aerea animalia esse non desinunt.[3]

Source: 1. St. Augustine, *De Civ. Dei*, IX, 1 [A]; 2 [B].
   2. *Ibid.*, 11 [A]; 'Dicit [sc. Plotinus] quidem et animas hominum daemones esse et ex hominibus fieri lares, si boni meriti sunt; lemures, si mali, seu lares: manes autem deos dici, si incertum est bonorum eos seu malorum esse meritorum.'
   3. Proclus, *Elementatio Theologica*, interp. Moer., *Prop.* 196 [V 525].

De mixtione elementorum

No text.

De motu cordis ad magistrum Philippum

No text.

Expositio devotissima orationis dominicae

No text.

Expositio devot. super Symbolum apostolorum

No text.

De duobus praeceptis caritatis et decem legis praeceptis

No text.

Expositio devot. super salutatione angelica

No text.

Responsio ad Bernardum abbatem Casinensem

No text.

8. DOUBTFULLY AUTHENTIC WORKS

De demonstratione

No text.

De differentia verbi divini et humani

No text.

De instantibus

No text.

De quatuor oppositis

No text.

De natura accidentis

No text.

De natura generis

[1] *De Nat. Gen.*
Potest igitur substantia quae est primum genus, dici ens per se existens, implicite continens in se sua inferior ita tamen quod per se existens non ostendat aliquod universale esse separatum, ut Plato posuit; sed secundum quod 'per se' opponitur ei quod est esse in alio quod est proprium accidentis, sine quo esse non potest, ut dicitur in Predicamentis.
Source: Aristotle, *Meta.*, I, 6 [987b 1-18]; VII, 14 [1039a 24-33].

[2] *De Nat. Gen.*
Et ideo animal in quid praedicatur de homine, et homo et Socrate, in quo tota natura generis substantiae reperitur, univoce, non per aliquam aggregationem, sicut est in acervo lapidum, vel structura domorum, vel aliqua alia colligatione; in quibus nullum adjunctorum praedicatur de toto, sicut animal de homine, et homo de Socrate, sed aequivoce, ut dictum est, cum unumquodque illorum de toto praedicetur sub quo non est descensus ad aliquod singulare. Et ideo Plato quietem et terminum scientiae ponit ad individua quae sunt objecta propria sensus; quia sensus est singularium, quae sola sunt per se existentia in rerum natura, substantiae enim separatae singularia quaedam sunt, solo tamen intellectu noscuntur earum notitiae proportionato.
Source: Boethius, *In Isag., ed. sec.*, III [CSEL 225.10-17; 227.1-11].

De natura materia et dimens. interm.

No text.

De natura verbi intellectus

No text.

De principio individuationis

No text.

ANALYTIC INDEX TO THE
PLATO AND *PLATONICI* TEXTS

Note : In this Index only those points which, in the texts, are explicitly attributed to Plato or the Platonici are listed. The points are arranged under key terms, phrases or statements. Only two sets of subdivisions are used under each heading. The first subordinate headings are printed in italics; if additional subdivisions under these are necessary, they are placed, in small letters, within parentheses.

Great economy of expression and abbreviation has been employed. Wherever varying forms of the main heading can be understood, repetition was avoided. Moreover, 'Plato' or 'Platonici,' as the case may require, is to be supplied for such expressions as 'posuit,' 'attribuerunt,' and so forth.

ABSTRACTIO: De Ver. [17] – In De An. [6] [41] [48] – In De Trin. [5] – De Sub. Sep. [1]. *ABSTRACTA IN INTELLECTU: ITA IN RE:* De Ver. [17] – De Sp. Creat. [1] [4] [7] [15] – In Phy. [7] – In Meta. [12] [184] [185] – In De An. [6] [48] – In De Gen. et Cor. [7] – In De Trin. [5] – In De Div. Nom. [20] – C.G. [34] – S.T. [64] – De Sub. Sep. [1] [18]. *ABSTRACTIO* (omnia composita vel materialia volentes reducere in principia simplicia et abstracta): In De Div. Nom. [1]. *ABSTRACTIO UNIVERSALIUM:* De Sp. Creat. [7] – De Malo [4] – In De Div. Nom. [1] – In De Causis [3]. *ABSTRACTUM PRIMUM:* De Sp. Creat. [4] [7] – In De Causis [9]. *NUMERUS SEPARATORUM SECUNDUM MULTITUDINEM ABSTRACTORUM:* De Sp. Creat. [7]. *ORDO IDEARUM SECUNDUM ABSTRACTIONEM:* De Sp. Creat. [7] – In De Div. Nom. [20] – In De Causis [3] [7] – De Sub. Sep. [1] [18]. *QUANTO ABSTRACTIUS TANTO PRIUS:* In De Causis [3].

ACCIDENTIA: NON ENS: De Malo [7] – In Phy. [1] – In Perih. [8]. *NULLA IDEA:* In Meta. [41] [42] – S.T. [7]. *NULLA PRINCIPIA:* In Meta. [72]. *REDUCTA AD PRINCIPIA MATERIALIA:* S.T. [78].

ACTIO (a virtute incorporea): In De S. et S. [5].

ADDISCERE: RECORDARI: In Sent. [32]. *REMINISCI:* De Ver. [16] – In Meta. [75] – In De An. [42] – C.G. [10] – S.T. [81].

AEQUALITAS: ATTRIBUIT FORMAE: In Meta. [202].

AER: (Spiritus Domini) S.T. [29] [36].

AETERNITAS: In De Causis [3]. *IMMOBILITAS CUM INDEFICIENTIA ESSENDI:* In De Causis [2].

AETHER: QUINTUM CORPUS: In De C. et M. [2].

AGENS: FORMA PER SE EXISTENS: De Pot. [4]. *AGENTIA NATURALIA DISPONUNT MATERIAM:* De Pot. [15] – De An. [16] – De Vir. in Com. [1] – In Post. Anal. [1] – S.T. [78] [81]. *NON EST PRINCIPIUM MATERIAE:* In Sent. [11].

AGRICOLAE IN CIVITATE SOCRATIS: In Pol. [9].

ALBEDO: Quodlib. [4].

ALTERATIO: In De Gen. et Cor. [1].

'AMICUS QUIDEM SOCRATES SED MAGIS AMICA VERITAS': In Eth. [6].

ANGELUS: (animal divinitate plenum) De Pot. [18]. *ANIMALIA:* De Ver. [11]. *DEUS COMMISIT ANGELIS CREATIONEM CORPORALIUM CREATURARUM:* De Pot. [11]. *HABET VIRTUTEM INFINITAM INFERIUS i.e. NON EST COMPREHENSIBILIS AB ALIQUO INFERIORUM:* Responsio ad Magistrum de Art. XLII [2]. *MOTORES CORPORUM CAELESTIUM:* Responsio ad Magistrum de Art. XLII [1].

ANIMA: A PRINCIPIO SEPARATO: In Sent. [22]. *ANIMAE BRUTORUM IMMORTALES:* De An. [19] – In Phy. [30] – C.G. [6] [14] – S.T. [37]. *ANIMAE COELORUM:* S.T. [93] – De Sub. Sep. [5] – (omnes bonae) De Sub. Sep. [1] [5] – (cultus divinitatis) In S. Paul. [1] – (nobiles; divinae) In De Causis [5]. *ANIMAE DIVINAE:* In De C. et M. [18].

possent salvari quae circa erraticas apparent.) In Meta. [201]. *SUPPOSI-TIONES:* In De C. et M. [23].

AUCTORITAS PLATONICORUM: In Meta. [93].

AUCTORITAS PLATONIS: In Meta. [123] – In De C. et M. [4].

AUGMENTATIO: In De Gen. et Cor. [1].

AUGUSTINUS: De Ver. [13] – De Pot. [8] [19] – De Sp. Creat. [17] – In S. Paul. [8] – S.T. [16] [57]. *LOQUITUR SECUNDUM PLATONICOS:* De Malo [1] [2] [3]. *OPINIONEM PLATONIS SEQUITUR:* De Ver. [18] – S.T. [31]. *PLATONEM SECUTUS QUANTUM FIDES CATHO-LICA PATIEBATUR:* De Ver. [18] – De Sp. Creat. [17] – S.T. [58]. *PLATONICORUM DOCTRINIS IMBUTUS:* (Quod quidam non advertentes, ex verbis eius sumpserunt occasionem errandi.) S.T. [91]. *RECITAT POSITIONEM PLATONICORUM:* S.T. [25]. *UTITUR POSITIONIBUS PLATONICORUM:* In Sent. [16] – De Pot. [20] – De Malo [6]. *UTITUR OPINIONIBUS PLATONIS, NON ASSERENDO SED RECITANDO:* S.T. [24] [48].

AUTOAGATHON: (per se bonum) In Meta. [89].

AVICEBRON: In Sent. [20] – De Sp. Creat. [4].

AVICENNA: In Sent. [14] [22] [34] – De Pot. [4] [15] – De Vir. in Com. [1] – Quodlib. [5] – C.G. [10] [27] – S.T. [56] [75] [78].

BINARIUM: CONSTITUIT LINEAM: In Meta. [62]. *FORMA LINEAE:* In Post. Anal. [8].

BIPES: In Meta. [167] – S.T. [43] – De Sub. Sep. [18].

BONITAS DEI: (ut optimus optimum produceret) De Pot. [10] – (*Vide:* 'Bonum').

BONUM: ABSTRACTUM: De Sp. Creat. [7] – S.T. [84]. *AD PLURA SE EXTENDIT:* In De Div. Nom. [5] [13] – S.T. [1]. *BONA SUNT FOR-MALITER BONITATE PRIMA NON SICUT FORMA CONIUNCTA SED SICUT FORMA SEPARATA:* De Ver. [17]. *BONITAS PURA DICITUR BONITAS NON PARTICIPATA: PRIMA CAUSA OMNI-UM:* In De Causis [14]. *CAUSA:* In Meta. [24] – In De Div. Nom. [14] – De Sub. Sep. [3] – (causa per accidens non per se) In Meta. [27] – (causa per modum causae formalis et non per modum causae finalis) In Meta. [27]. *COMMUNE:* De Ver. [17]. *EFFECTUS PRIMI ABSTRAC-TI QUOD EST BONI EST MATERIA PRIMA:* De Sp. Creat. [4]. *IDEA BONI:* In Eth. [7] [11] [13] – In Meta. [119] [129] [130] – De Sub. Sep. [6] – (communis omnium bonorum) In Eth. [7] [11] [15] – (supra ideam infiniti) In De Causis [21]. *IN PRIMO PRINCIPIO SINE CORPORE:* De Malo [4]. *IPSA ESSENTIA BONITATIS:* In Eth. [2] [20] – In De C. et M. [18] – In De Div. Nom. [1] – In De Causis [13] [14]. *IPSUM BONUM:* In Meta. [129] – In De Causis [14] – S.T. [84] – (Est Deus.) De Ver. [17] – In De Div. Nom. [20] – S.T. [3] – De Sub. Sep. [5] – (Est primum principium.) De Ver. [17] – In Meta. [89] – In De Div. Nom. [20] [22] – In De Causis [8] [14] – S.T. [85] – De Sub. Sep. [1]. *PARTICIPATIO BONI:* In Meta. [130] – S.T. [3] – De Sub. Sep. [1] [3] [4]. *PER SE:* De Ver. [17] – In S. Jo. [2] – In Eth. [2] [11] [14] [20] – In Meta. [89] [119] – In De Div. Nom. [20] – S.T. [3] –

De Sub. Sep. [1] [3] [4] – (Est illud secundum quod aliquid bonum dicitur.) In Meta. [119] – (per se bonum, esse, vita, sapientia – diversa ab invicem et a primo principio quod nominabant per se bonum et per se unum) In De Div. Nom. [16]. *PRIMUM:* In Eth. [14] – In De Div. Nom. [3] – In De Causis [13] [20]. *PRIUS ENTE:* In Eth. [1]. *RATIO BONI ET UNIUS EADEM:* In S. Jo. [3] – In Eth. [14] – In Post. Anal. [10] – S.T. [85]. *SEPARATUM:* De Ver. [17] – In S. Jo. [2] – In Eth. [2] [4] [11] [15] – (a quo dependeret omnia) In Eth. [7] – (causa omnium bonorum) In Eth. [2] [12] – (per cujus participationem omnia bona dicuntur) In Eth. [4] – (ultimum autem quod ab omnibus participatur et ipsum nihil aliud participat, est ipsum unum et bonum separatum quod dicebat summum Deum et primam omnium causam) In De Causis [4] – (universale bonum) In Eth. [4] – (una species boni) In Eth. [13] – (unum praeter diversa bona sensibilia) In Eth. [2] – (summa rerum virtus) De Sp. Creat. [4]. *SUMMUM:* De Malo [8] – S.T. [84] – De Sub. Sep. [1] – (altissima causa) De Malo [8] – (per se ens et per se unum) S.T. [3]. *SUMMUS DEUS:* In De C. et M. [18] – In De Div. Nom. [20] – In De Causis [24] – De Sub. Sep. [6] [24] – (qui ex hoc quod est ipsum unum est et ipsum bonum, ex primaeva ratione bonitatis...providet) De Sub. Sep. [5].

BRUTORUM ANIMAE: (*Vide:* 'Anima').

CAELUM: A SUPERIORI CAUSA: In De C. et M. [4]. *ANIMATUM:* In Meta. [195] – In De C. et M. [16] [17] – In De Causis [5]. *CONTINENS OMNIA SENSIBILIA:* In Phy. [10]. *FACTUM:* (two interpretations) In Phy. [26] – (de novo; sempiterno tempore duret) In De C. et M. [12]. *GENITUS:* In De C. et M. [4]. *IGNEUM:* Quodlib. [3] – S.T. [32]. *MOTUS CAELI AB ALIO:* In De C. et M. [16]. *PRIMUM PARTICIPAT MOTUM A SUPREMA ANIMA:* De Sub. Sep. [1]. (*Vide:* 'Corpora Caelestia.')

CALOR: (per se; participare) In Meta. [8].

CAUSA: ALTISSIMA EST SUMMUM BONUM: De Malo [8]. *EFFICIENS:* (Platonici praetermiserunt.) In Meta. [66]. *ESSENDI:* In Phy. [20] – In Meta. [55] – C.G. [26] – S.T. [56] – De Sub. Sep. [18]. *FINALIS:* (Platonici erraverunt.) De Pot. [10] – In Meta. [24] [27] [66]. *FORMAE SEPARATAE SUNT CAUSAE GENERATIONIS:* In Sent. [33] – In Phy. [20] – In Meta. [55] [133] [134] [135] [136] – C.G. [27] – S.T. [19]. *FORMALIS:* In Meta. [26] [27] [66] [83] – (Plato primo posuit.) In Meta. [2] [5] – (Plato usus est.) In Meta. [23] – (Sensibilibus est species.) In Meta. [23] – (Speciebus est unitas.) In Meta. [23] [26] – (Species rebus praestant quidditatem per modum causae formalis.) In Meta. [26] – (separabilis a materia) In Meta. [80] – (Boni est species.) In Meta. [24] – (universalis rerum a qua omnia alia in esse prodirent) De Pot. [3]. *FORMARUM:* (formas in materia esse participatas et determinatas et contractas ad hanc materiam; formae vero separatas esse absolutas et quasi universales et ideo illas formas separatas dicebat esse causas formarum quae sunt in materia) S.T. [78]. *IDEM NON POSSET ESSE CAUSA PLURIUM SECUNDUM PROPRIA IN QUIBUS DIFFERUNT SED SOLUM SECUNDUM ID QUOD EST OMNIBUS COMMUNE:* In De Div. Nom. [19]. *MALI EST MATERIA:* In Meta. [24]. *OMNIA QUAE SIC IN ABSTRACTO DICUNTUR, POSUERUNT IN*

*ABSTRACTO SUBSISTERE CAUSAS SECUNDUM ORDINEM QUEM-
DAM:* In De Div. Nom. [20]. *OMNIS EFFECTUS CONVERTITUR
AD CAUSAM A QUA PROCEDIT:* In De Div. Nom. [2]. *ORDINEM
CAUSARUM SEPARATARUM PLATONICI PONUNT SECUNDUM
EA QUAE DE INDIVIDUIS PRAEDICANTUR:* In De Causis [7].
PRIMA: In De Causis [4] [7] [14]. *PLATO USUS EST SOLUM DUO-
BUS GENERIBUS CAUSAE:* In Meta. [23]. *QUANTO ALIQUA CAU-
SA EST SUPERIOR, TANTO EJUS CAUSALITAS AD PLURA SE
EXTENDIT:* Quodlib. [2]. *QUANTO ALIQUA FORMA EST UNI-
VERSALIOR TANTO EST MAGIS SIMPLEX ET PRIOR CAUSA:*
In De Causis [4]. *QUANTO CAUSA ALTIOR, TANTO AD PLURA SE
EXTENDIT EJUS CAUSALITAS:* In De Div. Nom. [9]. *QUANTO
CAUSA UNIVERSALIOR ET FORMALIOR, TANTO EIUS PERFEC-
TIO IN ALIQUO INDIVIDUO MAGIS EST SUBTRACTA:* De Sp.
Creat. [4]. *SCIENTIAE:* (*Vide:* 'Scientia') C.G. [29]. *SENSIBILIUM:*
In Meta. [31] – C.G. [23]. *UNIVERSALES EFFECTUS IN INTELLI-
GIBILIORES CAUSAS REDUCEBANT:* In De Div. Nom. [14]. *UNI-
VERSALIS TOTIUS SPECIEI EST SPECIES SEPARATA A MATERIA:*
De Sub. Sep. [17].

CAUTIO: (pars prudentiae) S.T. [92].

CEREBRUM: (anima rationalis in cerebro) In Eth. [16] – C.G. [7] – S.T.
[42] – (principale hominis in cerebro) De Sp. Creat. [6].

CHALCIDIUS: De Malo [2].

CICERO: S.T. [94].

CIRCULATIO: (intelligentia) In De An. [26].

CIRCULUS: (anima in duos circulos) In De An. [19] [27] – (intellectus) In
De An. [18] [26] – (parium et imparium) In De An. [16].

CIRCUMSPECTIO: (pars prudentiae) S.T. [92].

CIVITAS: IIDEM PRINCIPES: In Pol. [8]. *IN DUAS PARTES:* (sc. agricolarum et virorum bellatorum; addidit tertiam; sc. principes) In Pol.
[9] [10]. *OPTIMUM ESSE MAXIME UNA:* In Pol. [4] [5] [6] [8].

COGNITIO: (*Vide:* 'Scientia').

COMMENTATOR: (imponit Platoni) De Pot. [11].

COMMUNICARE: IN INTENTIONE INTELLECTA: In Sent. [20]. *IN
UNA RE:* In Sent. [20].

COMMUNIS: (Ab alio principio causatur quod est commune et quod est
magis proprium.) In De Causis [11] – (communia separata secundum
rationem: separata secundum esse) In De S. et S. [4] – (Idem non posset
esse causa plurium secundum propria in quibus differunt sed solum secundum id quod est omnibus commune.) In De Div. Nom. [19] – (Ideo
aliquid commune ponitur separatum, ut sit quoddam primum quod alia
participant.) In Meta. [96] – (Platonici attendentes communibus rationibus) In De Gen. et Cor. [4] – (Quanto aliquid est communius, tanto illud
magis separatum et prius participatum.) In De Causis [8] – (Quod species
praedicatur secundum unam rationem de omnibus individuis, est aliquis
homo communis, qui est ipsum quod est homo secundum se existens et
hoc aliquid.) In Meta. [146] – (Res quae intelligitur eodem modo habet

esse extra animam quo modo eam intellectus intelligit, i.e., ut abstracta et communis.) De Sp. Creat. [15] – (una communis species separata) In Meta. [44] – (una ratio communis: una idea) In Eth. [9] – (unum aliquod commune subsistens supra omnia quae sunt unius speciei) De Sp. Creat. [14] – (unum in multis) In Meta. [43].

COMPOSITA: (ex proprietate naturae magis simplicis) In De An. [16].

COMPOSITIO: (Ante omnia participantia compositionem posuerunt separata per se existentia quae a compositis participantur.) In De Div. Nom. [16].

CONCUPISCIBILE: IN CORDE: In Eth. [16] – C.G. [7] – S.T. [42]. IN HEPATE: In De An. [51].

CONSUETUDO: (Platonicorum) In Meta. [79].

CONTRARIA: (Prima sunt magnum et parvum.) S.T. [78] – (Principia rerum omnium ponebant esse contraria.) In Meta. [64].

CONTRARIETAS: (ex parte materiae) In Meta. [112].

CONVENIRE: (in intentione intellecta) In Sent. [20].

CONVIVIA: (mulierum et non solum virorum) In Pol. [9] [11].

COR: (concupiscibile in corde) In Eth. [16] – C.G. [7] – S.T. [42].

CORPUS: ANGELI HABENT CORPORA NATURALITER UNITA: De Ver. [11]. CORPORA ANTE MUNDUM MOVERI; ESSE SEGREGATA: In De C. et M. [34]. CORPORA CAELESTIA: (Acquirit perpetuitatem ab alio.) C.G. [2] – (angelos esse motores) Responsio ad Magistrum de Art. XLII [1] – (animata) De Pot. [19] [22] – De Sp. Creat. [9] – De An. [10] – In De C. et M. [18] – S.T. [34] [93] – (animata, i.e. quod substantiae spiritualibus uniuntur corporibus caelestibus ut motores mobilibus) S.T. [35] – (divina) In De C. et M. [18] – (esse elementum ignis) S.T. [33] – (ex elementis composita) S.T. [23] – (In eis sunt sublimitates elementorum.) In De C. et M. [20] – (semper fuisse, tamen creata) De Sub. Sep. [16] – (Sunt dei secundi.) De Sp. Creat. [2] – S.T. [23] – (Voluntate divina semper conservabuntur. in esse.) S.T. [23] [30]. CORPORA COMPONUNTUR: (ex profundo et humili) In Meta. [64] – (ex quatuor elementis) In S. Mt. [1] – (ex superficiebus) In Post. Anal. [8] – In Meta. [62] [71] [116] – In De An. [23] – In De C. et M. [28] [29] [30] [31] – In De Gen. et Cor. [3] – (longitudines et latitudines et soliditates esse substantias rerum sensibilium, ex quibus corpora componerentur) In Meta. [71]. CORPORA PARTICIPANT ANIMAM: De Sub. Sep. [1]. CORPORA: QUINQUE IN UNIVERSO: QUINQUE FIGURAE: In De C. et M. [2]. CORPUS QUINTUM EST AETHER: In De C. et M. [2]. MAGNITUDINES ESSE SUBSTANTIAS RERUM SENSIBILIUM, SC. LINEAM, SUPERFICIEM ET CORPUS; ISTORUM PRINCIPIA ASSIGNANTES PUTABANT SE RERUM PRINCIPIA INVENISSE: In Meta. [64]. MATHEMATICUM IN SENSIBILIBUS: De Sp. Creat. [5]. OMNE GENERABILE: In De C. et M. [28]. OMNIA SUNT DE NATURA QUATUOR ELEMENTORUM: S.T. [30]. ORDO CORPORUM: In De Causis [23]. PRIMA QUATERNITAS EST IDEA CORPORIS: In De An. [7]. QUATERNARIUM EST FORMA CORPORIS: In Ps. Dav. [1] – In Post. Anal. [8] – In Meta. [62].

STANTIAE INTELLECTUALES, A GLOBO LUNARI SUPERIUS: S.T. [25]. *SUBSTANTIAE SEPARATAE PARTICIPATIONE:* In S. Paul. [10] – In De Trin. [1]. *TRES PRINCIPALES:* In De Trin. [2].

DELECTATIO: DEFINITIO: (generatio sensibilis in naturam) In Sent. [1] [24] [31] [38] [40] – De Ver. [21]. *EST GENERATIO:* In Eth. [21] [22] – In Post. Anal. [7] – S.T. [84]. *EST INDETERMINATA:* In Eth. [21]. *EST MALA:* In Sent. [39]. *EST MOTUS VEL CUM MOTU:* In Eth. [21] [22] – In Post. Anal. [7] – S.T. [84]. *EST REPLETIO:* In Eth. [21]. *NON EST BONUM:* In Eth. [18] [20]. *NON EST PER SE BONUM:* In Eth. [20] [21]. *NON EST QUALITAS:* In Eth. [21]. *NON EST SUMMUM BONUM:* S.T. [84]. *NON OMNES MALAS, NEC OMNES BONAS, QUASDAM BONAS ET QUASDAM MALAS:* S.T. [84]. *NON SIMPLICITER ET SECUNDUM SE MALUM:* In Eth. [18]. *RECIPIT MAGIS ET MINUS:* In Eth. [21].

DEMONSTRATIO: NON DE SENSIBILIBUS SED PROPTER IMMO-BILITATEM DE IDEIS, ETC. VEL DE MATHEMATICIS SEPARA-TIS: In Post. Anal. [3] [4] – In Meta. [11] [26] [113] [150].

DEORSUM: (*Vide:* 'Sursum').

DEUS: In Sent. [12]. *CAUSA OMNIUM:* In De C. et M. [18] – In De Div. Nom. [19] – S.T. [93] – De Sub. Sep. [3] [18] – (Creator) In De Trin. [2] – C.G. [32] – (mundus creatus a Deo ex materia praejacenti) In Art. Fidei et Sacra. Eccl. Exp. [1]. *DEUS SUMMUS:* (Est causa omnibus immaterialibus substantiis quod unaquaeque earum sit et unum et bonum.) De Sub. Sep. [3] – (ipsa essentia bonitatis) De Sub. Sep. [24] – (ipsa idea unius et boni) De Sub. Sep. [6] – (primum principium esse per se bonitatem et per se unitatem; essentialiter bonum et unum; summum Deum) In De Div. Nom. [20] – (primus in ordine specierum) De Sub. Sep. [6] – (super ens, vitam, intellectum) In De Div. Nom. [22] – (ultimum autem quod ab omnibus participatur et ipsum nihil aliud participat, est ipsum unum et bonum separatum quod dicebat summum Deum et primam omnium causam)In De Causis [4] – (unus; ipsa essentia bonitatis et unitatis) In De C. et M. [18]. *EST IPSUM ENS ET IPSUM UNUM:* De Sub. Sep. [18]. *EST PER SE BONUM:* De Ver. [17] – In De Div. Nom. [20] – In De Causis [24] – S.T. [3] – De Sub. Sep. [5]. *MOVET SEIPSUM:* In Sent. [3] – In De Trin. [6] – S.T. [11]. *PATER:* De Ver. [13] – De Pot. [19] – In S. Jo. [1] – C.G. [32]. *PRIMUS:* In S. Jo. [1] – S.T. [74]. *PROVIDENTIA:* (Deus summus) C.G. [28] – S.T. [14] – (non immediate omnia gubernare) S.T. [74] – (primus) S.T. [74] – (Summus Deus qui ex hoc quod est ipsum unum est et ipsum bonum, ex primaeva ratione bonitatis...providet.) De Sub. Sep. [5]. *SUPERIUS AB ANIMA CAELI OMNINO SEPARATUS:* De An. [10]. *UNUS PRIMUS QUI NIHIL PARTICIPABAT ET EST ESSENTIA-LITER UNUM ET BONUM:* In De Causis [24].

DICTUM: (Platonicorum) De Sp. Creat. [17] – C.G. [32] – (Platonis) In Phy. [14] – C.G. [23].

DIMENSIONES: (quantitatis continuae esse numeros positionem habentes) In De C. et M. [30].

DISCERE EST REMINISCI: De Ver. [15] – C.G. [17].

DISCIPLINA: (Anima ex unione ad corpus obliviscitur scientiae quam natu-raliter in omnibus habet et postea per disciplinam addiscit homo illud quod est prius notum.) In Meta. [75] – (civitatis Socratis) In Pol. [9] – (recta disciplina juvenum ut assuescant quod delectentur in bonis operi-bus et tristentur de malis) In Eth. [17].

DIVERSITAS: EST EX PARTE MATERIAE: In Phy. [21] – In Meta. [22] – In De An. [5]. *EST PROPTER SUSCEPTIVUM:* In Phy. [21] [22].

DIVERSUM ET IDEM: (anima) In De An. [13] – (elementa omnium rerum) In De An. [5] [12].

DIVITIAS: (Vide: 'Possessiones').

DOCILITAS: (pars prudentiae) S.T. [92].

DOCTORES SANCTI: (sicut et Platonici) S.T. [75].

DOCTRINA: (ordo) In Sent. [18] – (Platonicorum) C.G. [15] – S.T. [58] [91] – (quidam Catholicam fidem profitentes, Platonicorum doctrinis imbuti) C.G. [15].

DOCUMENTA: (Platonis) S.T. [96].

DOGMA: (Platonis) De Un. Intell. [10].

DOMUS: (in civitate Socratis) In Pol. [9].

DUALITAS: EX PARTE MATERIAE: In Phy. [4] [21] – In Meta. [20] [21] [25] [39] [138] – In De An. [37] – In De C. et M. [30]. *FORMA VEL SPECIES LINEAE:* In Meta. [137] [158] – (lineae rectae) In De An. [40]. *IN MATHEMATICIS:* In Meta. [44]. *INCORPOREUM QUID MATERIA:* In Meta. [25]. *MAGNUM ET PARVUM:* In Meta. [16] [23]. *NUMERUS:* In Meta. [19] – (prima et causa omnium numerorum) In Meta. [39] – In De An. [6] [35] – (Ex primo uno et ex prima dualitate fiebat numerus, ex quo numero et a qua inaequalitate materiali fiebat magnitudo.) In Meta. [106]. *PRIMA EST LONGITUDO:* In De An. [6]. *PRINCIPIUM RERUM:* In De An. [6]. *SPECIES VEL IDEA DUA-LITATIS:* In Meta. [44].

DUO: (ex parte materiae) In Phy. [3] [4] – (materiale in numeris) In Phy. [10].

EBRIETAS: In Pol. [15].

ELECTIO: (consiliariorum in civitate) In Pol. [10] – (principium in civitate) In Pol. [10].

ELEMENTA: (Media probant per proportiones numerales.) In De C. et M. [19] – (mundi mota motibus inordinatis, a Deo reducta ad ordinem) In Meta. [194].

EMPEDOCLES: De Ver. [3].

ENS: (Vide: 'Esse').

EPICUREI: De Ver. [3].

ERROR: (in hoc Plato deviare a veritate) S.T. [52] – (Platonicorum) In Meta. [116] – C.G. [25] – (Platonis) In Phy. [7] – (quorundam Platoni-corum) S.T. [82].

ESSE (et ens): *COMMUNE:* In De Div. Nom. [1] – De Sub. Sep. [18].
EST RERUM SUBSTANTIA: In Meta. [27] [84] [126]. *ESSE, INTEL-
LIGERE, VIVERE:* In S. Paul. [6] – In De Causis [22] [23]. *IDEAE,
ETC. SUNT CAUSAE ESSENDI:* De Ver. [7] [10] – In Meta. [7] [41]
– In De An. [1] [6]. *PLATO PERVENIT AD CONSIDERATIONEM
IPSIUS ESSE UNIVERSALIS:* De Pot. [3]. *UNIVOCE DICI:* In Phy.
[21]. *SEPARATUM:* In Meta. [103] [168] – In De Div. Nom. [1] [16]
[20] – In De Causis [3] [8] [16] – (abstractum) In De Causis [9] – (causa
omnibus) In S. Paul. [6] – In Phy. [25] – In Meta. [189] – In De Causis
[6] – S.T. [3] [17] [26] – (Ens vita, intellectus sunt diversa principia.)
In De Div. Nom. [3] – (Esse, vita, sapientia sunt diversa ab invicem et
a primo principio quod nominabant per se bonum et per se unum.) In
De Div. Nom. [16] – (Est supra primum intellectum.) In De Div. Nom.
[15] – In De Causis [22] – (Non est prima idea.) In De Div. Nom. [16]
[20] [22] – In De Causis [20] – De Sub. Sep. [24] – (primum) In De Div.
Nom. [3] – (primum et supremum) De Sub. Sep. [18] – (primum inter
omnia creata) In De Causis [8] [9] – (principium) In Meta. [93] – (principium intellectuale) In Meta. [190] – (sub Deo) In De Div. Nom. [22]
– De Sub. Sep. [24] – (substantia omnium eorum quae sunt unum) In
Meta. [107] – (substantia subsistens) In Meta. [171] – (summa rerum
virtus) De Sp. Creat. [4].

ESSENTIA: (essentialiter, participative, causaliter) In S. Paul. [7] – (Idea
est ratio et essentia omnium eorum quae ideam participant.) In Eth. [9] –
(Plato non posuit essentiam quintam) S.T. [31] – (res quaedam existens
extra singularia) De Ente et Essentia [1] – (semper separata per se subsistens) In Post. Anal. [6].

EXCUSATIO: (opinionis Platonis) In De C. et M. [9].

EXEMPLAR: In Meta. [114] – In De Div. Nom. [19]. *EX UNITATE
EXEMPLARIS PROBAT UNITATEM MUNDI QUASI EXEMPLATI:*
In De C. et M. [6] – S.T. [21]. *SPECIES SEPARATAE, ETC., SUNT
EXEMPLARIA:* In Sent. [11] – In Phy. [8] – In Post. Anal. [6] – In
Meta. [7] [52] [53] [54] [133] [135] [136] – In De C. et M. [5] – In De
Div. Nom. [13] – C.G. [5] – S.T. [22] [56].

EXEMPLUM: (causa doctrinae) In De C. et M. [9].

EXERCITIUM: (Per exercitium removebantur impedimenta scientiae.)
In Post. Anal. [1] – (Virtutum impedimentum tolli oportebat per exercitium.) De Vir. in Com. [1].

FELICITAS: (Consistit in quadam communi idea boni.) In Eth. [7] – (in
quodam bono separato) In Eth. [4].

FIGURA: In Meta. [95]. *ADAPTAVIT QUINQUE FIGURAS QUINQUE
CORPORIBUS:* In De C. et M. [2]. *CORPORUM PRIMA EST PYRA-
MIS:* In De An. [6]. *NULLA IDEA COMMUNIS:* In De An. [35]. *PER
PRIUS ET POSTERIUS:* De Ver. [6]. *SEPARATA:* In Meta. [86] – In
De An. [36] – In De Gen. et Cor. [4].

FIGURATE: (Plato dicit.) In De An. [17].

FILII COMMUNES IN CIVITATE: In Pol. [5] [6] [8] [11] [15].

FIRMAMENTUM: (de natura quatuor elementorum, non compositum sed
quasi elementum simplex) S.T. [33].

FLUMINA: In Meteor. [1].

FLUXUS: (Vide: 'Motus').

FORMA: SEPARATA: In Sent. [14] [33] – De Ver. [10] [12] [17] – De Pot. [2] – De Sp. Creat. [15] – De Malo [5] – De An. [13] [14] – De Vir. in Com. [1] – Quodlib. [4] – In Eth. [2] – In Phy. [20] – In Meta. [82] [157] [163] [165] – In De Div. Nom. [13] – In De Causis [4] [10] [15] [16] – C.G. [10] [23] [26] – S.T. [27] [56] [58] [78] [81] – De Un. Intell. [10] – De Sub. Sep. [21] – (a Deo esse non habere) In Sent. [11] – (artificiales non separatae a materia sed solum formae substantiales) In Meta. [164] – (causae formarum in materia) In Sent. [14] [33] – De Ver. [10] [12] – De Pot. [2] [15] – De An. [16] – De Vir. in Com. [1] – In Phy. [20] – In Post. Anal. [1] – In De An. [1] – In De Causis [4] [10] – C.G. [23] [26] – S.T. [26] [27] [56] [76] [78] [79] – De Occ. Op. Nat. [1] – (causae scientiae et cognitionis) De Ver. [12] – In Eth. [10] – In Phy. [20] – In Post. Anal. [1] – In De An. [1] – In De Causis [4] [10] [17] – C.G. [10] – S.T. [53] [56] [59] [70] [81] – (causae scientiae et virtutis) De Vir. in Com. [1] – (Causant immediate formas sensibilium.) C.G. [23] – (eiusdem rationis formis in materia) S.T. [27] – (extra intellectum divinum) In Sent. [11] – (idealis) In Post. Anal. [1] – In De Causis [13] – (immaterialis vel sine materia) In Sent. [6] [26] – De Ver. [1] [9] [12] – De Pot. [15] – Quodlib. [1] – In Meta. [57] [160] [161] [163] – In De Hebd. [2] – S.T. [26] [49] [53] [56] [58] [71] [76] – De Un. Intell. [10] – (immobiles) De Ver. [10] – De Occ. Op. Nat. [1] – (individua quaedam) De Sp. Creat. [8] – De An. [3] – (intellectae extra animam) In De S. et S. [6] – (Intellectus inferiores intelligunt se per suam essentiam; alia per participationem formarum separatarum.) De Sub. Sep. [21] – (intelligibiles) Quodlib. [4] – C.G. [4] [10] [17] – S.T. [59] [70] – (intelligibiles actu) De Ver. [10] – S.T. [49] – Comp. Th. [1] – (maxime esse) In Meta. [170] – (non in particularibus) S.T. [61] – (per se subsistentes) De Pot. [4] – De An. [11] – In De Causis [4] [16] – C.G. [23] – S.T. [26] [49] [53] [56] [58] [71] – De Un. Intell. [10] – Comp. Th. [1] – (Praedicantur in quantum participatae.) De An. [14] – (Praeexistunt rebus.) In De Div. Nom. [13] – C.G. [12] – (Propria obiecta nostri intellectus et ita primo et per se intelliguntur a nobis.) S.T. [71] – (sempiternae et incorruptibiles) In Meta. [162] – (separabilis a composito) In Meta. [191] – (simplices) De Ver. [10] – (substantiales solum, non accidentales) S.T. [78] – (Sunt Dei.) In De Causis [4] – (Sunt formae et species horum materialium) C.G. [26] – S.T. [72] – (Universalem quamdam causalitatem habent.) In De Causis [4] – (universales) In Sent. [26] – De Ver. [12] – De An. [14] – In De An. [1] – In De Causis [4]. *IN MATERIA:* (Dantur a datore.) In Sent. [25] – De An. [9] – (Dantur a 'datore formarum.') De Pot. [4] – (Dantur secundum merita materiae.) In Sent. [4] [25] – De Pot. [7] – De An. [9] [11] – (Sunt a formis separatis sive ab extrinseco.) In Sent. [22] – De Pot. [15] – De Vir. in Com. [1] – Quodlib. [5] – In Meta. [98] – S.T. [26] [78] [81] – De Occ. Op. Nat. [1]. *UNITAS EX PARTE FORMAE:* In Phy. [3] [21] – In Meta. [22] [112] [202] – In De C. et M. [30].

FORMALE: (causa formalis: *Vide:* 'Causa') In Meta. [5] – (Plato praecipue principium formale tetigit.) In Meta. [157] – (Plato processit resolvendo in principia formalia.) De Sub. Sep. [10] – (Quanto causa universalior et formalior, tanto eius perfectio in aliquo individuo magis est subtracta.) De Sp. Creat. [4] – (quanto universalius tanto formalius) De Sp. Creat. [4].

FUNDAMENTUM: (errorum) In Sent. [20].

GENERATIO: (elementorum) In De Gen. et Cor. [1]. *IDEAE, ETC. SUNT CAUSAE GENERATIONIS:* In Sent. [33] [34] – De Ver. [2] [7] [10] [12] – De Pot. [2] – In Meta. [132] – In De S. et S. [5] – S.T. [8]. *IDEAE SUNT PRINCIPIUM PROXIMUM GENERATIONIS:* De Ver. [2].

GENESIS: (Aqua et terra propriis nominibus exprimuntur; Spiritus Domini est aer; ignis in nomine caeli.) De Pot. [12].

GENUS: GENERA ESSE PRINCIPIA ET ELEMENTA: In Meta. [78]. *GENERA MAGIS ESSE PRINCIPIA ET CAUSAS SUBSTANTIARUM:* In Meta. [184]. *GENERA VOCANTUR SPECIES:* In Meta. [79]. *NA-TURAS GENERUM ET SPECIERUM POSUIT ABSTRACTAS A SEN-SIBILIBUS PER SE SUBSISTENTES QUAS SUBSTANTIAS SEPARA-TAS NOMINABAT:* De Sp. Creat. [7]. *NULLAE IDEAE GENERUM:* De Ver. [8] – In Meta. [145] – C.G. [3] – S.T. [7] – (solas species esse ideas particularium, genera vero et differentias non esse ideas specierum) In Meta. [148] – (genera esse substantias specierum, species vero ideas individuorum) In Meta. [148]. *ORDO GENERUM ET SPECIERUM:* De Sp. Creat. [4] [7] – (simpliciter unum) In Phy. [22] – In Meta. [173]. *UNUM ET ENS ET MAGNUM ET PARVUM QUIBUS UTUNTUR UT GENERIBUS:* In Meta. [93].

GREGORIUS NYSSENUS [sc. NEMESIUS]: In Sent. [15] [28] [29] [30] – De Pot. [17] – De Sp. Creat. [3] – C.G. [28] – S.T. [14] [74] – De Un. Intell. [1] [4] [6] [7].

HABITUS: (nos habere nobilissimos) In Sent. [5] – (suscipere magis et minus, propter hoc quod materiales erant) S.T. [86].

HERACLITUS: In Meta. [6].

HIPPIAS: (liber quidam Platonis) In Meta. [121].

HOMO: PARTICULARIS: (Est anima adveniens corpori.) De An. [1] – (Est anima induta corpore.) In Sent. [21] [29] – De Pot. [17] – C.G. [19] – De Un. Intell. [6] – (Est anima utens corpore.) In Sent. [15] [30] – De Pot. [5] – De Sp. Creat. [3] – In S. Paul. [2] – C.G. [6] [7] – S.T. [38] – De Un. Intell. [6] – (Est tantum anima.) In S. Paul. [2] – De Un. Intell. [7] – (Est tantum intellectus.) S.T. [39] [40] – De Un. Intell. [6] [7] – (Habet corpus terrenum.) De Malo. [4] – (Non est ex anima et corpore.) De Pot. [5] – De Sp. Creat. [3] – C.G. [6] [7] – (Post ultimam beatitudi-nem potest fieri miser.) S.T. [82]. *SEPARATUS:* De Ver. [9] – De Pot. [23] – In. S. Jo. [2] – In Eth. [12] – In Phy. [7] – In Meta. [50] [109] [154] [155] [169] [174] [188] – In De An. [35] – In De Div. Nom. [1] [11] [16] – In De Causis [7] – S.T. [98] [99] – (abstractus) De Sp. Creat. [4] – (com-munis) De Ver. [17] – (Est ipsa humana natura) S.T. [22] [98] [99] – (Est unum de multis praedicatum, extra particularia.) In Meta. [147] – (forma separata) In Eth. [2] – In Meta. [82] – S.T. [56] – (Habet tantum quod pertinet ad speciem.) In Meta. [109] [155] [159] – (Idea hominis) De An. [14] – In S. Paul. [5] – In Meta. [46] [89] [174] – In Perih. [1] – In De An. [35] – In De Gen. et Cor. [4] – S.T. [3] [98] – (idealis) In Meta. [33] [59] [159] – (ipsa essentia hominis) In Eth. [20] – (immaterialiter

subsistens) In Meta. [33] – S.T. [26] [98] – (Non sit aliquis homo.) De
Pot. [23] – (per essentiam) In Sent. [20] – (per se) De Ver. [9] [17] – In
S. Jo. [1] [2] – In Eth. [2] [12] [20] – In Meta. [9] [46] [89] [154] [175] –
In De Gen. et Cor. [4] – In De Causis [13] – S.T. [56] [99] – (Per se
homo est deus.) In De Causis [13] – (Quidam dicunt quod Plato non
intellexit hominem separatum esse nisi in intellectu divino.) S.T. [99] –
(Quod species praedicatur secundum unam rationem de omnibus individuis,
est aliquis homo communis, qui est ipsum quod est homo secundum se
existens et hoc aliquid.) In Meta. [146] – (Separatus est exemplar.) In
De Div. Nom. [19] – (Separatus verius est.) De Ver. [9] – S.T. [12] – (tertius) In Meta. [38] – (universalis) In Meta. [143] [188].

IDEA: In Sent. [6] [11] [14] [22] – De Ver. [1] [2] [3] [4] [6] [8] [9] [17]
– De Malo [10] – De An. [5] [7] [16] – In S. Paul. [5] – In S. Jo. [1] –
In Eth. [8] [9] – In Phy. [7] [8] – In Post. Anal. [3] [4] [6] – In Meta.
[5] [7] [18] [35] [39] [42] [46] [114] [124] [131] [136] [148] [149] [150]
[151] [162] [175] – In Perih. [1] – In De An. [6] [39] – In De C. et M.
[5] – In De Gen. et Cor. [4] – In De Div. Nom. [20] – C.G. [5] – S.T. [6]
[9] [49] [52] [58] [62] – De Occ. Op. Nat. [1] – De Un. Intell. [9] –
De Sub. Sep. [1]. *ACCIDENTIUM: (Vide:* 'Accidentia') De Ver. [7].
AEQUALES NUMEROS AUT NON PAUCIORES SENSIBILIBUS: In
Meta. [32] [33]. *ALIQUA IDEA RESPONDET OMNIBUS SPECIEBUS
RERUM SENSIBILIUM:* In Meta. [33]. *ANIMALIS:* De An. [14] –
In De Causis [16] – S.T. [43] – (alia animalis, et alia bipedis hominis)
In De Hebd. [1]. *BONI: (Vide:* 'Bonum'). *CAUSAE GENERATIONIS:
(Vide:* 'Generatio'). *CAUSAE IDEATORUM:* De Ver. [5]. *CAUSAE
MOTUS: (Vide:* 'Motus'). *CAUSAE SCIENTIAE ET COGNITIONIS:
(Vide:* 'Scientia'). *CAUSAE VEL PRINCIPIA ESSENDI:* De Ver. [7] –
In Meta. [7] [41]. *CAUSAE VEL PRINCIPIA FIENDI:* In Meta. [41].
COMMUNIS: In Eth. [9] – (De Socrate praedicatur idea animalis com-
munis quam participat.) In De Causis [16] – (non in numeris et figuris)
In De An. [35]. *DE MULTIS PRAEDICABITUR:* De Un. Intell. [9].
EADEM SPECIE CUM SINGULARIBUS: In Meta. [174]. *ENTIS
(Vide:* 'Esse'). *EQUI:* S.T. [56]. *EST CAUSA FORMALIS: (Vide:*
'Causa') In Meta. [66]. *EST INDIVIDUUM:* De An. [6] – De
Un. Intell. [9]. *EST QUODDAM SINGULARE SEMPITERNUM:*
In Meta. [152]. *EST UNUM PRAETER MULTA:* In De Gen. et Cor.
[4]. *GENERUM: (Vide:* 'Genus'). *HOMINIS: (Vide:* 'Homo') De Ver.
[17] – De An. [14] – In Meta. [9] [89] – In Perih. [1] – In De Trin. [2]
– In De Causis [16] – S.T. [56]. *IDEA CORPORIS EST PRIMA QUA-
TERNITAS:* In De An. [7]. *IMMUTABILES:* In Meta. [10] [48]. *IN
INTELLECTU PATERNO:* De Pot. [19] – In De Trin. [2]. *INDIVI-
DUA NON HABENT:* S.T. [10]. *INFINITATIS:* In De Causis [20].
INTELLIGIBILIA: C.G. [4] [11] [17] – S.T. [71]. *MUNDI:* In Sent.
[2]. *NEGATIONUM:* In Meta. [35]. *NIHIL HABET NISI QUOD PER-
TINET AD RATIONEM SPECIEI:* In Meta. [8] – In De Gen. et Cor.
[4]. *NON IN ILLIS GENERIBUS IN QUIBUS PRIUS ET POSTERIUS:*
De Ver. [6] [7] – In Eth. [8] – In Meta. [95] – In De An. [35] [36].
NON IN LOCO: In Sent. [8] – In Phy. [10] [17]. *NON RERUM ARTI-
FICIALIUM:* In Meta. [179]. *NON SINGULARIUM:* S.T. [7]. *PAR-
TICIPATIO IDEARUM:* (et *vide:* 'Participatio') De Vir. in Com. [1] –
In Eth. [10] – In Phy. [2] – In Meta. [45] [75] – S.T. [56] [66]. *PLATO*

INTRODUXIT: In Meta. [166]. *PLATO NON POSUIT IDEAE RELA-TIONUM:* In Meta. [37] [40]. *PLATO PRIMUS INTRODUXIT:* De Ver. [5] [7] – S.T. [7]. *POSITAE PROPTER SCIENTIAS ET IMMU-TABILITATEM:* In Meta. [10] [41] [48] [113] [150]. *PRIORES RE-BUS SENSIBILIBUS ET MATHEMATICIS:* In Meta. [39]. *PROXI-MAE CAUSAE RERUM:* De Ver. [7]. *SUBSTANTIARUM:* In Sent. [7] – De Ver. [7]. *SUNT NECESSE SENSIBILIBUS REBUS SECUN-DUM ALIQUEM MODUM:* In Meta. [47]. *SUNT SUBSTANTIAE:* In Post. Anal. [3] – In Meta. [32] [145]. *TRIANGULI:* In De Gen. et Cor. [4]. *UNIVERSALIUM: (Vide:* 'Universalis').

IDEM: (Pertinet ad immaterialia.) In De An. [5].

IDEM ET DIVERSUM: (Vide: 'Diversum et Idem').

IGNIS: (Corpus quod circulariter fertur ignem vocat propter lucem...non quod sit de natura ignis elementaria.) In De C. et M. [2] [19] – (Est figura pyramidalis.) In De C. et M. [30] – (forma ignis separata) S.T. [78] – (In Genesi exprimitur in nomine caeli.) De Pot. [12] – S.T. [29] – (tres species; lumen, flamma, carbo) In De S. et S. [1].

IMAGINARIA VIS: (Habet operationem quae est animae solius.) S.T. [60].

IMMORTALITAS: (Vide: 'Anima') In Phy. [30].

IMPAR: (circulus imparium in anima intellectiva) In De An. [16] – (elementum numeri) In De An. [11] – (Idem attribuit impari.) In De An. [12] – (Identitatem et finitatem impari attribuit.) In De An. [11] – (numerus) In De An. [11] [13].

IMPRESSIO: (In materia remanet quaedam impressio ab illis formis separatis, per modum assimilationis cuiusdam quam participationem vocabat.) S.T. [26] – (Scientia causatur ex impressione formarum idealium.) In Eth. [10] – In Post. Anal. [1] – S.T. [59].

INAEQUALITAS: (Attribuit materiae.) In Meta. [202].

INDIVISIBILE: (corpora resolvi in superficies, et superficies in lineas, et lineas in indivisibilia) In Phy. [1] – (Indivisibilia separata prius participantur a rebus.) S.T. [68] – (Separatum est primo intellectum.) S.T. [68].

INFINITUM: (Competit materiae.) In Phy. [11] – (duo infinita, sc. magnum et parvum) In Phy. [14] – (Idea infinitatis) In De Causis [20] [21] – (in sensibilibus et in intelligibilibus) In Phy. [15] – (quoddam per se existens) In Phy. [10] [13] – (separatum) In Phy. [13] – In Meta. [181].

INITIA: (Tria Plato existimavit.) In Sent. [11].

INTELLECTUS: IN GENERE: (circulus) In De An. [18] [26] – (Est magnitudo.) In De An. [17] [18] [20] [21] [24] [25] [45] – (ex idea unius) In De An. [7] – (Omnis intellectus habet intellectum participatum.) In De Causis [17]. *HUMANUS:* (distinctus a sensu) De Sp. Creat. [17] – S.T. [37] [59] – De Un. Intell. [5] – (immaterialis) S.T. [62] – (Est phantasia.) In De An. [4] – (formae intelligibiles per se existentes ad quas comparatur intellectus possibilis noster sicut speculum ad res quae videntur in speculo) C.G. [10] – (Naturaliter est plenus omnibus speciebus intelligibilibus.) S.T. [55] – (species intelligibiles nostri intellectus ab aliquibus formis vel substantiis separatis) S.T. [56] – (Intelligit per

participationem specierum separatarum.) S.T. [49] [58] [62] [68] [70] –
De Un. Intell. [10] – De Sub. Sep. [1] [6] – (Intellectualis operatio
causatur ex sola impressione aliquarum rerum superiorum.) S.T. [59] –
(Fit intelligens actu per hoc quod attingit ad species separatas.) In Meta.
[199] – (Fit intellectus actu per participationem specierum separatarum.)
In Meta. [200] – S.T. [70] – (Objectum intellectus est formae separatae
quae primo et per se a nobis intelliguntur.) De Sp. Creat. [15] – De Malo
[5] – In De An. [41] – S.T. [52] [62] [68] [71]. *INTELLECTUS AGENS:*
De Malo [11] – In De An. [6] [43] – (forte necessarium ad praebendum
lumen intelligibile intelligenti) S.T. [49] – (Intellectum separatum Plato
comparavit soli.) De Sp. Creat. [16] [17] – De Malo [11] – S.T. [50] [51]
– De Un. Intell. [8] [11] – (nulla necessitas ponere) De Sp. Creat. [12] –
De An. [7] – In De An. [48] – C.G. [11] – S.T. [49] – Comp. Th. [1].
PATERNUS: In Sent. [2] – De Pot. [19] – In De Trin. [2] – C.G. [32] –
S.T. [17]. *PRIMUS:* (A quo omnia participant intelligere.) In S. Paul.
[6] – (Est idea intellectuum.) In De Causis [17] – (Plenam habet participationem specierum.) De Sub. Sep. [1] – (Primum ens est supra intellectum primum.) In De Causis [22]. *SEPARATUS:* In De Div. Nom. [3]
[7] [22] – In De Causis [16] – De Un. Intell. [8] – De Sub. Sep. [5] [7]
[18] – (Fiunt intelligentes actu.) In De Div. Nom. [7] – In De Causis [10]
– De Sub. Sep. [1] [20] – (Habet indeficientiam et immobilitatem quantum ad esse, ad virtutem, ad operationem.) In De Causis [3] – (idealis)
In De Causis [17] – (per se deus) In De Causis [4] – (Sub ordine Deorum
idest praedictarum formarum posuerunt ordinem intellectuum qui participant formas praedictas ad hoc quod sint intelligentes inter quas formas
est etiam intellectus idealis.) In De Causis [4] – (inferiores) In De Causis
[4] – (Intelligunt se per suam essentiam; alia per participationem formarum separatorum.) De Sub. Sep. [21] – (omnes boni) De Sub. Sep. [1]
[5] – (ordo intellectuum separatorum) De Sp. Creat. [7] – In De C. et M.
[18] – In De Causis [4] [15] [17] [23] – S.T. [70] – (secundum participationem idearum intellectus separatos res cognoscere) In De Causis [15]
– (superiores) In De C. et M. [18] – In De Causis [4] – De Sub. Sep. [22].
PARS PRUDENTIAE: S.T. [92].

INTELLIGENTIA: (circulatio) In De An. [26] – (Fit per motum quemdam
continuum magnitudinis.) In De An. [44] – (Ipsa est causa intelligendi
omnibus.) In De Causis [6] – (prima) In De Causis [7].

INTELLIGERE: (Fit per contactum intellectus ad rem intelligibilem.) In
Meta. [200] – C.G. [22] – (non per acceptionem specierum in intellectu)
In De An. [22] – (per organum determinatum) In De An. [33] – (per
quemdam contactum) In De An. [22].

INTELLIGIBILIA: SEPARATA: In De An. [6] [49] – C.G. [11] – (in actu)
De Ver. [12] – De Sp. Creat. [12] – In De An. [43] – S.T. [65] – (ordo
intelligibilium) De Sp. Creat. [7] – S.T. [70] – De Sub. Sep. [20] – (principia sensibilium) In Sent. [20].

INTENTIO: (Ex intentionibus intellectis judicium rerum naturalium sumere voluerunt.) In Sent. [20] – (Platonis) De Sp. Creat. [10] – In De
An. [17] – In De C. et M. [25].

INVIDIA: (A Deo omnis est relegata invidia.) In Meta. [1].

IRASCIBILE: (in corde) In De An. [51].

LATITUDO: (Est prima trinitas.) In De An. [6] – (Post numeros, longitudines et latitudines et soliditates esse substantias rerum sensibilium, ex quibus corpora componerentur.) In Meta. [71].

LIBER: (in libris Platonis) In S. Paul. [8] – (Platonicorum) S.T. [16] [17].

LINEA: (Binarium constituit lineam.) In Meta. [62] – (Binarium est forma lineae.) In Post. Anal. [8] – (corpora resolvi in superficies, et superficies in lineas, et lineas in indivisibilia) In Phy. [1] – (Dualitas est forma lineae.) In Meta. [158] – In De An. [40] – (ex producto et brevi) In Meta. [64] – (ex punctis) In Meta. [62] [116] – In De An. [23] – In De C. et M. [29] – (Linea mota facit superficiem.) In Post. Anal. [8] – (magnitudines esse substantias rerum sensibilium, *sc.* lineam, superficiem et corpus) In Meta. [64] – (participans speciem) In Meta. [137] – (prior in essendo quam superficies) In Meta. [117] – (Punctum est principium lineae.) In Meta. [65] – (Punctus constituit lineam.) De Sp. Creat. [11] – (Punctus motus facit lineam.) In Post. Anal. [8] – (sensibilis, mathematica, species) In Meta. [38].

LOCUS: (Est materia.) In Sent. [17] – De Pot. [14] – In Phy. [16] [17] – S.T. [28] – (receptibilitas materiae vel receptivum) De Pot. [13] – In Phy. [16] – De Un. Intell. [3] – (*Vide:* 'Magnum et Parvum').

LOGICE: (Platonici logice inquirebant.) In Meta. [184] – (logice, id est, rationaliter; attendentes communibus rationibus) In De Gen. et Cor. [4].

LONGITUDO: (post numeros, longitudines et latitudines et soliditates esse substantias rerum sensibilium, ex quibus corpora componerentur) In Meta. [71] – (Prima dualitas est longitudo.) In De An. [6] – (quaedam substantiae) In Meta. [86].

MACROBIUS: De Pot. [6] [19] – In De Trin. [1] [2] – S.T. [17] [88] – De Un. Intell. [6] – (secundum sententiam Platonis) S.T. [92].

MAGNITUDO: (Esse substantias rerum sensibilium, *sc.* lineam, superficiem et corpus: istorum principia assignantes putabant se rerum principia invenisse.) In Meta. [64] – (Ex primo uno et ex prima dualitate fiebat numerus, ex quo numero et a qua inaequalitate materiali fiebat magnitudo.) In Meta. [106] – (indivisibiles) In De Gen. et Cor. [2] [4] – (Numeri sunt formae magnitudinum.) In Post. Anal. [8] – In Meta. [158] – (Puncta sunt principia et substantia omnium magnitudinum.) In Meta. [65] – (separatae et mediae) In Meta. [122] – C.G. [24] – (separatum) In Meta. [182] – (Unum indivisibile est causa magnitudinis.) In Meta. [105].

MAGNUM ET PARVUM: (Accidentia reducebat ad principia materialia quae sunt magnum et parvum quae ponebant esse prima contraria.) S.T. [78] – (causa materialis) In Meta. [23] – (dualitas) In Meta. [16] [23] – (duo infinita) In Phy. [14] – (Eis attribuit infinitum.) In Phy. [15] – (Est differentia substantiae et materiei.) In Meta. [67] – (Est receptivum.) In Phy. [16] – (ex parte materiae) De Ver. [5] – In Phy. [2] [4] [9] [11] [16] [23] – In Meta. [13] [16] [23] – (in sensibilibus et in intelligibilibus) In Phy. [15] – (in speciebus) In Meta. [64] – (locus) In Phy. [17] – (Per prius lineae attribuit.) In Meta. [64] – (primae differentiae materiae) In Meta. [67] – S.T. [100] – (principia) In Phy. [2] [3] – In Meta. [93].

MALUM: (Materia est causa mali.) In Meta. [24].

MARIA: (ut in *Phaedone*) In Meteor. [1].

MENO: In Post. Anal. [2] – S.T. [54].

MENS PATERNA: De Pot. [19] – In S. Jo. [1] – In De Trin. [1] [2] – C.G. [32] – S.T. [17] – (*Vide:* 'Intellectus Paternus').

MENSURA: (*Vide:* 'Modus').

METAPHORA: (Plato utebatur.) In Phy. [6] – In Meta. [52] – In De An. [17].

MILITES: (*Vide:* 'Viri Bellatores').

MODUS: APPREHENDENDI: In De An. [41] – (abstractionis) In De An. [48] – (Forma cogniti est in cognoscente eo modo quo est in re cognita.) S.T. [52] [53] – (Modus rei intellectae in suo esse sit sicut modus intelligendi rem ipsam.) In Meta. [12] – (Res intellecta eo modo est extra animam quo intelligitur.) De Sp. Creat. [15] – S.T. [41] – (res intellectas hoc modo in seipsis subsistere, scilicet immaterialiter et immobiliter) S.T. [52]. *DOCENDI:* In De An. [17]. *FIENDI:* (altior quam transmutatio) De Sub. Sep. [15]. *LOQUENDI:* (consuetus apud Platonicos) In Eth. [7] – In Meta. [100] – In De C. et M. [8] – In De Div. Nom. [1] – S.T. [91]. *PRODUCTIONIS:* (absque mutatione vel motu) De Sub. Sep. [18]. *RECIPIENDI:* (Omne quod est in aliquo est per modum ejus in quo est.) In Meta. [12] – (Unumquodque recipitur in aliquo secundum mensuram recipientis.) In Meta. [21].

MORE: (Platonicorum) De Sp. Creat. [11] – In De C. et M. [18].

MOTOR: (*Vide:* 'Anima').

MOTUS: (caelestes ab anima mundi) In De An. [15] – (Caelestes dant sonos optime harmonizatos.) In De An. [15] – (Caelestibus motibus Plato attribuens indefectibiliter circularitatem et ordinationem, mathematicas suppositiones fecit per quas possent salvari quae circa erraticas apparent.) In Meta. [201] – (caelestium corporum, sc. planetarum, etc.) In De C. et M. [23] – (Ideae sunt causae motus.) In Meta. [48] [197] – S.T. [19] – (inordinatus ante mundum) In Sent. [13] – In Meta. [194] [195] – In De C. et M. [32] [33] [34] – (intelligentiae) In De An. [44] – (Movens seipsum est perpetuum.) In Phy. [30] – (Nihil movet nisi motum.) In Phy. [28] – C.G. [1] [14] – (Plato accipiebat motus communius pro qualibet operatione.) De An. [2] – C.G. [1] [14] – S.T. [4] – (Principium omnis motus, sc. Deus, primum movens, anima, est movens seipsum.) De Pot. [25] – In Phy. [29] [31] – In Meta. [195] – In De C. et M. [32] – In De Causis [3] – C.G. [1] – S.T. [11] – (projecti) In Phy. [32] – (semper fuisse ante mundum) In Sent. [13] – In Meta. [194] [196] – (sensibilia semper in motu) De Sp. Creat. [17] – In Meta. [6] [7] [48] [113] [150] – In De Trin. [4] – S.T. [52] – De Sub. Sep. [1] – (Vivere est quoddam moveri.) In Post. Anal. [9] – (*Vide:* 'Anima').

MULIERES: (Eadem tractare oportet cum viris.) In Pol. [8] – (Oportebat bellare.) In Pol. [9] – (*Vide:* 'Uxores').

MULTITUDO: (Attribuit materiae.) In Meta. [202] – (Necesse est ante omnem multitudinem ponere unitatem.) De Pot. [3] – In De C. et M. [4] – S.T. [18] – (Quanto aliqua uni primo principio propinquiora, tanto sunt minoris multitudinis.) S.T. [77].

MUNDUS: (a Deo factus) De Pot. [8] – (archetypus) In Sent. [2] – (creatus a Deo sed ex materia praejacenti) In Art. Fidei et Sacra. Eccl. Exp. [1] – (elementa mundi, prius mota motibus inordinatis, a Deo reducta ad ordinem) In Meta. [194] – In De C. et M. [11] – (esse ab alio) In De C. et M. [14] – (Ex unitate exemplaris probat unitatem mundi quasi exemplati.) S.T. [21] – (factus ex elementis; non tempore sed causa doctrinae) In De C. et M. [9] [10] – (genitus) In De C. et M. [4] – (genitus et corruptibilis sed manebit propter voluntatem Dei) In De C. et M. [14] – (genitus sed incorruptibilis) In De C. et M. [7] [13] – (Illud inordinatum ex quo mundus est genitus fuerit ingenitum sed corruptibile.) In De C. et M. [13] – (inordinatio semper adjuncta elementis mundi) In De C. et M. [11] – (mansurus per voluntatem conditoris) De Pot. [8] – (Semper fuit tamen factus est.) De Pot. [8].

NATURA: (naturae rerum separatae) In Phy. [8] – S.T. [41] [99] – De Sub. Sep. [1] – (universalis separata) In De S. et S. [4] – In De Div. Nom. [11] [18].

NEGATIO: (ideae negationum) In Meta. [35].

NOMINA: (Significant naturaliter.) In Perih. [2].

NUMERUS: In Meta. [26] – (Alii sunt species; alii sunt sensibilia.) In Meta. [58] – (alius qui est substantia sensibilium et qui est causa) In Meta. [31] – (causae rerum) In Meta. [15] [31] – In De An. [6] – (formae magnitudinum) In Post. Anal. [8] – In Meta. [158] – (Impares attribuebat formis.) In Meta. [39] – (nulla idea communis quia per prius et posterius) De Ver. [6] – In Eth. [8] – In Meta. [95] – In De An. [35] [36] – (pares) In Meta. [19] – (Pares attribuebat materiae.) In Meta. [39] – (Participantur sive a materia sive a magno et parvo.) In Phy. [17] – (primi) In Meta. [19] – (prior in essendo quam omnia alia) In Meta. [117] – (Probavit esse elementa media per proportiones numerales.) In De C. et M. [19] – (Sensibiles sunt causae et formae sensibilium.) In Meta. [31] – (species mathematicorum omnium) In Meta. [137] – In De An. [40] – (Species separatae sunt numeri.) In Meta. [13] [39] [57] [63] [71] [139] [157] [166] – In De An. [7] – C.G. [33] – (specificus) In De An. [6] [7] – (Substantiae sunt rerum.) De Pot. [24] – In Phy. [10] [14] [16] [23] – In Post. Anal. [9] – In Meta. [57] [63] [71] [84] [104] [108] [116] [138] – In De An. [6] [11] [14] – In De C. et M. [30] – S.T. [5] – (Sunt elementa rerum.) In De An. [7] – (Sunt ipsa corpora sensibilia.) In Meta. [31] – (tres, scilicet sensibilis, mathematicus et species) In Meta. [38] – (usque ad decem) In Phy. [14] – In Meta. [4]. *ELEMENTA ET CAUSAE NUMERORUM:* (Dualitas est causa numeri.) In De An. [35] – (ex primo uno et ex prima dualitate) In Meta. [106] – (Ex uno componitur.) De Pot. [24] – In Meta. [62] – (ex unitatibus) In Meta. [60] – (ex uno et dualitate) In Phy. [10] – In Post. Anal. [8] – (ex uno et materia) In Meta. [178] – (Par et impar sunt elementa.) In De An. [11] – (Praeter numeros primos, generantur ex dualitate.) In Meta. [19] – (Unum est elementum formale; duo, materiale.) In De An. [11] – (Unum indivisibile est causa numeri.) De Pot. [24] – In Meta. [105]. *SEPARATI:* In Eth. [8] – In Meta. [18] [59] [87] [88] [122] [182] – (medii) In Meta. [122] – (non in loco) In Phy. [17] – (praeter sensibilia et hoc dupliciter) In Meta. [17] – (quaedam substantiae) In Meta. [86]. (*Vide:* 'Anima'; 'Mathematica').

OBJECTUM INTELLECTUS: (*Vide:* 'Intellectus').

OBLIVIO: (Anima dum corpori unitur, oblivionem patiatur.) In Meta. [75]
– C.G. [16] [17].

OBVIATIO: (Platonicorum) In Eth. [21].

OMNIA SUNT IN OMNIBUS: In De Div. Nom. [10].

OPINIO: (Est ex prima trinitate.) In De An. [7] – (Est ternarium.) In De
An. [37] – (Platonis) In Sent. [26] – De Ver. [1] [2] [18] – De Pot. [18]
[22] [23] – De An. [7] [12] [15] [18] – In Eth. [5] – In Phy. [15] [23]
[31] – In Post. Anal. [7] – In Meta. [2] [5] [11] [14] [16] [20] [21] [28]
[29] [32] [47] [57] [104] [127] [136] [140] [172] [173] [193] [198] [202]
– In Perih. [4] – In De An. [5] [7] [10] [11] [17] [23] [28] [29] [31] [42] [43]
[44] [51] – In De S. et S. [1] [2] [6] – In De C. et M. [9] [16] [25] [28]
[30] [31] – In De Hebd. [2] – C.G. [6] [9] [10] [31] – S.T. [6] [14] [15]
[20] [31] [33] [43] [48] [49] [57] [59] [60] [71] [74] [78] [97] – De Un.
Intell. [6] [7] – De Sub. Sep. [5] – (Platonis...aliqualiter salvatur.) C.G.
[5] – (Platonis et Aristotelis eadem) In De C. et M. [2] – (Platonis sustineri potest.) De Ver. [17] – (Platonis tota dependet....) In Meta. [84]
– (Platonica) In Phy. [4] [20] [21] – In De C. et M. [5] – In De Causis
[17] – (Platonicorum) De Sp. Creat. [14] – De Malo [10] – In Eth. [18]
– In Meta. [67] [68] [98] [116] [137] – In De S. et S. [5] – In De Div.
Nom. [17] – In De Causis [5] – C.G. [13] – S.T. [24] [81] [89] – De Sub.
Sep. [19] [24] [27] – (Platonicorum communis) In Phy. [28] – (Platoni-
corum quorumdam) In De Div. Nom. [6] – (*Vide:* 'Positio'; 'Ratio').

OPTIMI EST OPTIMA ADDUCERE: In Sent. [9] – De Ver. [14] – De
Pot. [1] [9] [10] [16] – S.T. [90].

ORATIO: (Significat naturaliter.) In Perih. [3] – (vera et falsa; *Hippias*)
In Meta. [121].

ORDO: (ordines principiorum secundum ordines perfectionum) In S. Paul.
[6] – (Quadruplex ordo invenitur in rebus.) In De Causis [23] – (*Vide:*
'Anima'; 'Intellectus'; 'Intelligibilia').

ORGANUM: (appetitivi) In De An. [47] – (sensitivi) In De An. [47].

ORIGENES: (In pluribus Platonicorum opinionem sectatur.) De Pot. [21]
– (Platonicis documentis insistens) In De Trin. [2] – (Platonicorum doctrinis imbutus) C.G. [15] – (quorundam Platonicorum errorem sequens)
S.T. [82] – (secundum opinionem Platonis) De An. [4] – (sequens Platonicos) S.T. [17].

PAR: (*Vide:* 'Anima'; 'Diversum'; 'Numerus').

PARTICIPARE: De Sp. Creat. [17] – De An. [5] [14] – In S. Paul. [5] [6]
[7] – In Eth. [2] [8] [9] [10] – In Phy. [2] [17] [20] – In Post. Anal.
[1] [5] – In Meta. [8] [9] [40] [42] [44] [45] [48] [50] [52] [55] [66]
[75] [82] [89] [98] [137] [138] [188] – In De An. [7] – In De Div. Nom.
[1] [16] [17] [21] – In De Causis [4] [6] [7] [8] [13] [14] [15] [16] [17]
[19] [20] [23] [24] – C.G. [26] – S.T. [3] [56] [62] [78] [84] [91] – De
Un. Intell. [10] – De Sub. Sep. [1] [5] [20] [22] – (Ante esse participans,
necesse est ponere aliquid abstractum non participatum.) De Sp. Creat.
[7] – (Ante omnia participantia compositionem posuerunt separata per
se existentia quae a compositis participantur.) In De Div. Nom. [16] –
(Diversi ordines participantium et participatorum sunt in substantiis

separatis.) De Sub. Sep. [1] – (Ideo aliquid commune ponitur separatum, ut sit quoddam primum quod alia participant.) In Meta. [96] – (Indivisibilia separata prius participantur a rebus.) S.T. [68] – (Omnes substantiae praeter supremam, quae est per se unum et per se bonum, sunt participantes.) De Sub. Sep. [4] – (Participans autem est infra participatum.) S.T. [70] – (Participatum est ante participans.) In De Div. Nom. [15] – (Quanto aliquid est communius, tanto illud magis separatum et prius participatum.) In De Causis [8] – (Ultimum autem quod ab omnibus participatur et ipsum nihil aliud participat, est ipsum unum et bonum separatum quod dicebat summum Deum et primam omnium causam.) In De Causis [4].

PARTICIPATIO: De Ver. [12] [17] – De Malo [10] – De An. [5] [11] [13] [16] – De Vir. in Com. [1] – In S. Paul. [10] – In S. Jo. [1] – In Eth. [4] – In Phy. [20] – In Post. Anal. [1] [6] – In Meta. [7] [8] [10] [13] [42] [46] [85] [98] [130] [131] [132] [159] [167] [169] [200] – In De An. [6] – In De Div. Nom. [1] [7] [10] – In De Causis [7] [10] – S.T. [1] [3] [12] [26] [49] [52] [56] [58] [59] [66] [68] [69] [70] [76] [79] [81] [91] [97] – Comp. Th. [1] – De Sub. Sep. [1] [3] [6] [18] [21] – (Participatio autem ideae fit per aliquam similitudinem ipsius ideae in participante ipsam, per modum quo exemplar participatur ab exemplato.) S.T. [56] – (Quod in pluribus invenitur oportet reducere ad aliquod primum quod per suam essentiam est tale, a quo alia per participationem talis dicuntur.) In De Causis [20] – (tanto altior quanto universalior et ad plura suam participationem extendens) In De Causis [16].

PARTICIPATIVE: (ignes in ferro) De Pot. [19] – (participative, essentialiter, causaliter) In S. Paul. [7].

PATER: (Vide: 'Deus').

PER ACCIDENS: (Vide: 'Accidentia').

PER SE: (Sic appellabat omnia separata.) In Meta. [42].

PHAEDO: In Meteor. [1] – In De C. et M. [25] – (in quodam suo libro) In Meta. [55].

PHANTASIA: (Cognitio applicatur rebus materialibus, secundum quod intellectui permiscetur phantasia et sensus.) S.T. [71] – (idem ac intelligere) In De An. [4].

PHANTASMA: (Si objectum intellectus esset forma separata, non oporteret quod intelligeret convertendo se ad phantasmata.) S.T. [61] – (Intelligere convertendo ad phantasmata convenit animae per accidens, ex eo quod corpori alligatur.) S.T. [73].

PLANITIES: (Vide: 'Superficies') In De Gen. et Cor. [2].

PLATO: In Sent. [1] [2] [3] [4] [5] [6] [7] [8] [9] [10] [11] [12] [13] [14] [15] [17] [18] [19] [20] [21] [22] [23] [24] [25] [26] [28] [29] [30] [31] [32] [33] [34] [35] [37] [38] [40] – De Ver. [2] [3] [4] [5] [7] [8] [9] [13] [14] [20] [21] – De Pot. [1] [3] [5] [7] [8] [9] [10] [11] [13] [14] [16] [18] [22] [23] [25] – De Sp. Creat. [1] [2] [3] [6] [7] [8] [9] [10] [12] [13] [15] [16] [17] – De Malo [4] [11] – De An. [1] [2] [3] [4] [6] [7] [9] [10] [11] [12] [14] [15] [16] [19] – De Vir. in Com. [1] – Quodlib. [3] [5] – In S. Mt. [2] [3] [4] – In S. Paul. [2] [4] [8] – In S. Jo. [1] – In Eth. [6] [7] [9] [10] [16] [20] – In Pol. [3] [11] [12] [13] [15] – In

Phy. [1] [2] [3] [6] [7] [9] [10] [11] [12] [14] [15] [16] [17] [20] [23] [25] [26] [30] [31] [32] – In Post. Anal. [1] [2] [3] [4] [5] [7] [8] [9] [10] – In Meta. [1] [2] [4] [5] [6] [9] [10] [11] [12] [13] [14] [16] [17] [18] [19] [20] [21] [22] [23] [25] [28] [29] [31] [32] [34] [35] [36] [38] [41] [42] [46] [47] [49] [50] [51] [52] [53] [54] [55] [57] [58] [60] [61] [62] [64] [65] [66] [70] [71] [72] [73] [74] [76] [77] [78] [80] [81] [82] [84] [85] [89] [92] [95] [96] [98] [99] [100] [102] [103] [111] [112] [114] [117] [121] [123] [124] [132] [133] [136] [140] [153] [157] [163] [164] [165] [166] [167] [170] [171] [172] [173] [180] [186] [187] [190] [193] [194] [196] [198] [199] [201] [202] – In Perih. [3] [5] [6] [7] [8] – In De An. [5] [6] [7] [10] [11] [12] [14] [16] [17] [18] [19] [20] [22] [23] [25] [26] [27] [28] [29] [30] [31] [32] [37] [38] [39] [40] [42] [43] [44] [45] [46] [47] [48] [51] – In De S. et S. [2] [3] [6] – In De Mem. et Rem. [1] – In De C. et M. [1] [2] [3] [4] [6] [7] [8] [9] [11] [12] [13] [14] [15] [16] [17] [19] [20] [21] [24] [25] [26] [28] [30] [31] [32] [33] [34] – In Meteor. [1] – In De Gen. et Cor. [1] [2] [3] [4] [5] – In De Trin. [4] – In De Hebd. [2] – In De Div. Nom. [8] [12] [18] – In De Causis [4] [8] – C.G. [1] [2] [4] [5] [6] [7] [8] [9] [10] [11] [12] [14] [17] [22] [23] [26] [28] [29] [30] [31] [33] – S.T. [3] [4] [5] [6] [7] [8] [9] [10] [11] [12] [13] [15] [18] [19] [20] [21] [22] [23] [26] [28] [29] [30] [31] [33] [36] [37] [38] [39] [40] [41] [42] [43] [48] [49] [50] [51] [52] [53] [54] [55] [56] [57] [58] [59] [60] [62] [64] [66] [67] [71] [74] [78] [83] [84] [88] [90] [92] [94] [96] [97] [99] [100] – In Art. Fidei et Sacra. Eccl. Exp. [1] – De Un. Intell. [1] [2] [6] [10] [11] – De Sub. Sep. [1] [2] [3] [4] [5] [6] [7] [8] [9] [10] [11] [12] [13] [14] [15] [23] – De Nat. Gen. [1] [2] – (Discendi causa itinera fecit.) In Sent. [2] – In Meta. [5] – (discipulus Socratis) De Sp. Creat. [17] – In Pol. [2] – In Meta. [6] [7] [140] – (Dubitationem circa motus planetarum primus Eudoxo proposuit.) In De C. et M. [23] – (ejus discipulus, Aristoteles) In Eth. [5] – In Meta. [33] – (ejus successor et ex sorore nepos, Speucippus) In Eth. [14] – In Meta. [124] – (Immediate Aristotelem praecessit.) In Meta. [5] – (instructus ab Archita) In Meta. [5] – (legens libros veteris legis) In Sent. [2] – De Pot. [12] – (Non fuit civitatis gubernator.) In Pol. [14] – (Pythagoras principia fecit pene sicut et Plato.) In Meta. [30] – (Sacrificasse dicitur ut perpetua eius continentia tamquam peccatum aboleretur.) S.T. [95] – (Solus amore veritatis contemplandae ab omni delectatione venerea abstinuit.) S.T. [95].

PLATONICA: In Phy. [4] [20] [21] – In De Causis [8] [16] [17] [20].

PLATONICI: In Sent. [27] [36] [39] – De Ver. [10] [11] [12] [15] [17] – De Pot. [2] [6] [8] [19] [20] – De Sp. Creat. [4] [11] [14] [15] – De Malo [5] [6] – De An. [5] [7] [13] [14] [16] [19] – Quodlib. [1] – In Job [1] – In S. Mt. [1] – In S. Paul. [1] [3] [5] [6] [7] [9] [10] – In S. Jo. [2] – In Eth. [1] [2] [7] [8] [11] [13] [14] [15] [18] [19] [21] [22] – In Pol. [1] – In Phy. [1] [3] [4] [5] [10] [13] [18] [19] [22] [23] [26] [29] – In Post. Anal. [6] – In Meta. [3] [10] [14] [15] [18] [19] [27] [32] [33] [41] [43] [48] [56] [57] [59] [61] [63] [64] [66] [67] [68] [69] [79] [83] [84] [86] [87] [88] [90] [91] [93] [97] [101] [105] [106] [107] [108] [109] [110] [113] [115] [116] [120] [122] [124] [128] [129] [130] [131] [133] [134] [135] [137] [138] [139] [141] [142] [143] [144] [146] [147] [148] [149] [150] [151] [152] [154] [155] [156] [158] [159] [160] [161] [162] [163] [165] [167] [168] [169] [173] [174] [175] [176] [177] [178]

Pol. [9] – (mobiles et immobiles) In Pol. [12] – (Quidam maiores habent in civitate Socratis.) In Pol. [9].

PRAEDICATIO: In Sent. [20] – In Meta. [8] – De Ente et Essentia [1] – (communitas praedicationis) In Sent. [20] – (De Socrate praedicatur idea animalis communis quam participat.) In De Causis [16] – (Formae separatae praedicantur inquantum participantur.) De An. [14] – (Homo praedicatur de Socrate quod materia sensibilis participat formam separatam.) In Meta. [82] – (Ideae, species sunt universalia de singularibus praedicata.) In Meta. [125] – (Platonici ponunt ordinem causarum separatarum secundum ea quae de individuis praedicantur.) In De Causis [7] – (Quod species, praedicatur secundum unam rationem de omnibus individuis, est aliquis homo communis, qui est ipsum quod est homo secundum se existens et hoc aliquid.) In Meta. [146] – (Substantiam rerum sensibilium magis dicebant species quam mathematica et magis praedicari.) In Meta. [67] – (Unum de pluribus praedicatur, illud unum separatum.) In Meta. [95] [147] – (Unum quod praedicatur de pluribus secundum prius et posterius non separatum.) In Meta. [95].

PRIMUM: (omnes inferiores immateriales substantiae esse unum et bonum per participationem primi, quod est secundum se unum et bonum) De Sub. Sep. [3] – (Quod in pluribus invenitur oportet reducere ad aliquid primum quod per suam essentiam est tale, a quo alia per participationem talis dicuntur.) In De Causis [20]. *MOVENS MOVET SEIPSUM:* In Sent. [10] [35] – De Ver. [20] – De Pot. [25] – In Phy. [28] [29] – In De C. et M. [32] – In De Trin. [6] – In De Causis [3] – C.G. [1] – S.T. [4] [11] [13] – (Primum movens in unoquoque ordine movet seipsum.) C.G. [14]. *PRINCIPIUM:* (ipsum bonum) In Meta. [89] – In De Div. Nom. [20] [22] – (unum intelligibile) In Meta. [198]. *SIMPLICITER:* (ipsa essentia bonitatis) In De Causis [13] – (penitus ignotum) In De Causis [13] – (unum et bonum) In De Causis [20].

PRINCIPES: (conviviorum sobrii) In Pol. [15]. *IN CIVITATE SOCRATIS VEL PLATONIS:* In Pol. [9] – (eorum distinctio) In Pol. [9] – (eorum electio) In Pol. [10] – (semper iidem) In Pol. [8].

PRINCIPIUM: (activum in natura) In Sent. [34] – (errorum) In Sent. [20] – (Omne principium cognoscendi est principium essendi.) S.T. [67] – (Platonis) De An. [14] – (sensibilia et separata) In De An. [8] – (Utrum oportet procedere a principiis vel ad principia.) In Eth. [3].

PRIVATIO: (*Vide:* 'Materia').

PROCESSUS: (Platonis) In Eth. [20].

PROCLUS: (Platonicus) In De Causis [1].

PROFUNDITAS: (Est prima quaternitas) In De An. [6].

PROPOSITIO: (Platonica) In De Causis [7].

PROPRIETAS NATURALIS: (ex formis separatis) De Ver. [10].

PROPRIUM: (opinionis Platonis) In Meta. [16].

PROVIDENTIA: In S. Paul. [9] – In De Div. Nom. [6] – De Sub. Sep. [5] – (mediantibus causis) C.G. [28] – (mediantibus daemonibus) In Eth. [19] – (Substantias immateriales habere praesidentiam immediatam circa omnia sensibilia corpora et diversas circa diversa.) S.T. [75] – (triplex: Deus primus, dei secundi; daemones) C.G. [28] – S.T. [14] [74].

PRUDENTIA: (sex partes: ratio, intellectus, circumspectio, providentia, docilitas, cautio) S.T. [92].

PUERI: (Vide: 'Filii').

PUNCTUS: (Est quaedam substantia.) In Meta. [86] – (et unitas idem) In Meta. [183] – (Ex puncto causantur omnes quantitatis continuae.) In Post. Anal. [8] – (ex unitatibus) In Meta. [62] – (Forma puncti est unitas.) In Post. Anal. [8] – (Motus facit lineam.) In Post. Anal. [8] – (Sunt principia et substantia omnium magnitudinum.) In Meta. [65] – (Unitas constituit punctum.) De Sp. Creat. [11] – (unitas habens positionem) In Meta. [158] [183] – (Unum constituit punctum.) In Meta. [62] – (*Vide:* 'Linea').

PYRAMIDALIS FIGURA: (Igni attribuitur.) In De C. et M. [30].

PYRAMIS: (prima figura corporea) In Post. Anal. [8].

QUALITATES: (Suscipiunt magis et minus, propter hoc quod materiales sunt.) S.T. [86].

QUANTITATES: (Continuae causantur ex puncto.) In Post. Anal. [8] – (Quantitates dimensivae per se subsistunt.) C.G. [34] – (Quantitates sunt substantiae rerum.) In Phy. [10] [16].

QUATERNARIUM: (Constituit corpus.) In Meta. [62] – (Est forma corporis.) In Post. Anal. [8] – (numerus corporum) In Ps. Dav. [1] – (Prima vita significatur per quaternarium.) In Ps. Dav. [1] – (Tribuit sensum quaternario.) In De An. [37].

QUATERNITAS PRIMA: (idea corporis) In De An. [7] – (profunditas) In De An. [6].

QUATUOR: (numerus corporum) In S. Mt. [1].

QUIDDITAS: SEPARATA: De Ver. [17] – In Meta. [23] – In De An. [39] [41] [43] – (intelligibilis actu) In De An. [43].

QUOD QUID ERAT ESSE: (substantiae idealis) In Meta. [128].

RABBI MOYSES: (in aliis cum Platone concordans) S.T. [29] – (Sicut et Plato intellexit.) S.T. [36].

RADIX: OPINIONIS: In Meta. [1] – S.T. [26]. *POSITIONIS:* In Phy. [10] – De Sub. Sep. [1] – (Platonis) In Phy. [16] – C.G. [10].

RATIO: PARS PRUDENTIAE: S.T. [92]. *FORMALIS:* (unius et boni eadem) In S. Jo. [3] – In Eth. [14] – In Post. Anal. [10] – S.T. [85]. *IN INTELLECTU PATERNO:* De Pot. [19]. *PLATONICORUM:* In Eth. [21] – In Phy. [29] – In Meta. [188] – S.T. [77] – De Un. Intell. [4] – Responsio ad Magistrum de Art. XLII [1] – (Ad inquirendum veritatem de natura rerum processerunt ex rationibus intelligibilibus et hoc fuit proprium Platonicorum.) De Sp. Creat. [4] – (Ex hac ratione Platonici ideas ponebant quia inveniebant unum in multis, quod credebant esse praeter illa multa.) In Meta. [43]. *PLATONIS:* De Pot. [3] – In Phy. [16] – In Meta. [12] [32] [34] [35] [36] [39] – In De An. [23] – C.G. [14] [18] – S.T. [84] – (scrutatio quae est in rationibus) In Meta. [18] –

(sumpta ex scientiis) In Meta. [42]. *RATIONES AETERNAE:* S.T. [57].
RECTA: (Virtus moralis est secundum rationem rectam, inquantum inclinat ad id quod est secundum rationem rectam.) S.T. [87]. *SEPARATA:* In S. Jo. [1] – S.T. [75] – (generis) De Ente et Essentia [1] – (Hominis idealis est sine materia.) In Meta. [33] – (hominum materialium) In De Hebd. [2] – (Idea est ratio et essentia omnium eorum quae ideam participant.) In Eth. [9] – (speciei) De Ente et Essentia [1] – (una communis ratio: una idea) In Eth. [9].

RATIONALE: (in cerebro) In Eth. [16].

RECEPTIVUM: (materia; magnum et parvum) In Phy. [16].

RECORDARI: (Addiscere est.) In Sent. [32].

RELATIO: (*Vide:* 'Idea').

REMINISCI: (Addiscere est.) De Ver. [16] – In Meta. [75] – In De An. [42] – C.G. [10] – S.T. [81] – (Discere est.) De Ver. [15] – C.G. [17].

RES PUBLICA: (Socratis) In Pol. [10].

SAPIENTIA: (per se) In De Div. Nom. [16] – (per se: substantia creatrix) S.T. [58].

SCHOLA: (Platonis) In Meta. [96].

SCIENTIA ET COGNITIO: (Attribuit scientiam dualitati.) In De An. [37] – (ex prima dualitate) In De An. [7] – (Forma cogniti est in cognoscente eo modo quo est in re cognita.) S.T. [52] [53] – (Ideae etc. ponuntur propter scientias, etc.) De Sp. Creat. [17] – In Phy. [7] – In Meta. [10] [36] [37] [41] [42] [48] [113] [130] [132] – S.T. [52] – (Nihil potest quaeri cujus cognitio non habetur.) De Ver. [19] – (non de sensibilibus) In Meta. [35] – In De Trin. [4] – S.T. [52] – De Un. Intell. [10] – (Omne principium cognoscendi est principium essendi.) S.T. [67] – (Omnis cognitio est per modum alicuius similitudinis.) S.T. [52] – (Omnis scientia refert ad ideas, etc.) De Sp. Creat. [15] – In Meta. [35] [74] – In De Trin. [3] [4] – S.T. [52] [53] [56] [65] – De Un. Intell. [10] – (Plato invenerat novos modos aliquid ex alio cognoscendi.) In Meta. [51] – (per se: separata; principalissimum in genere scibilium) In Meta. [170] – (Quies et terminus scientiae est ad individua.) De Nat. Gen. [2] – (Scientia applicatur rebus materialibus, secundum quod intellectui permiscetur phantasia et sensus.) S.T. [71] – (Simile simili cognoscitur.) S.T. [53] – (Substantiae immateriales sunt prima a nobis intellecta.) S.T. [71]. *SCIENTIA SIVE COGNITIO HABETUR:* (non per sensus) C.G. [9] – (naturaliter indita) In Sent. [5] [32] – De Ver. [15] – De An. [15] [16] [17] – De Vir. in Com. [1] – In Post. Anal. [1] [2] – In De An. [42] – C.G. [10] [16] [17] – S.T. [55] [56] [81] [89] – (ex causalitate idearum, etc.) De Ver. [12] – In Meta. [7] [74] [75] – In De An. [1] [6] – C.G. [10] [17] [29] – S.T. [8] [56] [57] – (Idiota, ordinate interrogatus veritatem respondet.) C.G. [17] – S.T. [54] – (inquantum fluebat ex substantiis separatis) C.G. [10] – (naturis separatis inhaerendo) De Sub. Sep. [1] – (per hoc quod formae sive ideae in ipsa imprimuntur) In Eth. [10] – In Post. Anal. [1] – S.T. [59] – (per influxum idearum) De An. [16] – Comp. Th. [1] – (per participationem idearum, specierum, etc.) De Sp. Creat. [17] – De Malo [10] – De An. [16] – De Vir. in Com. [1] – In Eth. [10] – In Phy. [20] – In Post. Anal. [5] – In De Causis [15]

– S.T. [49] [56] [58] [59] [62] [68] [69] [81] [97] – Comp. Th. [1] – De Sub. Sep. [1] [22] – (Cum substantiae separatae sint immobiles et semper eodem modo se habentes, semper ab eis resplendet scientia rerum in anima nostra quae est eius capax.) C.G. [10] – (Anima impeditur per unionem corporis.) De Ver. [16] – In Meta. [75] – C.G. [16] [17] – S.T. [56] [69] [81] [89] [97] – (Per sensus excitamur ad rememorandum prius scita.) De Ver. [16] – De An. [16] – C.G. [9] [10] – S.T. [56] – (Per studium et disciplinam impedimenta scientiae tolluntur.) De Vir. in Com. [1] – In Post. Anal. [1] – In Meta. [75] – S.T. [89].

SENSIBILIA: (ex longitudine, latitudine, et profunditate) In De An. [6] – (*Vide:* 'Motus'; 'Numerus'; 'Participatio'; 'Scientia').

SENSUS: (Anima habet ex prima quaternitate.) In De An. [7] – (Attribuit quaternario.) In De An. [37] – (deceptio sensuum) De Sp. Creat. [17] – De Sub. Sep. [1] – (motus animae per corpus) De An. [19] – C.G. [14] – (virtus per se operans; vis spiritualis) S.T. [59] – (*Vide:* 'Scientia').

SENTENTIA: (Platonicorum) De Pot. [19] [20] – In De Div. Nom. [10] – In De Causis [3] – (Platonis) De Pot. [15] – In Eth. [6] – In Post. Anal. [2] – In Perih. [7] – In De Trin. [3] – In De Hebd. [1] – C.G. [7] [17] – S.T. [40] [41] [92] – De Un. Intell. [11] – De Sub. Sep. [15].

SENTIRE: (actus animae) In Sent. [35] [36] – (duplex operatio) De An. [19] – (motus animae) In De An. [33] – (proprium animae) S.T. [37] [38] [48] – (Sensibilia excitant animam sensibilem ad sentiendum.) S.T. [59].

SEPARATIO: (Ea quae intellectus separatim intelligit, separatim esse ea in rerum natura.) De Sub. Sep. [1] – (secundum intellectum: secundum esse) De Ver. [17] – In De An. [41] – In De S. et S. [4] – In De Gen. et Cor. [7] – (*Vide:* 'Abstractio').

SERVUS: (fugitivus: exemplum ex *Menone*) De Ver. [19].

SIGNIFICATIO: (nominum congruit naturis rerum) In Perih. [2].

SIMILITUDO: (Omnis cognitio est per modum alicuius similitudinis.) S.T. [52] – (per se: separata) In De Div. Nom. [17] – (Simile simili cognoscitur.) In De An. [5] – S.T. [53].

SIMPLICIUS: De Sp. Creat. [4].

SINGULARIA: (nullae ideae singularium) S.T. [7].

SOCRATES: In Eth. [6] – In Pol. [5] [6] [7] [8] [9] [10] – (De Socrate parum curandum, de veritate multum.) In Eth. [6] – (in politica Platonis) In Pol. [4] – (magister Platonis) De Sp. Creat. [17] – In Eth. [6] – In Meta. [6] [7] [140] – (Plato introducit loquentem in omnibus libris suis.) In Pol. [2] – In Meta. [140].

SOL: (Plato comparavit intellectum [agentem] separatum soli.) De Malo [11] – De Sp. Creat. [16] – S.T. [50] [51] – De Un. Intell. [8] [11].

SOLIDITATES: (Post numeros, longitudines et latitudines et soliditates esse substantias rerum sensibilium, ex quibus corpora componerentur.) In Meta. [71].

SOMNIUM SCIPIONIS: (quoted) In Job. [1].

SOPHISTICA: (circa non ens) In Phy. [1] – In Meta. [123] [180].
SPECIES: INTELLIGIBILES: (concreatae) De An. [15] – (innatae) De An.
[15] – (Intellectus hominis naturaliter est plenus omnibus speciebus intelligibilibus sed per unionem corporis impeditur ne possit in actum exire.)
S.T. [55] – (Species intelligibiles nostri intellectus sunt ab aliquibus formis vel substantiis separatis.) S.T. [56]. *SEPARATA:* De Ver. [9] – De
An. [16] [18] – In Meta. [12] [18] [26] [34] [35] [39] [49] [67] [96] [119]
[133] [165] [174] [175] [185] [186] – In Perih. [5] – In De An. [48] – In
De Div. Nom. [1] [11] – C.G. [24] – S.T. [3] [15] – (Ab eis individua
denominantur quasi species separatas participando.) S.T. [3] – (abinvicem diversae) In Meta. [147] – (accidentium) In Meta. [41] – (actu
intelligibiles) De An. [16] – In Meta. [199] – (Anima non intelligit ista
corporalia sed horum corporalium species separatas.) S.T. [52] – (causa
boni) In Meta. [24] – (Causa formalis specierum est unum.) In Meta.
[23] – (causa universalis totius speciei) De Sub. Sep. [17] – (causae aliis
entibus) In Meta. [13] – (causae formales sensibilibus) In Meta. [13]
[23] [26] – (causae generationis sensibilium) In Meta. [132] [133] [134]
[136] – In De S. et S. [5] – C.G. [27] – (causae immobilitatis) In Meta.
[26] – (causae sensibilium) In Meta. [55] [57] [68] [92] – (causae sensibilium secundum participationem) De An. [5] – In Meta. [50] [52]
[130] [131] [132] – C.G. [26] – S.T. [79] [81] – (commune aliquod subsistens supra omnia quae sunt unius speciei) De Sp. Creat. [14] – (communis) In Meta. [10] [44] – In De An. [36] – (Constituuntur ex magno
et parvo.) In Meta. [13] – (Deus summus est primus in ordine specierum.)
De Sub. Sep. [6] – (eadem specie cum singularibus) In Meta. [174] –
(et sensibilium et mathematicorum) In Meta. [33] – (exemplaria) In
Phy. [8] – In Post. Anal. [6] – In Meta. [54] [133] [135] [136] – In De
C. et M. [5] – S.T. [22] – (exemplaria sensibilium et mathematicorum)
In Meta. [52] – (formae rerum abstractae) In Phy. [8] – In Meta. [157]
– (Genera sunt substantiae specierum, species vero ideae individuorum.)
In Meta. [148] – (Ideae sunt solum specierum.) In Meta. [33] – (ideales)
In Meta. [130] [153] – (immobiles) De Sp. Creat. [17] – In Meta. [26]
[55] [68] – S.T. [52] [79] – (In speciebus ordinem ponebant; secundum
quod erat aliquid simplicius in intellectu secundum hoc prius erat in
ordine rerum.) De Sub. Sep. [1] – (Intellectus noster fit intellectus actu
secundum contactum et participationem specierum intelligibilium separatarum.) In Meta. [200] – (Intellectus noster fit intelligens actu per hoc
quod attingit ad species separatas per se subsistentes.) In Meta. [199] –
(Multiplicantur ex una quae est communis substantia.) In Meta. [13]
– (Naturas generum et specierum posuit abstractas a sensibilibus per se
subsistentes quas substantias separatas nominabat.) De Sp. Creat. [7] –
(non in loco) In Phy. [10] – (nullae accidentium) In Meta. [42] – (nullae
artificialium) In Meta. [56] – (ordo generum et specierum) De Sp. Creat.
[4] – (Participant uno.) De Sub. Sep. [1] – (Participantur sive a materia
sive a magno et parvo.) In Phy. [17] – (Plato necesse habuit ponere multas; sc. substantias separatas, et ad invicem ordinatas, secundum multitudinem et ordinem generum et specierum et aliorum quae abstracta ponebat.) De Sp. Creat. [7] – (Positae ut possint haberi scientia, definitio,
demonstratio.) De Sp. Creat. [17] – In Post. Anal. [4] – In Meta. [130]
[132] – (principia cognoscendi) In Meta. [7] – (principia formalia, in
actu) In Meta. [110] – (principia omnium entium) In De An. [6] –
(Sunt quidditates separatae.) In De An. [39] – (Scientiae habentur

secundum quod species mens nostra participat.) De Sp. Creat. [17] – (sempiternae) In Post. Anal. [3] – (sine materia) De An. [8] – In Meta. [133] [136] [157] [165] – S.T. [52] – (Solae species sunt ideae particularium, genera vero et differentias non sunt ideae specierum.) In Meta. [148] – (Species et mathematica in unam naturam reducebant quidam Platonici.) In Meta. [185] – (Substantiae sunt sensibilium in quantum ab istis participantur.) In Meta. [66] – (Substantiam rerum sensibilium magis dicebant species quam mathematica et magis praedicari.) In Meta. [67] – (Sunt ideae.) De Ver. [4] – In Phy. [8] – In Post. Anal. [6] – In Meta. [8] [124] [125] [174] – In De C. et M. [5] – S.T. [49] [52] – De Occ. Op. Nat. [1] – (Sunt individua.) In Perih. [5] – (Sunt rationes vel species horum sensibilium.) In Meta. [7] – C.G. [21] [24] – S.T. [22] [72] [75] – De Sub. Sep. [6] – (Sunt numeri.) In Meta. [13] [17] [57] [63] [71] [137] [139] – In De An. [7] [40] – C.G. [33] – (una in multis) In Meta. [33] [154] – (una natura) In Eth. [13] – In Meta. [11] – (unitas ex parte speciei) In Meta. [21] – (universalia) In Meta. [125] [156] [193] – De Sub. Sep. [1] – (Universalia sunt de singulis praedicata et sunt horum substantiae.) In Meta. [125] – (unum cui non convenit aliquid secundum accidens) In Meta. [109]. *SPECIES SPECIALISSIMAE:* (i.e. genera) In Meta. [79] – (*Vide:* 'Anima'; 'Idea'; 'Intellectus'; 'Participatio'; 'Scientia').

SPEUCIPPUS: (successor et ex sorore nepos Platonis) In Eth. [14] – In Meta. [124].

SPIRITUS DOMINI: (In *Genesi* est aer vel ventus.) S.T. [36].

STELLAE: (Moventur motu circumgyrationis.) In De C. et M. [21].

SUBSTANTIA: (Daemones sunt substantiae caelestes.) In S. Paul. [4] – (Daemones sunt substantiae mundanae.) In S. Paul. [4] – (Ens est substantia rerum.) In Meta. [27] – (intelligentes non moventes) In Meta. [90] – (Mathematica sunt substantia corporum naturalium.) In De Gen. et Cor. [6] – (Numerus est substantia omnium rerum.) De Pot. [24] – In Post. Anal. [9] – In De An. [6] [11] – (Numerus est substantia sensibilium.) In Meta. [32] – (Unum est substantia rerum.) In Post. Anal. [8] – In Meta. [13] [27]. *SEPARATAE IMMATERIALES:* De Malo [11] – De An. [6] – In Pol. [1] – In Meta. [66] [77] [88] [91] [124] [128] – In De Trin. [1] [4] – (Cultus divinitatis eis debetur.) In S. Paul. [1] – (diversi ordines participantium et participatorum in substantiis separatis) De Sub. Sep. [1] – (Ejusdem speciei sunt ac sensibilia.) In Meta. [154] [155] [156] – C.G. [21] – (Est duplex ordo supra animas coelorum; sc. intellectus et deos.) De Sub. Sep. [6] – (etsi separatae, tamen in multis) In Meta. [154] – (Habent praesidentiam immediatam circa omnia sensibilia corpora et diversas circa diversa.) S.T. [75] – (Habent tantum quae pertinent ad naturam speciei.) In Meta. [155] – (intelligibiles actu) De An. [3] – C.G. [10] – (mediae; sc. mathematica) In Meta. [5] – (Mediantibus substantiis separatis divina dona perveniunt ad homines.) In S. Paul. [9] – (Omnes substantiae praeter supremam, quae est per se unum et per se bonum, sunt participantes.) De Sub. Sep. [4] – (Plato necesse habuit ponere multas et ad invicem ordinatas, secundum multitudinem et ordinem generum et specierum et aliorum quae abstracta ponebat.) De Sp. Creat. [7] – S.T. [26] – (quasi unitates quasdam subsistentes post primam simplicem unitatem) De Sub. Sep. [1] – (quo primo uni propinquiores eo minoris numeri) De Sp. Creat. [11] – (Sunt dei participatione.) In S. Paul. [10] – (Sunt dei secundi.) De Sub. Sep. [1] – (Sunt dii qui circumeunt caelos.) S.T. [14] – (Sunt individua quaedam.) De An. [3] [6] – (Sunt principium formarum substantialium.) De Occ. Op. Nat. [1] – (Sunt sempiternae.) In Post. Anal. [3] – In Meta. [193] – In De Causis [2] – (Sunt species exemplares horum sensibilium.) S.T. [22] – (Sunt species sensibilium.) De Sp. Creat. [7] – De An. [18] – In Meta. [177] – C.G. [21] [24] – S.T. [22] [72] [75] – De Sub. Sep. [6]. *SPIRITUALES:* De Sp. Creat. [7] – (A summa deitate originem trahunt quod fuerint ab aeterno.) De Sub. Sep. [25] – (a summo Deo creatae, dei participatione divinitatis) S.T. [93] – (Immaterialitatis simplicitatem habent.) De Sub. Sep. [13] – (Omnes creatae sunt corporibus unitae.) De Pot. [21] – (Omnes inferiores immateriales substantiae esse unum et bonum per participationem primi, quod est secundum se unum et bonum.) De Sub. Sep. [3] – (quaedam corpori conjunctae; quaedam non.) De Pot. [19] – (Ratione sempiternitatis cultus divinitatis eis exhibendus.) De Pot. [19] – (Sempiternae sunt.) De Sup. Sep. [14] – (Summus Deus est causa omnibus immaterialibus substantiis quod unaquaeque earum sit et unum et bonum.) De Sub. Sep. [3] – (Sunt sempiternae tamen creatae.) De Sub. Sep. [16] – (Uniuntur corporibus caelestibus ut motores mobilibus.) S.T. [35].

SUPERFICIES: (corpora ex superficiebus) In Phy. [1] – In Meta. [62] – In De C. et M. [28] – (ex lineis) In Meta. [62] [116] – In De An. [23] – In De C. et M. [29] – (Linea mota facit superficiem.) In Post. Anal. [8] – (Magnitudines esse substantias rerum sensibilium; sc. lineam, superficiem et corpus; istorum principia assignantes putabant se rerum principia invenisse.) In Meta. [64] – (magnitudines indivisibiles) In De Gen. et Cor. [2] – (Mota facit corpus.) In Post. Anal. [8] – (non inconveniens quod sint multae superficies triangulares conformes ideae) In De Gen. et Cor. [4] – (i.e. planum, ex lato et arcto) In Meta. [64] – (priores in essendo quam corpora) In Meta. [117] – (Ternarium constituit superficiem.) In Meta. [62] – (Ternarium est forma superficiei.) In Post. Anal. [8].

SUPPOSITIONES: (Plato caelestibus motibus attribuens indefectibiliter circularitatem et ordinationem, mathematicas suppositiones fecit per quas possent salvari quae circa erraticas apparent.) In Meta. [201] – (Platonicorum) In De Causis [3].

SURSUM ET DEORSUM: (Plato definivit non secundum se sed quoad nos.) In De C. et M. [3].

SYMBOLA: (Per symbola Plato dicit.) In De An. [17].

TEMPUS: (Plato generat tempus.) In Sent. [19] – In Phy. [12] [26].

TERNARIUM: (Attribuit opinionem ternario.) In De An. [37] – (Constituit superficiem.) In Meta. [62] – (Est forma superficiei.) In Post. Anal. [8].

TERRA: ELEMENTUM: (corpora palpabilia) In De C. et M. [19] – (Habet figuram cubicam.) In De C. et M. [30] – (Habet gravitatem.) In De C. et M. [29]. *GLOBUS:* (in medio mundi) In De C. et M. [24] [25] [26] [27] – S.T. [83] – (in medio propter similem habitudinem ad omnem partem caeli) In De C. et M. [26] – S.T. [83] – (in medio, quasi ligata) In De C. et M. [25] – (Revolvitur circa polum.) In De C. et M. [25] [27].

THEMISTIUS: In Sent. [22] – De Sp. Creat. [16] – De Malo [11] – De Un. Intell. [8]

TIMAEUS: In Sent. [12] – De Pot. [16] [18] – De Sp. Creat. [1] – De Malo [2] – In Pol. [4] – In Phy. [16] – In Meta. [1] – In De An. [5] [10] [11] – In De S. et S. [1] – In De C. et M. [1] [6] [12] [15] [16] [19] [25] [27] [32] – In De Gen. et Cor. [2] – C.G. [2] – S.T. [23] [30].

TOTALITAS: (ante partes) In De Div. Nom. [4].

TRANSMIGRATIO: (*Vide:* 'Anima').

TRIANGULUS: (separatus; autotrigonum) In De Gen. et Cor. [4].

TRINITAS PRIMA: (latitudo) In De An. [6].

TRISTITIA: (defectus ejus quod est secundum naturam) In Eth. [21].

UNITAS: In Meta. [26] – (bonitas et unitas eadem) In S. Jo. [3] – (Causa formalis est speciebus.) In Meta. [26] – (Est forma puncti.) In Post. Anal. [8] – (Est principium rerum.) In De An. [6] – (Est species et quidditas lineae.) In De An. [40] – (ex parte formae) In Meta. [22] [112] [202] – In De C. et M. [30] – (ex parte speciei) In Meta. [21] [138] – (Necesse est ante omnem multitudinem ponere unitatem.) De Pot. [3] S.T. [18] – (punctum ex unitatibus) De Sp. Creat. [11] – In Meta. [62] – (Punctus et unitas sunt idem.) In Meta. [183] – (Species rerum reducunt ad numeros vel unitatem.) In Meta. [139] – (Substantiae separatae sunt quasi unitates quasdam subsistentes post primam simplicem unitatem.) De Sub. Sep. [1] – (Unitates constituunt numeros.) In Meta. [62] – (Unitates sunt impassibiles.) In Meta. [61] – (*Vide:* 'Mundus'; 'Unum').

UNIVERSALIS: (Quanto aliqua forma est universalior tanto est magis simplex et prior causa.) In De Causis [4] – (res naturales abstractae propter hoc quod scientia est de universalibus) In Phy. [7] – (Universales effectus in intelligibiliores causas reducebant.) In De Div. Nom. [14]. *UNIVERSALIA:* (Anima intelligit per participationem idearum.) De An. [5] – (Plato ex consideratione universalium deveniebat ad ponendum principia sensibilium rerum.) In Meta. [18] [22]. *UNIVERSALIA SEPARATA:* (abstractio universalium) De Sp. Creat. [7] – In De Causis [3] – (Alteri universalium erit quod sit idea, et alteri quod sit substantia.) In Meta. [148] – (intelligibilia actu) De Sp. Creat. [12] – (Inter formas erat ordo secundum ordinem universalitatis.) In De Causis [23] – (Magis sunt substantiae.) In Meta. [184] – (Maxime est causa et principium.) In Meta. [142] – (Particularia sunt per participationem universalium subsistentium, quae dicuntur ideae.) S.T. [66] – (Per se subsistunt extra animam ut res quaedam et substantiae.) De Pot. [23] – De Sp. Creat. [12] [15] – De An. [7] [14] – In Post Anal. [6] – In Meta. [7] [12] [97] [111] [125] [143] [144] [145] [156] [167] [172] [190] [192] – In Perih. [4] [6] – In De An. [1] [6] [35] – In De Trin. [5] – In De Causis [4] – S.T. [66] – De Sub. Sep. [1] – De Nat. Gen. [1] – (priora in essendo) In Meta. [117] – S.T. [66] – (Quanto causa universalior et formalior, tanto eius perfectio in aliquo individuo magis est subtracta.) De Sp.

Creat. [4] – (Sunt ex numeris.) In De An. [6] – (Sunt principia.) In Meta. [189] [192] – (Tanto altior quanto universalior et ad plura suam participationem extendens.) In De Causis [16].

UNIVERSUM: (animatum anima rationali) In Sent. [27].

UNIVOCUM: (In omnibus univocis unum est in multis.) In Meta. [33].

UNUM: (ab uno omnis multitudo) De Pot. [3] – In De C. et M. [4] – S.T. [18] – (Attribuerunt uni bonitatem.) In Meta. [27] – (Attribuit intellectum uni.) In De An. [37] – (Constituit punctum.) In Meta. [62] – (Est formale in numeris separatis.) In Phy. [10] – (Est principium.) In Phy. [3] – In Meta. [63] [93] [189] – S.T. [85] – (Est principium numeri.) In De An. [6] – (Est substantia non habens positionem.) In Post. Anal. [8] – (Est substantia per se subsistens.) In Meta. [103] [171] – (Est substantia rerum.) In Post. Anal. [8] – In Meta. [13] [14] [27] [69] [84] [102] – (ex parte formae) De Ver. [5] – In Phy. [3] [21] – (Ex primo uno et ex prima dualitate fiebat numerus, ex quo numero et a qua inaequalitate materiali fiebat magnitudo.) In Meta. [106] – (Ex uno causantur omnes numeri non habentes positionem.) In Post. Anal. [8] – (Maxime videtur habere rationem principii.) In Meta. [94] – (Plato non distinguit unum quod convertitur cum ente et unum quod est principium numeri.) De Pot. [24] – In Phy. [23] – In Post. Anal. [8] [9] – In Meta. [13] [14] [107] [116] – In De An. [6] – In De C. et M. [30] – S.T. [5] – (praeter res sensibiles) In Meta. [18] [168] – (principium formale, i. e. idea participata a diversis secundum diversitatem materiae) In Phy. [2] – (principium sicut participatum participantium) In De Div. Nom. [21] – (principium sicut universale a quo non convertitur consequentia essendi) In De Div. Nom. [21] – (Quanto aliqua uni primo principio propinquiora, tanto sunt minoris multitudinis.) De Sp. Creat. [11] – S.T. [77] – (Ratio unius et boni est eadem.) In S. Jo. [3] – In Eth. [14] – In Post. Anal. [10] – S.T. [85] – (Si unum de pluribus praedicatur, illud unum separatum.) In Meta. [95] [147] – (Si unum de pluribus praedicatur secundum prius et posterius, non separatum.) In Meta. [95] – (si 'unum in multis,' unum separatum) De An. [5] – In Post. Anal. [4] – In Meta. [33] [35] [43] [154] – (speciebus causa formalis) In Meta. [13] [23] – (Species participant uno.) De Sub. Sep. [1] – (Univoce dicitur.) In Phy. [21] – (unum aliquod commune subsistens supra omnia quae sunt unius speciei) De Sp. Creat. [14] – (Unum et ens sunt principia intellectualia.) In Meta. [190] – (Unum indivisibile est causa numeri et magnitudinis.) In Meta. [105] – (Unum quod est principium numeri est substantia rei.) In Meta. [107] – In De C. et M. [30] – (Unum separatum est substantia omnium eorum quae sunt unum.) In Meta. [107] [126]. PRIMUM UNUM PER SE EST DEUS SUMMUS ET ESSENTIALITER UNUM: De Sp. Creat. [4] [7] – In Eth. [14] – In De C. et M. [18] – In De Div. Nom. [1] [16] [20] – In De Causis [4] [8] [20] [24] – S.T. [3] – De Sub. Sep. [1] [3] [4] [5] [6] [18] – (Est causa unitatis omnibus.) In Eth. [7] – De Sub. Sep. [3] – (Est causa unitatis omnibus per participationem.) In De Causis [4] – S.T. [3] – De Sub. Sep. [1] [3] [4] [5] – (Unum est in primo principio sine corpore.) De Malo [4] – (Unum intelligibile est primum principium rerum.) In Meta. [198].

USUS: (Platonicorum) In Phy. [18].

UXORES: (communes) In Pol. [4] [5] [6] [8] [9] [11] [15] – C.G. [31].

XENOCRATES: In De C. et M. [9].

VACUUM: (Est materia.) In Phy. [18].

VERBA: (Aristoteles loquitur contra verba non contra sensum vel intellectum Platonis.) In Phy. [19] – In Meta. [100] – In De C. et M. [8] [11] [13] [14] [25] [33] – (secundum superficiem verborum Platonis) In Phy. [26] – In De An. [17] – In De C. et M. [8].

VERBUM: (Dei in libris quibusdam Platonis) De Ver. [13].

VERITAS: (Amicus quidem Socrates, sed magis amica veritas.) In Eth. [6] – (De Socrate quidem parum est curandum, de veritate multum.) In Eth. [6] – (Oportet magis de veritate curare quam de aliquo alio.) In Eth. [6] – (*Vide:* 'Scientia').

VIA: (abstractionis) De Malo [4] – S.T. [22] – (Plato est alia via usus.) De Sp. Creat. [7] – (Plato sufficientiori via processit.) De Sub. Sep. [1].

VIRI BELLATORES IN CIVITATE SOCRATIS: In Pol. [9] [13] – (ambidexteri) In Pol. [15] – (numerus) In Pol. [9].

VIRTUS: (Insunt a natura.) De Vir. in Com. [1] – (Insunt per participationem formarum separatarum.) De Vir. in Com. [1] – (Per disciplinam et exercitium impedimenta scientiae et virtutis tolluntur, quae adveniunt animae ex corporis gravitate.) S.T. [89] – (Per studium impedimenta virtutum tolluntur.) De Vir. in Com. [1] – ('Quatuor sunt quaternarum genera virtutum. Ex his primae politicae vocantur; secundae, purgatoriae; tertiae autem, iam purgati animi; quartae, exemplares.' – Plotinus) S.T. [88] – (Scientiae et virtutes, totaliter ab intrinseco ita scilicet quod omnes virtutes et scientiae naturaliter praeexistunt in anima.) S.T. [89] – (Virtus moralis est secundum rationem rectam, inquantum inclinat ad id quod est secundum rationem rectam.) S.T. [87].

VISUS: (Attribuit visum igni.) In De S. et S. [3] – (Lumen egrediens... cohaeret lumini exteriori.) In De An. [53] – In De S. et S. [1] [2] – (Organum pertinet ad ignem.) In De S. et S. [1].

VITA SEPARATA: (ab animali participari) In De Causis [4] – (causa vivendi omnibus) In S. Paul. [6] – In De Div. Nom. [14] – In De Causis [6] – S.T. [26] – De Sub. Sep. [18] – (deus) In De Causis [13] – (ipsa) In De Div. Nom. [17] – In De Causis [6] [16] – (per se) In De Div. Nom. [16] [17] [20] – In De Causis [13] – S.T. [26] [58] – (prima) In De Causis [7] – (sub Deo) In De Div. Nom. [17] [22] – (substantia creatrix) S.T. [58] – (Vita, ens, intellectus sunt diversa principia.) In De Div. Nom. [3] – In De Causis [22].

VIVERE: (Est quoddam moveri.) In Post. Anal. [9].

PART TWO

BASIC STUDY OF THE TEXTS

INTRODUCTION

The material presentation of the texts and their organization under doctrinal heads in the *Analytic Index* provide a guide in the determination of the importance of different classes of texts. There are some texts which are unique, occur only once or twice and have no intrinsic relation to other texts and no doctrinal importance in themselves. Such is the repetition in the commentary on Saint Matthew of a remark made at the same point by Saint Jerome, that Plato advised his followers not to cover their heads and feet.[1] Some texts of this sort are clearly in function of a *littera* to be commented and occur no place else. Such is the elaborate description of Plato's geographical and geological theories in the commentary on the *Meteors*.[2] There are also certain citations or points of doctrine which are almost stock references for a given type of context, but which are not developed or integrated with other doctrines. Thus Plato's definition of pleasure occurs frequently enough, but it stands almost alone as an isolated point of doctrine and is not elaborated or worked into relation with any larger theory.[3] In fact, the references within the fields of ethics and politics are all of this nature. There is no elaborated theory in these fields designated as Platonic and treated at length. This is also confirmed by a comparison of the number of texts listed for the *Pars Prima* and *Secunda*, respectively, of the *Summa Theologiae*. These various types of texts could be eliminated from our listing without materially affecting the general impression of the textual *corpus*.

After we have eliminated the relatively unimportant and the doctrinally isolated texts, the remaining extensive entries in the *Analytic Index* can be grouped in five areas of doctrine: (1) The Theory of Ideas and of Separated Substances; (2) The Theory of Knowledge; (3) The Theory of the Soul; (4) Causality;[4]

(5) The Theory of the Mathematical Structure of Reality (as distinct from the theory of the *mathematica media*). But here again if we examine the entries relative to the fifth area, it appears that, although extensive, the treatment here is almost entirely limited to the Aristotelian commentaries.[5] The frequent references in the text of Aristotle to the theory of numbers and so forth forced the comment to include extensive explanation. However, the subject claims a negligible part of Saint Thomas' personal attention and nowhere assumes importance in his own productions. It is perhaps not without significance that the other areas are those which were central themes of discussion and debate in the thirteenth century.

It is then to these subjects thus imposed by the texts themselves that we shall address our study. Since this is the first time, as far as can be discovered, that a study of this subject has been directly based on a complete collection of texts, the investigation of these subjects will aim at a fundamental reading and interpretation.

This reading and interpretation will be primarily based upon the texts themselves. However, an adequate control requires that these texts be read not only in relation to each other but also in function of their sources and of the entire work of Saint Thomas. For this reason the texts presented have been related, so far as possible, to discoverable sources. In addition, however, hundreds of texts have been collected which, while containing no reference to Plato or the *Platonici*, are yet doctrinally or historically related to the texts presented in *Part One*. The reading of the texts will proceed under this dual control, though economy of space prevents the complete presentation of all the pertinent materials.

When we now examine the selected Platonic texts themselves, we find that through them Saint Thomas' approach and attitude vary to a disconcerting degree. Doctrines which one text seems to repudiate, another appears to accept and approve.[6] At times he places Aristotle and Plato in opposition, at times he reconciles them.[7] Citations which appear as objections become elsewhere part of his confirmatory elaboration.[8] Sometimes he analyzes, sometimes merely reports Platonic positions.[9]

Now, modern Thomistic scholarship has made it clear that it is idle to expect to read off readily the 'plain' sense of a text of Saint Thomas.

The tremendous development of Thomistic scholarship has provided the student of Saint Thomas with a battery of instrumental techniques and vast resources of knowledge which are indispensable for the analysis and understanding of Saint Thomas' text.[10] Not only must the reading be controlled by historical background, by parallel texts and by proper analysis of contexts, but a formal awareness of Saint Thomas' own methodology is prerequisite to a correct apprehension of his meaning.

Since the differences in the texts noted above seem to be due, at least in part, to the methodology of Saint Thomas' own approach, the first chapter will be devoted to the investigation of the methodological techniques which Saint Thomas employs in dealing with the *positiones* of the *philosophi.* The organization of the rest of this study will be largely determined by the results of this investigation.

SAINT THOMAS' METHODOLOGY IN THE TREATMENT OF *POSITIONES*

We will begin with the study of a text presented in the fifth article of the *Quaestio de Spiritualibus Creaturis*.[1] The question proposed is: 'Is there some created spiritual substance which is not united to a body?' The body of the article falls into three main divisions:

1. The *primi naturales philosophi* who acknowledged only the existence of corporeal nature;
2. The *posteriores philosophi* who arrived at a knowledge of incorporeal substances;
3. We ourselves, '*nos*,' the Christians, who likewise maintain the existence of spiritual being but for other reasons.

Under the second division three philosophers are introduced; first, their argumentation is briefly indicated; then certain resulting differences in their positions (*positiones*) are pointed out. In these three cases the argumentation rests on distinctly different premises. Anaxagoras' reasoning begins with his initial mixture of all material things; Plato argues from the exigency for subsistent abstractions; Aristotle presupposes as his starting-point the perpetuity of the movement of the heavens. Now all three of these lines of argument conclude to the existence of incorporeal nature. To some extent, therefore, the conclusions may be said to agree, but precisely insofar as they flow from the premises of each philosopher they show respectively definite differences. Thus, precisely because of his first premises (*secundum principia ab eo supposita*) Anaxagoras has only one incorporeal substance. Plato, however, had to number and order his incorporeal substances according to the number and order of genera, species and his other abstractions, while Aristotle inferred the number and arrangement from the pattern of the celestial movements. Saint Thomas refers to the arguments themselves as *viae*:

Sed istae *viae* [=the arguments of Anaxagoras, Plato and Aristotle] non sunt multum nobis accomodae.... Unde oportet nos aliis *viis* [=the three arguments thereafter proposed by Saint Thomas himself] procedere ad manifestationem propositi.

The conclusions of the arguments are called *positiones*:

In hoc autem videntur tres praedictae *positiones* differre [here follows the statement of the differences in the conclusions of Anaxagoras, Plato and Aristotle].

In this text, therefore, *via* (together with various associated words) is related to a *positio* (to which *ponere*, of course, corresponds) as an argument to a conclusion.[2] The relationship is sharply displayed by various phrases:

Plato vero est *alia via* [=the argument] *usus ad ponendum* [=concluding to] substantias corporeas....

Aristoteles vero processit [=*via*] ad *ponendum* substantias separatas....

Referring to the specific conclusions of each, Saint Thomas employs the following expressions:

... Anaxagoras non habuit *necesse ponere* ... nisi unam... Plato autem *necesse* habuit *ponere*...

Aristoteles autem *posuit* plures ... *consequens* fuit ut *poneret* multas.

Thus a *via* leads to a *positio;* the *positio* is *commanded* and *imposed* by the *via*.

This same type of analysis is conducted in many texts in which the same relationship is set up between *ratio* (or *rationes*) and *positio*. Thus:

Quidam dicunt quod anima, et omnino omnis substantia praeter Deum, est composita ex materia et forma. Cuius quidem *positionis* primus auctor invenitur Avicebron auctor libri *Fontis Vitae*. Huius autem *ratio* est ... quod oportet in quocumque inveniuntur proprietates materiae, inveniri materiam. Unde cum in anima inveniantur proprietates materiae, quae sunt recipere subici, esse in potentia, et alia huiusmodi; arbitratur esse necessarium quod in anima sit materia.

Sed haec ratio frivola est, et positio impossibilis.[3]

There is here again a clear distinction between the *ratio* and the *positio*. The *ratio* leads to the *positio* and determines it.[4]

In many cases, *opinio* does duty for *positio*.[5] Thus:

> Hic ponit opiniones ponentium causam efficientem non solum
> ut principium motus, sed etiam ut principium boni vel mali
> in rebus. Et circa hoc duo facit. Primo narrat eorum opiniones.
> Secundo ostendit in quo in ponendo causas defecerunt, ibi,
> 'Isti quidem.' Circa primum duo facit. *Primo ponit opinionis
> rationes, ex quibus movebantur ad ponendum aliam causam a praedictis.*[6]

In the cases considered above the relationship was between a
definite and specific argument or argumentation and a definite
conclusion. The word *via*, however, may be used in a broader
sense.

> Harum autem duarum opinionum diversitas ex hoc procedit
> quod quidam, ad inquirendam veritatem de natura rerum,
> *processerunt* ex rationibus intelligibilibus, et hoc fuit proprium
> Platonicorum; quidam vero ex rebus sensibilibus, et hoc fuit
> proprium philosophiae Aristotelis, ut dicit Simplicius in com-
> mento *Super praedicamenta.* Consideraverunt Platonici ordinem
> quemdam generum et specierum, et quod semper superius
> potest intelligi sine inferiori, sicut homo sine hoc homine, et
> animal sine homine, et sic deinceps. Existimaverunt etiam quod
> quidquid est abstractum in intellectu, sit abstractum in re;
> alias videbatur eis quod intellectus abstrahens esset falsus aut
> vanus, si nulla res abstracta ei responderet; propter quod etiam
> crediderunt mathematica esse abstracta a sensibilibus, quia
> sine eis intelliguntur. Unde *posuerunt* hominem abstractum ab
> his hominibus, et sic deinceps usque ad ens et unum et bonum,
> quod *posuerunt* summam rerum virtutem. Viderunt enim quod
> semper inferius particularius est suo superiori, et quod natura
> superioris participatur in inferiori: participans autem se habet
> ut materiale ad participatum; unde posuerunt quod inter ab-
> stracta, quanto aliquid est universalius, tanto est formalius.
> Quidam vero, secundum eandem *viam* ingredientes, ex op-
> posito *posuerunt* quod quanto aliqua forma est universalior,
> tanto est magis materialis.[7]

Here the *procedere* and *via* are used to refer to different types of
argumentation, different general modes of arguing. Hence, if
two philosophies are opposed not only in certain specific arguments and positions but also in characteristically [*proprium*]
different approaches to the solution of problems [*ad inquirendam
veritatem de natura rerum*] they may be distinguished as commonly
employing different *viae*. Relying, therefore, on this text, we

would be able to speak of a *via Platonica* and a *via Aristotelica*.

The investigation may be extended by considering the use of *radix*, *principium* and *fundamentum* in similar analytical contexts. In the *De Substantiis Separatis* Saint Thomas makes a careful analysis of the *via* by which Plato came to establish the existence and nature of separated substances:

Unde Plato sufficientiori *via processit* ad opinionem priorum Naturalium evacuandam. Cum apud antiquos Naturales poneretur ab hominibus certam rerum veritatem sciri non posse, tum propter rerum corporalium continuum defluxum, tum propter deceptionem sensuum quibus corpora cognoscuntur, posuit naturas quasdam a natura fluxibilium rerum separatas, in quibus esset veritas fixa; et sic eis inhaerendo anima nostra cognosceret veritatem. Unde secundum hoc quod intellectus veritatem cognoscens aliqua seorsum apprehendit praeter naturam sensibilium rerum, sic existimavit esse aliqua a sensibilibus separata.

Intellectus autem noster duplici abstractione utitur circa intelligentiam veritatis. Una quidem secundum quod apprehendit numeros mathematicos et magnitudines et figuras mathematicas sine materiae sensibilis intellectu; non enim intelligendo binarium aut ternarium, aut lineam et superficiem, aut triangulum et quadratum, simul in nostra apprehensione quid cadit quod pertineat ad calidum et frigidum aut aliquid hujusmodi quod sensu percipi possit. Alia autem abstractione utitur intellectus noster intelligendo aliquid universale absque consideratione alicujus particularis, puta cum intelligimus hominem nihil intelligentes de Socrate aut Platone aut alio quocumque; et idem apparet in aliis.

Unde Plato duo genera rerum a sensibilibus abstracta *ponebat*, scilicet mathematica et universalia, quae species seu ideas nominabat....

Hujus autem *positionis radix* invenitur efficaciam non habere. Non enim necesse est ut ea quae intellectus separatim intelligit, separatim esse ea in rerum natura; unde nec universalia oportet separata ponere subsistentia praeter singularia, nec etiam mathematica praeter sensibilia, quia universalia sunt essentiae ipsorum particularium et mathematica sunt terminationes quaedam sensibilium corporum. Et ideo Aristoteles manifestiori et certiori *via* processit ad investigandum substantias separatas a materia, scilicet per *viam* motus.[8]

Thus the same type of analysis appears here and the same relation of *via* to *positio*. The *radix* of the *positio* is precisely the *fundamental operative principle* in the first movement of the *via*. In an early text '*fundamentum*' and '*principium*' are used in a similar way:

> Horum autem omnium errorum et plurium hujusmodi unum videtur esse *principium* et *fundamentum*, quo destructo, nihil probabilitatis remanet. Plures enim antiquorum ex intentionibus intellectis judicium rerum naturalium sumere voluerunt: unde quaecumque inveniuntur convenire in aliqua intentione intellecta, voluerunt quod communicarent in una re: et inde ortus est error.... Sed hoc *fundamentum* est valde debile....[9]

We may now summarize. Saint Thomas makes use of an analytical method in dealing with philosophical *positiones* in which the *positio* [or *opinio*] is reduced to the arguments or argumentation [*via – ratio – rationes*] from which it properly proceeds according to his understanding of the mind of its author. In doing so he sometimes singles out, within the *via*, a basic starting-point or operative principle [*radix – principium – fundamentum*] which commands the entire line of thought, or again he may see the *via* as involving a more generalized mode of approach characteristic [*proprium*] of a given philosophy. The terminology which has emerged in this discussion is rather common in such contexts and, therefore, although the analysis is sometimes worked without benefit of all or even part of this terminology, we shall refer to this pattern of analysis [and of terms] as the *via-positio* technique for handling *positiones*.

Thus supplied by Saint Thomas himself with the technical verbal pattern *via* [*rationes*] – *positio* [*opinio*], we may now reflect upon the analytic method itself thereby expressed and its meaning for the interpretation of Saint Thomas.

The *via-positio* analysis precisely relates a philosophical position, as a conclusion, to the proper philosophical premises upon which it rests, whether these premises be principles, in the narrow sense, or matters of fact, real or supposed. A *positio* is thus seen as determined both in its truth and in its meaning by its proper premises and as integral and homogeneous with them. Because Anaxagoras begins with a complete corporeal mixture he must posit a single separated substance. Plato's principle of subsistent abstractions determines the hierarchy of his separated substance, while Aristotle's number is derived from his celestial mechanics.

Thus the *via* and the *positio* taken together constitute a miniature philosophical system which is properly deployed and displayed according to the formal movement of its thought. Now, if philosophy involves a movement of rational thought by which conclusions are either reached or, if the fact of the conclusion is already given, understood through premises, the *via-positio* analysis is a proper and formal philosophical analysis. A conclusion or *positio*, divorced from the context of its principles, cannot be *philosophically* determined; it cannot even be said to be a *philosophical* conclusion.

That God exists, for example, may be asserted on human faith or because one wants God to exist. It becomes a philosophical assertion only when it is integrated into the context of philosophical principles. Moreover, Kant, for example, Locke, Spinoza, and Saint Thomas may all be said to assert the existence of God, but when the position is determined by the respective principles of these philosophers, a vast difference is seen to exist and the position becomes virtually multiple, being differently specified by the principles of each philosophy.

The *via-positio* type of analysis, therefore, is the placing of a *positio* in dependence on its proper philosophical grounds. The precise meaning of the *positio* is thereby determined and likewise its specification is determined according to the specification of its premises. The statement, for example, that physical science is a valid form of knowledge is specifically different in the epistemologies, respectively, of Saint Thomas and of Kant.

This point is of capital importance for the purpose of this study and an essential part of its argument. The discovery of a consistent use of the *via-positio* technique in Saint Thomas shows that he was clearly aware of the formal relationship between philosophical principles and philosophical conclusions and, therefore, also of the specifying relationship existing between them.

Moreover, this mode of analysis, besides being properly philosophical or perhaps because it is properly philosophical, reduces a philosophical conclusion to what I shall call a 'pure' position.[10] For it is not the accident of historical connection or the pressure of external circumstance that is used to illumine the conclusion. A single consistent set of principles is disengaged, and it is in the light of these conclusions alone that the conclusion is seen. Thus when Saint Thomas, having described the mode of argumentation proper to the Platonists, points out that Avicebron entered on the same way [*eandem viam*] and arrived at a doctrine which was harmonious with Platonism and indeed consequent to it [*sequela eius*], he is concerned with the continuity of philosophical reason and not with any historical connection between Avicebron and the Platonists.

In all these cases the effort is to show how the conclusions are determined solely and purely by the given premises.

The *ratio-positio* method is, therefore, (1) a properly philosophical mode of analysis, which (2) specifies conclusions philosophically, and (3) reduces them to a 'pure' position.

However, the investigation of this technique (or of parallel techniques) has by no means been completed. The *via-positio* analysis is not introduced by Saint Thomas simply for historical reasons or for a mere understanding of a given position. It regularly occurs in critical passages and serves as a basis for a critique.

The first thing to be noted is that Saint Thomas commonly maintains a clear distinction between a critique which attacks the *via* or *rationes* and one which attacks the *positio* itself. This distinction very frequently appears in his classification of the Aristotelian arguments in the commentaries.

> Est ergo hic contra duo disputandum: scilicet contra *rationem* positionis, et contra ipsam *positionem*. Utrumque enim est falsum. Nam et *ratio positionis* istorum falsa erat, et eorum *positio*.[11]

> ... Circa primum duo facit. Primo enim disputat contra ipsam positionem Platonis. Secundo contra rationem ipsius, ibi, 'Amplius autem secundum quos etc.'[12]

It is obvious that the most sweeping attack will include arguments against both the *rationes* and the *positio*. It was this sort of devastating critique that Saint Thomas found Aristotle directing against the Platonic Ideas in the first book of the *Metaphysics*. Saint Thomas himself frequently uses the same twofold attack. We have seen him in his critique of Avicebron's theory of universal matter remarking: 'Sed haec ratio frivola est, et positio impossibilis.' Particularly with regard to the Platonic assertion of the subsisting species of material things Saint Thomas not only destroys the rational foundation of the argument but approves and repeats many of the arguments which Aristotle directs against the *positio*.[13]

In some texts, however, it is the *positio* which is singled out for immediate criticism. In the discussion of Avicebron's doctrine on the multiplicity of forms, he shows that Avicebron is following the same *via* [*eandem viam*] as Plato but in an inverted direction. Of course, the reader knows that this identification of Avicebron with Plato is, in effect, a rejection, yet, in the context, the positive arguments advanced aim directly at the resulting *positio*. 'Sed haec *positio* secundum vera philosophiae principia quae consideravit Aristoteles est impossibilis.' The arguments which here follow – 'Primo ... Secundo ... Tertio' – are directed not against the *via* but against the theory of plurality of forms, that is, the *positio* of Avicebron.[14]

The primary criticism may, however, in some cases be limited to the *via*. Thus it is the fundamental principle that commands the unfolding of the Platonic *via* which is rejected in the *De Substantiis Separatis*. 'Hujus autem positionis radix invenitur efficaciam non habere.'[15] It is clear, in the light of the analysis of this method, that the refutation of a *via* is, philosophically speaking, at the same time a refutation of the *positio* insofar as it formally depends upon that *via*. This Saint Thomas had remarked in his earliest analytical examination of the Platonic argument:

> Horum autem omnium errorum et plurium hujusmodi unum videtur esse principium et fundamentum, *quo destructo nihil probabilitatis remanet.*[16]

In criticizing a *positio*, therefore, Saint Thomas makes use of the following procedures:

1. He may reduce the *positio* by analysis to the *via* or *rationes* from which it results and may single out the basic starting-point or principle [*radix*] of the argumentation. A critique may then be conducted by attacking (a) the *via*, *rationes* or *radix*, (b) the *positio* itself, or (c) both the *via* and the *positio*.
2. He may describe a *positio* and attack it directly, without the reductive analysis.[17]

The matter, however, is not quite so simple. There are cases of *positiones* which, in certain critical contexts, are analyzed by the *via-positio* technique and rejected but are, in other contexts, apparently approved and incorporated into Saint Thomas' own thought.[18] If one accepted this as a self-contradictory procedure one could, for example, arrange a series of *discordantiae* with reference to various positions, among them being certain important Platonic ones. One could, too, see one side of this series as being the true or mature view of Saint Thomas and reject the other. This, in fact, seems to be what Fabro has done in commenting certain texts. An examination of this procedure will further develop and clarify the methodological points in which we are here interested. Fabro, for example, advances the following text from the *Summa Theologiae*:[19]

> Plato enim posuit omnium rerum species separatas; et quod ab eis individua denominantur, quasi species separatas participando, ut puta quod Socrates dicitur homo secundum ideam hominis separatam. Et sicut ponebat ideam hominis et equi separatam, quam vocabat 'per se hominem' et 'per se equum,' ita ponebat ideam entis et ideam unius separatam, quam dicebat 'per se ens' et 'per se unum;' et ejus participatione unumquodque dicitur ens vel unum. Hoc autem quod est per se ens et per se unum, ponebat esse summum bonum. Et quia bonum convertitur cum ente, sicut et unum, ipsum per se bonum dicebat esse Deum, a quo omnia dicuntur bona per modum participationis. Et quamvis haec opinio irrationabilis videatur quantum ad hoc, quod ponebat species rerum naturalium separatas per se subsistentes, ut Aristoteles multipliciter improbat, tamen hoc absolute verum est, quod aliquid est primum, quod per suam essentiam est ens et bonum, quod dicimus Deum, ut ex superioribus patet. Huic etiam sententiae concordat Aristoteles.[20]

This text is supposed to show an increased benevolence towards Plato, and even a certain disdain for Aristotle.

The following three points should be noticed about the text itself. First, only the *positio* of Plato is given: 'posuit ... ponebat ... ponebat ... ponebat ... dicebat ... ponebat.' There is no presentation of the *via* by which Plato arrived at this position, though at the time this article was written Saint Thomas was in possession of a magistral and unequivocally destructive analysis of this *via*.[21] Secondly, with regard to the part of the *positio* which is here approved, the evidence is said to lie in Saint Thomas' own previous argumentation:

> ... tamen hoc absolute verum est ... ut *ex superioribus patet* ... in quantum participat ipsum per modum cuiusdam assimilationis licit remote et deficienter, ut *ex superioribus patet*.

Thirdly, in the immediately subsequent paragraph, the rational explanation is explicitly derived from the Thomistic insertion of participation into the pattern of the causes which is consistently presented, in this regard, as the Thomistic alternative to the *via Platonica*.[22] This point will be developed at greater length later.

What, then, is happening in the text itself? The Platonic *positio* that there is a *primum ens et bonum per essentiam* in which all things participate is integrated with a *via Thomistica* and explained within the context of that *via*. The *positio* is, therefore, no longer *formally* Platonic; it can only be said to be *materially* a Platonic position.

This conclusion can be indirectly verified. It has been pointed out that the characteristic meaning of a *positio* is governed by its formal premises. Now the *positio* under discussion asserts a *primum ens per essentiam*. How is the precise meaning of this formula to be determined? If it is integrated with the Platonic way of arguing, the nature of the *primum ens* must be determined according to the *modus intelligendi*, for it is precisely a transposition of the common or 'universal' concept of *ens* into the real order. But this is precisely the determination which Saint Thomas has rejected. In *S.T.*, I, 3, 4, *arg.* 1, the objection is raised:

> Si enim hoc sit, tunc ad esse divinum nihil additur. Sed esse cui nulla fit additio est esse commune quod de omnibus praedicatur: sequitur ergo quod Deus sit *ens commune praedicabile de omnibus*.

Saint Thomas answers this precisely by distinguishing the *esse commune* and the *esse divinum*.[23] A longer discussion of the same point with clear reference to the *via Platonica* is to be found in the *Contra Gentiles*.[24]

If, then, the meaning of the *positio* cannot here be determined by the Platonic premises, it is clear that it is *formally detached*, in our text, from Platonism and integrated into a different and, indeed, opposing philosophical doctrine.

Now this text has been analyzed at some length, not simply because, when properly read, it offers no support to Fabro's thesis (which is not the primary interest here) but primarily because it affords an excellent illustration of the technique for handling detached *positiones*. For, if the *via* and *rationes* philosophically determine the meaning of the *positio,* a *positio* [*e.g. est primum ens per essentiam*] withdrawn from its original philosophical context becomes indeterminate. This indeterminate *positio* may thus be integrated, without adulteration of principle, into Saint Thomas' own doctrine and this he does by numerous devices varying all the way from smooth insertion into a subtly shifting context to a direct and explicit determination or rather 're-determination' of meaning.

Those who are familiar with previous studies in the methodology of Saint Thomas will recognize that we are here describing a technique that is parallel to the medieval interpretation or exposition of *auctoritates.* The historical explanation and development of this *auctoritas*-technique have been well discussed by others.[25] Medieval discussion was carried on under the double influence of a profound reverence for tradition and a profound respect for reason. The medieval philosopher or theologian was, therefore, forced to substantiate his teaching by placing it under the patronage of the great names – the *Sancti et philosophi* – of the past while, at the same time, supporting it on a solid rational structure. His weapons of debate were twofold: *auctoritates* and *rationes.* Saint Thomas employed both weapons and for each he possessed a style and a technique that enabled him to move through medieval controversy with consummate skill and prudence. Moreover, the doctrinal alignment of Plato and Saint Augustine gave him, in view of these techniques, an unexpected advantage. By using every variation of the *auctoritas*-technique he was able to maintain his solidarity with Saint Augustine and so enjoy the protection of the same great name that his adversaries invoked. At the same time, by using the *via-positio* technique in handling Platonism he was able to attack directly the fundamental principles which were Plato's source of error and were still at work within Augustinianism. Thus it was that he could borrow the *auctoritates* of his Augustinian adversaries while, without offending the Christian veneration for Saint Augustine, he could, through Plato, destroy their *rationes.*

In addition, however, the application of the *auctoritas*-technique to the free *positio* enabled him, on due occasion, to invoke the great name of Plato in witness of his own positions. His varying handling of the subsistence of Ideas furnishes pertinent examples.

The *via-positio* analysis has deprived the thesis of its rational ground and, therefore, destroyed it as a formal conclusion of the *via Platonica*. However, the *positio* itself is subjected to various interpretive treatments. It can be divided into an assertion of the subsistence of Ideas of sensible beings and an assertion of the subsistence of Ideas of Being, Unity, the Good. The first thesis is generally categorically rejected, since, even as a *positio*, it can hardly receive a benevolent interpretation.

> ... contra rationem rerum sensibilium est quod eorum formae subsistent absque materiis....[26]

> ... sed quia videtur esse alienum a fide quod formae rerum extra res per se subsistant absque materia, sicut Platonici posuerunt....[27]

In these texts the thesis as regards forms of sensible beings is rejected in itself, as a *positio*, since it is against reason and against the Faith.

Yet even this thesis is sometimes rescued from complete rejection.

> In quo etiam aliqualiter salvatur Platonis opinio ponentis ideas, secundum quas formaventur omnia quae in rebus materialibus existunt.[28]

The explanation which 'saves' Plato's opinion is Saint Thomas' theory of the divine knowledge. This is clearly not the opinion of Plato as it derives from his own arguments and even when the opinion is taken materially hardly coincides. Hence the limitation of the 'aliqualiter.'

The second part of the *positio*, however, is a different matter and allows, under the *positio-auctoritas* treatment, a much different use. The statement that an absolute Being, or Good, exists is one that Saint Thomas can make wholly his own. Thus, referring to Plato's position, he says:

> ... tamen hoc absolute verum est quod aliquid est primum quod per suam essentiam est ens et bonum quod dicimus Deum, ut ex superioribus patet. [29]

In this text, as we have seen, the free *positio* is incorporated into his own philosophy.

Now, the difficulty of reading Saint Thomas aright is further complicated by the fact that both the *via-positio* and the *positio-auctoritas* techniques often appear in the same context. In such cases the structure and movement of the text is very subtle and needs careful study.

The article in the *De Veritate*,[30] 'Utrium omnia sint bona bonitate prima,' includes a straight philosophical analysis of the Platonic determination of the question, starting from the familiar Platonic principle: 'ea quae possunt separari secundum intellectum ... etiam secundum esse separata' and moving to the Platonic *positio*. Against this integral opinion he then alleges in a comprehensive and summary manner the Aristotelian arguments of the *Metaphysics* and the *Ethics*. It is particularly noteworthy that he appeals to a special argument specifically directed against the Platonic Idea of the Good.

> ... tum etiam suppositis ideis; qua specialiter ista ratio non habet locum in bono; quia bonum non univoce dicitur de bonis, et in talibus non assignatur una idea secundum Platonem, per quam viam procedit contra eum Philosophus in I Ethic.

Saint Thomas then urges with special force [*specialiter ... apparet falsitas* ...] the argument based upon the interrelation of the causes:

> Specialiter tamen quantum ad propositum pertinet, apparet falsitas praedictae positionis ex hoc quod omne agens invenitur sibi simile agere; unde si prima bonitas sit effectiva omnium bonorum, oportet quod similitudinem suam imprimat in rebus effectis; et sic unumquodque dicetur bonum sicut forma inhaerente per similitudinem summi boni sibi inditam, et ulterius per bonitatem primam, sicut per exemplar et effectivum omnis bonitatis creatae.

At this point it would seem that the Platonic position had been rather thoroughly refuted both in its *rationes* and in itself, and, indeed, in a very special way with reference to the Idea of the Good. Yet at this point Saint Thomas adds the laconic remark: 'Quantum ad hoc opinio Platonis sustineri potest.' The switch from the *via-positio* to the *positio-auctoritas* technique is indicated in the brief phrase 'Quantum ad hoc.' For what does this mean? It means that the *opinio* [*positio*] of Plato can be maintained if it is referred to and understood through the typically Thomistic argument just presented as specially destroying the Platonic position. The Platonic Good must be understood as the Thomistic Good, the exemplar and efficient cause of all goodness.

It should be noted that this is exactly the meaning given to the Platonic *positio* in *Summa Theologiae*, I, 6, 4, *c.*:

Sic ergo unumquodque dicitur bonum bonitate divina sicut *primo principio exemplari, effectivo et finali totius bonitatis.*

The approval of the *positio* is conditioned on this interpretation. '*Quantum ad hoc* sustineri potest.'

We may now make a final recapitulation of Saint Thomas' methodological techniques for handling a *positio*.

1. The *via-positio* technique. A proper analysis is worked out by displaying the precise premises – principles and/or facts [*via – rationes – radix*] upon which the *positio* depends for its truth and meaning. The argumentation may be seen as following a certain typical mode [*e.g.* the *via Platonica*]. When carried out in a thorough-going and consistent fashion, this results in the reduction of opinions to 'pure' positions specified by a definite argumentation. A clear-cut critique is then possible. It may follow any one of three lines: it may attack (a) the *via, rationes* or *radix*, (b) the *positio* itself, or (c) both the *via* and the *positio*.
2. The *positio-auctoritas* technique. A *positio* [*opinio*] may be detached from its proper philosophical background and become thus an indeterminate but determinable *positio*. In this case the free *positio* may (a) be such that no favorable interpretation can be given it, (b) be such that it can be vaguely and partially approved [*aliqualiter*], (c) be such that it can be determined, without qualification, into a different philosophical system [hoc absolute verum est quod aliquid est primum....].

In the case of (b) and (c), the precise meaning of the *positio* in its new function must be determined not from the principles of its former or original philosophical framework but from that into which it is newly inserted. A complete understanding would require the discovery of the *via* which, in its new formality, justifies and explains it.

Since then these clear-cut patterns of analysis and criticism are formally present in the methodology of Saint Thomas, it is obviously important to read his *littera* in the light of this methodological background. For this reason these principles will be used as guides in studying the texts.

However, it should be remembered that this chapter is, in a sense, preliminary and that, consequently, the detailed studies which follow will constitute not only an application but also confirmatory evidence of the results here obtained.

CHAPTER II

INTRODUCTION TO THE *RATIO-POSITIO* ANALYSIS OF PLATONIC DOCTRINES

The examination of the complete body of the texts themselves led to a selection of certain major areas of study. In the light of the principles discovered in the last chapter, we can now define our study of these areas with some degree of precision. We propose to examine the texts within each area to determine what *ratio-positio* analyses of doctrines expressly and *nominatim* attributed to Plato and/or the Platonists Saint Thomas himself presents within each of the selected areas and to obtain as clear an understanding of these analyses, of their import and interrelationship, as the information at our disposal allows. Whatever the results of this study, they will at least be fundamental and immediately grounded in the texts.

We will begin with the most obvious data, for even a rapid survey of the materials discovers, as obvious and clear examples, seven major texts in which Saint Thomas submits Platonic theories to analytic treatment and critique. Three of these texts – *In Sent.* [20]; *In De Trin.* [4]; *De Ver.* [17] – are to be found in early works and show distinct differences from the other four – *In Meta.* [12]; *S.T.* [52]; *De Sp. Creat.* [17]; *De Sub. Sep.* [1] – all of which occur in later works. There are also a large number of minor texts in which the same basic analysis is either briefly stated or alluded to. These texts will, of course, be used to supplement and confirm the analysis.

A preliminary examination of the major texts reveals that all of them set the discussion within an historical framework. The earliest text, that of the commentary on the *Sentences* (which, it should be noted, is the only text in the entire commentary in which any explicit analysis of the Theory of Ideas is attempted), displays the simplest and least developed form of the historical pattern. It does not begin with the treatment of pre-Platonic philosophy which is common to all the other texts nor does it stress historical continuity. On the contrary, it merely lines up a series of philosophers who shared a common erroneous principle. Likewise, in the *De Veritate* text, the historical structure is of minimal importance. In contrast, therefore, to these texts, the others not only make use of an historical framework but lay stress upon both historical continuity and doctrinal development. The impression, therefore, is that Saint Thomas in formulating and reformulating his analysis tended to develop a more artic- ulated and more historical presentation. This impression can be confirmed by other examples. Thus, in *De Veritate*, 10, 6 ('Utrum mens humana cognitionem a sensibilibus accipiat') the various opinions treated are arranged in a doctrinal pattern thus:

I. Our knowledge is totally from an extrinsic cause.
1. The Platonists: it is through participation in the separated forms.
2. Avicenna: it is derived from the intelligences.

II. Our knowledge is totally from an intrinsic cause.
1. The human soul contains all knowledge.
2. The soul itself at the presentation of the *sensibilia* forms similitudes of them within itself.

III. The opinion of Aristotle.

The arrangement of opinions is here based on a systematic division the principle of which is neither historical order nor historical continuity. Moreover, no reduction of positions is developed. Avicenna is just an alternate to the *Platonici* and is placed together with them because they fall under the common rubric '*a causa exteriori.*' On the other hand, the discussion of the eighty-fourth question of the first part of the *Summa Theologiae* is carried on within an historical framework set up in the first article. This article moves from the *primi philosophi* and their destruction of certitude and truth to the appearance of Plato as a protagonist of truth. There is even a dramatic quality in the presentation, a quality of sharp reversal from the absurd extreme of Heraclitus to the

His autem superveniens Plato, ut possit salvare certam cog- nitionem veritatis a nobis per intellectum haberi....[1]

In particular, within the articles the Platonic doctrine is made
the center of discussion and Avicenna and Augustine are treated
as in continuity with Platonism.[2]

Saint Thomas uses this historical mode of presentation very
frequently in a number of connections. For example, in the
classical text of the *Summa Theologiae*, the problem of the creation
of matter is developed in historical continuity from the efforts
of the earliest philosophers through those of Plato and Aristotle
to the triumphant solution of the *'aliqui'* who finally considered
ens in quantum ens.[3] This method of presentation is obviously derived from Aristotle and depends particularly (and this will be
most obvious for the exposition of Platonism) on the first books
of the *Metaphysics* and of the *De Anima*. In fact, it involves an
acceptance of an Aristotelian view of the historical development
of philosophy and is governed by pertinent Aristotelian obser-
vations which Saint Thomas himself repeats. Aristotle viewed
the development of philosophy as a gradual discovery and unfolding of the truth, a view which is illustrated preeminently in
his history of the four causes in the first book of the *Metaphysics*.
Saint Thomas summarizes and indeed generalizes this view in
the remark:

> Dicendum quod antiqui philosophi paulatim et quasi pede-
> tentim intraverunt in cognitionem veritatis.[4]

This does not mean that Saint Thomas saw the history of philosophy as a simple progressive movement nor that he presented
his lapidary summaries of history simply out of an interest in
history as such. He had read and commented explicit statements
of the errors to be found therein as well as of the utility of such
study.

> Utilitas autem est illa, quia aut ex praedictis eorum invenie-
> mus aliud genus a causis praenumeratis, aut magis credemus
> his quae modo diximus de causis, quod, scilicet, sint quatuor.[5]

> Ostendit quomodo se homines adinvicem juvant ad conside-
> randum veritatem. Adjuvatur enim unus ab altero ad consi-
> derationem veritatis dupliciter. Uno modo directe. Alio modo
> indirecte. Directe quidem juvatur ab his qui veritatem in-
> venerunt: quia, sicut dictum est, dum unusquisque praeceden-
> tium aliquid de veritate invenit, simul in unum collectum,
> posteriores introducit ad magnam veritatis cognitionem. In-
> directe vero, inquantum priores errantes circa veritatem, pos-

terioribus exercitii occasionem dederunt, ut diligenti discussione habita veritas limpidius appareret.[6]

The commanding objective is, therefore, the discovery and better appreciation of speculative truth. Saint Thomas remembered this when he came to parallel Aristotle's study of the causes with a personal study of the separated substances, though, as a theologian, he raises the standard of truth to a new level:

> Intendentes igitur Sanctorum angelorum excellentiam utcumque depromere, incipiendum videtur ab his quae de Angelis antiquitus humana conjectura existimavit, ut si quid invenerimus fidei consonum accipiamus, quae vero doctrinae repugnant Catholicae refutemus.[7]

The historical setting for Platonic theories is comparatively lacking in the earlier texts but, as has been said, becomes marked in the later ones. The effect of this presentation is to combine in one exposition the historical and doctrinal genesis of Plato's theories, to place Plato in the foreground of the opposition and, through the reduction of other positions to his, to emphasize the primary originative character of that opposition.

Taking our clue, therefore, from Saint Thomas himself, we may construct on the basis of these major texts a composite fundamental pattern of historical continuity which falls, of itself, into the following moments:

1. The pre-Platonic philosophers (primarily, the advocates of the 'flux' theory) who present certain presuppositions for Plato and prepare the stage for his entrance.
2. Plato who at once continues and reverses the previous movement.
3. Saint Augustine who continues yet rejects Plato.[8]
4. Aristotle and/or Saint Thomas.

Now, while the complexity of the problems and the evidence will not permit us to follow this pattern step by step, it will serve as a useful frame of reference and will guide the discussion in a general way.

As we have seen, the pre-Platonic movement is not part of the text in the commentary on the *Sentences*. It first appears in the commentary on the *De Trinitate* of Boethius and thereafter is, with slight variations, a standard element in the exposition. Because of its relative uniformity and independence, we shall devote a separate and unified study to it.

THE PRE-PLATONIC MOMENT OF THE *VIA PLATONICA:* THE THEORY OF FLUX AND THE DECEPTION OF THE SENSES

We shall first present Saint Thomas' exposition of the pre-Platonic moment and follow it immediately with an examination of Saint Thomas' critique.

Section I

SAINT THOMAS' EXPOSITION OF THE RELEVANT THEORIES

The first philosophers who studied nature, the *primi naturales*, were, Saint Thomas tells us, almost all materialists.[1] They held the simple materialistic position that only bodies existed and they observed, moreover, that the world of bodies was characterized by indeterminacy and change. The whole of sensible reality appeared to them to be in constant motion. This aspect of the material world they emphasized until nature, in their view, became so fluid that it totally eluded the grasp of knowledge. Thus the early philosophers, by stressing matter and motion, arrived at the theory of pure flux, *motus qua talis*, and so destroyed the only possible source, for them, of truth and certitude.[2] Not only was nature undergoing change, but it was changing constantly and in every respect, and, consequently, at no point achieved or possessed determinate character. How then could one pronounce a judgment on a nature which, like a rushing stream, had already changed before the last syllables were uttered?[3] The extreme development of this position appears in Heraclitus and Cratylus, of whom the latter gave up at last even the use of language and resorted to gestures, hoping in the rapidity of movement to catch the fleeting truth of a changing world.[4] Thus the search for truth to which the philosophers were pledged by profession pulled up abruptly in a blind alley, for if only bodies exist and if their indeterminacy and changing character are so complete as to render them incapable of being objects or sources of truth and certitude, there is no truth and no certitude.[5] Not only would any science of matter and sensible reality be impossible; by the same token there would be, for them, no science, no truth, no certitude whatever.

This skeptical conclusion was strengthened, moreover, by an appeal to the so-called errors of sense.[6] These made it obvious that sense was essentially relative and unreliable; if, then, only sense cognition existed, there was no means of attaining absolute and certitudinal truth.

It was at the moment of this relativistic and skeptical crisis, when the drama of philosophy seemed played out and awaiting only the descent of the curtain, that Saint Thomas introduces Plato as the protagonist of truth and certitude, of science and philosophy. Plato's purpose was to establish the certitude of intellectual knowledge for he had no mind to accept the inevitability of the conclusions the past was forcing upon him. Thus his intentions, realistic and intellectual, were, to the mind of Saint Thomas, entirely honorable. His strong conviction of the reality of absolute truth and his almost religious devotion to it are the new motives he brings to the movement of philosophical thought. Saint Thomas underlines these motives. Plato wished 'to save the position that certain knowledge of truth could be had by us through the intellect;'[7] he proceeded 'to the emptying out of the opinions of the first naturalists.'[8] Saint Thomas calls him 'most eager seeker of truth,'[9] and repeats the old story that Plato had mutilated himself to be free from the distractions of sex that he might contemplate truth with greater devotion.[10]

How, then, did Plato propose to avoid the conclusions of the 'flowing philosophers' and rescue philosophy from their flood and flux? He had himself been a disciple of Cratylus, the man in whom the theory of pure flux found its most complete and radical exponent. From him Plato had learned these theories and, though his allegiance passed later to Socrates, he continued to accept the basic position that all sensible nature was in constant change and, consequently, could never yield or ground certain knowledge.[11] If science were possible, it would have to find objects elsewhere than in the sensible world.

Moreover, Plato was willing to concede the deceptive and relative character of sense knowledge. Science, truth, and certitude could not be a matter of corporeal sensation or depend upon it.[12]

Plato, then, would accept the very premises which led his predecessors to a denial of certitude and yet would escape their conclusions by transcending the limitations of their premises. Let the reality of the sensible world be as dubious as one liked, give it over to becoming, science would find other objects – *aliud genus entium*.[13] The senses of the body might be deceptive, relative, wholly unreliable; truth would be found by another means, by the independent intellect.[14] Plato, therefore, both in metaphysics and epistemology, opposes the materialism of the early Naturalists. The Platonic moment in Greek thought is thus a reversal; yet certain positions of the materialists are carried over as the initial steps of Plato's own argument by which, paradoxically enough, he will mount to a pure, immaterial realm and to the life of pure intelligence.

Thus Saint Thomas himself places the starting-point of Plato's argument in a despair of and disdain for the order of sense – a premise which Plato accepted from his predecessors in Greek thought. The *sensibilia* could not be objects of true knowledge because they were identified with pure becoming. The senses could not be sources of certitudinal knowledge since they were deceptive and relative. But Plato introduced another means of knowing, the intellect, and in this differed from his predecessors.[15] He was, moreover, convinced that there was certitudinal intellectual knowledge. His next step, therefore, was to determine the existence and nature of the entities to which science, definition and intelligence in general could be referred.[16]

But before following out the rest of the Platonic argument we shall examine Saint Thomas' critique of the initial premises which Plato accepted and developed.

Section 2

SAINT THOMAS' CRITIQUE OF THE PRE-PLATONIC THEORIES

In the *De Spiritualibus Creaturis* Saint Thomas points out that in arguing against the early philosophers concerning these premises

Aristotle does three things.[1] First, he establishes that there is some stability in the sensible world. Secondly, he defends within certain limitations the validity of sense knowledge. Thirdly, he proves that beyond the powers of sense knowledge there is intellect which judges of truth. All of these elements appear in the commentary on the fourth book of the *Metaphysics* in a section to which Saint Thomas is clearly alluding.[2]

In a key text within these *lectiones* Saint Thomas approaches the flux theory from two standpoints and, in virtue of them, analyzes it into two converging metaphysical views.[3]

His first approach is through a consideration of indeterminacy. Thus, he tells us that the early Naturalists realized that there was a deal of indeterminacy in nature. There is, of course, and it is due to the presence of matter. For matter of itself is indetermined and is open not only to changing but even to contrary determinations. The determination in question is in the order of form. Now a formal determination is, in limited being, a necessary condition of existence. Hence, it is also the very being of material things that is open to change, the very act of existence which, conditioned by matter, is precariously determined.

Now it was this indeterminacy and instability which the early Naturalists discovered in the material world and which gives a certain show of truth to their position. For insofar as being is indeterminate, it cannot be determinately known. Since, therefore, the Naturalists were preoccupied with the indeterminate character of material being, it is not surprising that they concluded that the *sensibilia* could not give rise to determined and true knowledge.

Yet to maintain a pure position justifying their complete rejection of truth and certitude, the indeterminacy must be regarded as absolute. But to push indeterminacy this far is to diminish form to the vanishing point and to destroy, with it, the existence and reality of the sensible world. This is obviously false, for matter is determined, however precariously, by form and thus possesses, at any given moment, a determined *esse*. Given the determination of form, and *esse*, knowledge becomes possible, at least *ex parte sensibilium*.[4]

In the second place, the early philosophers were all too aware of the varied movement in nature. In a way this is not surprising:

motion and change are obvious facts, falling immediately under sense perception and intruding constantly upon our experience. For this reason Saint Thomas calls Aristotle's arguments from motion more manifest and certain,[5] and for the same reason Aristotle considers the exaggerations of these Naturalists more reasonable than the Parmenidean theory of absolute immobility.[6] Moreover, the fact of motion is one of the primary data of natural philosophy as is also matter and its potentiality. That there is a science of nature was taken as so obvious by Aristotle and Saint Thomas that they could use this fact as a locus of argumentation. What destroys the possibility of a science of mobile and material being appeared to them to refute itself in this very conclusion.[7]

Yet, if a theory of rigidly immobile being made natural science impossible, the philosophy of flux came to the same impasse by a different road. In this philosophy nature was viewed as a continual process of becoming, involving not merely a perpetual movement but change that was continuous under every aspect. Whatever types of change might be discerned, every type must be in process at every moment. The pure position of the flux theory demands, therefore, that there be no points of permanence, however momentary and fleeting, no rest, no terms of motion. We are, therefore, forced to the consideration of motion without terms or subject, *motus qua talis*. Now nothing can be affirmed or thought of an object precisely insofar as it is undergoing change. 'Quod enim mutatur de albedine in nigredinem, non est album nec nigram *in quantum mutatur*.' Precisely, insofar as it is in process, the object escapes determination; and, consequently, cannot be the object of knowledge. If, then, the *termini a quo* and *ad quem* are removed, since they would be points of relative rest, if the object is dissolved into the processes themselves, no aspect would remain except that of pure motion – *in quantum mutatur*. For example, if we attempt to think of a trip in which no person or thing would be making the trip – a trip which would go from no place to no place, the intelligibility of the trip would vanish at the same time as its objective possibility. The theory of pure flux thus would banish all intelligibility and determination from the world; the skeptical conclusions of Heraclitus and Cratylus would inevitably follow. 'Et ita non solum etiam non potest homo bis loqui de re aliqua antequam dispositio mutetur sed etiam nec semel!' Whatever knowledge might be possible would itself be wholly relative and indeterminate, for knowledge could not conform to any determined mode of being in things. Natural philosophy would be impossible and even the simplest determinate proposition groundless. And, if the material world encompassed the whole of reality, we would seek in vain for certitude.[8]

Saint Thomas, therefore, considers indeed that truth and certitude in natural science and in our ordinary knowledge of the material world do require some stability and some determination in things. It is the *esse rei* which measures and indeed grounds the truth of propositions about the material world, and the *esse* must be according to a determinate mode [the *modus determinatus essendi in rebus*], that is, according to a determinate form. The determination may not be permanent; cannot be *de jure* eternal; yet, while it is, it can justify truth and certitude.

When and while Socrates sits, the proposition 'Socrates sits' is true and certain, for, while he sits, it is necessarily true that he sits.[9] Let him stand, and the truth of the proposition as significative is indeed changed.[10] The conditioned stability in sensible nature does not explain all the immobility of knowledge; but it is absolutely necessary if any true statement is to be made of the sensible world.

We must notice, too, that the very constitution of material beings is here in question. What vanishes in the theory of pure flux is, metaphysically speaking, the form. Yet with it the very *esse* vanishes as well. For whether we approach the *sensibilia* from the standpoint of pure indeterminacy or from that of pure motion, the ultimate term of analysis is a blank nothing. To restore *esse* requires the restoration of determination; hence of form, and this form must be intrinsic to the being itself, since it is its *modus determinatus essendi*. The being and truth of material realities is rehabilitated by an Aristotelian form become a Thomistic *modus essendi*. We shall return to this later, but it is essential to stress that a world of pure becoming can be maintained above the level of non-being only by metaphysical sleight-of-hand. Already, in its first stage, Platonism has involved itself in metaphysical difficulties. When being dissolves wholly into becoming, becoming is indistinguishable from non-being. This is the meaning of Aristotle's and Saint Thomas' criticism.

Saint Thomas resumes the detailed Aristotelian polemic in the pithy remark that Aristotle shows in many ways, *multipliciter*, that there is stability in material reality. Aristotle indeed employs his unusual ability in multiplying arguments. He argues that his adversaries have erred in considering only local motion, which can indeed be continuous, while ignoring qualitative or formal change in which absolute continuity is not possible.[11] They have made an unwarranted generalization from a few cases in which change is uninterrupted.[12] They are unaware that there is an immobile first mover.[13] But the main force of the argument employs the central analysis of Aristotle's natural philosophy, and indeed of common sense, against this position. For the analysis of motion reveals that in the very process of change the *terminus ad quem* is already becoming present, that an immobile subject is necessary and an agent, previously in act, is required.[14] Thus is implicated the entire Aristotelian structure and order of substance and accident, of matter and form, of relations and of the causes. All this Saint Thomas again summarizes in lapidary fashion:

> It must be said that every motion presupposes something immobile; for when a change occurs in quality, substance remains unchanged and when the substantial form is changed, matter remains unchanged. Moreover, mutable things have immobile relationships; thus, although Socrates is not always seated, it is nonetheless immutably true that when he sits, he remains in one place. And for this reason there is nothing which prevents one from having immobile knowledge concerning changing things.[15]

Where, therefore, Plato was willing to accept the flux theory of his predecessors and even to use it in his own argumentation, Saint Thomas was quite unwilling to make any such concession. On the contrary, he maintained a precise analysis of the structure of material being, allowing both for that kind of contingency which arises from the presence of matter and that kind of necessity and determination which form imposes.[16] Material reality thus receives a definite metaphysical status and is seen to possess a determined *esse*.[17] By the same token also, in virtue both of its structure and of its mutations, a material entity involves in its explanation the system of the causes.[18]

What Plato draws from the earlier philosophers is a conviction
that the material sensible world is a realm of *pure* contingency,
in which no immobility, no fixed determinations and no necessities can be found. Saint Thomas denies the very possibility of
such a world – 'nihil enim est adeo contingens, quin in se aliquid
necessarium habeat.'[19] There is in corporeal reality the determination of form with its consequent ontological necessities:
'Necessitas autem consequitur rationem formae, quia ea quae
consequuntur ad formam, ex necessitate insunt.'[20] There is the
necessity of existential fact – 'necesse est eum sedere, dum sedet.'[21]
There are the necessary involvements and relations of mutable
realities: 'Socrates, etsi non semper sedeat, tamen immobiliter
est verum quod quando sedet in uno loco manet.'[22] There is even
the permanence of matter: 'cum transmutatur forma substantialis, remanet materia immobilis.'[23] Yet, all these ontological
necessities are 'caused' and contingent necessities.[24] This seeming
paradox Saint Thomas can admit and maintain because of the
ontological structure of corporeal beings. Thus, though form
may determine necessities within a being and its operations,
since it is not being but of being, it can simultaneously remain as
dependent and contingent as the *esse* which actuates it and as
mobile as the subject in which it is received.

Thus, where Plato sees in the sensible world only becoming
and pure contingency, Saint Thomas finds it a world of contingent and conditioned necessities and, therefore, a possible object
of scientific study.

Saint Thomas has also indicated that the despair of the order
of sense was deepened by a conviction that the senses are unreliable and deceptive. Now his direct and overt answer here was
to propose the limited realism of Aristotle as the true view of
sense knowledge.

> Secondly, Aristotle showed that the judgment of sense is true
> concerning the proper *sensibiles* but is deceived in respect to
> the common *sensibiles* and even more so with regard to the
> *sensibiles per accidens*.[25]

Saint Thomas, of course, distinguishes sharply between sense
and intellect and yet maintains an ordered unity of operation
between them. In this operation, the formal judgment of truth

is reserved to the intellect and the senses cannot impose an erroneous judgment on the intellect.[26]

Now, insofar as the senses display themselves to intelligence, no error is possible concerning their own affections or operations.[27] If, however, we view the senses as representing things, the distinction already referred to becomes necessary.

With regard to the proper sensibles – what is known *primo et per se* as color by the eye – error is possible indeed but only in a few cases and when the organ is not in a normal condition.[28]

The common sensibles – perceived *per se* but not *primo* and by more than one sense – are enumerated as five: motion, rest, number, figure and size.[29] In respect to these, sense may err and more often than in the case of proper sensibles.[30]

The *per accidens* sensible does not directly affect the sense, but is connected with a proper or common sensible. Thus this colored figure as such produces a similitude in sense [=per se] but it is as a matter of fact a man. We say we *see* the man. 'Man' is then a *sensibile per accidens*. In such cases the possibility of error is perfectly obvious.[31]

Moreover, the sense power termed '*phantasia*' by Aristotle introduces yet another occasion of error into sense knowledge. For since *phantasia* is dependent upon the external senses and is, therefore, more removed from the *sensibile* agent, the resulting similitude is weaker. Moreover, the *phantasia* can operate in the absence of a sense object and for this reason is more open to error.[32]

Hence neither Saint Thomas nor Aristotle maintains that the senses are automatically immune from error. On the contrary, they would regard a doctrine of this sort as obviously false.[33] In many ways our senses are occasions of error, and a critical judgment of the intellect is necessary to overcome the limitations of sense. Thus a wide field is left open for the critical examination of sense knowledge.

What they do maintain, however, – and this is the essential point here – is that the senses are reliable sources of knowledge and are rightly and necessarily integrated into the total process of human knowing. We have summarized Saint Thomas' direct answer to the Platonic premise. A detailed investigation of this answer is not necessary; Saint Thomas does not himself elaborate its details, and they make little difference to the main point.

Thus, while Plato is willing to surrender the whole order of sense, giving the *sensibilia* over to pure becoming and granting the deceptive character of sense knowledge, Saint Thomas firmly refuses to yield on either point. To the first he opposes the analysis of material being which includes recognition of form and *esse* and indeed of the integral pattern of causes; to the second he opposes the qualified realism of Aristotle. In this initial opposition metaphysical as well as epistemological differences are already involved.

When, however, Plato now asserts, against his materialistic predecessors, the existence of intelligence distinct from sense,[34] both Aristotle and Saint Thomas stand with him. Since, moreover, Plato affirms the reality of true certitudinal knowledge, the problem for him now lies in discovering the objects of scientific knowledge which cannot be found in the *sensibilia* or through the senses. At this point, therefore, the Platonic argument moves to the determination of another kind of being, *aliud genus entium*.[35]

CHAPTER IV

THE BASIC PRINCIPLES OF THE *VIA PLATONICA*

The pre-Platonic moment has laid out certain presuppositions and prepared the historical situation for the Platonic moment itself. When we turn now to an examination of this second stage of analysis, we find Saint Thomas reducing the Platonic position to certain basic principles (*radix*, *fundamentum*, *rationes*) which, within the major texts and even in those presenting a briefer analysis, appear in different formulae and in varying patterns of relationship. An examination of the texts yields this list of principles:

> Plures enim antiquorum ex intentionibus intellectis judicium rerum naturalium sumere voluerunt: unde quaecumque inveniuntur convenire in aliqua intentione intellecta, voluerunt quod communicarent in una re.[1]

> Sed hic defectus accidit ex eo quod non distinxit [*sc.* Plato] quod est per se ab eo quod est secundum accidens....[2]

> ... Plato ea quae possunt separari secundum intellectum, ponebant etiam secundum esse separata.[3]

> ... [*sc.* Plato] credidit quod modus rei intellectae in suo esse sit sicut modus intelligendi rem ipsam.[4]

> ... cum [*sc.* Plato] aestimaret omnem cognitionem per modum alicuius similitudinis esse....[5]

> ... [*sc.* Plato] credidit quod forma cogniti ex necessitate sit in cognoscente eo modo quo est in cognito.[6]

> ... quidam, ad inquirendam veritatem de natura rerum, processerunt ex rationibus, intelligibilibus et hoc fuit proprium Platonicorum....[7]

> ... secundum hoc quod intellectus veritatem cognoscens aliqua seorsum apprehendit praeter naturam sensibilium rerum, sic existimavit esse aliqua a sensibilibus separata.[8]

> ... secundum quod erat aliquid simplicius in intellectu secundum hoc prius erat in ordine rerum.[9]

Since, in many cases, these different formulae presuppose somewhat different backgrounds and approaches to the *radix* of the
via Platonica, separate consideration will be given them. Thereafter their interrelation will be examined.

Section 1

THE 'SIMILITUDE' PRINCIPLE

That a conception of knowledge involving a 'similitude' is the
source of Plato's error is explicitly stated only in *S.T.* [52] though
it may be found in the commentary on the *De Anima*[1] and is
suggested in other texts.[2]

The starting-point of the analysis in the *Summa* lies, therefore,
in this conviction of Plato's that knowledge requires a similitude.
The principle of the assimilation of the knower and the known
was common to all the ancient philosophers, including both the
materialists and Plato, with the sole exception of Anaxagoras.[3]
And though they erred in interpreting the principle, they were
forced by reality, as it were, to some dim understanding of the
truth.[4] For it is true – and Saint Thomas frequently repeats this –
that knowledge does take place through an assimilation or similitude.[5] Saint Thomas had read, in the first book of Aristotle's
De Anima, an account of the interpretation of the principle by
the ancient philosophers.[6] All those who attempted to investigate
the nature of soul by studying knowledge employed the principle
'*simile simili cognoscitur*' and argued from it that the structure of
the soul must correspond to the structure of the reality known.
Consequently, whatever were the principles and elements of
reality, these must also be the principles of the soul's substance.[7]

Those, therefore, who held that the whole of reality was
material, posited as the nature of the soul whatever material
element or elements they had severally selected as fundamental
in sensible beings. Thus Empedocles, who maintained six basic
principles, earth, water, air, fire, hate and love, said that the
soul was composed of these, since it knew all things, and that by
earth it knew earth, by water, water, and so forth. Thus, we have
a movement of thought, which first determines the structure of
reality and then, on the basis of the *simile-simili* principle, transfers

that structure to the soul.[8] In the case of the materialists, this results, of course, in a naturalization and materialization of the soul. Now, all of this, which corresponds to Aristotle's development in the *De Anima*, Saint Thomas incorporates, succinctly, in his own exposition in the *Summa Theologiae*.[9]

When, however, we move on and study the application to Plato, we find a curious and significant difference between the *De Anima* and the *Summa*. In the *De Anima* the principle is exemplified according to the theories of the *Timaeus*.[10] In the *Timaeus* Plato identifies the realm of the Ideas as the 'Same' since it is immobile and unchanging and calls that of sensible reality the 'Diverse' because of its changing character. The soul knows both realms and, therefore, by the same movement of thought as the materialists employed, it must be said to be composed of the 'Same' and the 'Diverse.'

In this account the movement of thought is presented as identical in the materialists and in Plato, though they differ in this that Plato extended the reach of being to immaterial realities, distinguished between intellect and sense, and selected other elements to constitute reality. The direction of the argument is the same, for in both cases it moves from the structure of reality to the structure of the soul, and indeed to the structure of the *substance* of the soul.

Now in the *Summa* Saint Thomas ignores the theories of the *Timaeus* and of the 'ideal' numbers.[11] Indeed, Saint Thomas has no text in which a fundamental criticism of Platonism is developed in function of these theories and, in fact, he rarely refers to them outside of the Aristotelian commentaries. This may be taken as an indication that he did not consider these Platonic doctrines of fundamental importance for the understanding or refutation of Platonism.

In applying the principle to Plato, he rather attaches it to the analysis in the *Metaphysics* (where Aristotle makes no mention of the *simili-simile* axiom)[12] and this by a singular reversal. For he distinguishes the materialists from Plato in the use of this principle, not primarily because Plato added immaterial beings and an intellect in man distinct from sense but primarily in that Plato *reversed the movement of thought*. The Naturalists said that the objects of knowledge were all corporeal and material and, therefore, must exist materially in the soul.[13] By an exactly opposite movement of thought Plato said that the soul knows in an immaterial fashion and that, consequently, the objects known, the form of material things, must subsist immaterially. The Naturalists transfer the structure of reality, which they have determined as material, to the soul; Plato transfers the structure of knowledge, which he has seen to be immaterial, to reality.[14] This obviously conscious manipulation and realignment is significant, for it stresses the importance, in Saint Thomas' own thought, of the *direction* of the Platonic argument as well as the predominating influence of the analysis of the *Metaphysics*.

The moving direction of Platonic argument is then clear. The principle of similitude is to be applied to the facts of knowledge and in accordance with them the nature of the entities which are the objects of knowledge are to be determined.

As was pointed out earlier, the idea of a similitude or an assimilation between the knower and the object known plays an important part in Saint Thomas' own theory of knowledge, and literally dozens of texts can be quoted on this point.[15] It is obvious, then, that the Platonic mistake concerns the location and nature of the similitude required and that this, therefore, must be determined and defined with careful precision.

Now, against the ancient philosophers' use of the *simile-simili* principle Saint Thomas makes two important points:

1. Saint Thomas repeats Aristotle's criticism that the ancient philosophers, in applying the principle, failed to distinguish between act and potency. To Saint Thomas it seems quite clear that human knowing involves a passage from potency to actuality and that, if a similitude is necessary, it must, first of all, be potentially in the soul. The ancients, however, conceived the similitude as a prior condition of knowledge and, therefore, asserted its prior actual existence in the knower.[16]

2. In the second place, the ancient philosophers believed that the similitude required for knowledge and truth had to be realized in the *esse naturae*. To know earth, the soul had to be, in a physical as well as actual way, 'earthy.' They thus, in fact, failed to distinguish the *esse naturale* of the thing known from the sort of *esse* which it had in the eye, in the imagination, and in the intellect.[17] Thereby they revealed

a misunderstanding of the nature of knowledge itself, which, as transcending, so to speak, the physical limits of the knower,[18] requires a new level of being, an *esse* for the object that is intentional, immaterial and intelligible.[19] They, in fact, left out of the analysis of knowledge precisely that which is peculiar and distinctive, and this to such an extent that Saint Thomas sees no reason, in their theory, for denying 'knowing' to those things which exist with only a material and natural determination. '*Si anima igne cognoscit ignem, et ignis etiam qui est extra animam, ignem cognosceret.*'[20]

The positive result of this discussion is, therefore, that knowledge requires something other than natural *esse* and immateriality. It is a necessary condition for knowledge at all, that the knower be capable of assimilating the object immaterially.[21] If, then, the similitude principle is to be retained in the explanation of knowledge, the correspondence required must be shifted from a correspondence in nature and natural characteristics to that peculiar kind of correspondence which is proper to and discoverable in knowledge. This contrast Saint Thomas frequently expresses in the brief formulation of an Aristotelian example: 'For it is not stone but the species of stone that is in the soul.'[22]

Now here precisely Plato erred. He found indeed that the intellect understood immaterially, and in this he read the evidence better than the Naturalists. But on the similitude principle he demanded a correspondence in immateriality, and hence posited immateriality as a natural and entitative determination of any object of knowledge.[23] Whereas, therefore, Saint Thomas could use the immateriality of knowing as the basis of an argument for the immateriality of the knower,[24] Plato used it to establish the immateriality of the known. Whereas for Saint Thomas the ontological ground for the immateriality of the act of knowing lies in the nature of the knower ['*modus enim actionis est secundum modum formae agentis*'],[25] for Plato it lies in the nature of both the knower and the known.

Thus Saint Thomas maintains a continuity with the ancient philosophers in using the similitude idea as explanatory of knowledge, but points out carefully the crucial differences the idea displays in the theories of the Naturalists, of Plato and of Aristotle respectively. To define the differences more in detail, we must turn now to the other formulations of the Platonic principles.

Section 2

THE OPERATIONAL 'MODUS' PRINCIPLE

The establishment of the difference between the *esse naturae* and the *esse intelligibile* naturally introduces the consideration of the various *modus*-formulae in which Saint Thomas crystallizes his criticism of the Platonic cognitional similitude. This criticism is formulated along two different but converging lines of consideration. We may consider knowing as an operation and in this case the distinction will fall between the *modus existendi rei cognitae* and the *modus intelligendi rem ipsam*. Knowing may also be viewed as a *reception*, involving the existence of intelligible forms in the intellect as in a receptive subject. The difference will then fall between the *modus existendi in re* and the *modus recipiendi* or *existendi in intellectu*.

Saint Thomas uses formulae of both types to express the sharp fundamental opposition between his own view and that of Plato and the Platonists. In this section we shall limit our discussion to the operational formula and for this purpose the contrast may be precisely indicated by the following statements:

Saint Thomas: Non necessarium est quod modus existendi rei cognitae sit idem ac modus intelligendi rem ipsam.[1]

Plato: Modus rei intellectae in suo esse est sicut modus intelligendi rem ipsam.[2]

Formulae of this type and the *modus* terminology do not seem to be used in the works of Aristotle, Averroes or Avicenna. The beginnings of the formula appear in the Boethian discussion of the famous laconic remark of Porphyry which occasioned the medieval debate on universals. Boethius there places an objection which is repeated by Abelard and used as a stereotyped objection by Saint Thomas:

Quodsi ex re quidem generis ceterorumque sumitur intellectus neque ita ut sese res habet quae intellectui subjecta est, vanum necesse est esse intellectum qui ex re quidem sumiter, non tamen ita ut sese res habet; *id est enim falsum quod aliter atque res est intelligitur.*[3]

Boethius distinguishes, in his solution, the way a thing exists from the way it is understood and declares that, when this distinction results from a legitimate separation, the understanding is not, therefore, false. He summarizes his conclusion thus:

His igitur terminatis omnis, ut arbitror, quaestio dissoluta est, ipsa enim genera et species *subsistunt quidem alio modo, intelliguntur vero alio*, et sunt incorporalia, sed sensibus iuncta subsistunt in sensibilibus, intelliguntur vero ut per semet ipsa subsistentia....[4]

In Abelard the formulae reach a definitive form in which they are verbally identical with some of those in Saint Thomas. Abelard states the same objection:

Huiusmodi autem intellectus per abstractionem inde forsitan falsi vel vani videbantur quod *rem aliter quam subsistit*, percipiant.[5]

His solution turns on such formulae as these:

... alius modus est intelligendi quam subsistendi....[6]
... alium modum habeant in concipiendo quam res in existendo.[7]

This distinction is repeated by John of Salisbury:

Nec verendum ut cassus sit intellectus qui ea perceperit seorsum a singularibus, cum tamen a singularibus seorsum esse non possint.[8]

Et quidem rebus existendi unus est modus, quem scilicet natura contulit, sed easdem intelligendi aut significandi non unus est modus.[9]

Saint Thomas is, therefore, using formulae and distinctions which emerged in the debate on universals; his expressions are part of the heritage bequeathed to the thirteenth century by Boethius and Abelard.[10] In Boethius and Abelard the formulae rest upon a sort of phenomenological reflection on abstraction and intellectual distinction. In Saint Thomas, however, while, as we shall see, this basis is still used, the formulae are integrated with the metaphysics of operation. The '*intelligere rem ipsam*' is the very operation of the intellect and, since operations are in accordance with the nature of the operating agent, the characteristics of the operation, its *modus*, will be determined by the very being of the agent. The fundamental integration of the order of action and being – *agere sequitur esse* – thus underlies this modal distinction.[11] For if the mode of the knowing operation is determined on the side of the subject, it will not be necessary to demand in the object a correspondence to *that* mode and indeed, if the nature of the thing known is different from that of the knower, it will necessarily follow '*quod aliud sit modus intelligendi quo intellectus intelligit.*'[12]

This formula does not appear in any early critique of Plato; it is absent from the texts in the commentaries on the *Sentences*, and the *De Trinitate*, and in the *Contra Gentiles* and the *De Veritate*. It is, however, a central part of the discussion in the eighty-fourth question of the *Summa Theologiae*.[13] But the *modus* distinctions as well as the objection to which they are historically attached occur in connection with various problems of knowledge and throughout the works.[14] We have here, therefore, a formulation that expresses a view of knowing held quite independently of any critique of Plato and which is not a mere *ad hoc* debating device. It is, moreover, continuous with the metaphysics of being and operation and serves neatly to express a phase of the theory of similitude. It is not surprising then that in the eighty-fourth question of the *Summa Theologiae*, the formula is subsumed under the rubric of similitude and used precisely to pin-point a difference in interpretation.

In these two formulae, in which Saint Thomas confronts so sharply his own view with that of Plato, two diverse theories of knowledge are brought to confrontation. Saint Thomas demands no adequation of knowledge and thing in those characteristics of knowing which flow from the nature of the operating subject. Plato makes no such exception; these characteristics must be ontological characteristics of the object itself *in suo esse* and this as a condition of being knowable at all. Under this principle, therefore, *all operational* characteristics of knowing must be transferred to the nature of the object.

Section 3

THE RECEPTION PRINCIPLE

We can also view knowledge as, in a sense, passive, as consisting in the reception of forms or species and requiring the existence of species in the intellect. The principle which Saint Thomas here employs has many verbal forms, but two main formulae may be distinguished, a generalized one which extends far beyond the area of cognition: '*Omne quod recipitur in aliquo, recipitur in eo per modum recipientis*'[1] [or '*Quidquid est in aliquo, est in eo per modum eius in quo est*'[2]] and one which applies expressly to cognition: '*Cognitum autem est in cognoscente secundum modum cognoscentis.*'[3] Saint Thomas himself points out the relationship between these two principles:

> ... non tamen oportet quod modo illo sit species illa in intellectu quo in re intellecta: *nam* omne quod est in aliquo est per modum ejus in quo est.[4]

Thus the cognitional form is really an application of the general metaphysical principle to the relationship of *species* to intellect.

Now for the generalized form Saint Thomas himself refers frequently to the *Liber De Causis*[5] and once, at least, to Dionysius.[6] The *Liber De Causis*, indeed, contains the principle in both forms,[7] though Saint Thomas expressly refers to Boethius for the cognitional principle.[8] The principles also appear in other writers likewise with references to the *Liber De Causis* and Boethius.[9] None of these formulations appear in Aristotle[10] and there can be little doubt that they are derived from the sources indicated by Saint Thomas himself.

Saint Thomas uses the principles in a wide variety of contexts, again quite independently of his Platonic critique, as principles of insight and understanding. It is thus applied, for example, to the relation between agent and patient,[11] agent and medium,[12] motion and the thing moved,[13] perfection and the perfectible,[14] form and matter[15] and accident or form and subject.[16]

This sampling of usage shows that the reception principles do not express a single theory or doctrine but rather are flexible analogous formulae widely used to express relationships of causality and metaphysical structure.[17] This is further confirmed and the flexibility of Saint Thomas' terminology is further illustrated by the frequent expression of the same principles in other terms within the same or similar contexts.[18] When, therefore, Saint Thomas applies the reception principles to knowledge, it is because of an analogous relationship between the possible intellect and the species or intelligible form.

For knowledge, we have said, can be viewed as involving the reception of a form which, present in the intellect, determines it to knowledge. This is the intelligible species which is a similitude of the object and through which the intellect knows. Now the species is a form or act of the intellect to which it is therefore related as act to potency. *Intellectum in actu est intellectus in actu:* a single principle of knowing results from the union. As in all unions of act and potency, the act determines, but the potency in turn limits and conditions the act. Whatever pertains to the material or potential side of a subject, its nature as determinable, its dispositions and preparation, will condition the reception of the act. Hence, when two potential subjects are different *qua* potential subjects, a common form will necessarily be received and exist in them according to different manners.[19] Saint Thomas illustrates this by a number of simple manuductory examples. A man and a statue may have a similar shape, though the figure has a different mode of *esse* in gold than it has in flesh and bones.[20] White is more intense in one subject than in another; it exists with sweetness in one subject and without it in another.[21] Light will be modified by differently colored glasses.[22] A pertinent instance and a better example, philosophically, lies in the different modes of reception of form in sense and in the intellect. For since sense is a power in a corporeal organ, it therefore receives the similitude of the known object in a corporeal and material way.[23] Intellect, however, actuates no organ and is immaterial. Consequently, it receives the species incorporeally and immaterially.

Saint Thomas thus points out that the species, in virtue of its reception in the intellect, must be intelligible,[24] immaterial and incorporeal,[25] abstract,[26] universal,[27] stable,[28] and characterized by a sort of necessity.[29] These are modalities which again are derivative from the subject and need not be found in the thing known. From the standpoint, therefore, of reception, we arrive at a limitation of the similitude principle, a limitation which Plato, in fact, did not accept. For, in Plato's view, all these modalities must likewise be seen as entitative conditions of the object of knowledge. In terms of these formulae Saint Thomas is able, then, to bring to sharp focus the conflict between himself and Plato.

Saint Thomas: Non oportet quod modo illo sit species illa in intellectu quo in re intellecta, nam omne quod est in aliquo, est per modum ejus in quo est.[30]

Plato: Forma cogniti ex necessitate est in cognoscente eo modo quo est in cognito.[31]

However, although the sharp point of difference is thus focused, behind Saint Thomas' principle lies his general theories of act and potency, being, action and causality. The wide use of these principles throughout his works establishes a broad doctrinal consistency and indicates that the principles, in spite of their sources, must receive their doctrinal determination from his basic and general principles.

Again, these precise formulations do not appear in the earlier critiques, though they are central in *S.T.* [52] and *In Meta.* [12]. Moreover, it should be noted that, because of the peculiar nature of intellection, the operational and the reception principles must be brought together (as Saint Thomas himself does) in a most intimate relationship. For any operation is in accordance with the form by which the agent acts. In intellection, the species is the form which enables the intellect to know, and, consequently, makes immaterial and universal knowledge possible. In turn, however, the intelligible form is immaterial because it is received in the possible intellect.[32]

Section 4

THE TRANSPOSITION OF ABSTRACTIONS INTO REALITY

There is a series of texts in which Plato's basic principle is formulated thus:

Ea quae possunt separari secundum intellectum ponebant etiam secundum esse separata.[1]

In some of the texts the principle is simply laid down as the Platonic starting point and positions are shown to flow from it.[2] In two texts, it is, however, interrelated with other principles and, indeed, derived from them,[3] while in other texts it is placed at the end of a positive exposition of a theory of abstraction or 'separation' and is said to depend upon a misconception of the modes of abstraction.[4]

It is interesting to note that discussions of this latter sort are often associated with the classic objection already referred to as traditional in the dispute over universals:[5] '*Omnis intellectus intelligens rem aliter quam sit, est falsus.*'[6] Into this background and discussion, the often quoted dictum of Aristotle, '*Abstrahentium non est mendacium,*' is frequently inserted.[7]

In answering the objection in the eighty-fifth question of the *Summa Theologiae*, Saint Thomas distinguishes two kinds of separation which depend, respectively, upon two different operations of the intellect. If we use an apple, for example, it is clearly one thing to *say* that the red color is not in the apple, quite another merely to consider the color without thinking of the rest of the apple.[8] In the first case we make an assertion about the apple and the question of the accuracy of the assertion immediately arises. If the color is, as a matter of fact, in the apple, then our assertion is false and the 'separation' is illegitimate. In the second case, however, we make no assertion; we do not intend to apply the separation to the actual situation; we are separating only in '*consideratio.*'[9] A simple sort of reflection thus reveals that we have two different situations, in only one of which can the problem of falsity or truth arise. Since truth is an adequation of intellect and thing, obviously this adequation must be verified with regard to the 'separation' itself only in the first case, not in the second.[10] Thus the legitimacy of separation is related to the similitude required for truth. And in this reflection the criterion used to determine the point at which similitude is necessary is: Whatever we mean to assert or understand to be asserted of reality must be verified in reality.[11] It is only in the first kind of separation – that of the intellect-dividing-and-combining – that the assertion is made and understood to be made. Now this separation is effected, therefore, only in the second act of the mind, that act in which and by which the *esse* of a real object is attained and asserted. It is because a unity or separation in *esse* is asserted that this act is open to comparison with the actual situation of things and subject to adjudication according to the *esse rei*. Obviously, Plato's principle will apply to all truthful statements of separation of this sort.

In the first operation of the intellect, however, the situation is quite different for here we are dealing with intellectual consideration of '*rationes*.' There is no intended reference to reality; consequently, the real thing cannot serve as a norm of legitimacy or illegitimacy here. We are dealing only with *rationes* and our criterion, therefore, must be such as determines the possibility of division within *rationes intellectually considered*. We can separate *rationes* and understand them separately whenever the very understanding of one does not include the understanding of the other. If, then, the intelligibilities of one *ratio* are not the intelligibilities of the other, we can separate them in '*consideratio*.'[12]

With reference to this analysis Saint Thomas places the Platonic error in a failure to distinguish these two quite different types of separation. By treating them as identical, he, in fact, assimilates the second to the first and brings to bear upon it the requisites of truth which are relative only to the first. Whereas Saint Thomas allows that an asserted separation must be verified in reality, Plato must hold that all intellectual separations must be verified in reality and, consequently, the principle: *Ea quae possunt separari secundum intellectum sunt etiam secundum esse separata.*

Now, the mode of separation in the first act of the mind is a mode of intellectual distinction. It is from this standpoint that the error is sometimes formulated thus, *Supponit enim quod quaecumque distinguitur secundum intellectum, sint etiam in rebus distincta.*[13]

Thus, the Platonic error leads to the wholesale transposition of abstractions and distinctions from the intellect into reality.[14] The detailed determination of the results thus depends upon what modes of abstractions and what patterns of distinctions the Platonist discovers in knowledge and thought. The two common levels of abstraction, that of the universal from the singular and of *mathematica* from sensible beings, are ordinarily instanced by Saint Thomas. The transposition of these two into reality results in the positing of two levels of realities beyond the *sensibilia*, the Ideas themselves at the top and the *mathematica* between them and material reality.[15]

Here again we have a set of principles which formulate the basic error of Plato in function of a set of basic doctrines quite independently developed and which enable Saint Thomas to set up a sharp confrontation between his own view and that of Plato.

Section 5

THE 'ESSE IN INTELLECTU'

According to Saint Thomas, the Platonists maintained the sub-sistence of ideas not only as natures but precisely *qua* universal.[1] From this standpoint they may be said to have transferred to reality and endowed with ontological status those *intentiones* which follow upon the *modus intelligendi*[2] or pertain to the *esse in intel-lectu* and which, therefore, can actually be discovered only in the intellect.[3]

The earliest formal discussion of the *intentiones speciei, generis et differentiae* is developed in the *De Ente et Essentia*.[4] Saint Thomas, in dependence upon Avicenna,[5] distinguishes two different ways of considering a nature.[6] It may be considered simply in itself,[7] by abstracting but not prescinding from *esse*;[8] in this case, only the elements found in the definition may be attributed to it.[9] It may also be considered insofar as it exists and this either ac-cording to an existence, as individuated, outside the intellect, or, as abstract, within the mind. According to these '*esse's*' certain 'accidents' are found to belong to the nature.[10] Thus, man is said to be white because the individual man, existing in reality, is white.[11] Certain accidents likewise follow upon the *esse in in-tellectu*. Since this is an abstract *esse*, free from all individuating factors, the nature so existing is related alike to all individuals, and, in perceiving this relationship, the intellect discovers the *ratio speciei* and attributes it to the nature.[12] Thus the *intentiones universalitatis, i.e., predicabilitatis, generis, speciei et differentiae* pertain to a nature according to the *esse* which it has in the intellect. They cannot, therefore, be predicated of any individual, existing outside the intellect, nor are they part of the definition of the nature included in its absolute consideration.[13]

There is one reference to the *Platonici* in the *De Ente et Essentia*.[14] Saint Thomas points out that the *ratio generis* cannot be attributed to the nature as a thing existing outside of singulars. This would make it impossible to predicate the nature of individuals, since we could not say that an individual is a nature distinct from it, nor again could this separated nature serve as a means of knowing the individuals. This is the extent of the 'criticism' of Platonism in the *De Ente* and it is properly an attack on the *positio* rather than a formal reduction to principles. However, it is thus made clear that the analysis of genus and species given there is fundamentally opposed to the theory of subsistent universals.

In I *Sent.*, 2, 1, 3, we find, in a different context, a reference to the same sort of analysis as that presented in the *De Ente et Essentia*. In dealing with the question, '*quomodo dicatur aliqua ratio in aliqua re esse vel non esse,*' Saint Thomas notes three possible relations between a *conceptus intellectus* and a thing outside the soul. The second of these concerns the *intentiones* which follow on the mode of understanding and are discovered by the intellect and attributed to the *ratio, e.g.,* of animal. While no reference is here made to Platonism, the presentation uses the expression '*modus intelligendi,*' obliquely involves the standard objection already discussed (*intellectus est falsus qui intelligit rem aliter quam sit*) and extends the explanation to mathematical abstraction.[15]

It is clear that Saint Thomas derives the evidential groundwork for his explanation from reflection upon predication, definition and knowledge.[16] It is to the facts thus revealed that he appeals both against the Platonists and in support of his own analysis so that his analysis is based upon these facts and at the same time serves as a theoretical explanation of them. Thus he can say that the *intentiones* cannot be attributed to a nature as a thing existing outside the mind for then the nature could not be predicated of the individual[17] and at the same time that the *ratio speciei* is not predicated of the individual *because* it does not pertain to the *esse in re* or to the absolute consideration of the nature.[18] Likewise, it is clear that the analysis, at least implicitly, presupposes and is integrated with basic metaphysical positions, for example, the unity in being which underlies predication,[19] the total individuation of existing beings,[20] the distinction between nature and *esse.*[21] Finally, philosophical reflection reveals the profound concordance of this analysis with the doctrine of the distinction between the *esse naturale* and the *esse intelligibile* which we have already discovered to be fundamental. For the *esse in intellectu* is found to involve characteristic 'accidents' precisely because it is an *esse intelligibile* functioning in knowledge and subject to the immediate reflection of intelligence itself.[22]

It is not surprising, therefore, that the main points of this early analysis are carried over into the developing critique of Platonism, integrating and combining, in various ways, with the other formulations and approaches. Thus, in function of the contrast to Plato which runs through *S.T.*, I, 85, we there find definite echoes of this analysis, for example:

> Dicendum quod universale secundum quod accipitur cum intentione universalitatis, est quidem quodammodo principium cognoscendi, prout intentio universalitatis *consequitur modum intelligendi qui est per abstractionem.* Non autem est necesse quod omne quod est principium cognoscendi, sit principium essendi, ut Plato existimavit, cum quandoque cognoscamus causam per effectum, et substantiam per accidentia. Unde universale sic acceptum, secundum sententiam Aristotelis, non est principium essendi, neque substantia, ut patet in VII Metaph.[23]

Thus, we find again an approach which is integrated with Saint Thomas' fundamental positions in metaphysics and theory of knowledge and is, therefore, no mere isolated attack on Plato. Moreover, its basic points are repeated and flexibly incorporated with the other formulations and even expressed in their language.[24]

From this standpoint, when Plato asserts the existence of universals as such, whether species, genus or differentia, he is making real entities of logical *intentiones* whose very nature is such that they cannot exist except within intellectual reflection and consideration. This is to apply the demand of similitude not only to the content and modalities of *rationes* as conceived but also to the entire logical order; whatever is discoverable in knowledge and in thought must be paralleled in reality; every principle of knowledge must be a principle of being[25] and the pattern of the *genera et species* becomes the outline of the very hierarchy of being itself.[26]

Section 6

THE SYNTHESIS OF FORMULATIONS

It will be of value to review the pattern of occurrence of the various formulations within the works of Saint Thomas. We have seen that each formulation has its own distinct historical background and occurs first in a definite contextual background, quite independently of the other formulations.

The abstraction-principle first occurs as the basic error in the *De Veritate*[1] and is made to rest on a positive exposition for the first time in the commentary on the *De Trinitate*.[2] In neither of these passages is it related to any of the other formulations. However, in the eighty-fifth question of the *Summa Theologiae*,[3] the analysis of abstraction is expressly related to the *modus* terminology and thus tied into the primary presentation of the eighty-fourth question, while, in the commentary on the *Metaphysics*, the two analyses are interwoven with the abstraction formulation depending upon the *modus* principle.[4] The *modus*-principles themselves, while widely used by Saint Thomas, are first brought to bear on Plato's positions in the *Summa Theologiae*[5] and in the commentary on the *Metaphysics*.[6] The *esse in intellectu* approach, which is briefly related to Platonism in the *De Ente et Essentia*, is likewise repeated in later texts and associated more closely with the other principles.[7] Through these interrelationships the entire set of analyses and principles is drawn together into an interlocking, yet flexible, system and, indeed, is subsumed under the similitude idea in the central synthetic text of the first article of the eighty-fourth question of the *Summa Theologiae*.[8]

Before leaving the theme of progressive unification, attention should be called to two early critiques, the principles of which, though clearly related to the mature critique, are not repeated and constitute unique analyses.

The one critical text in the commentary on the *Sentences* states the *fundamentum* thus:

Quaecumque inveniuntur convenire in aliqua intentione intellecta, voluerunt quod communicarent in una re.[9]

This formulation is unique and does not recur in Saint Thomas. However, it is clear that the same basic error is being pointed out, for the formula and the accompanying examples indicate that it is the transposition of intelligible unity, of an *intentio* and, indeed, of common predicates to ontological status that the principle summarizes and justifies.[10]

The critique given in *In B. De Trin.*, 5, 2, *c.*, begins with the historical background of the pre-Platonic moment, but it frames the basic error thus:

> Sed hic defectus accidit ex eo quod non distinxit [*sc.* Plato] quod est per se ab eo quod est per accidens.[11]

This formulation is used because the analysis of the article moves through the discussion of the status of form in becoming and in knowledge as given in the seventh book of the *Metaphysics*. This analysis nowhere reappears as a basic critique of Platonism.[12] However, even so, the analysis comes finally to a statement which relates the critique to the other formulations:

> Possunt ergo huiusmodi rationes sic abstractae considerari dupliciter: uno modo secundum se, et sic considerantur sine motu et materia signata, et hoc non invenitur in eis nisi secundum esse quod habent in intellectu; alio modo secundum quod comparantur ad res, quarum sunt rationes, quae quidem res sunt in materia et motu, et sic [sunt] principia cognoscendi illa, quia omnis res cognoscitur per suam formam; et ita per huiusmodi rationes immobiles et sine materia particulari consideratas habetur cognitio in scientia naturali de rebus mobilibus et materialibus extra animam existentibus.[13]

It is noteworthy that, if we compare this article with the *S.T.*, I, 84, 1, *c.*, the two articles are seen to correspond in substance in the opening historical discussion and in the final *determinatio*. The body of the article has been reworked; the background shifts from the seventh book of the *Metaphysics* to the first book and to the *De Anima*, while the analysis itself brings into synthetic summary the other approaches which we have discussed. Again, however, the conclusion of the article in the commentary reveals its basic continuity with the other critique.

For other reasons it is now necessary to give special attention to the central critical text of the commentary on the *Metaphysics*.

Section 7

THE COMMENTARY ON THE METAPHYSICS

We have seen that Saint Thomas employed a pattern of historical development in which to place and present Plato and that the initial outline of this historical origin of Platonism was largely derived from Aristotle's *Metaphysics*. It is interesting to note that the *Metaphysics* not only supplied the historical outline which Saint Thomas adopted and extended but also itself very largely constitutes the Aristotelian moment which Saint Thomas frequently introduces into that historical account, for long sections of the *Metaphysics* are simply extended debates with Plato and his followers. The importance of the *Metaphysics* has been amply substantiated by the source references given throughout the presentation of the texts in Part One. Moreover, the same evidence points overwhelmingly to the sixth chapter of the first book as a key text. This is the source of the historical pattern of Saint Thomas' analyses and of his basic conception of the origin of the Theory of Ideas.[1]

Now, if we read Saint Thomas' comment on this text, we find him moving along in perfect parallel to the *littera*, explaining and paraphrasing in close dependence upon it.[2] But after he has explained the basic pattern of the Ideas and the *mathematica*, the comment suddenly breaks and a paragraph appears which does not directly correspond to anything in the Aristotelian text. This is the text which we have grouped among the major analytic critiques of Plato.[3] Though it is not directly *ad litteram*, it is introduced as formulating the results of reflection on the data of the text and commentary and thus Saint Thomas indicates its relevance:

> Patet autem diligenter intuenti rationes Platonis quod ex hoc in sua positione erravit....

If, he says, we meditate on the arguments of Plato, we will see that the following points are the source of his erroneous position.

The approach is thus using the standard distinction between *rationes* and *positio*. But we are here presented not only with a *ratio-positio* analysis; here the *rationes* themselves will be reduced to a basic source of error, to what Saint Thomas elsewhere calls a '*radix*.'[4] The *rationes* to which the text refers are evidently those presented in Aristotle and in the commentary, though it is Saint Thomas himself who supplies the final reduction to principles. We would, therefore, look for the *rationes* in the immediate context, but Saint Thomas himself indicates that the analysis has a wider bearing than this. For the reduction here presented recurs through the *Metaphysics* in briefer forms and with evident reference to this first treatment.[5] Indeed, Saint Thomas on one occasion remarks on the frequency of the repetition, '*ut dictum est multoties*.'[6] The analysis here made is being presented, therefore, as a continuous guide, an ultimate frame of reference for understanding the Platonic *rationes*. The principles here laid down (which are the ones we have already studied) must be implicit in the specific arguments which may, therefore, be considered as instances or applications of them. A test of this may be conducted by surveying the Platonic discussions of the commentary and drawing the arguments attributed either explicitly or by way of implication to the Platonists. The explicit attributions have to do, first of all, with the argument from science which demands the existence of immaterial and immobile objects for definition and scientific argumentation.[7] In specific cases the arguments are found to move not only from definition and scientific argumentation but from the universal as such,[8] from the *unum in multis*,[9] from the common predicate[10] and from the *ratio communis*[11] to corresponding realities. The Aristotelian polemic includes arguments against, precisely, the real existence of such objects, against the existence of objects having the characteristics required by the argumentation explicitly leading to their existence[12] and, finally, arguments which point out dilemmas created by these characteristics[13] or by the Platonists' refusal to follow their arguments to a thorough-going logical conclusion.[14] This brief survey indicates that, as far as the argumentation goes, the picture of Platonism presented in the *Metaphysics* and the commentary involves the transposition to the ontological order of modalities, relationships and qualifications which are proper to the order of knowledge and logic. It would seem, therefore, to be wholly consistent for Saint Thomas to reduce these *rationes* to the general pattern of criticism and, indeed, to find support for that criticism primarily in the *Metaphysics* of Aristotle.[15]

At this point, however, anyone familiar with the text of the commentary will be inclined to object that there are *rationes* of a quite different type which Saint Thomas attributes to Plato. And the argument alleged in support of this view would not be indirect, for Saint Thomas makes repeated formal statements to this effect:

> Hic improbat opinionem Platonis quantum ad hoc quod non concludebat quod concludere intendebat. Intendebat enim Plato concludere ideas esse per hoc, quod sunt necesse sen-

sibilibus rebus secundum aliquem modum. Unde Aristoteles ostendens quod ideae ad nihil possunt sensibilibus utiles esse, destruit rationes Platonis de positione idearum: et ideo dicit, quod inter omnia dubitabilia, quae sunt contra Platonem, illud est maximum, quod species a Platone positae non videntur aliquid conferre rebus sensibilibus, nec sempiternis, sicut sunt corpora caelestia: nec his, quae fiunt et corrumpuntur sicut corpora elementaria. – Quod sigillatim de omnibus ostendit propter quae Plato ponebat ideas, cum dicit 'nec enim.'[16]

Thus Saint Thomas declares that Plato wished to conclude that Ideas exist *because* they were necessary in some way to sensible reality and this quite independently of any knowledge. Moreover, he asserts that Aristotle destroys the *rationes* of Plato in showing that the Ideas do not explain sensible being. We will examine the series of arguments which immediately follow these statements in the first book and which, Saint Thomas alleges, are directed against the Platonic *rationes* of the type just described.

1. The Ideas cannot be causes of motion or transmutation precisely because they were set up to explain the immobility of science and are therefore principles of immobility rather than of change.[17]

2. They cannot serve to explain knowledge of the *sensibilia* because they are separated from them.[18]

3. They cannot be exemplar principles because – aside from the metaphorical character of this assertion – (a) as separated exemplars they would render the obvious agency of immediate natural causes superfluous; (b) each individual would be in the absurd position of having many exemplars (this supposes a plurality of Ideas corresponding to the plurality of formal concepts [genus, species etc.]); (c) the species would be at once the *exemplatum* of the genus and the exemplar of the individual (this supposes not only a correspondence, as in (b), in plurality but in structure as well).[19]

4. The Ideas cannot be the formal intrinsic causes of material individuals since they are separated.[20]

5. They cannot explain becoming, for, since they are eternally unchanging, their effects ought to be always the same.[21]

6. Moreover, the Platonists are inconsistent, for they do not posit Ideas of artefacts, though many things 'become' through art just as natural things 'become' through natural agents.[22]

In all these arguments except the last (which merely points out an inconsistency) the substantial ground is a characteristic of the Ideas which is either here said to be derived from illegitimate transfer of knowledge to reality or was so derived in previous texts. At no point is the desire of the Platonists to use the Ideas as explicative principles of sensible reality described as or employed as a premise in the argument which sets up the Theory of Ideas. This analysis of a sample text is identical with that yielded by parallel texts throughout the commentary. The facts are, therefore:

1. It is clearly said that the Platonists set up the Ideas to be ontological explicative principles of sensible being.
2. This desire nowhere appears as a premise in any argument concluding to the existence of the Ideas or determining their characteristics as such.
3. The critique is mainly this: that given the Ideas as they are determined by the arguments we have specified as Platonic, they cannot be ontological explicative principles.

We are, therefore, forced to give a somewhat different meaning to the term '*rationes*' when applied to Plato's intention to use the Ideas as explanatory of the *sensibilia*. Let us say, then, that as philosophers the Platonists wished indeed to explain not only knowledge but the sensible world, that out of the search for definition and the reflection on knowledge they derived the Theory of Ideas, that Ideas were then used to make possible the general explanation which they desired. Though they did intend to use and did use the Ideas as ontological principles, it is always an argument from knowledge which, in the first or constructive moment of the theory, is the determining premise. The *rationes* here are general philosophical motives, not specific premises, in an argument and, therefore, not *rationes* in the strict sense in which we have been using that term. The previous analysis of the Platonic *rationes* of the commentary remains, therefore, as it was, untouched by these objections. The conclusion therefore follows, that the operative *rationes* for the Theory of Ideas explicitly developed, implied, and variously referred to throughout the commentary are homogeneous with and indeed logically dependent upon the ultimate principles of Saint Thomas' reduction, that all the characteristics of the Ideas whether immediately derived (such as their universality, immateriality etc.) or mediately derived (such as their substantiality in an Aristotelian sense) are doctrinally and logically dependent solely upon the same operative *rationes* and ultimate general principles. Thus the Platonic *positiones* concerning the Ideas are presented in the commentary as 'pure' positions in the sense described in Chapter Three, and are, therefore, formally related to the analysis first presented in *Lectio* 10 of the first book.[23]

Section 8

THE 'VIA PLATONICA'

We have been studying the *ratio-positio* analysis of certain positions of Plato and the Platonists. We have found that this analysis reduces the positions to an interlocking set of principles which, while deriving, at least verbally, from many different sources, are progressively, in the works of Saint Thomas, integrated and interrelated. Moreover, they have been seen to be not specifically designed for an anti-Platonic polemic but rather consistent with and dependent upon general views used in many other points of positive doctrine by Saint Thomas himself. Actually the principles and formulae have brought to sharp, clearly focused spots of opposition total epistemologies and metaphysics.

To illustrate this we may again take the point of necessity or immobility which is indeed crucial in this conflict. Already in the historical preparation for the Platonic argument we found that material being was dissolved into pure becoming and indeterminacy and that, consequently, no ground there remained for truth or certitude. Now we find Plato setting up a realm of being characterized precisely by the necessities proper to thought, thus endowed with the immutability necessary to assure scientific knowledge. This seems to set up a simple opposition between the pure contingency of material being and the absolute necessity of scientific definition and argumentation.

But in Saint Thomas' view the matter is not so simple. He concedes, indeed, that pure contingency, pure motion and pure indeterminacy can ground no knowledge and yield no truth.

But he also maintains that these are precisely impossible; if existence is granted, some necessity is already present. '*Nihil enim est adeo contingens quin in se aliquid necessarium habeat.*'[1] We have seen that material being has, indeed, the necessity arising from its act of existence, the necessity of given fact; that it has the necessities consequent on its form (without which it cannot exist) and finally that it has the necessary relations grounded in both form and *esse*. These are the ontological necessities which are inseparable from material existence and which make scientific knowledge as well as ordinary knowledge of material things possible. Ontologically, then, a material entity in Saint Thomas' view presents itself as the unification of qualifications which, abstractly taken, are mutually contradictory, yet meet in the concrete existent. For it is a contingent necessity. This involves the structure of Thomistic being for we cannot distinguish the contingencies and the necessities which qualify it unless we distinguish matter and form, the *id quod* and the act of existence.

When we turn to the side of knowledge, Saint Thomas is pointing out that it is the wrong necessities which Plato is demanding of the object. For it is not merely or especially the necessity involved in form which Plato wishes to find in the object but rather that immobility which the form has in virtue of its existence in an immaterial subject, not the necessity of formal relationships which can be the content of science, but the necessity of logical relationships.

The Platonic argument may be summarized as demanding that there be objects of knowledge which, in content, in modality, in mode of existence and in point of any qualification whatever will exactly, point-by-point, correlate to and parallel the concept and intentional existence. Saint Thomas, on the other hand, limits this correspondence to that which is asserted of the object, to the objectivated and asserted content of knowledge. He wishes, therefore, by reflection to distinguish the modes and qualifications of the knower from those of the thing known.[2]

If, then, the Platonic argument requires the wholesale transposition of the modalities, relationships, of the *intentiones* and distinctions of knowledge and logic to the real order, it entails a characteristic movement from the *consideratio* of knowledge to the determination of things. Saint Thomas stressed the importance of this in his explicit reversal of the exposition of the *De Anima*. A perfect similitude is required but the model for the similitude is to be found in knowledge and this is to be imposed upon reality.

These, therefore, are the principles which constitute what we have called the *via Platonica*. In the texts from which it has been derived it will be found to be attributed, indeed, most clearly to Plato but also and almost indifferently to his followers, the Platonists.[3] It is, therefore, Platonic, in a general sense, belonging not only to Plato himself but underlying as well the common and basic positions of subsequent Platonists. It is true that Saint Thomas is aware of differences among the Platonists and that he distinguishes positions which are held by some Platonists and not by others.[4] Yet it is to this ground of the *via* and its principles that he reduces their general positions. And, it should be stressed, there is no other general *ratio-positio* analysis of Platonism in the works of Saint Thomas. As far as his texts go, it is this that he sees, commonly, behind Plato and his followers.[5]

Moreover, this *via* is Platonic in a very distinctive sense. That a sharp opposition in principle stands between Plato on the one hand and Aristotle and Saint Thomas on the other, that the principles and positions are consistently designated as Platonic, these points are overwhelmingly supported by the evidence.[6] In addition, however, Saint Thomas expressly distinguishes Plato from the early Naturalists, not only in the obvious points of doctrine which divide materialism and intellectualism but exactly in this point of method:

> Est autem attendendum quod haec diversitas inter Platonem et naturales accidit propter diversam de rebus considerationem. Naturales enim considerant tantum quae sunt sensibilia, prout sunt subjecta transmutationi, in qua unum subjectum successive accipit contraria.... Sed Plato *ex consideratione universalium* deveniebat ad ponendum principia sensibilium rerum.[7]

The same distinction is made at greater length in *In De Gen. et Cor.* [7].

Even Pythagoras, who is frequently coupled with Plato at least in the earlier Thomistic texts, is here distinguished from Plato by the same point.

Dicit ergo quod ponere unum et numeros praeter res sensibiles, et non in ipsis sensibilibus, sicut Pythagorici fecerunt, et iterum introducere species separatas, evenit Platonicis propter scrutationem, 'quae est in rationibus,' idest propter hoc quod perscrutati sunt de definitionibus rerum, quas credebant non posse attribui rebus sensibilibus, ut dictum est. Et hac necessitate fuerunt coacti ponere quasdam res quibus definitiones attribuuntur. Sed Pythagorici qui fuerunt priores Platone, non participaverunt dialecticam, ad quam pertinet considerare definitiones et universalia hujusmodi, quarum consideratio induxit ad introductionem idearum.[8]

And again this point is emphasized by the fact that our texts, if arranged in only a very general and obvious chronological order, show an increasing stress on Plato and the Platonists. In the early critique of *In Sent.* [20], Plato was only one of many who were misled by a common error; in *In De Trin.* [5], the *Pythagorici* and the *Platonici* are listed together. In the later texts Plato and the *Platonici* stand alone or are the patrons of other systems. Thus Avicebron is parallel to Plato, ranked by his side, in *In Sent.* [20]; he becomes a follower in *De Sp. Creat.*, 3, *c*. It is, therefore, the *via Platonica*, whether expressed in one or all of its formulations or by brief references to them, that distinguishes Plato and the *Platonici* from the ancient Naturalists and Pythagoras as well as from Aristotle and Saint Thomas and makes Plato the master of those who, to a greater or lesser extent, followed the same line of argument. And this distinctiveness and this originative position of Plato himself is increasingly stressed in the texts of Saint Thomas. We may conclude this discussion with a formal statement of Saint Thomas in confirmation of the conclusion:

Harum autem duarum opinionum diversitas ex hoc procedit quod quidam ad inquirendam veritatem de natura rerum processerunt ex rationibus intelligibilibus et *hoc fuit proprium Platonicorum*, quidam vero ex rebus sensibilibus et *hoc fuit proprium philosophiae Aristotelis*.[9]

Again it is stated to be a fundamental difference between Aristotle and Plato:

Non enim est differentia inter Aristotelem et Platonem, nisi in hoc quod Plato posuit quod res quae intelligitur eodem modo habet esse extra animam, quo modo eam intellectus intelligit, i. e. ut abstracta et communis; Aristoteles vero posuit rem quae intelligitur esse extra animam, sed alio modo, quia intelligitur abstracte et habet esse concrete.[10]

The major texts which have been the basis of discussion in this chapter were selected from the total body of texts precisely because they presented the only elaborated and formal *ratio-positio* analysis of Platonism to be found there. The detailed view of Platonic argumentation, of the *via Platonica*, has emerged from the study. There remains, however, the question of the relationship of this *via* to the various positions which, within our selected areas of investigation, are attributed to Plato and his followers.

The texts themselves and the evidence so far presented enable us to give a partial answer at this point. It is obvious that the principles of the *via* itself constitute basic theses for a theory of knowledge and this is confirmed clearly by the fact that in the opening articles of the eighty-fourth and eighty-fifth questions of the *Pars Prima*, all the principles of the *via* are found laid down as explicative of the Platonic view of human knowing.

It is equally clear that the *via* is presented as the proper argument for the Theory of Ideas and of separated substances. The reduction of the *rationes* of the *Metaphysics* to the *via*[11] and its elaborate presentation in the *De Substantiis Separatis*[12] and in the *De Spiritualibus Creaturis*[13] as *the* Platonic argument are alone conclusive.

The distinction drawn in virtue of the *via* between the ancient Naturalists and Plato indicates also that the argument influenced theories within the area of natural philosophy and this is confirmed by the formal statement of Saint Thomas:

Deinde cum dicit: Causa autem etc., assignat rationem quare circa hoc magis defecit Plato quam Democritus. Et dicit quod causa huius quod Plato minus potuit videre confessa, idest ea quae sunt omnibus manifesta, fuit inexperientia: quia scilicet, circa intelligibilia intentus, sensibilibus non intendebat, circa quae est experientia. Et ideo illi philosophi qui magis studuerunt circa res sensibiles et naturales, magis potuerunt adinvenire talia principia, quibus possent multa sensibilia adaptare. Sed Platonici, qui erant indocti existentium, idest circa entia naturalia et sensibilia, respicientes ad pauca sensibilium quae eis occurrebant, ex multis sermonibus vel rationibus, idest ex multis quae in universali rationaliter considerabant, de facili enuntiant, idest absque diligenti perscrutatione sententiam proferunt de rebus sensibilibus.

Potest autem considerari ex his quae prae manibus habentur, quantum differunt in perscrutatione veritatis illi qui considerant physice, idest naturaliter, attendentes rebus sensibilibus, ut Democritus, et illi qui considerant logice, idest rationaliter, attendentes communibus rationibus, sicut Platonici. Ad ostendendum enim quod magnitudines aliquae sunt indivisibiles, Platonici, logice procedentes, dicunt quod aliter sequeretur quod autotrigonum, idest per se triangulus, hoc est idea trianguli, multa erit, idest in multos triangulos dividetur: quod est inconveniens.

Ponebat enim Plato omnium sensibilium esse quasdam ideas separatas, puta hominis et equi et similium, quas vocabat per se hominem et per se equum: quia scilicet, logice loquendo, homo, secundum quod est species, est praeter materialia et individualia principia, ita quod idea nihil habet nisi quod pertinet ad rationem speciei. Et eadem ratione hoc ponebat in figuris. Unde ponebat ideam triangulorum sensibilium, quae hic dicitur autotrigonum, esse indivisibilem: alioquin sequeretur quod divideretur in multa, quod est contra rationem ideae, ad quam pertinet quod sit unum praeter multa. Et ita non est inconveniens quod sint multae superficies triangulares indivisibiles conformes ideae: et eadem ratio est de aliis superficiebus.[14]

Thus the characteristic argument of the Platonists commands, *de jure*, the theory of knowledge, the Theory of Ideas, the theory of separated substances (including God) and, to some extent at least, other theories in natural philosophy. Two subjects are reserved for later consideration: (1) the relationship of the *via Platonica* to the theory of soul and (2) the precise development of Saint Thomas' view of the argument for separated substances. Meanwhile, we will proceed to study the *positiones* of the Theory of Ideas as they relate to the *via*.

CHAPTER V

THE PLATONIC IDEAS

The Platonic argumentation which we have been analyzing may be here briefly recapitulated. Plato accepted the consequences of the theory of flux as they affected knowledge. The world of sensible and material reality cannot sustain the immutability, the universality, the certitude of scientific knowledge and truth and, by the same token, cannot be the object of such knowledge. Yet Plato was convinced of the existence of certitudinal knowledge and scientific truth, and he had discovered the immateriality and universality of human cognition. Truth, moreover, required that knowledge have an exactly corresponding object. He, therefore, posited a world of immaterial realities, which exactly embodied ontologically all the conditions required for an object of scientific knowledge. Thus, Saint Thomas tells us, the Platonic world of Ideas came into being as an exact correlate to the system of knowledge, its perfect and proportioned object.

The Ideas initially are set up, therefore, as objects of knowledge, yet, it must be repeated, at the same time and by the same argument, they are established as entities. The characteristics which make them objects of knowledge become entitative characteristics.

It is the purpose of this chapter to examine, precisely in relation to the *via Platonica*, these characteristics which Saint Thomas reports and describes in so many ways and contexts. We shall limit ourselves to the characteristics of the Ideas themselves and postpone the study of their relationships to sensible reality.[1]

It should be noted that the general operative principle of the *via Platonica*, namely, the demand for exact correlation of knowledge and its entitative object, does not of itself determine the detail of the resulting world of abstract being. The principle can only be applied in virtue of whatever is thought to be the content, modality and structure of knowledge. Conceivably, separated substances showing many concrete differences could be posited through the same general principle according to diverse ways of reporting the data of reflective analysis of knowledge itself.[2]

Two primary characteristics emerge, however, from the entire argument. The new series of entities must be removed from matter and motion.[3] The starting-point of Plato's argument lay in the contrast between the indeterminacy and instability of the material world and the necessity, immutability and determinateness of science. Moreover, reflection reveals the immateriality of human thought itself and a certain necessity in definitions and demonstrations. The Ideas must, therefore, as Saint Thomas so often repeats, be immaterial and immobile; they constitute a world of separated substances, for on this showing, the objects of knowledge cannot, as some realists have thought, be located within the world of matter and change. The Ideas stand in sharp contrast to the sensible world, pure, unalloyed immaterial being. Yet, this conclusion, which is ineluctable on Plato's premises, itself sets up a certain internal tension within Platonic theory. For, if the total force of the argument imposes this conclusion, yet the demand for complete correlation between knowledge and thing known requires that each Idea correspond exactly to its definition.

Now the definition of a natural or material species, while immaterial as a species within the intellect and while not enclosing within its intentional content the materiality of each individual, does include, as understood, the general material exigencies of the nature. This situation is concretely described in the dictum that the definition of man does not include *haec ossa et has carnes* but it does include *ossa et carnes*.[4]

Saint Thomas with his much more nuanced and elaborated theory is able to handle this situation through well-known distinctions. A natural definition does not include *materia signata* but it does include *materia sensibilis communis*.[5] And there is no conflict between saying that a definition is indeed entitatively spiritual and that it includes, as understood, common matter, precisely because Saint Thomas has distinguished intentionality from the purely ontological and has seen the similitude of knowledge as one of content understood and not of entitative modalities.

But Plato had not achieved this distinction and, consequently, cannot allow for immaterial knowledge of material natures. At this point the Platonic argument turns against itself and the original error forces a certain falsification of the very data of reflection which is supposed to determine the object. If the Idea is to be wholly immaterial, the definition which must refer to it and not primarily to sensible beings must be wholly free from matter. Consequently, regardless of reflective analysis, the definition must in no sense contain the materiality of the species. The Platonists thus remove all matter from the definitions of natural species, equating the definition with pure form and, in effect, making the mode of natural definition identical with that of mathematical definition.[6]

Nor is mathematical definition untouched. For here too reflection reveals a certain understanding of materiality. Although 'triangle' can be conceived without taking account of either *materia signata* or *materia sensibilis communis*, its very intelligibility includes the lines and planes of extension and, consequently, materiality – the *materia intelligibilis communis*. How can this matter be removed? Only by cutting out of the definition the lines and planes and so forth; this leaves only number, for if a triangle cannot be defined in terms of three lines, it must be defined as pure number, simply as 'three.'[7] Thus a similar tension within the explanation of mathematical knowledge results in a similar solution and a disfigurement of its mode of defining. A partial reversal of the movement of Platonic argument – from knowledge to reality – is thus effected, for the pure immateriality of the Ideas is the operative point in revising the notion of definition. The major force of the argument establishes the pure immateriality of the Ideas; the search for correlation to definitions would argue for *some* materiality in the Ideas. The second line yields to the first and the theory of definition is consequently revised. If the second line had been pushed, it would, *de jure*, have resulted in a complete abandonment of the *via Platonica*.

Thus, too, both definition (whether natural or mathematical) and the Ideas become equated with pure forms and it is all one to say that the Ideas are separated forms or that they are separated species.

The entire realm of the Ideas is, therefore, one of pure formality, pure immateriality and absolute immobility. Obviously, the forms will be abstracted and separated from all that pertains to the material individual as such; for, though the Ideas may, in virtue of their entitative subsistence, be shown to be individuals or singulars,[8] they are not material individuals and can in no sense correlate with the individual differences arising from matter. There are no Ideas of material singulars.[9] Hence, each species or form will contain only that which belongs to the species formally (in a strict sense) and specifically.[10] The Idea will then be wholly identical with its nature and it is this that is expressed by saying that the separated man is *homo per se* or *essentialiter*, *ipsa natura humana* or *ipsa essentia*.[11]

Yet the same argument requires that the *homo per se*, in common with all the forms, should be specifically (though in the pure formal sense described) the same as the material individuals.[12] For this reason Saint Thomas saw in any theory which attempted to establish our knowledge of separated substance by a progressive formal abstraction from natural species, a resemblance to the position of Plato.[13]

Now, the Platonic argument requires an exact correlation of knowledge and the objective world of Ideas. Consequently, there must be a single corresponding Idea[14] wherever we understand a common nature, a *ratio communis*,[15] an *unum-in-multis*,[16] a universal,[17] a distinct quiddity,[18] or wherever we use a common predicate, predicating an *unum de multis*.[19]

If we conceive a common nature of man and predicate it as a common *ratio* of many, there must be a separated man, an existing specific or formal nature, *natura humana*.[20] Thus the unity and simplicity of each Idea is determined by the unity and simplicity of some corresponding concept discoverable in knowledge. This involves, by implication, the complete univocity of the concepts so used as a basis for postulating a single corresponding Idea. The Platonists saw this, for they themselves refused to posit a single Idea where predication was *secundum prius et posterius*.[21] This they thought to find in numbers and so they did not assert a single common form for number in general or for figure in general. But their objectivation of Good and One as well as of genus implied a failure to recognize the analogical

character of the Good[22] and the One[23] as well as the fact that
genus cannot be considered as simply one.[24] On this basis Aristotle can direct an argument, practically *ad hominem*, against the
common Idea of Good posited by Plato. For even granting that
each concept demands a corresponding Idea, the concept of
Good falls in the same class as number; it is predicated *secundum
prius et posterius* and cannot, therefore, be correlated with a single
Idea.[25] It should be noted that, in this case as in that of definition, we are at a second stage of argumentation; the general
drive of the *via Platonica* depends, for detailed results, upon the
analyzed data of knowledge. Conceivably, the general principle
could remain intact, while the Good could be treated somewhat
as number and figure. However, Plato and the Platonists, as
Saint Thomas knew them, had treated the Good as parallel to
specific definitions and, consequently, by implication at least,
accepted the univocity of its concept.

If the unity of each Idea is to be determined by the unity of
concepts, the multiplicity, distinctness, organization and interrelation of the Ideas is to be determined by the pattern of con-
ceptions. There must be as many Ideas as there are genera and
species (including the *universaliora – unum – bonum – ens*); hence,
it is by the *via Platonica* that the number of separated substances
is determined.[26] The subordination of the Ideas is likewise determined by the order of priority in thought[27] and by the pattern
of *genera* and *species*.[28] The 'One' stands at the top because it is
the simplest of all concepts, the most common and most universal.[29]
The distinctions that divide the realm of Ideas into separate
entities follow the line of distinct concepts; ontological distinctions must parallel intelligible distinctions.[30] This point gives rise
to objections and difficulties, since it again assumes, in the actual
working out of the theory, a rather simple view of conceptual
distinctions. The interrelationships of genus and specific difference are somewhat too complex for so cavalier a treatment. The
genus must, in some sense, be in the species, yet can be understood in a separate concept.[31] This interpenetration in understanding is consistent with conceptual distinction, but it cannot
be transferred simply to an ontological status. But whatever difficulties may be involved, the fact remains that logically the
Platonists must correlate an ontological distinction with every

conceptual distinction and did maintain this by positing sub-sistent universals corresponding to genera as well as to species.

Since the Platonic argument aims to posit objects of knowledge which are counterparts to the concepts of the mind, it is likewise obvious that the Ideas must be intelligible entities, *intelligibiles in actu* and even *intellectae in actu*.[32] This must be interpreted in a strict sense. Saint Thomas would maintain that separated sub-stances are intelligible because of their freedom from matter but the intelligibles here in question are so not only because they are immaterial but more distinctively because they derive from the order of knowledge, being intelligible in the same sense as the *verbum* within the intellect.[33]

Moreover, the abstract character of the Ideas is distinctively stressed.[34] This point becomes particularly important when ap-plied to the transcendentals. The separate existence of natural species is viewed by Saint Thomas as a patent absurdity, which he finds to be contrary to both Faith and reason.[35] Their existence, therefore, he constantly asserts to be impossible since matter is essential to their constitution; he frequently refers approvingly to Aristotle's rejection of the position.[36] But the existence of an Absolute One, Good, Being is not only possible but necessary and, for this reason, as we have seen, Saint Thomas takes over, through an approving interpretation, the Platonic assertions of The One, The Good, The First Being.[37] If, however, we place the Platonic assertions in direct dependence on the *via Platonica*, certain characteristics emerge which are wholly inconsistent with Saint Thomas' doctrine and are expressly rejected by him. For the Platonic Good is the common notion of good,[38] an abstraction[39] and a 'universal',[40] the common predicate of all good things,[41] really a logical entity. So also for Being[42] and One.[43] This is precisely what the Absolute One, Being and Good of Saint Thomas is not. The *Ipsum Esse* which is God is not the logical concept or the common notion; on the contrary, it is an onto-logical fullness that outreaches any possible human conception and cannot possibly be a mere counterpart cut to fit perfectly and neatly a limited concept.[44] Moreover, the Platonic argument leaves open the question of the complete ontological identifi-cation of goodness, unity and being in a single first principle. Actually, the identification of goodness and unity is attributed to a Platonic view that these two constitute a single identical formality, a single *ratio*.[45] Thus the positing of a *single* corresponding principle is wholly in line with the Platonic argument. No special reason is alleged for identifying being and good; but a particular type of Platonism is recognized in which the identification is not effected and the Idea of Being is separate from and below the Good, on the principle that good is a wider predicate and a more common concept.[46] A similar discussion could be conducted concerning *vita per se* and *intellectus per se*. In Platonism the highest perfections turn out to be a multiplicity of first principles, each limited to its own specific essence, tailored to a concept, precisely because of the basic drive and pressure of the Platonic argument.[47] In Saint Thomas, the argument that establishes the first principle as *Ipsum Esse* demands also the inclusion within it of the highest perfections in an infinite ontological unity.[48] The pressure and influence of the *via Platonica* within a philosophy or a theology can be discerned in function of its tendency to maintain (1) ultimate ontological multiplicity in the first principles of these perfections and (2) a self-enclosed purity in each principle. It is obvious once again that when Saint Thomas accepts the Platonic statement of a First Principle, he is not accepting it formally as it derives from the proper Platonic arguments.

> ... Aristoteles non intendit improbare opinionem Platonis quantum ad hoc quod ponebat unum bonum separatum, a quo dependerent omnia bona. Nam ipsa Aristoteles in duodecimo Metaphysicorum ponit quoddam bonum separatum a toto universo, ad quod totum universum ordinatur, sicut exercitus ad bonum ducis. Improbat autem opinionem Platonis quantum ad hoc, quod ponebat bonum separatum esse *quamdam ideam communem omnium bonorum*.[49]

It should be pointed out that, although Saint Thomas makes no express reference to this difference, a fundamental difference is here implied in the view of being. For Platonism, being constructed upon a basis of distinct specific concepts, treats *esse* or 'being' like any other concept. It has no privileged position as act or perfection; no over-reaching reference to all other perfections. It thus appears alongside of *vivere* and *intelligere*, irreducibly different from them. Whereas, in Saint Thomas, *esse* is the act of every perfection and so lies outside, so to speak, of the pattern of conceptual essences. It is because of this insight into *esse* that the establishment of an unlimited *esse* is at the same time the establishment of Infinite Perfection.[50]

From this brief resume of the characteristics of the Ideas as described by Saint Thomas, it can be seen that these characteristics are derivative from and consistent with the *via Platonica*. Moreover, when the Ideas are considered as thus formally related to the *via*, these characteristics lead precisely to the rejection of the Ideas. Our previous analysis of the Platonic argumentation as well as of the technical treatment adopted by Saint Thomas is thus confirmed.

However, if further confirmation is necessary, it may be found in a comparison with the theory of Divine Ideas which is part of Saint Thomas' positive doctrine. For perhaps in no other particular is there more clearly apparent evidence that Saint Thomas incorporated Platonic theories into his own thought.

If we examine the treatment of the Divine Ideas in the major contexts, we find that in the commentary on the *Sentences*,[51] in the *De Veritate*[52] and in the *Summa Theologiae*[53] the section on the Ideas immediately follows the discussion of God's knowledge, while in the *Contra Gentiles* it is part of that discussion itself.[54] Now, when the argumentation and the internal organization of the texts are studied, this collocation is found to be intrinsically determined.

The discussion is commanded by a group of interwoven principles: (1) the absolute perfection of God's being,[55] (2) the absolute perfection of God's knowledge,[56] (3) the exemplarism of God's essence and of his practical knowledge,[57] (4) the nature of God's creative activity as total, immediate and intelligent,[58] (5) the absolute simplicity of God.[59] These premises are derived from Revelation and the Christian tradition as well as from rational arguments.[60] Here we encounter again the understanding of existence as the ultimate act and of God as a pure act of existence.[61]

The discussion of God's knowledge proceeds in the light of these premises and principles as a determination of the knowledge to be attributed to God and of the manner of the attribution. In effect, using these principles as norms, Saint Thomas asks a long list of questions: Does God know Himself?[62] Does He comprehend Himself?[63] Is His knowledge 'science', 'habit,' 'act'?[64] and so on. With regard to things other than God, the immediately determining principle is this: God's knowledge must be exactly coterminous with His creative activity and power.[65] Since He creates the total being, His knowledge is also of the total being.

The entire theory of Divine cognition, both as to its objects and its manner, is worked out under the guidance of these principles, *before* the question of Ideas is raised. When Saint Thomas does approach the question, he first determines the meaning of the word 'Idea,' the *'ratio ideae'*;[66] he then answers the standard questions: Are there Ideas? Are there many Ideas? Ideas of what?[67] by applying this definition to the doctrine already elaborated for exemplarism and knowledge. *No new development in the substance of the doctrine* appears within these questions. The substantial doctrine has already been established and everything proceeds as if Saint Thomas were now occupied in finding, within his own doctrine, analogues for the Ideas as presented to him by the Christian as well as the philosophical tradition. This is confirmed by the fact that in the *Contra Gentiles* (where the discussion – significantly – is not developed in function of *auctoritates*) the entire doctrine is worked out with hardly a mention of the word 'idea'.[68] The question deals, therefore, not so much with the development of a theory or the incorporation of a doctrine as with the incorporation and determination of a tradition of *auctoritates*. From Saint Thomas' methods, we would know that such an imposing array of *auctoritates*, both of the *sancti* and of the *philosophi*, would not be repudiated.[69] And so it is indeed that Saint Thomas finds points of application where the word 'idea' may be used. But the procedure is not as easy as the smooth-reading texts would at first seem to suggest, for the analogy between the Platonic Ideas and Thomistic Divine Ideas is somewhat strained. For from the standpoint of ontological exemplarity, it is the Divine essence which should be called the single *Idea* of all things.[70] Again as a strict medium of knowledge, it is the Divine essence which should be called 'Idea', a single idea.[71] If we look for the plurality of ideas, there is no plurality of entities, no plurality of principles or *media* of knowledge; the only plurality lies in the *pure* objects of knowledge, in that God knows the total imitability of His essence. The *formae intellectae* are not *verba* or *species*, they are simply *what* God knows distinctly.[72]

There is, in fact, no point in Thomistic theory, at which the Ideas may be neatly inserted and an effort is required to achieve the insertion. There is an awkwardness in the necessary distinction of essence as exemplar, of essence as *medium cognitionis*, and of the *rationes ideales* (= pure objects of knowledge) as ideas. In a way, Saint Thomas almost seems to conceal the awkwardness of the situation by a rapid and almost unnoticeable movement between the singular and plural form of 'idea'.[73] The 'idea' terminology was not designed for Thomistic doctrine and seems, indeed, to be less than felicitous, when used to express it.

A common argument which appears, variously presented, in all these contexts must be noted here, though its full implication will be discussed later. The argument is first developed in the earliest text, at the very beginning of Distinction 35 in the first book of the *Sentences*:

> Omne enim agens habet aliquam intentionem et desiderium finis; omne autem desiderium finis praecedit aliqua cognitio praestituens finem, et dirigens in finem ea quae sunt ad finem. Sed in quibusdam ista cognitio non est conjuncta ipsi tendenti in finem; unde oportet quod dirigatur per aliquod prius agens.... Et ita est in omnibus quae agunt per necessitatem naturae; quia horum operatio est determinata per intellectum aliquem instituentem naturam ... unde oportet quod primum non agat per necessitatem naturae, quia sic non esset primum, sed dirigeretur ab aliquo priori intelligente. Oportet igitur quod agat per intellectum et voluntatem.[74]

The importance of this argument lies in the fact that it involves the complex relationship and clear establishment of efficient and final causality and implies, as well, exemplar causality. *Thus a theory of causes in which each type of cause has its own defined nature and in which the causes are interdependent in a definite way lies behind the argument.* It is precisely an argument of this type which Saint Thomas proposes in the commentary on the *Metaphysics* as an alternative to Plato's and as escaping the Aristotelian criticism of exemplarity.[75] For the present it suffices to note that arguments of this sort are obviously foreign to the *via Platonica*.

The Thomistic doctrine of the Divine Ideas is, therefore,

founded on premises and arguments quite different from those upon which the Platonic theory rests. If we apply the type of *ratio-positio* analysis used by Saint Thomas in *De Sp. Creat.*, 5, *c.* [7], we find that, precisely because of the diverse *viae* employed, the resulting 'ideas' show diverse and opposed characteristics.[76] The Platonic ideas are subsistent and distinct entities; they are universal and of universals; they in no sense include matter; they are *principles* of knowledge of *sensibilia*; the Divine Ideas, on the other hand, are not entities, much less distinct entities;[77] they are of individuals as well;[78] when related to material being, they must include understanding of matter;[79] they are not principles but rather purely and solely objects-of-knowledge.[80]

The investigations of this chapter, therefore, confirm and illustrate the *via-positio* analysis made in Chapters One and Two. The dependence of the Theory of Ideas, in Plato and in Saint Thomas, on respectively different *viae*, is displayed in sharp contrast and it becomes clear why adaptive procedures, which change the doctrinal specification of the theories, is necessary when the Platonic 'Ideas' are incorporated in Thomistic theory.

CHAPTER VI

THE COMMENTARY ON THE *METAPHYSICS:*
THE PLATONIC IDEAS AS ULTIMATE
EXPLICATIVE PRINCIPLES

The importance of Saint Thomas' meditations on the *Metaphysics* of Aristotle has already been stressed and, indeed, the evidence deployed throughout this study constantly reemphasizes the central position, particularly, of the first book. The close relationship of the *via Platonica* analysis to the Aristotelian critique was studied previously, but at this point in our study it becomes necessary to address special attention to other developments within Saint Thomas' commentary.

As Saint Thomas understands it, after the *prooemium* of the first book, Aristotle begins to develop the science of metaphysics.[1] The first step and, indeed, the substantial part of the first book is devoted to a review of the opinions of previous thinkers respecting the causes or principles of being.[2] The guiding lines of the discussion are set out by a brief recapitulation of the four causes developed in the *Physics*.[3] The main question, therefore, has to do with the ultimate explicative principles of reality and the context is patterned and particularized by the theory of the four causes. Now, it is within this metaphysical frame of reference that the first exposition and critique of Plato appears.[4] The justification for introducing Plato here is the fact that he first clearly introduced the formal cause,[5] as well as the alleged fact, which we have seen, that Plato and the Platonists intended to make the ideas function as an analogue to all of Aristotle's causes, that is, as ultimate explicative principles of the sensible world. Moreover, Plato is said to belong in this metaphysical context more properly than the natural philosophers, because, in postulating separated substances, he opened out for himself the problems of the totality of being and not merely of material being.[6] The Ideas are indeed postulated on grounds drawn from the nature of human knowledge, but, once set up in this way, they are forced to become, together with matter, the metaphysical principles of sensible reality. Thus Plato's theories, as they appear in the first book of the *Metaphysics*, are presented as a total unified world view, for the Ideas themselves constitute the immaterial world and together with the *sensibilia* fill out the full round of beings; in addition, they are the ultimate explanation of themselves, and with matter, of the *sensibilia*.

In our earlier study of Saint Thomas' reduction of the critique of the *Metaphysics* to the interlocking principles of the *via Platonica*, we saw that the Theory of Ideas, as exposed in the *Metaphysics*, was totally dependent upon those principles. Since, then, the determination of the existence and the nature of the Ideas is made in sole dependence on these principles, the Theory of Ideas as found in the *Metaphysics* can be considered to be a pure position and the critique there presented is based on a thoroughgoing exploration, both negatively and positively, of the exigencies of the Platonic argumentation. If now we add that this Theory of Ideas, thus developed, is likewise presented and viewed as a total ultimate explanation of sensible reality, assuming all the functions of the Aristotelian causes, it appears that, in principle, the first book of the *Metaphysics* presents a systematically developed pure type of Platonic metaphysics.

The elaborate exploration of the implications of a complete and pure Platonic metaphysics which is to be found in the commentary on the *Metaphysics* was made possible by the rather extraordinary circumstance that, in the *Metaphysics*, Aristotle almost completely ignores the many other aspects of doctrine which can actually be found in the historical philosophy of Plato himself. Thus, in the *Metaphysics*, the immobile ideas alone are called upon to explain motion and becoming. Only the *Phaedo* is referred to; the entire development of another view of motion in Plato's writing is omitted; neither the discussion of the role of soul in the *Phaedrus*, nor that of motion in the *Sophist*, nor the elaborate cosmology of the *Timaeus* receives any formal consideration in the *Metaphysics*.[7]

Whatever may have been Aristotle's reason for ignoring the other elements in the concrete whole of his great predecessor's doctrine, the upshot was that he presented to the meditation of Saint Thomas a Theory of Ideas which was a complete world explanation purely deduced and developed from the analysis of human knowledge.

Let us now examine more closely the exact function of the Theory of Ideas as viewed from the standpoint of the causes.

Saint Thomas explicitly states that Plato made use of the material cause and that he allowed for a factor in the sensible world which was fundamentally identical with the matter of Aristotle, at least in point of being a primary indeterminacy.[8] It was from this matter that the Ideas were divided and separated. Matter served thus as a distinctive, if partially explanatory, principle of sensible being; but beyond this Plato had only the Ideas themselves to complete the explanation. For, though Plato is recognized as the first to introduce formal causes,[9] he did no more than this, for he made use, in explanation, of only the two causes, the material and the formal.[10] Saint Thomas, on the other hand, required, for complete explanation, not only material and formal but also final, efficient and exemplar causality.

It would seem, indeed, that the Platonists provided for finality since they postulated a 'one being' to which they attributed goodness and causation. The causality which is proper to goodness is that of finality, in as much as the good is the object of appetency and is, therefore, the end towards which things strive or tend. But Plato attributed causality to the Good not as to an end which set efficient causes in operation but rather as to a form in which things participate as men participate in the Idea of Humanity itself. Consequently, while that which is Good is said, in Platonism, to be 'cause,' it is not cause insofar as it is good and end. This is to say that the Good is only *per accidens* cause since that which is Good is cause in virtue of being the Form of Goodness; *i.e. per modum causae formalis*.[11] It must be remembered that this analysis proceeds with reference to that *Idea communis omnium bonorum* which was transposed to reality and is totally controlled by the *via Platonica*. Under these limitations there can be no recognition of proper finality, and formal causality by way of participation must do duty for it.

Efficient causality must be introduced at least to explain the change, the motion and the becoming which characterize the material world. All of these, however, Plato attempted to account for through the Ideas.[12] No reference is made to the function of soul or of the Demiurge; the Ideas must stand as self-sufficient causes. Hence, the critique is directed to showing that the Ideas, precisely because of characteristics derived from the argument on which they rest, are unable to explain motion and generation. In fact, the Ideas are peculiarly unsuited to explain motion, since, through the argument from science, they were conceived, first of all, to explain the very opposite, namely, stability and immobility.[13] Moreover, if the sensible world is to depend totally on the Ideas as on causes, the eternal self-identical immutability of the Ideal world should be reflected in a rigid and eternal fixation of its effects.[14] This, of course, would not explain motion and change but eliminate them. Again, every agent is individual and particular, a 'hoc aliquid,' while an Idea is a reified universal and, as a universal, therefore cannot be a mover or agent.[15]

The point of the criticism is, therefore, that the Ideas cannot be considered, in any true sense of the word, as *efficient* causes.[16] If they are put forward as completely explicative, they must present, as substitutive for true efficiency, a function which is proper to them. In effect, therefore, the pseudo-efficiency of the Ideas is really within the line of formal causality and must be designated by the same fundamental relationship of the Idea to the particular, that is, by 'participation.'[17]

When we turn to a consideration of exemplar causality, we meet a more complicated argument and a more complicated situation. This is not simply a case where the Aristotelian argument is exposed and developed; the nature of that argument calls for a special comment by Saint Thomas which will have significance beyond its immediate application.

Aristotle finds that the attribution of exemplarity to the Ideas is based on an analogy to the operation of a human craftsman who produces in accordance with his art. The significant point of exemplarity lies in its explanation of the nature of the effect through a reduction of it to a similitude. Given, then, that the Ideas are exemplars, either natural effects are the result of the operation of some agent which follows the model of the Ideas or they are not. If they are not, then the introduction of exemplar Ideas is useless. If they are, then we have a double explanation for natural effects. For it is obvious that proximate natural agents produce effects according to a similitude to themselves; Socrates generates a man similar to Socrates. It seems necessary to make a choice; if the similitude is due to separated exemplars, the obvious operation of natural agents is nullified; if the similitude is due to the proximate natural agent, again the postulation of separated exemplars is at least unnecessary.[18]

The argument has a number of implications. Exemplarity would seem to imply an agent which operates with relation to the exemplar and produces effects resembling it. Since the Theory of Ideas, taken as a pure position, provides no such agent, least of all a cosmic agent such as might be required for ultimate explanation, exemplarity here would have to be a name for a direct relationship between natural entities and the Ideas. That is to say that the Ideas are to be called exemplars simply and solely because of the relationship of similarity through participation.

On the other hand, the principle *agens agit sibi simile* is taken to cover the similitude between a proximate natural effect and its efficient cause in such wise that no additional explanation of that similitude need be sought. Aristotle himself had no cosmic intelligent agent operating at a higher level of efficiency. The connection between the natural changes of the sublunary world and the unmoved mover and the separated thought of thought was maintained by an intermediate set of movers and, indeed, only by a series of interlocking local motions.

Now Saint Thomas is not content merely to comment the argument and pass on. Here, once again, he breaks off from the litteral tenor of his text to introduce a positive determination, not this time a further analysis of the argument of the text but rather a remarkable corrective. He grants that Aristotle's argument destroys the exemplarity of the separate substances set up by Plato, but he denies that it makes against the universal exemplarity of Divine knowledge. And he proposes a brief argument for this position. Natural agents 'intend' to produce similitudes in their natural effects. This 'intentio' must be reduced to a higher principle which guides each thing to its end. This principle must be an intelligence which knows each thing and the relation of all things to the end. And so the similitude between natural causes and effects must be explained ultimately by a directive, all-embracive intellect and not by other separated forms.[19]

This personal contribution of Saint Thomas has a significance

out of all proportion to its terse brevity. Its reasoning begins
with the very natural efficiency to which Aristotle refers and
which is an essential part of his anti-exemplar argument. It moves
from this efficiency and the similitudes it involves to finality,
through finality to a first intelligence and the involvement of
exemplar knowledge. It, therefore, depends upon the interrelationships of different kinds of causality; it recognizes not only a
specific difference between the causes but a determined pattern
of mutual involvement. And through this pattern, the argument
moves, on the one hand, quickly beyond Aristotle though retaining an Aristotelian premise and, on the other hand, presents a
total philosophical alternative to the exemplarity of Plato, for it
argues neither from an analogy with human artistry nor from
the conditions and nature of human knowledge. As we found an
express Thomistic set of principles in opposition to the initial
assumptions of the *via Platonica*, so here we find a Thomistic
pattern of causes which stand in opposition to the Platonic understanding of ultimate explanation. What we have been discovering
in this study of the causes is that, in the 'pure' metaphysics of the
Ideas, all the Aristotelian causes (except the material cause)
must be interpreted to refer to that single direct relationship of
natural entities to their separated principles which is known as
'participation.' But the clue which Saint Thomas here gives us
indicates that the explicative relationship between effects and
their ultimate cause is highly complex and must be understood
through specifically different kinds of causality, no one of which
– final, exemplar, efficient – is completely and ultimately intelligible without the other. This point will be further developed
in the next chapter.

To return to the critique of Plato: The Ideas are termed
exemplars, without a corresponding cosmic efficiency or intelligence, simply in virtue of the relation of participation. This is the
same relationship that subsists between the sensible world and
the Good, a relationship between a particular and a separated
form within the line of formality. Exemplarity, therefore, either
has no meaning or must be reduced, as was finality, to an explanation *per modum causae formalis*.

Although this investigation has revealed that Platonic explanation can only be thought of as specifically in the line of formal

causality, yet when the formal cause precisely as such is examined, here one of the most serious ambiguities of Platonism appears. In the Platonic argument, the Idea is posited as the object of definition and science, and it is, therefore, the ontological correlate of our knowledge. But, as we have seen, the intrinsic difficulty of the position forces the Platonist to make the Idea of material things a pure form and to maintain that natural definitions and science are concerned only with form, not with a composite and not with form including in its very intelligibility a determined though not individualized matter. Hence, that which we know when we know material objects is a pure form, but the pure form which we know is a separated subsistent form. Now, in the Aristotelian and Thomistic view, that which we know is the form in the matter and the ontological correlate is the material thing itself. The *unum in multis*, the *commune quid*, as such, exists only in the intellect and may be applied, contentwise, to the individuals. The Platonic argument thus doubles the ontological correlates for natural knowledge, but, by insisting that the separated form is what we truly know, it casts a shadow on the metaphysical structure of the material entity, obscuring the intrinsic form and rendering its status in being and knowledge extremely ambiguous. Thus, the separated form tends to take the place of the intrinsic form so that, from this standpoint, we are forced to say that the separated forms *are* the forms and substance of material things.[20] If this aspect were driven to its logical conclusion, we would have to say that the separated forms are the total formal explanation of the individuals (the material cause, of course, being 'other') and the reason why the latter are what they are, are known and are the subjects of predication.[21] Again, we must postpone the full consideration of the ambiguities here involved.

To summarize then: we have found the Theory of Ideas, as purely determined by the *via Platonica*, presented as a total and ultimate explanation of sensible reality. Over against this has been set the Thomistic pattern of explanation, requiring formally distinct lines – material, formal, final, efficient and exemplar – of causal intelligibility. Superimposed on this pattern, the Ideas appear as doing duty for all but the material cause, yet unable to support the distinct intelligibility of the causes and shrinking explanation, therefore, to the single line of formal causality,[22] and this with all the involved ambiguities inseparable from the peculiar relationship which the Ideas, in virtue of their origin, must have to the particulars and to matter. In brief, Plato used but two causes, the material and the formal, without adequately dealing even with the latter. If the Ideas 'explain' sensible beings at all, it must be through that single, peculiar relationship between Ideas and particulars which Plato called participation. To this participation we will turn our attention in the next chapter.

Appendix

THE 'ESSENTIALISM' OF PLATONISM

Only an understanding of the inherent essentialism of Platonism can bring the study of the formalism of Platonic explanation and participation to full clarity and unity. Modern Thomists have given considerable attention to this aspect of Platonism and with many the distinction between the 'essentialism' of Plato and the true 'existentialism' of Saint Thomas has become a commonplace stereotype.[23] The terms themselves do not occur in Saint Thomas. He does not characterize Platonism as an 'essentialism' nor does he ever set his own doctrine in contrast and opposition under the sign of 'existentialism.' This is, of course, unimportant. The real question is whether essentialism is an inherent characteristic of Platonism and where and in what way, if at all, Saint Thomas points to this fact.

Now in an essentialism *to be* when raised from the level of common sense to that of philosophical reflection turns out to mean 'to be an essence' and *to be* in its highest and noblest sense comes to mean 'to be a pure, self-identical, eternal essence.' In contrast, the existentialism of Saint Thomas is said to define being philosophically as that which exercises an act of existence; being does not exclude essence, but necessarily includes an act which is not that act which is form, is not essence, but, though not externally added, is yet beyond essence, englobing it in the actuality of existence. In this view, the highest being is not a supreme essence, but a full and total act of existence, pure actuality, *Ipsum Esse*.

The earlier discussions in this study have indicated, of course, in the consistent stress on definition, forms and formal causality, a strong essentialistic direction within pure Platonism. Yet one might ask whether an exclusive concern with the 'essential' aspect of reality is in fact imposed by principles or is in Platonism merely the most common and convenient way of developing its principles or, indeed, was primarily the result of an historical accident. Plato began with the Socratic search for definition and naturally applied his principle of similitude to definitions with the resulting transformation of abstract essences into full-blown actualities. As long as this historical origin dominates Platonism, it will maintain its Master's preoccupation with essences. But is there anything intrinsic to the principles which limits their application to the pattern of essences? Indeed, one could argue that Platonism had escaped from Socrates' narrow interest in definition; it had achieved its release in positing precisely an Idea of Being itself and thus, at least in some of its historical forms, had arrived at the same *summa rerum virtus* as Saint Thomas himself establishes.[24]

The question, however, is not whether Plato and his followers did, as a matter of simple fact, busy themselves with essences nor even whether some actual Platonism escaped the limitations imposed by too exclusive an interest in essence. The question here concerns Platonism as a pure position and we are asking whether, in the principles and formal structure of the *via Platonica* as understood by Saint Thomas, there is any cogent philosophical reason why the pressures of that position should drive in the direction today described as 'essentialism.'

This problem could be investigated in an indirect way; that is, by examining the actual confrontation, within Saint Thomas' writings, of his own integral doctrine and the traditional positions of the Platonists. What we intend to do here, however, is to look for an explicit clue within the *via Platonica* itself as to whether or no an 'essentialism' is a logical consequence of it. The terms 'essentialism' and 'existentialism,' as has been pointed out, do not appear in Saint Thomas and, indeed, there is no explicit text in which Plato or the Platonists are arraigned on this charge. There is, however, an analysis, integral to the constructive study we have been making, which opens the way to an answer. To this analysis, therefore, we now return to reflect upon it anew in the light of fuller evidence and of the demands of the present problem.

We have seen that Saint Thomas often describes the basic Platonic error as a conviction that whatever is abstract [separated] in the intellect is also abstract [separated] in reality. 'Existimaverunt etiam quod quicquid sit abstractum in intellectu, sit abstractum in re.'[25] This principle Saint Thomas has integrated in various ways into his pattern of criticism. On the one hand it attaches as a sort of particularized application to the ultimate principles of that criticism, the demand for similitude, the identification of the *modus existendi in re* with the *modus intelligendi rem* and the *modus existendi in intellectu*. On the other hand, it stands to all the particularized transpositions of Platonism as a generalization of their operative motive.

Now within the interlacing and integrated critique of this principle there is one analysis, which appears in a number of texts, in which Saint Thomas reduces the principle to a confusion between two different sorts of 'separation.' We have already studied this analysis from the standpoint of what might loosely be called epistemological phenomenology. For the two sorts of separation in question are those of (1) the *intelligentia indivisibilium*, the operation of the intellect by which we understand the natures or quiddities of things, and (2) the *intellectus componens et dividens*, the operation in which something is asserted to be or to be such. In our previous analysis we pointed out that the cognitional similitude required for truth need only be verified, and, as *cognitional*, could only be verified in the second type of separation, for only thus is it *asserted* of reality and that it need not be verified when the separation is of the first type, and is only in the *consideration* of the intellect.[26] This analysis is not merely a statement that Plato misread the reflective evidence of cognition. This he undoubtedly did and this is integral to his errors. But the bearing of his mistake is much broader for by so misreading the evidence, he *eliminated from the level of philosophical reflection that evidence from which existentialism develops.*

For while these two separations may be distinguished as non-assertive and assertive, Saint Thomas points out that, from a metaphysical standpoint, they bear an important relationship to the structure of being. The first of these intellectual operations concerns the understanding of quiddities or essences and involves abstraction not only from the individuating accidents and individual matter of a particular material entity but from its actuality as well. *It is for this reason* that the *intelligentia indivisibilium* is a non-assertive act. On the other hand, the 'composition and division' of the intellect is related to the *esse rei*, to its act of existence. This is to say that a judicial composition is not merely an assertion of a similitude between the species of the first operation and some real object; it is a grasp and an assertion of the act of that object, its 'exercised' *esse*. The upshot of this is that there is something understood, apprehended, intellectually grasped in the second of these operations that is not understood, apprehended, intellectually grasped in the first operation. There is, therefore, a surplus of intelligibility – of a different kind indeed – in the *compositio et divisio* – over and above the intelligibility which can be extracted from reality in the simple apprehension. This surplus is a dynamic grasp of the act of existence not abstractly taken but as exercised in reality. *It is for this reason* that the second operation is and must be assertive. Metaphysically speaking, this means that the simple apprehension cannot formally grasp any *being* but must attain only the quiddities *of* real beings, that real being is not grasped, until, in the judgment, the quiddity is reintegrated into a thing itself which, thus qualified, exercises, beyond its form, the act of existence in virtue of which it is totally actual and hence a being.[27]

This brief recapitulation of the metaphysical foundations of the two acts of the intellect was necessary to make this point, that Thomistic existentialism draws the intelligibility which is the ground of its development from that surplus of understanding which is properly grasped in the judgment. If we may use a phrase by way of summary, in Thomistic metaphysics, the name 'being' and the understanding of 'being' are formally derived not from *essentia* but from the *actus essendi*.

Now the point of that analysis of Saint Thomas in function of which the present discussion is moving is that Plato confused the functional difference between these two acts of the mind. In the very conception and understanding of abstract essences, Plato thought he was already in contact with subsisting realities, *although what he was really understanding was only abstract essences.* He thus indeed asserted actualities but the *philosophical understanding* of these actualities was completely *in terms of essence*. If then being is that which is actual, the understanding of being is the understanding of essence; that is, to be is to be an essence. What is eclipsed in this metaphysical short-cut is that surplus of understanding which is properly discoverable in the judgment. For the equivalent attribution of an assertive function to the first intellectual operation deprives the judgment of any independent value and it becomes, therefore, a simple unfolding or combining of what is already known. Thus we arrive at the inevitable paradox that the actuality of being is asserted but that the entire intelligibility of being is concentrated in an understanding of essence while the intelligibility of actuality is *philosophically* overlooked. This paradox has been viable only because it is possible to assert actuality *in a common sense way* without elaborating the philosophical understanding of actuality. Plato, like any other man, knew the difference between 'to be' and 'not to be' and when he asserted subsistent Ideas he meant them to be actual, but the confusion in his philosophical analysis of the evidence prevents an elaboration of the philosophical understanding of actuality.

The upshot of this entire discussion is, therefore, that the very principles which Saint Thomas has described as specific and basic to the *via Platonica* are seen, in virtue of Saint Thomas' analysis, to involve, with philosophical necessity, the understanding of being solely in terms of essence and the exclusion of that philosophical evidence which is necessary to transform an essentialism into an existentialism. It is, therefore, no historical accident that Platonism has taken an essentialist direction; according to Saint Thomas' analysis, essentialism is written into its initial charter of principles and for it to cease to be an essentialism would be to cease to be specifically itself.

CHAPTER VII

PLATONIC PARTICIPATION

It is not the purpose of this chapter to make a thorough study of the term 'participation' or of all the theories to which this name has been attached.[1] The task here undertaken is much more limited; we intend to investigate participation only insofar as it names the fundamental relationship between sensible reality and the separated principles or causes. When this relationship is viewed against a Christian background it is seen to be philosophically and functionally analogous to the relationship between creatures and God. The relationship, therefore, is to ultimate cause whether of one perfection [*e.g.* 'human nature'] or of all perfection. More-over, in accordance with the lines of this study, we wish to examine it primarily as it appears within the pure deduction of the *via Platonica* in contrast to the view of Saint Thomas.

Since, then, participation names the relationship between the particulars or 'matter' and the separated forms, we have already determined some of its characteristics.

The relationship, as we have seen, is a direct and an immediate one, for the formality of the particular depends directly upon the corresponding Idea. Man is man, is named and called man, receives the predication man, because of the separate man, the *homo per se*.[2] The formality within the particular – whatever its ontological status may be – owes its coming-into-being and its existence as such directly to the Idea. There is no mediation of true secondary causes within the sensible world; the only causes – truly active and efficient – within that world are simply dispos-ing causes, relating to the resulting form very much as the activity of parents relates to the soul of the child.[3] This is true not only of physical, natural entities but of knowledge itself; sense is at most a disposing cause[4] and the agent intellect is dispensed with.[5] There is no reduction of true secondary causes to a primary cause, as in the thought of Saint Thomas, nor are the Ideas themselves reduced to the causality of higher Ideas. Each Idea is a primary immediate and exclusive cause with regard to its own proper formality.[6]

Moreover, the relationship, despite its ambiguities, is, in a sense, a very simple one. We have seen that, when properly controlled by the principles of the *via Platonica*, it is necessarily restricted to the line of formality. The complex relationships set up in the Thomistic pattern of formally diverse causes are absent. In it, efficiency is set out through finality, exemplarity is ultimately mediated, in a sense, by both finality and efficiency and, indeed, finality itself has no meaning without the existence of true efficiency. Thus the form which determines an individual to its genus and species is not simply and directly dependent upon the essence of God. We must understand the similitude which is demanded in exemplarity through efficiency and finality. All of this complexity is missing in the Platonic relationship. Whether considered as effect, as similitude, as dependent, as good, the particular is simply and directly related to the Idea.

Participation, therefore, must be conceived as an immediate, direct relationship within the order of formality. Can it, however, be characterized more closely? Saint Thomas has few texts dealing directly with this relationship in itself and *qua* Platonic, and it must, in general, be defined by indirection and inference. However, several texts are directly illuminating.

The central critical text of the *Sentences* commentary provides a neat parallel which displays the relationship in function of its origin.[7] The error was there said to rest on the principle: 'quaecumque [= real entities] inveniuntur convenire [= relationship] in aliqua intentione intellecta [= one definition or predicate] voluerunt quod communicarent [= relationship] in una re [= one real entity].' The transformation of the *una intentio* into *una res* involves the concurrent transposition of the relationship of entities-to-a-predicate into an ontological relationship of thing-to-thing. Both the *unitas* and the *communitas* are reified. Moreover, precisely the relationship involved in predication is formally said to be so reified: '... et similiter quia Socrates et Plato sunt homo quod sit unus homo per essentiam [= reified intentio] qui de omnibus praedicatur.' It is the *homo per se* that must be said to be predicated of 'this man.'

The situation can be diagrammed thus:

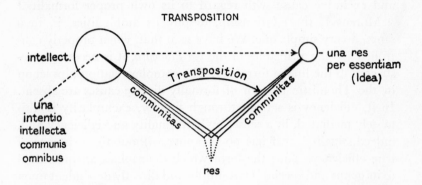

Thus, consistently with Platonic principles, the relationship between the *sensibile* particulars and the Ideas is patterned on a
cognitional or intentional relation and must be understood in
terms of its origin. Yet, the fact of the transposition has now
placed that relation wholly in the order of nature and we are
now required to *think* an intentional relationship as though it
were ontological.

Let us reflect upon this situation in the light of what has
previously been said concerning the movement of the *via Platonica* and the resulting nature of the Ideas. The main drive of
the argument has been to set up the separation; each idea is an
entity separate from both knowledge and the particulars. But
the separated idea is determined as a double for the concept and
carries with it into reality not only the content of the concept
but all its modalities and relationships. Now, in knowledge, it
is really the *formed* thing in sensible reality which is the ontological correlate of the concept. This was precisely denied in
the first moment of the Platonic argument; the sensible thing
could not be the correlate of the knowledge; this was the motive
of the separation.

According to Saint Thomas, when we know material things,
though we do so by means of an intelligible species, it is the
material thing that we know and its formality that is embodied
in the species.[8] As long as this relationship is one of knowledge,
i.e. intentional, we can say, indeed, that it is the understood

nature that is predicated of the individual, realized in it and in a sense identified with it. When, however, this knowledge is transposed into a separated ontological status, in a sense, its real object, the formality of the thing itself, is separated, and so we can speak of the Idea, not only as being the primary object of knowledge, known *primo et per se*,[9] but also as being the very species, form, essence of the thing itself in a state of separation.[10] If this separation is pushed, as Aristotle at times does, Platonic participation is forced to become a pure extrinsecism.[11] It is this direction of Platonism which Saint Thomas develops in the *De Veritate* and formulates in the uncompromising phrase: 'omnia sunt bona formaliter bonitate prima non sicut forma coniuncta sed sicut forma separata.'[12] In alleging that separation prevents the Ideas from functioning as principles of knowledge of sensible things, Aristotle reveals another direction within the Platonic situation. For what is in the thing that would justify our saying that by knowing the Ideas we know sensible realities? The Aristotelian argument, repeated and approved by Saint Thomas, is very clear. If the separation is really maintained, then to know the Ideas is in no sense to know the things; if the distinction is not maintained, then the theory of separated Ideas must be abandoned.[13] This rests firmly on the uncompromising ontology of common sense, of Aristotelian substantialism and Thomistic existentialism. But now Plato had proposed that the *species* were present to the *sensibilia* through participation which was the way he thought the *species* could be causes. This participation would have to be understood in this way: 'Just as we would understand that white itself existing *per se*, as if it were a separated white, is mixed [*permisceri*] with the white in a subject and that whiteness is participated, so also we would say that the man who is separated is mixed with this [individual] man who is composed of matter and the specific nature which he [the individual] participates.'[14] Here, the interpretation would seem to result in a certain ontological invasion of the particulars by the separated Ideas, not again by way of efficiency or finality or exemplarity but as formal causes which would be the ontological ground for the *sensibilia* existing, being such as they are and being so thought of and spoken of in predication. But, while the separation itself would then become vague and ambiguous, it would still be possible

to stress the ontological unity of the formality which, as we have
seen, was the ontological correlate of the unity – in predication,
in nature and in universality – of the concept. And if the unity
were maintained, we would have to say that the form – whether
considered as separated or as vaguely 'mixed' with the particulars – was only one; that in each case it was – ontologically – the
same form. It is this direction of Platonic pressure that Saint Thomas stresses in the *Commentaria super Sententiis*: 'non est necessarium quod si in anima est natura intellectualis et in Deo, quod
sit eadem intellectualitas utriusque per essentiam, per eamdem
essentiam utrumque dicatur ens.'[15] It should be noted that, when,
as in this text, the Platonic theory is transposed into a Christian
framework, this Platonic pressure becomes a pressure towards
Pantheism. Saint Thomas finds the same direction in the Platonizing interpretation of such *auctoritates* as 'Participatione divinae
bonitatis anima et omnes aliae res sunt et sunt bonae'[16] and 'Ipse
Deus est esse existentibus.'[17]

The upshot of this discussion is, therefore, that the Platonic
separation and participation, when understood in the light of
their proper philosophical principles, result in certain insoluble
tensions which turn very largely on the doubtful ontological
status of the intrinsic form. It will be remembered that the presuppositions of Platonism – the theory of flux – precisely called
in question the ontological reality of the formal determinations
of material beings. The Platonic theory requires that we maintain
that the Idea (1) is truly separated in being, (2) is truly one, (3)
is the real formal cause of the particulars, (4) is truly related to
them as a cause, a principle, a justification of knowledge, of
predication and of being. If the separation is stressed, the theory
tends towards pure extrinsecism; if the invasion of the particulars is stressed, the unity of the form drives towards entitative
union and pantheism. These ambiguities and tensions are thus
inherent in the pure Theory of Ideas. As we have seen, Saint
Thomas himself recognizes these different pressures and their
logical conclusions.

There is, however, an expedient which lessens the original
tensions and, to some extent, clarifies the status of the form
intrinsic to the particulars. If the form is restored to the particulars as an ontological reality distinct from but resembling the

separated idea, the immediacy of the participation relation and its formal character can be somewhat more easily maintained, without the obvious conflicts that arise in the previous determinations. As a matter of fact Saint Thomas more often speaks of Platonism in this fashion, influenced by the interpretations of Saint Augustine, Boethius, Dionysius and others. In this case there is an ontological reality – the *participatio*, or *forma participata* – in the particulars, yet the relation to the separated Idea remains as immediate as before.[18]

As was indicated in the last chapter, when we turn to the Thomistic analogue to participation, namely, the relationship between creatures and God, so often designated in Saint Thomas by the same term, we find the explanation of the relationship to rest in the complex pattern of the four causes.[19] The situation here is far more complex. Therefore: We must think of God, indeed, as the ultimate exemplar cause of all things. But the relationship is mediated by intelligence which is identical with His essence. Further, the exemplarity implies efficient causality, for the resemblance of creatures to God depends upon the efficient action of the Creator Who, as agent, produces effects resembling, though deficiently, Himself and, as intelligent and free agent, acts through knowledge and the exemplarity of knowledge (itself reducible as resemblance and as being to the Divine Essence) as well as with the full import of finality. For God acts with determination of ends, and finality runs through the whole of His activity, ordering means to ends and all things to Himself. Moreover, this complexity of ultimate causality is compatible with and does not exclude secondary causes. On the contrary, the reality of the finite world involves the reality of finite agents as such and of intrinsic formal causes, determining creatures to being as well as to action.

Now, as has already been pointed out, certain traditional expressions were ambiguous in themselves and open to interpretation in different directions. Such for example, *bonum omnis boni; superesse omnium; omnia bona participant bonitatem divinam.* Saint Thomas himself points out – and this in a context parallel to the basic critical text of the commentary on the *Sentences* – that a false understanding of such texts may lead, indeed, to serious error – to pantheism, for example, as indicated above. In two different texts we find him, therefore, laying down certain rules for the proper interpretation of such texts. Now, the important point is that both these regulatory texts proceed exactly within the pattern of the causes, both insist on the reality of secondary formal causes and on the complexity of the relationship to God. The texts are important enough to be quoted in full:

> Respondeo dicendum, quod Deus non potest habere aliquam relationem ad nos, nisi per modum principii. Cum autem causae sint quatuor, ipse non est causa materialis nostra; sed se habet ad nos in ratione efficientis et finis et formae exemplaris, non autem in ratione formae inhaerentis. Considerandum est igitur in nominibus divinis, quod omnia illa nomina quae important rationem principii per modum efficientis vel finis recipiunt additionem dictorum pronominum, sicut dicimus: Creator noster et bonum nostrum. Ea autem quae dicuntur per modum formae inhaerentis, non recipiunt dictorum pronominum additionem; et talis sunt nomina omnia divina, quae in abstracto significantur, quae omnia significantur per modum formae, ut essentia, bonitas et hujusmodi. Unde in talibus non potest fieri additio. Non enim possum dicere, quod Deus sit essentia nostra, vel substantia, vel aliquid hujusmodi. Tamen in istis nominibus considerandus est quidam ordo. Quia quaedam horum abstractorum important rationem principii efficientis et exemplaris, ut sapientia et bonitas et hujusmodi, quando fit additio dictorum pronominum, ut cum dicimus, Deus est sapientia nostra causaliter, per modum quo dicitur spes nostra: quia per ejus sapientiam efficitur in nobis sapientia exemplata a sua sapientia, per quam sapientes sumus formaliter. Quaedam autem non important rationem principii, nisi forte exemplaris, et talibus non consuevit fieri dicta additio. Non enim consuetum est dici, quod Deus sit essentia nostra, vel substantia nostra. Tamen etiam quandoque istis nominibus fit talis additio propter habitudinem principii exemplaris: sicut Dionysius dicit, iv cap. Cael. hier., quod esse omnium est superesse deitatis; licet hujusmodi locutiones magis sint exponendae quam extendendae.[20]

> Respondeo dicendum, quod loquendo de attributis divinis, attendenda est attributorum ratio quae, quia diversa est diversorum, ideo aliquid attribuitur uni quod non attribuitur alteri, quamvis omnia sint una res; et inde est quod bonitas divina dicitur causa bonorum, et vita causa viventium; et sic de aliis. Si ergo accipiamus diversas attributorum rationes, inveniuntur aliqua habere comparationem non tantum ad habentem, sed

etiam ad aliquid sicut ad objectum, ut potentia, et voluntas, et scientia. Quaedam autem ad habentem tantum, ut vita, bonitas et hujusmodi. Et haec omnia habent unum modum causalitatis communem scilicet per modum efficientis exemplaris, ut dicimus, quod a primo bono sunt omnia bona, et a primo vivente omnia viventia.[21]

These rules of interpretation Saint Thomas himself consistently followed. We have seen, for example, that the *positio-auctoritas* adaptation of the Platonic assertion of a *Primum bonum* placed this *positio* solidly on the basis of the causes and stressed the existence of an intrinsic formality.[22] Whenever the question of interpretation is raised, God is explained to be the term of participation as a *principum efficiens exemplare* or *principum finale, efficiens, exemplare.*[23]

On this point, the handling of the *auctoritates* of Saint Augustine is most illuminating. Saint Thomas recognized a Platonic influence in Saint Augustine[24] but limited this influence by Saint Augustine's acceptance of the rule of Faith.[25] Thus a first rule of interpretation emerged, namely, the primary intention, always assumed in the case of the *Sancti*, of speaking according to the Truth of Revelation. In some cases the non-Platonic interpretation is justified by an appeal to the adaptive or reportorial character of the Augustinian text: 'utitur opinionibus Platonis, non asserendo sed recitando.'[26] In other cases, however, Saint Thomas recognizes the presence of Platonic language or even of Platonic principles. In the *De Veritate*, the following objection is presented:

Praeterea, Augustinus dicit, VIII de Trinitate: Bonum est hoc, et bonum illud; tolle hoc et illud, et vide ipsum bonum, si potes; ita Deum videbis non alio bono bonum, sed bonum omnis boni. Sed ipso bono quod est omnis boni bonum, omnia dicuntur bona. Ergo divina bonitate, de qua loquitur, omnia dicuntur bona.[27]

Obviously, this objection leaves the interpretation undetermined as between the Platonic theory and Saint Thomas' own which are presented in the *corpus* of the article in sharp mutual contrast. The answer to the objection[28] begins

> Ad tertium dicendum quod Augustinus in multis opinionem Platonis sequitur, quantum fieri potest secundum fidei veritatem; et ideo verba sua sic sunt intelligenda....

What sort of an *intellectus* would we now expect? If the Platonic background is to be used as a guide, surely the Platonic theory just given so clearly in the *corpus* should determine the meaning. But this is not the line Saint Thomas takes. On the contrary, it is the explanation which he has just set over against the Platonic interpretation that now follows:

> ... et ideo verba sua sic sunt intelligenda, ut ipsa divina bonitas dicatur esse bonum omnis boni, in quantum est *causa efficiens prima* et *exemplaris* omnis boni, sine hoc quod excludatur bonitas creata, qua creaturae denominantur bona sicut *forma inhaerente*.

Nothing could be more formal and explicit or more in accordance with the points we have previously made in this chapter. But, if the explicit mention of the Platonic background of Saint Augustine does not serve to guide the determination, what is its function? Perhaps we can find an answer in a similar text. In *S. T.*, II–II, 23, 2, we find in the first objection:

> Et in XV De Trin. [Augustinus] dicit: 'Ita dictum est: Deus caritas est, sicut dictum est: Deus spiritus est.' Ergo caritas non est aliquid creatum in anima, sed est ipsa Deus.

To this Saint Thomas answers:

> Ad primum ergo. Dicendum quod ipsa essentia divina caritas est, sicut et sapientia est, et bonitas est. Unde sicut dicimur boni bonitate quae est Deus, et sapientes sapientia quae est Deus, quia bonitas qua formaliter boni sumus est participatio quaedam divinae bonitatis, et sapientia qua formaliter sapientes sumus est participatio quaedam divinae sapientiae; ita etiam caritas qua formaliter diligimus proximum est quaedam participatio divinae caritatis. *Hic enim modus loquendi consuetus est apud Platonicos, quorum doctrinis imbutus fuit Augustinus. Quod quidam non advertentes, ex verbis eius sumpserunt occasionem errandi.*

If we do not attend to the fact of the Platonic influence in Saint Augustine, Saint Thomas says, we may inadvertently be led into error by his language. The primary reason for calling attention to the Platonism is precisely, therefore, to warn us away from an erroneous, *i.e.* a Platonic, interpretation of his *auctoritates*.

Thus, in the case of the Augustinian *auctoritates* bearing on this point we find an exact confirmation of our previous conclusions and, in addition, a rule of interpretation which could be applicable to all cases of *Sancti* who, to any extent, used Platonic ideas or language or even dubious and indeterminate expressions of the type which should be interpreted and not more widely extended.

We have already cited texts of Dionysius which Saint Thomas submits to the same treatment. It will be of value to examine the commentary on the *De Divinis Nominibus* from this standpoint. Saint Thomas recognizes, as he did in the case of Saint Augustine, that Dionysius displays a strong Platonic influence.[29] This influence is specified by the doctrines which he presents as necessary for background. These are precisely the Theory of Ideas and the *via Platonica*, which are explained as has already been done in this study.[30] Thus the Platonic theory and a possible Platonic interpretation are presented. However, if we examine the texts in which the issue becomes one of a Platonic or non-Platonic interpretation, we find a consistent rejection of any possible Platonic sense of the passage and this generally by an assertion that Dionysius expressly rejects the Platonic meaning '... excludit errorem quorumdam Platonicorum.' The interpretation is guided, where germane, by explication of the text according to the pattern of the causes and the unity of all transcendental perfections.[31] Thus each of the passages of the commentary which touch on these questions becomes the treatment of an *auctoritas* within the framework we have described and according to the principles laid down by Saint Thomas himself and applied, as we have seen, to the corresponding group of Augustinian *auctoritates*.

We may examine the commentary on the *Liber De Causis* from the same standpoint. Here the situation is somewhat different, since we are not dealing with one of the *Sancti* but with a *philosophus*. Here again Saint Thomas places the Platonic influence and, of course, the influence of *Proclus Platonicus* behind the work.[32] Again the Platonic background is fundamentally specified by an exposition of the *via abstractionis* and of the Theory of Ideas.[33] The Platonic '*suppositiones*' and the text of the *Elementatio Theologica* are the basic guides in understanding the text. However, the comment immediately places the discussion within the framework of the causes and 'causality' throughout is read in the light of Thomistic theories or is, on occasion, expressly so corrected.[34] Moreover, the very interpretation of the text moves the author, on some points, away from Proclus and the Platonists.[35] But the commentary is not merely a reading of a text; there is, in addition, a determination of truth and here Dionysius is the principal *auctoritas* for correction as well as confirmation.[36] Aristotle is also but less often explicitly referred to.[37] It is most significant that Dionysius is invoked precisely in the central points of Platonic doctrine which are the subject of this study and in which we have seen the *De Divinis Nominibus* become an anti-Platonic work. This commentary, therefore, continues the work of that on the *De Divinis Nominibus* and with it constitutes an interrelated body of criticism directed precisely at the main theses dependent upon the *via Platonica*.

This brief examination of Saint Thomas' determination of *auctoritates* has served to confirm and develop the conclusions of the first part of this chapter. The Platonic interpretation of the relationship between particulars and the Ideas, or, within a Christian framework, between creatures and God, is made in the light of the Theory of Ideas as derived from the *via abstractionis* and the *via Platonica*. In its extreme form this interpretation includes (1) the reduction of the relation to the single line of formal causality; (2) the immediacy of the relation, without benefit, even in its own line of formality, of true secondary causes; (3) the ontological multiplicity of ultimate principles. As alternative derivative interpretations, we have a choice of (1) the fundamental unification of the formalities of particulars among themselves and with the separated form; (2) a pure extrinsecism; (3) the insertion of an ontological reality in the particulars, similar to the separated principle, yet retaining all the primary characteristics of the fundamental relationship to the separated principle. Over against this we have Saint Thomas' explanation: (1) a complex relationship resting on an intrinsic formality and including formally distinct causalities, efficiency, finality and exemplarity, mutually interrelated; (2) a distinction between primary and secondary causes, allowing real causality to both; (3) a single ultimate principle, God, enclosing all perfection and the ultimate source of all perfections whether 'common' or 'proper.'

We have also confirmed the interpretative technique described
in Chapter One, for our texts have again revealed that the determination of an ambiguous term or phrase in the direction of the
Platonic understanding leads to its rejection, while the same
term or phrase may be accepted when the interpretation is determined by Thomistic principles. It is again the fundamental opposition of the *via Thomistica* and the *via Platonica* which underlies
the acceptance or rejection.

Also the view that Saint Thomas understood Platonic positions as such in the light of the *via Platonica* and the Theory of
Ideas derived from it and presented in the first book of the
Metaphysics is now clearer. We are also at this point in a position
to add another indication of the commanding position this view
occupied in Saint Thomas' treatment.

It is part of Saint Thomas' technique to employ a striking
phrase or a brief reference to draw into a discussion a broad
theoretical background. Some of these phrases become almost
stereotyped shorthand for theories and doctrines. Thus a central
point in his theory of knowledge is tied to the phrase 'non enim
lapis est in anima sed species lapidis.'[38] The introduction of the
phrase into a context serves to bring in, as background, the entire
theory for which it stands. Now in the commentary on the central
text of the first book of the *Metaphysics* dealing with the origin of
the Theory of Ideas, 'homo' is used as a rather elaborated example.[39] If we examine the occurrences of this example, we find two
things: (1) that it is used to illustrate almost, if not all, the points
we have made concerning the characteristics of the Ideas and
their relationships; (2) that it is frequently used as an explanatory
reference when Platonic background is being given in other contexts.[40] Thus this key example becomes a shorthand reference to
the explanations in the commentary on the *Metaphysics* and ties
all such referent texts to that explanation. Thus, for example,
the primary explanation of Platonic background in the commentary on the *De Divinis Nominibus* is given in terms of the *homo*
example;[41] an argument of Aristotle is introduced, by means of
this example, into a development based on Proclus in the *Liber
De Causis* commentary;[42] in the *De Veritate* it is used to explain
the relationship of the separated *bonum* to the particulars.[43]

The widespread use of the *homo* – *homo separatus* example, even in contexts where other sources, such as Proclus, are being used, indicates again the interpenetration of the understanding developed in the commentary on the *Metaphysics*. Once again, therefore, it is the reduction of the Platonic arguments to the *via Platonica* that guides Saint Thomas' interpretation of Platonism when he finds it even in other sources, in Proclus, the *Liber De Causis*, and so forth.

CHAPTER VIII

PLATO'S THEORY OF HUMAN COGNITION

The eighty-fourth question of the first part of the *Summa* is in many ways a remarkable piece of writing. The entire exposition is terse and tightly ordered and displays doctrinal and structural elements which give it a unique importance.

The question deals with human intellectual knowledge of material things. The essential position is presented in the first seven articles beginning with the problem whether the soul knows bodies through the intellect[1] and moving successively through a consideration of possible ways of knowing – through its essence or through species[2] – through innate species[3] – through species derived from immaterial beings[4] – in the *'rationes aeternae'*[5] – to the doctrine of the origination of species from sense and their dependency in use upon sense.[6] The systematic or doctrinal organization and presentation of the question is immediately clear from this simple recitation of topics.

Now there is no other place in the writings of Saint Thomas in which this question is thus explicitly posed and systematically deployed in a series of articles. There are, of course, numerous parallels to individual parts of the question, but there is no corresponding block of articles which show the same resemblance to the question as does, for example, the question on Ideas in the commentary on the *Sentences* to the same subject treatment in the *Summa Theologiae*.[7] Almost invariably even the texts which are more or less parallel to the individual articles occur in contexts of quite a different sort. The discussion, for example, of innate species is presented in the *De Veritate* within a consideration of *mens* as an image of the Trinity;[8] again within the framework of the *De Magistro*,[9] in the treatment of man in the state of innocence[10] and of the separated soul's mode of knowing.[11] The origination of universal knowledge from sense experience appears in the *Contra Gentiles* under the rubric 'Quod anima humana incipiat cum corpore'[12] and in the *Quaestio Unica De Anima* under 'Utrum anima separata a corpore possit intelligere.'[13] In general, the points investigated and theses maintained in the eighty-fourth question are to be found elsewhere in Saint Thomas within discussions of the nature of the soul and of separated substances, of the knowledge of God and so forth or in the commentaries as occasioned by the *littera* being commented. The presentation of the problem, therefore, and the doctrinal structure of the question are without parallel in the writings of Saint Thomas. Actually, the comparative background may be extended without the discovery of a true parallel to this question. Thus, for example, no comparable piece can be found in Albert the Great, Saint Bonaventure, or in the *Summa* attributed to Alexander of Hales.

It is to be noted, too, that the positions taken are stated with the sureness and finality of definitive determinations. Saint Thomas here does not employ the apparently more modest modes of assertion such as we sometimes find elsewhere, as, for example, in the *De Veritate*.

Et ideo praeomnibus praedictis positionibus *rationabilior videtur* sententia Philosophi....[14]

Here his tone is more magisterial:

Dicendum est ergo quod anima per intellectum cognoscit corpora cognitione immateriali, universali et necessaria.[15]

Sed haec opinio improbatur.... Relinquitur ergo quod oportet materialia cognita in cognoscente existere non materialiter sed magis immaterialiter.[16]

Et ideo dicendum est quod anima non cognoscit corporalia per species naturaliter inditas.[17]

Unde dicendum est quod species intelligibiles quibus anima nostra intelligit, non effluunt a formis separatis.[18]

Dicendum quod impossibile est intellectum secundum praesentis vitae statum, quo passibili corpori coniungitur, aliquid intelligere in actu nisi convertendo se ad phantasmata.[19]

Et ideo necesse est dicere quod intellectus noster intelligit materialia abstrahendo a phantasmatibus, et per materialia sic considerata in immaterialium aliqualem cognitionem devenimus....[20]

Et ideo dicendum est quod species intelligibilis se habet ad intellectum ut quo intelligit intellectus.[21]

Saint Thomas, therefore, approached this question with a clear-cut position of his own on each of the main points involved. We are not studying a tentative investigation of a problem; rather the thorough-going systematic structure and the tone of the determinations indicate that a definitive doctrine is being presented.

But if the assertion of positions is categorical, the mode of presentation is not merely positive and expository. On the contrary, Saint Thomas has chosen to set his doctrines in conscious contrast and opposition to those of others. If we examine the *corpus* of each article from this standpoint we find the following:

Article 1: The *primi philosophi* and Plato with Plato's theory as the pivotal center of discussion.

Article 2: The *primi philosophi* and Plato with the *primi philosophi* occupying the central point.

Article 3: An option is presented between Aristotle and Plato with a determination in favor of Aristotle.

Article 4: Plato is the first of the adversaries with Avicenna presented in function of Plato's position.

Article 5: Saint Augustine is presented as dependent upon yet removed from the doctrine of Plato.

Article 6: Three opinions – those of the *Naturales*, of Plato and of Aristotle – are described and Aristotle's is selected.

Article 7: The doctrine is exposed in a positive fashion but in brief contrast to the Platonic theory.

Article 8: No adversaries.

It will complete the picture if we add, from Questions Eighty-five to Eighty-eight, those articles in which adversaries are mentioned in the *corpus;*

Question 85, Article 1: Positive presentation of the theory but in brief contrast to Plato's.

Article 2: As in Article 1.

Article 8: No adversaries but a brief contrast with Plato.

Question 87, Article 1: A contrast to the *Platonici*.

Question 88, Article 1: An initial choice is made between Plato and Aristotle; Averroes, however, is introduced as an independent and important adversary.

> Article 2: Avempace is introduced as the pri-
> mary opposition but his theory is
> said to be defensible only on Pla-
> tonic grounds.

Throughout Questions Eighty-four to Eighty-eight, then, there is only one place in a *corpus* where an adversary [Averroes] is introduced without explicit reference to Plato. In the eighty-fourth question, the Platonic theory is the primary background in Articles 1, 3, 4, 5, 6; in Article 7, Plato's doctrine is a foil of contrast. In Article 1, the *primi philosophi* set the stage for Plato; in Article 2, though they are more prominent and indeed primary, they are related to Plato in basic principle; in Article 6, they represent a separate doctrinal option but are contrasted to Plato and preparatory for him. In Article 4 Avicenna is in continuity with Plato. In Article 5 Augustine is in continuity and contrast with Plato.

Moreover, Saint Thomas, in selecting the order of presentation, placed in the initial articles of eighty-four and eighty-five all the principles which constitute the *via Platonica*.[22] He was thus enabled to refer throughout the articles to the implications of Plato's position without redeveloping the frame of reference.

On this showing, then, it is Plato who plays the role throughout as the primary antagonist, and the fundamental option to be determined lies between Platonism and Saint Thomas' own version of Aristotelianism.

To summarize then: in the eighty-fourth question (and, indeed, to the end of the eighty-fourth question) there is a unique systematic investigation of human knowledge in which definitive determinations are presented in clear-cut and conscious contrast to the positions of Plato and the Platonists. What can we say, therefore, of the mind of Saint Thomas as he approached this question? Must we not say not only that he had made a definitive choice himself but also that he had decided that his main theoretical opposition was in Platonism and that the fundamental option did not involve Augustine or Avicenna or Avempace or anyone else but rather the Plato who stood behind them all in opposition to his own Aristotle? Thus is emphasized the unique importance of these articles (eighty-four to eighty-eight) which alone in the original works of Saint Thomas constitute an extended *ex professo* systematic investigation of human knowledge.

Since, therefore, Saint Thomas himself has supplied us with so magisterial a text, we will synthesize his presentation of the Platonic theory of knowledge largely in function of this eighty-fourth question.

Since the principles of the *via Platonica* precisely determine the objects of scientific knowledge which cannot be found in the sensible world, it is obvious that all intellectual knowledge – sciences, definitions and argumentations – must refer to the Ideas (and the *Mathematica*).[23] Posited precisely for this purpose, the Ideas are, therefore, the proper object of the human intelligence and are known *primo et per se*.[24] Since they are immaterial and are correlates to the intelligible species, they are intelligible in act;[25] consequently, Plato needs no power comparable to the agent intellect.[26] The objects of intellection are presented to the mind as already actually intelligible.

As ultimate explicative principles the Ideas are not only the object of knowledge. They are also its source and cause.[27] Saint Thomas indicates a very close parallel between the relationship of the Ideas to intellect and their relationship to natural entities.

> Has ergo formas separatas ponebat participari et ab anima nostra et a materia corporali: ab anima quidem nostra ad cognoscendum, a materia vero corporali ad essendum; ut sicut materia corporalis per hoc quod participat ideam lapidis, fit hic lapis, ita intellectus noster per hoc quod participat ideam lapidis, fit intelligens lapidem.[28]

A number of expressions are used to designate the relation. From the side of the intellect or soul, it is spoken of as a 'contact'[29] or a 'touching'[30] or a reflecting;[31] from the side of the Ideas, it is said to be an 'influx'[32] or an 'impression.'[33] But it is most commonly expressed in the language of participation.[34] Now Saint Thomas gives no elaborate analysis of the meaning of participation in this case, but his parallel with the participation of natural things,[35] his indication that the causality is immediate[36] and that it is formal in character[37] gives very high probability to an interpretation such as has been given for the other type. In any case, the Ideas are certainly the cause and the immediate cause of the species by which we know. Since the Ideas are the causes, immediate and total, of the intrinsic intelligible species, it follows from their immobility, that knowledge is constantly present in the soul[38] and that the intellect is naturally 'plenus omnibus speciebus intelligibilibus.'[39]

Since the *sensibilia* were initially ruled out as a possible origin or object for intellectual knowledge and since the soul naturally possesses knowledge through participation in the Idea, neither the *sensibilia* nor the senses can be true causes of intellectual knowledge. The fact remains, however, that we do seem to go through some process in what is ordinarily called 'learning' and that the senses do perform some function. All this is so, however, because when the soul is united to the body, matter becomes an impediment to knowledge and the soul, immersed in the body, forgets the knowledge which it naturally has.[40] Study, practice and the senses all function to remove the hindrances and to bring the soul to remember its natural knowledge.[41] Thus learning is really only a remembering.[42] At most, therefore, the senses are *causae per accidens* or disposing causes and Saint Thomas himself parallels this doctrine with that of the generation of substantial forms, in which the active principles in matter function only as disposing and preparatory causes, not as true secondary causes.[43] It follows from the same ground that the dependence on sense is accidental and, indeed, that the soul functions more easily and perfectly in proportion as it frees itself from matter and the senses.[44] The problem of knowledge in the separated soul, therefore, does not really exist for Plato.[45] The soul released from the body becomes complete master of the knowledge which it always has. It is for this reason that Plato appears only once in *S.T.*, I, 89. The particularized problems which Saint Thomas treats in reference to the knowledge of the separated soul are non-existent or already solved in the initial Platonic position of the first article. Likewise, the question concerning human knowledge of the separated substances presents no difficulty, for the Ideas are precisely the separated substances and these the intellect knows in themselves *primo et per se*.[46]

This brief summary includes all the main points of doctrine attributed to Plato and the *Platonici* through Questions Eighty-four to Eighty-nine.[47] The evidence presented in the supporting notes shows that it also brings together all the main theses referred to throughout the works of Saint Thomas and thus constitutes a synthesis of these theses which, often as isolated points of doctrine, Saint Thomas had read in so many different sources and contexts. Moreover, a survey of the same textual evidence shows that these theses are indifferently attributed to both Plato and the *Platonici*. In these questions, then, Saint Thomas achieves, in counterpoise to his own positive explanation, a synthesis, in oppositional theses, of a general Platonic theory of knowledge.

But the theses are not merely related to the systematic and articulated presentation of Saint Thomas' own doctrine. They have a principle of unity besides their function as a foil to his views. In the two initial articles of Questions Eighty-four and Eighty-five, Saint Thomas presented the main principles and the main outline of the *via Platonica*. It is in function of and reference to this doctrinal background that the positions of Plato are introduced. All the theses become thus continuous with the basic Platonic argument and, indeed, with one exception, inferences or implications drawn from it. The sole exception lies in the theory of the function of sense and the impediments arising from the body. This cannot be deduced clearly from the principles yet it is continuous with them and with the doctrine of the soul, not only in the sense that it readily harmonizes therewith but also in the sense that it reconciles an empirical fact (*i.e.* process in human learning) with them. Thus, Saint Thomas here gives us (1) a synthesis of a common Platonic theory of knowledge; (2) in the light of basic Platonic principles; that is, of the *via Platonica*.

Now, if the outline of the articles given in the first part of this chapter is reviewed, it will be noticed that, besides Plato, only the early Naturalists, Avicenna, Averroes, Avempace, and, in a limited sense, Saint Augustine, appear as adversaries in the bodies of the articles. Avicenna and Saint Augustine are introduced in dependence on Plato; Avempace's doctrine is said to be workable only on a Platonic assumption. Averroes is introduced but once, in reference to a single point of doctrine, not as a patron of an alternative general theory of knowledge. The main opposition thus divides into the materialists and the Platonists who are, on basic points, themselves in mutual opposition. Thus three fundamental options are offered: (1) Materialism, (2) Platonism, (3) the doctrine which Saint Thomas claims as his own under the patronage of Aristotle's name. And the weight of the initial articles and of the general extensive treatment of Plato indicates that he, and not Democritus or Heraclitus or any materialist, is considered to be the primary antagonist.

Now Saint Augustine comes to the center of the stage in the *corpus* of only one article in Questions Eighty-four to Eighty-eight, but his voice is frequently heard in the objections[48] and in the *sed contra* citations.[49] In every case, the *auctoritates* of Saint Augustine are brought in line with Saint Thomas' own exposition without ever an indication that Saint Augustine is in error. The *determinationes* are made through the following techniques: (1) the *auctoritas* is simply interpreted in a Thomistic sense;[50] (2) the interpretation is supported by a counter text from Saint Augustine himself;[51] (3) Saint Augustine is said to be reporting an opinion rather than asserting it.[52]

Now among the Augustinian *auctoritates* introduced in the objection is a series of texts which parallel points in the *via Platonica*:

The mutability of material things	I, 84, 6, *arg.* 1[53]
The deception of the senses	I, 84, 6, *arg.* 1[53]
Intellect cannot know bodies	I, 84, 1, *arg.* 1[54]
The Ideas are known directly and in themselves	I, 84, 5, *arg.* 3[55]
Intellect knows the *quidditas* of separated substances	I, 88, 1, *arg.* 1[56]
The body cannot act on the soul	I, 84, 6, *arg.* 2[57]

Thus we are given a set of *auctoritates* almost as a running parallel to Platonic theory, *auctoritates* which, *prima facie*, admit of a Platonic interpretation. What Saint Thomas, therefore, does in handling these texts is to disengage them from Platonism and turn them, by the techniques above mentioned, into supports for his own position.

As we have pointed out, there is one *corpus* in which Augustine plays the main part. In *S.T.*, I, 84, 5, the problem concerns the knowledge of material things in the *rationes aeternae*. Saint Thomas begins by placing Platonism as the necessary background. That he intends this article to be read against the total background is indicated not only by his overt reference in the article itself but also by the fact that in a parallel passage, devoted entirely to an understanding of an Augustinian text, he recapitulates the entire historical development of the *via Platonica*.[58] On the principle we have previously seen, that the first rule of interpretation for the *Sancti* is the Faith, Saint Thomas points out that Augustine rejected the separate existence of material things and placed the Ideas in the Divine Mind. According to these the human soul knows all things, *i.e.* all things are known in the *rationes aeternae*. But in what sense? Not, says Saint Thomas, as in an object known – this is reserved for the Blessed – but as in a principle of knowledge. 'Et sic necesse est dicere quod anima humana omnia cognoscit in rationibus aeternis per quarum participationem omnia cognoscimus.' Thus a formula, agreeing with Saint Augustine, is reached; but this too still stands in need of determination. 'Ipsum *enim* lumen intellectuale quod est in nobis, nihil est aliud quam quaedam participata similitudo luminis increati, in quo continentur rationes aeternae.' The firm and clear point here is that the *lumen intellectuale* itself in us is a participation of the Divine Intellect. This is a standard expression of the relation of created agents to God and must, therefore, be understood within the pattern of the causes.[59] The real question is whether the clause 'in quo continentur rationes aeternae' is to be taken as directly and formally the object of that participation which is the intellectual light *in us*. This is to ask whether the intellect contains similitudinal determinations according to the *rationes aeternae*. The immediately subsequent text as well as other passages shows that this is not the case.[60] Yet the *lumen intellectuale* is the principle by which the mediating causes can determine our knowledge and, since it is itself a participation in the *lumen divinum* which does, as a matter of fact, contain the *rationes aeternae*, we can *say* that the human soul knows all things in the *rationes aeternae* and, in this sense, it matters little whether we *say* 'quod ipsa intelligibilia participentur a Deo vel quod lumen faciens intelligibilia.'[61] Moreover, the doctrinal limitation, which is internal and crucial to this interpretation – that the determinations of the *intelligibilia* must come from sense – is immediately strengthened by two supporting citations from Saint Augustine himself.[62]

Thus the whole article is a very delicately nuanced determination of an *auctoritas* of Saint Augustine, which leaves Saint

Thomas' doctrine distinctively intact, yet places it in verbal agreement with Saint Augustine.

Now, one, at least, of the opposing theories of knowledge in the thirteenth century was that which has been called 'Augustinisme Neo-Platonicien,' a central doctrine of which was the illumination theory involving the *rationes aeternae*.[63] Yet, Saint Thomas, in these articles, in what is a definitive and formal exposition of human knowledge, makes no direct attack upon it. He rather places Plato and the *Platonists* in the principal opposing position and carries on a philosophical polemic against them. The Augustinian texts which carry the influence of Plato and could be used in support of a Platonizing theory he interprets away from Platonism and subsumes, by various techniques, into his own body of supporting texts. From reflection on these facts, the strategy of the articles becomes clear. Saint Thomas attacks his Platonizing adversaries by destroying their *rationes* through a critique of Plato and deprives them of their *auctoritates* by an adaptive interpretation, while maintaining full respect for the *Sancti* who authored them. If we combine this with our earlier conclusions concerning the *definitive*, *synthetic* and *reductive* character of these articles, we can now say that Saint Thomas saw behind the Platonizing systems of knowledge, ultimately indeed, the very same *via Platonica*.

CHAPTER IX

THE PLATONIC DOCTRINE OF THE HUMAN SOUL

One of the areas laid out for investigation in ist study was that of the theory of the soul. We shall, therefore, study this theory in function of the *ratio-positio* analysis and with attention to its relationship to the *via Platonica*.

The primary Platonic position on the soul and its union with the body can be easily and briefly summarized. The intellectual soul is a complete and perfect substance in its own right;[1] its union with the body is accidental and does not result in a single being.[2] Man, therefore, does not essentially consist of body and soul;[3] rather he *is* the intellective soul.[4] His relationship to the body can be embodied in the definition *anima utens corpore*.[5] The doctrine is conveyed in a series of standard metaphors: the soul is related to the body as a sailor to his ship,[6] as a man to his garments;[7] man is a soul clothed with a body.[8] Stated more technically, the relation is that of *motor-mobili*, solely in the order of moving causality and not at all in that of formal causality.[9]

This is the theory which, throughout his writings, Saint Thomas describes as that of Plato and the Platonists. Yet, despite its importance and its frequent appearance in the pages of Thomas, it is never reduced to principles or to a prior argumentation. There is no text in which it is submitted to a *ratio-positio* analysis. It stands, therefore, within Platonic doctrine as an initial and independent position, in sharp contrast, to be sure, to Saint Thomas' own view, yet never refuted by an appeal to some prior basic error of principle.

This, however, does not mean that it is allowed to stand without relation to other positions. On the contrary, Saint Thomas explores not only the proper consequences, necessary or possible, of the position but also its harmonious integration with the fundamental lines of the other Platonic theories.

It is obvious that the Platonic theory will have none of those difficulties concerning the immortality of the soul which arise when one conceives the soul as the form of the body.[10] Since its relationship to the body is extrinsic, obviously the destruction of the body need entail no destruction of the soul. On the contrary, its attachment to the body is so slight that the way is left open for the transmigration or 'transincorporation' of souls, a doctrine which the Platonists themselves expounded.[11] For the same reason, a Platonist would hold that souls pre-existed their entry into bodies[12] and, if he were a Christian, would turn this theory into a doctrine of the independent and prior creation of souls.[13] But if immortality lost its problematic character within Platonic theory, a very special difficulty was presented when the Platonists attempted to explain why souls should ever become immersed in bodies. On Saint Thomas' view, the body, being an essential and integral part of man and related to the soul as matter to form, should contribute to the natural perfection of man and of his form, the soul.[14] For Platonists the union could only be seen as a state of violence,[15] a degrading immersion in matter and a situation from which the soul should be freed as expeditiously as possible.[16]

At this point, the theory integrates with the theory of knowledge, for it is primarily in the natural mode of human knowledge that Saint Thomas finds the contribution of the body.[17] Man's perfection requires growth in knowledge and this movement from potential knowledge to actual knowledge is, in man, naturally dependent upon sense experience and hence requires a material body.[18] There is thus a correlation between the natural unity of body and soul which constitutes man and his mode of knowing — a verification again of the general metaphysical principle, *agere sequitur esse*. But Plato cannot appeal to this solution, for he has established the objects of human knowledge as independent of matter and has maintained that the senses cannot be true causes of knowledge.[19] In fact, it is basic to his view that the sense world cannot yield truth and certitude and cannot be objects of intellectual knowledge. Moreover, Plato has maintained an independence of matter even for the act of sensing itself; '*sentire convenit animae secundum seipsam.*'[20] Thus there is no operational dependence of the intellectual life, on the body, on matter, or on sensible reality. Thus the body makes no contribution to the perfection of man, which is wholly the perfection of soul.

The actual case is, however, even worse. If the soul possesses knowledge quite independently of the body and of its experiences in the sense world, how is it that when we enter the world of matter and sense, we seem to possess no such knowledge? It is surprising indeed that we possess most excellent 'habits' and yet are unaware of it.[21] The Platonic answer is that immersion in the body produces confusion and forgetfulness and that the soul must slowly and with effort recall its innate knowledge.[22] Thus the union with the body is positively detrimental to the soul's well-being; it must, therefore, be not only violent, that is, against nature, but, in some way, a punishment.[23] Saint Thomas finds no satisfactory explanation advanced by the Platonists – although, of course, he recognizes the consistency between the theory of the soul and that of human knowledge.[24] The Platonic view rests on an over-emphasis of the immateriality of the human intellect.[25] The doctrine of plurality of forms and of souls serves also for a point of integration. Saint Thomas points out that in holding for a number of souls in man, Platonic theory maintains an integrated consistency in two different directions. In the first place, if a series of operations must be reduced to movers (and not to formal causes), the diversity should be reduced to diverse movers, arranged, to be sure, in a systematic order of subordination corresponding to the order of operations.[26] From a different direction, the plurality theory is also seen to be harmonious. For, if all formal perfections, as diversely conceived, must be reduced to diverse separated principles, it follows that each formality will be, within a given being itself, a diverse element. This, of course, holds good not only of the levels of soul but of all forms.[27] The integration is emphasized if we remember that souls also are related to an ideal soul after the same manner as sensible perfections to the corresponding Ideas.[28]

The theory, held by some Platonists, that certain entities mediate the union of soul and body, while impossible within Thomistic theory, is granted to be quite possible, if the soul is a mover and not a form.[29] Likewise, the Thomistic position that the soul is whole and entire in each part of the body cannot stand, if the soul is only a mover.[30]

Now the soul is not only a 'mover,' as these theses presuppose; it is, in fact, essentially a self-mover and the source of all motion in the corporeal world.[31] This position presents contradictions in two directions. First of all, it appears to stand in opposition to Aristotle for whom an originative source of movement cannot itself be moved and certainly cannot be self-moved. Saint Thomas adopts a common solution to this problem by reducing the opposition to a mere difference in words. Plato is referring to thought and will when he speaks of the soul moving itself; this Aristotle also allows, even to God, but in his language the activities of thinking and willing cannot properly be called 'motions.'[32]

But the position is likewise out of harmony with the theory of causality attaching to the Ideas. On this point Saint Thomas is silent; the two theories are presented but never confronted. Both are attributed to Plato and the *Platonici*; both are repeated, generally, to be sure, in different contexts; but they are not reduced to a unity.[33]

If we examine this brief review of the interrelationship of the various Platonic theses and the texts which substantiate it, we find, therefore, that the initial position on the soul is never derived from or reduced to previous positions or principles. While in the case of the *via Platonica* Saint Thomas was able to translate it into a series of principles and oppose them, point for point, by an opposite set, no such procedure appears here. On the other hand, the position on the soul is the basis for derivative positions, such as the plurality of souls, the immortality of the soul, and so forth, some of which are attributed to Plato himself,[34] while others are the theories simply of some Platonists.[35] Likewise, the position itself as well as the derivative ones are shown to be, at various points, in harmony with the *via Platonica* and the Platonic theory of knowledge. We conclude, therefore, that the position on the soul is in itself an initial and independent position, a starting-point at once and a theory, yet one too which is generally in harmony with the other basic Platonic views which we have studied.

If we examine Saint Thomas' analysis of his own position and his arguments for it, two things become immediately apparent. His arguments turn on the application of the principles of act and potency, of being and operation, of matter and form, to man as a composite of body and soul.[36] That, however, which makes the application of these principles possible is the assumption that man is a composite of form and matter, a true ontological unity.[37] This assumption in turn rests upon the immediate analysis of experiential data, the primary point of which is to be found in the unity of man's knowledge.[38]

If we now correlate this with our previous conclusion, it becomes obvious why the fundamental opposition between Plato and Saint Thomas on the relation of soul and body cannot be expressed in an opposition of general principles. The general principles being used by Saint Thomas simply do not apply if the soul is a perfect substance and if it is united to the body only as a mover. This he himself actually points out so often that in the last article of the question on the union of soul and body in the *Summa Theologiae*, he can say:

> Dicendum quod, *sicut in aliis jam dictum est*, si anima uniretur corpori solum ut motor, *posset dici* quod non esset in qualibet parte corporis.... *Sed quia anima unitur corpori ut forma, necesse est* quod sit in toto et in qualibet parte corporis.[39]

Saint Thomas' principles, however much they may be opposed in general to Platonic ones, cannot, on this question, be set up in opposition to Platonic principles, because the basis of application is removed by Plato's initial assumption. The opposition, therefore, lies before these principles, in the very determination that the soul of man is the form of man and of the body. Given this, then the series of Thomistic theses follow with the necessity of logic and metaphysics '... *quia forma, necesse est* quod....' The dividing line between Plato and Saint Thomas lies before this decision with its consequent determinations through principles. That the soul is not the form of the body can be maintained if the *intelligere* belongs totally to the soul alone.[40] This in turn can be maintained only if the *sentire* belongs to the soul alone.[41] The proper subject – whether soul or body or both – for the act of sensing can only be determined by immediate analysis of the factual evidence. The reading of the facts determine whether the *sentire* is an act of the composite of body and soul or of the soul alone, whether man is simply soul or a composite of body and soul, whether, consequently, the soul is necessarily the form of man and of the body. Here, then, is the initial foundation; at this point Plato and Saint Thomas part. This opposition becomes an opposition of general principles by development, not by reduction.

It should be noted that this exposition has followed closely *S.T.*, I, 75 and 76. As was the case in *S.T.*, I, 84 and 85, there is maintained through these questions a point-by-point opposition to Plato and the *Platonici*[42] – these being the main foil of exposition; their doctrines are handled in theoretical continuity and are reduced likewise to the basic point of opposition, the misreading of the factual evidence as stated in *S.T.*, I, 75, 3, *c.*, and *S.T.*, I, 76, 1, *c.* It is significant that in this tersely ordered treatment, Saint Thomas almost entirely avoids the common metaphorical expressions (*nauta navi* etc.) of the Platonic position and consistently employs the more technical 'motor-mobili' formulae.[43]

With regard to the basic view of the human soul, we, therefore, conclude: (1) that the *ratio-positio* analysis of the theses reduces them to a primary misreading of the experiential evidence and not to the *via Platonica*; (2) that the basic theory of the soul is therefore itself a primary *positio* from which other positions flow, some, like the original position itself, common to Plato and the Platonists; some, however, proper to certain Platonists; (3) that the opposition on this point between Plato and Saint Thomas cannot be set up, as in the *via Platonica*, by a series of contrasting principles, though the resulting theses may be so set in point-by-point opposition; (4) that the initial misreading of the evidence as well as many of the consequent positions are in harmonious continuity with the *via Platonica* and the theory of knowledge but that the conception of soul as the source of motion, indeed as a primary self-moving source, is an irreducible position and one which is not harmonized with the causality of the Ideas.

CHAPTER X

THE SEPARATED SUBSTANCES

While the discussion of the Platonic Ideas was, in a sense, a discussion of separated substances, there still remains room for a specific investigation under the rubric 'separated substances.' For Saint Thomas himself has a series of discussions directly dealing with the problem from this standpoint and incorporating philosophical approaches to it.[1] He points out that the philosophers have employed various arguments and that, in each case, distinctively different positions on the problem have, therefore, been reached. Among the philosophers cited, Plato and the Platonists consistently appear, likewise with a characteristic *via* and a distinctive resulting pattern of separated substances.

We have already briefly shown that the *via Platonica*, as analyzed in Chapter Two, is formally designated as the Platonic argument for the existence and nature of separated substances. However, we are now in a position to add further precisions and developments, and this will be done in Section One of this chapter.

In all these discussions of separated substances, some presentation is given of an organized hierarchy of being. In most of the texts this pattern is related formally to a specific argumentation. In almost all the texts, the pattern is 'constructed,' that is, it is not simply reported from any single source but is a synthesis of elements drawn from many sources. Differences, therefore, appear both in the arguments and in the hierarchial patterns.

Since a very late text in the *De Substantiis Separatis* contains a very elaborate and full presentation, the various elements of the hierarchy will be studied through subsequent sections of this chapter in themselves and in function of the *De Substantiis Separatis*.[2]

Section 1

THE PLATONIC ARGUMENT FOR THE EXISTENCE AND NATURE
OF THE SEPARATED SUBSTANCES

Nowhere in the commentary on the *Sentences* does there appear
an argument for the existence of God or of separated substances
which is explicitly designated as Platonic. This is true even of
contexts where one might expect some reference to Plato, since, on
parallel reoccurrence in later works, such a reference is made.[1]

Apparently the earliest appearance of developed arguments
of this sort under the name of Plato or the Platonists is in the
De Potentia. In *De Pot.*, 3, 5, *c.*, an argument is proposed for
positing a universal cause of *esse* and Saint Thomas ends the
exposition with the remark: 'Et ista videtur ratio Platonis, qui
voluit, quod ante omnem multitudinem esset aliqua unitas non
solum in numeris sed etiam in rerum naturis.' The tone of this
remark suggests that Saint Thomas is not certain of the Platonic
character of the argument. In fact, the basis of his attribution
seems to lie in the relationship of the argument to the principle,
ante omnem multitudinem esset aliqua unitas, of which it could be a
specific development. This principle is found, as such, in Dionysius[2] and is so quoted in a similar context in the commentary on
the *Sentences*.[3] Here it seems to be further defined by the phrase
non solum in numeris sed etiam in rerum naturis, which does indeed
appear to refer to the sort of interpretation the principle should
receive in the light of the commentary on the *Metaphysics*. However, the argument itself resembles the later expositions only in
moving from a 'community' to a single unity – the operative
idea through which the movement takes place is that of causality,
not of knowledge or abstraction.

In the *Summa Theologiae* where a similar (though not identical)
argument, turning on participation, occurs, the principle *necesse
est ante omnem multitudinem ponere unitatem* is introduced as a confirmatory *auctoritas* from Plato.[4] It is obvious that this principle,
stated without qualification, lies open to many determinations.
For, in a sense, as Saint Thomas himself remarks, the reduction
of the many to unity is the common concern of philosophers.[5]
The real point lies in the precise way in which this reduction is
brought about and the nature of the unity thus achieved. While

the *De Potentia* text itself in the phrase *sed etiam in rerum naturis* may suggest a reference to the Theory of Ideas, the tentative explication of the *ratio Platonica* seems involved in some of the ambiguity of the general principle itself.

A second exposition of the Platonic argument is presented in *De Pot.*, 6, 6, *c*. Here again there is a suggestion of the tentative character of the explanation, for, while the argument of Aristotle is introduced with assurance 'Aristoteles autem hac via improbavit eam [*sc.* the position that all substances are corporeal],' the Platonic *ratio* is presented thus: 'Tertia autem ratio potest sumi ad hoc ex sententiis Platonicorum.' This argument moves from participated *esse* directly to a substance which possesses the plenitude of being [*essendi*].

In both these cases the argument is identified as Platonic with some hesitation; in both cases it terminates at *Ipsum Esse* which is, in the second case, very clearly the unification of perfections[6] and not the subsistence of a single pure formality of being. In neither case is the argument criticized; in *De Pot.*, 3, 5, *c.*, after listing the *rationes* of Aristotle, Plato and Avicenna, Saint Thomas concludes: 'Sic ergo ratione demonstratur et fide tenetur quod omnia sunt a Deo creata;' in *De Pot.*, 6, 6, *c.*, the *positiones* of Plato and Aristotle are indeed compared but the final determination is based simply on the Faith: 'Sic ergo, fidei veritatem sequendo dicimus....'

If now we lay texts alongside the elaborate development of the *ratio* in the *De Sub. Sep.*, 1 [4–7]; 2 [8], certain striking differences immediately appear. In both works there is a reduction to unity and the establishment of separated incorporeal substances. In *De Pot.*, 6, 6, *c.*, and in the *De Sub. Sep.*, 1, [4–7]; 2 [8], there is an outline of the resulting hierarchy of being. But now in the later text, contrasting with the others, there is (1) a positive and straightforward identification of the argument as Plato's,[7] (2) a clear-cut recognition of a basic principle, of its meaning and application,[8] (3) a positive declaration that the operative principle of the argument is not efficacious.[9] It should be noted that in the last section of the *De Substantiis Separatis*, the doctrines of the philosophers are brought to judgment before the Faith and that in the light of the Faith the final determinations are there made. But in the first section, the *via Platonica* is declared invalid as a matter of rational principle. The differences between the first two texts and this last one measures, in a way, the amount of reading and reflection which lies between them in Saint Thomas' life.

Indications of greater precision can indeed be found in other early works. In a parallel context in the *Contra Gentiles*, where Saint Thomas is discussing the number of the separated substances, he expressly rejects the Platonic determination of the separated substances as being species of natural things (which is a logical conclusion of the Platonic interpretation of the argumentative principles based on 'community' and 'participation').[10] In the *De Veritate*, he likewise expressly rejects the Platonic form of the *reduction to unity and uniformity*.[11] However, neither passage contains an exact determination of the nature of the Platonic argument. But when we come to the later works, wherever, in contexts dealing with the separated substances, the argument of Plato or the Platonists is presented, it is consistently that *ratio* which we have called the *via Platonica*.[12] It is particularly impressive to find that in the four works which deal to such an extent with the separated substances, Saint Thomas takes an early occasion in each to lay down the Platonic argument as a background[13] just as he does for the theory of knowledge in the initial articles of the eighty-fourth and eighty-fifth questions of the *Prima Pars*.[14] In other words, Saint Thomas uses in them a consistent determination of the ambiguities of principles and terms generally attributed to Platonists. If we ask then what, in the light of the later discussion, would be the determination of the principle *necesse est ante omnem multitudinem ponere unitatem*, we would be forced to state it in terms of the principles of the *via Platonica* and would thereby reduce it to the arguments of the *Metaphysics* based on the *commune in multis* and the participation in particulars.[15] And this determination of the argument, by the same stroke, determines its conclusion so that not only is the resulting position of separate subsistent species of material things unacceptable but also the position, so far precisely as it flows from the argument, of a One, a Good and a *per se Esse*.

All this leaves, of course, the Platonic *auctoritates*, statements both of principle and of position, open to various determinations, as we have seen in the very striking case of Plato's Good. And this determination can be carried out by a simple redefinition, either explicit[16] or implicit,[17] as well as by adaptive argumentation.[18] Consequently, there is no contradiction in saying that Saint Thomas rejects the mode of argumentation by which Plato establishes his unities or unity and yet that he approves the principle of Plato: *necesse est ante omnem multitudinem ponere unitatem.*

Section 2

DEUS PATER, INTELLECTUS PATERNUS AND THE ANIMA MUNDI

Saint Augustine reported that he found the doctrine of the Trinity proposed in the writings of the Platonists and thus provided the medieval theologians with a setting for considering the problem of rational knowledge of the Trinity.[1] The doctrine to which Saint Augustine referred was that of the triad, *Deus supremus,* the *mens* or *intellectus paternus* and the *anima mundi* which medieval scholars found described also in Macrobius.[2] Abelard proposed the same example and from it argued for the possibility of a rational discovery of the Christian dogma.[3] In the thirteenth century we find a definite and common question devoted to the problem and regularly dealing with the Platonic example offered by Saint Augustine and Abelard.[4] It is in this question that the triad first appears in an early text of Saint Thomas.[5] It is explicitly referred to in eight subsequent texts[6] of which seven are devoted to Trinitarian discussions.[7] In view of the history of the question and the standard use of this example, it is, of course, not surprising to find it repeated, with little or no variation in such contexts. Now in the doctrine of the triad, the Ideas are located within the *mens paterna*, and it is, therefore, in contrast to the theory of subsistent Ideas reported by Aristotle. It is noteworthy, therefore, that even these standardized contexts show a certain variation in the authorship assigned the doctrine. For, while three early texts attribute the doctrine to Plato,[8] in all the others it is attributed to the *Platonici* and, indeed, in what is probably the latest of them all, it is given as the position of 'alii Platonici,' in explicit contrast to Plato who is said there to assert the subsistence of Ideas separate from the Divine Mind.[9]

It is only in the *De Potentia* that we find a text employing the doctrine in a discussion which is not concerned with the Trinity. This is the text we have already discussed as presenting the first discussion of Plato's argument for separated substances. Here the Platonic triad is worked into the pattern of a hierarchy of being attributed to Plato, though elements of the hierarchy are drawn from other sources as well. The levels of being presented are: (1) *deus pater*, (2) *paternus intellectus*, (3) *substantiae unitae caelestibus corporibus*, (4) the *daemones*, (5) *animae hominum*, (6) *animae animalium*.[10] Clearly the first two levels are drawn from the doctrine under discussion. But the significant fact is that in no subsequent pattern is this triad, as such, employed.

Thus, whether we examine the series of standardized Trinitarian texts, or the texts in which Saint Thomas is actively manipulating his sources into a synthetic pattern, we find the doctrine of the *mens paterna* abandoned as an authentic doctrine of Plato (though it remains a doctrine of some Platonists), and an interpretation illumined by the *Metaphysics* of Aristotle and more in line with the *via Platonica* substituted for it. This doctrine of the Platonic triad does not find a permanent place in Saint Thomas' synthesis of Plato's doctrine and makes no specific contribution to the final form of the Platonic hierarchy of being.

Section 3

PROVIDENCE

Certain presentations of Platonic theories of Providence are considered here because they generally describe a mediated sort of Providence and, consequently, imply, at least, some hierarchial arrangement of separated substances. A standard outline of Plato's theory is given in a text of Nemesius which includes three levels, God, the secondary gods who move the celestial spheres, and the *daemones*.[1]

In three texts, the earliest being that of the *Contra Gentiles*, Saint Thomas repeats Nemesius' description.[2] The point at issue in the *Contra Gentiles* is the extension of Providence to singulars, and Plato is adduced in support of it though he is said to have explained the operation of Providence as taking place through mediating causes. Here, however, Saint Thomas adds that Plato still makes Providence depend on God, since He has appointed the gods and the *daemones*. The texts in *S.T.*, I, 22, 3, *c.*, and *S.T.*, I, 103, 6, *arg.* 1 *et ad* 1, concern the same point and Saint Thomas merely repeats the text of Nemesius and rejects, without qualification, Plato's mediated Providence.

Here we are dealing with a conventional repetition of a text which has become really a tag description of mediated Providence. The case, however, is different in other texts. In *S.T.*, I, 110, 1, *ad* 3, the discussion turns on whether, in administering the corporeal world the angels [separated substances] have, with respect to various types of things, a relationship of governance which is founded on their nature.[3] Plato's answer is drawn from the Theory of Ideas. According to Plato, the separated substances are the *rationes* and *species* of sensible things. It is, therefore, in its very nature that each Idea should, according to its own formality, have an immediate concern with the corresponding particulars.[4] This is no mere repetition of a conventional text; rather it adapts the Theory of Ideas to the question at hand. The mediacy of Plato's Providence rests here on the central doctrine of Ideas and their relationship to the sensible world.

The text in the *De Substantiis Separatis*[5] is of a much more synthetic character. It follows, indeed, the general pattern of the Nemesius text, especially in regard to the function of the *daemones*. However, it is strongly dependent on Proclus and from him is derived the formal operative idea of the treatment; namely, the relationship of Providence to the *ratio bonitatis*. The function of the levels of being in Providence are derived from the pervasive presence of *bonum*, in God as *Ipsum Bonum*, in all others, by participation. The context here is one of an adaptive interpretation of *positiones* in preparation for the use of Aristotle and Plato as correctors of subsequent systems. By following out the implications of 'good,' Saint Thomas is able to bring together in a concordant and unobjectionable interpretation the positions of Plato and Aristotle.[6]

The most significant of these texts is, therefore, *S.T.*, I, 110, 1, *ad* 3, for here we have a text that is clearly constructed by analysis of fundamental theory and is presented with formal criticism. This text is wholly consistent with the precise demands of the *via Platonica*. The Nemesius texts, as simple convention tag-quotations, are obviously of little importance, while the *De Substantiis Separatis* is developed according to Saint Thomas' adaptive mode of interpretation.

Section 4

THE 'GOOD'

As we have seen, the earliest synthesis of the Platonic hierarchy of being – that of *De Pot.*, 6, 6, *c*. – is modeled largely on the *Deus-Mens-Anima* triad. In this synthesis the 'Good' and the 'One' are not mentioned. In most of the subsequent elaborations of the hierarchy, the 'Good' and the 'One' stand at the top, as the first principle and the highest God.[1]

Since the 'Good' has been studied from various points of view, much of what follows will simply resume previous conclusions.

Now, the first explicit discussion of the Platonic theory of the 'Good' occurs in the *De Veritate* and this in an elaborate and extended fashion.[2]

Saint Thomas lays down as Plato's principle 'ea quae possunt separari secundum intellectum, ponebat etiam secundum esse separata.' The application of the principle is developed, in accordance with his interpretation of the first book of the *Metaphysics*, through the key example of *homo – homo separatus*.[3] For 'man' is 'common' to Socrates and Plato and can be understood without understanding either Socrates or Plato; therefore, there must be a separated 'man,' a common Idea. Pushing the argument in perfect parallel, he moves from particular goods to the Idea, the *per se bonum*, which is related to all particular goods by participation. Since now this Idea of the 'Good' extends to all things, it is the universal principle and hence God.

Thus the 'Good' of Plato's hierarchy is seen to be established precisely by the argumentation which we have called the *via Platonica*.[4] The separated good to which Plato arrives by this argument must, therefore, be conceived, as in this text, to be the separated common idea above all particular goods. In accordance with this exposition and with the principles on which it rests, the separated Good of Plato is the common idea,[5] the species,[6] and *essentia*[7] of goodness, the *idea abstracta*,[8] a *species idealis*,[9] the first in the order of separated species,[10] the *ratio* and *essentia* of all things which participate goodness,[11] the *primum abstractum* in the pattern of reified abstractions.[12]

Now this 'Good', so arrived at by the *via abstractionis*[13] and so conceived as the highest principle in a system of abstractions, is rejected by Saint Thomas, for he brings against it the arguments he has elaborated in dependence upon the texts of the *Metaphysics* and the *Ethics*[14] and rejects as well, in principle, the argumentation which establishes its existence and determines its nature.[15] But in the *De Veritate* article itself, there appears a different treatment of the position itself, for, after explaining how God is indeed the exemplar and effective principle of all created goodness, Saint Thomas adds, 'Quantum ad hoc opinio Platonis sustineri potest.' A similar basic distinction on the meaning of the *positio* is found in the *Ethics*:

> Circa primum considerandum est, quod Aristoteles non intendit improbare opinionem Platonis *quantum ad hoc quod ponebat unum bonum separatum*, a quo dependerent omnia bona.... Improbat autem opinionem Platonis *quantum ad hoc, quod ponebat bonum separatum esse quamdam ideam communem omnium bonorum.*[16]

In the *Summa Theologiae*, again it is precisely the first interpretation of the position which is approved.[17] However, both in the *De Veritate* and in the *Summa Theologiae*, the approval depends upon a shift, from the *via Platonica*, to the argumentation of Saint Thomas himself which places the position squarely within the pattern of the causes and gives it thereby a precise meaning.[18] In effect, there is an ambiguity in such expressions as 'omnia sint bona bonitate prima'[19] and 'bonum omnis boni'[20] which permits of their interpretation in either of the directions indicated above. This ambiguity Saint Thomas has thus removed, but in doing so he disengages the proposition from the *via Platonica* and attaches it to the doctrine of the causes, in terms of which the relation of creatures to God may be accurately stated. His procedure here is in accord with the rules he had previously, without reference to Plato, laid down for the understanding of propositions of this type.[21] By the same token, the ambiguity which surrounds the term participation in this context is likewise removed.

In accordance with this twofold interpretation of Plato's posi-

tion, we thus find two different attitudes in the texts, one accepting Plato's position and using it as a confirming authority[22] and
for positive construction;[23] the other rejecting it.[24]

Thus, Saint Thomas consistently and continuously places the
Good at the highest point of the Platonic hierarchy and this in
explaining both Plato himself and the Platonists. Likewise, it is
consistently integrated with the Theory of Ideas, based on the
same rational ground and having the same relation to particular
goods as any Idea does to its inferiors. The coincidence of the
positio itself, taken materially, with Saint Thomas' own doctrine
is thoroughly exploited and the participation relationship, either
explicitly or implicitly, is determined within the pattern of the
causes, thus being freed from ambiguity and from the possible
turns of Platonic interpretation.

Section 5

THE 'ONE'

At the top of the Platonic hierarchy stands the 'One.' On this
point all Saint Thomas' sources agreed and, consequently, the
per se unum appears consistently throughout the texts in combination with Good or Being or both together, as a description of the
highest God and first principle.[1] The texts attribute the doctrine,
without distinction, to both Plato and the Platonists.

When we examine the texts closely, however, we find once
more two different attitudes. In some the One is accepted and
approved; in others it is criticized and rejected.[2] The one of
Plato is described as a separated and subsistent universal[3] in
which the separation is precisely contradicted by the common
existence in many and the predicability of many which constitute
its universality.[4] It is a separate intelligible principle in the sense
that universals are intelligible.[5] It is one of the highest genera
and, on Plato's showing, must be separately existing if any genera
at all are to be subsistent.[6] As a highest genus, it stands first as
the 'primum abstractum' in the reified pattern of genera and
species,[7] its position of priority being determined by its greater
conceptual simplicity.[8] While separate, it must, like any separated species, yet be the substance of all things which are one[9] and

is thus involved in the problematical relation of Ideas to particulars.[10] In short, the One, as criticized by Saint Thomas, is related to all those arguments of the *Metaphysics* which Saint Thomas has reduced to and unified in the principles of the *via Platonica*.[11] If, then, inference were necessary, we could conclude that Saint Thomas sees the Platonists as positing the One through the basic argumentation which he so often outlines and stamps with a 'non constat.'

Inference, however, is not necessary, since the One is expressly related to the *via abstractionis* in the major texts.[12]

These critiques, therefore, so explicitly and consistently maintained and the exact parallel of the case to that of the Good, force us to conclude that it is not this 'One' that appears in the texts which positively and approvingly incorporate Plato's 'One.' This later treatment is, therefore, purely positional and uses the *auctoritas-positio* mode of handling.

Section 6

PER SE ESSE, PER SE VITA, PER SE INTELLIGERE

Saint Thomas had read in the *De Divinis Nominibus* a doctrine which set up, as separate deities and creative causes, a *per se vita*, a *per se esse*, a *per se sapientia*, a *per se pax*, etc.[1] In an early encounter with this doctrine, he at least tentatively identified its authors, otherwise unnamed by Dionysius, as the 'gentiles.'[2] When, however, he came to comment the relevant text in the *De Divinis Nominibus*, he attributed the theory to the Platonists and developed a rather long presentation of the Platonic background.[3] The attribution of the doctrine to the Platonists occurs only in the following works: *S.T.*, I; *In De Div. Nom.*; *In L. De Causis; De Sub. Sep.*, and *Super Ep. S. Pauli ad Coloss.*[4] It would seem, therefore, that the reading of Proclus gave him a clear view of the theory and its origin, since all these works otherwise show the influence, to a greater or lesser degree, of the *Elementatio Theologica* and since in them the detail of the doctrine agrees rather with Proclus than with Dionysius.[5] In none of these texts, however, is the doctrine explicitly and directly attributed to Plato himself.[6] Yet the doctrine is consistently reduced to and integrated

with the *via Platonica* (which is, of course, attributed both to
Plato and to the Platonists). The background is thus presented
in *In De Div. Nom.*, 11, 4 [931]:

> Ad cuius evidentiam sciendum est quod Platonici, ponentes
> ideas rerum separatas, omnia quae sic in abstracto dicuntur,
> posuerunt in abstracto subsistere causas secundum ordinem
> quemdam; ita scilicet quod primum rerum principium dice-
> bant esse per se bonitatem et per se unitatem et hoc primum
> principium, quod est essentialiter bonum et unum, dicebant
> esse summum Deum. Sub bono autem ponebant esse, ut supra
> dictum est, et sub esse ponebant vitam et sic de aliis.[7]

The integration is carried out in detail. The *per se vita*, for example,
is parallel to the *per se homo*, *per se equus*, etc. It is a single separated
substance with the same causal relationships to singulars as any
Idea.[8] Thus, though this triad is never explicitly attached to
Plato's name, it is understood and explained precisely through
the analysis of the Theory of Ideas as developed in the commentary on the *Metaphysics* and the *via Platonica*. This integration,
however, raises a particular problem with regard to the relationship between the Good and the *per se esse*. In many texts the
supreme God – the highest of the Ideas – is said to be, according
to Plato and the Platonists, *Unum*, *Bonum* and *Ens*.[9] Now Saint
Thomas was aware that in some sense Dionysius accorded a
certain priority to good over being. This priority he interpreted
as resting on a certain wider causality attributable to good.[10] In
the triad of Proclus, however, he found a doctrine in which the
Good was ontologically distinct from and superior to Being.[11]
Moreover, he saw too that this conformed to the Platonic argument which required for every abstract formality a corresponding
distinct subsistent principle.[12]

Now, the later texts show three different accounts; in some
the Platonic first principle is reported as the One, the Good and
Being; in others it is said to be One and Good with no mention
of Being; in the third set, the explicit subordination of Being to
the Good is described.

The pattern of the tactic in the *De Substantiis Separatis* is particularly instructive. The first sections of the work (Chapters
1–15) are a review of the opinions of the philosophers.[13] Within
this review the doctrines of Plato and Aristotle are used, in a

fashion, as corrective norms for the others.[14] But the first chapters present a *ratio-positio* analysis of Plato and Aristotle.[15] The familiar argument is here presented for Plato and its fundamental principle rejected.[16] Within this formally critical context the first principle is said to be 'secundum se unum et secundum se bonum' with no mention of being or of the triad. A certain neutrality is thus maintained on this point. In Chapter Three the discussion enters a new phase in which the *positiones* are considered. The consideration is actually a re-working of the *positiones* ordered to their subsequent normative use, in which Saint Thomas plays Aristotle and Plato against subsequent philosophers. The *auctoritas-positio* technique, therefore, comes into play and the *positiones*, when their statement allows, are given an adaptive interpretation. For example, by an argumentative interpretation the act-potency composition is applied to Plato's separated substances,[17] but, in the case of separated species of sensible beings, the *positio* itself is still rejected.[18] Through this section the theory of the first principle is still given under the exclusive rubrics of unity and goodness,[19] though it is now interpreted within a context of Thomistic causality.[20]

Again, when the problem of creation is discussed, a solution is drawn from the positions of Plato and Aristotle, but here, by a simple and rapid argument, the *primum* is now shown to be *Ipsum Esse*[21] and again by an argumentation that this *Ipsum Esse* is the *universale* and first cause of all being.[22] But at this point the *De Substantiis Separatis* returns to a critical passage in order to deal with the problem of a multiplicity of first causes.[23] It is illustrative of Saint Thomas' technique that he maintains the Platonic position within the context of causality and of the adaptive interpretation already given,[24] concentrating solely on the *multiplicity* of the causes involved in the Platonic position. But once again this multiplicity itself is integrated into the Platonic argument by a brief but clear reference to the earlier presentation.[25] In the last section of this work, where the Faith becomes the sole norm of determination, Saint Thomas uses a theological argument against the multiplicity of causes;[26] here, however, he turns against it an argument which depends upon a text of Aristotle[27] and by this very fact further ties the theory to the Platonic argumentation. In the commentary on the *Metaphysics* Saint Thomas had developed the argument that distinct separated species of animal and of biped would destroy the unity of man.[28] It is this argument which, with the same example, he now uses against the Platonic *positio*. He explains that the causal relationships set up in this theory require distinct relations between a given singular and each separate principle and that this is parallel to the relationship of *homo* to *animal* and to *bipes*. In this case the substantial unity of the individual substance would be destroyed; consequently, the distinction in separated causes cannot be maintained with respect, at least, to substantial perfections.[29] To this ontological multiplicity (which is the direct consequence of the *via abstractionis*) Saint Thomas opposes the fecund simplicity of God in Whom the perfections of life, intelligence and being are all united in virtue of the pure act of existence which He is.[30]

In the last section of the *De Substantiis Separatis* a new sort of consideration is carried on, for here Saint Thomas turns from the philosophers and lays down the facts of Faith, using here one of the *Sancti* for guide, Dionysius.[31] Within this section, therefore, we find a positive presentation of theological positions; the subtle interworking of philosophical doctrines is left behind and positional errors are simply brought to the test of Faith and rejected. Here then appears a brief but forthright description of the theory of multiple separated causes and arguments against it drawn from Scripture and Dionysius.[32] Here the *positio* is described as distinguishing the *ipsa bonitas* of God from another subordinate god, *ipsum esse*. We are completely outside the delicate nuances of the previous section.

Similar variations appear in the commentary on the *De Divinis Nominibus*. The first text attributes the theory of the triad to 'some' Platonists and identifies Being and Goodness in the first principle.[33] In several texts the distinction between Goodness and Being is asserted and indeed stressed.[34] There is also again an adaptive sort of text in which Saint Thomas argues that, even on the Platonic assumption of the triad, the first principle must be *Ipsum Esse*.[35] In general, the selection of the mode of presentation seems to depend on the *littera* of the text being commented;[36] however, in no case is the triad expressly attributed to Plato and in every case Dionysius is exonerated[37] and the doctrine itself is, as we have seen, integrated with the general Theory of Ideas and the *via abstractionis.* The same variations are presented in the commentary on the *Liber De Causis.*[38] Here, too, the author is said not to hold the distinction between the first principle and Being.[39] In addition, the authority of Dionysius (as understood, of course, in Saint Thomas' own commentary) is introduced against the Platonic view.[40] With regard to the triad, *ipsum esse, ipsum vivere, ipsum intelligere,* we can conclude:

1. Saint Thomas does not attribute the ontological distinction between *ipsum bonum* and *ipsum esse* to Plato himself.

2. The doctrine is seen to be a logical development or at least one logical development of the *via Platonica,* and, though found in Proclus, is read in the light of the pure position of the Platonic Ideas.

3. It contains two points of doctrine, the multiplicity of immediate yet ultimate causes and the separate subsistence of the Good and of Being. Both of these positions Saint Thomas rejects both in principle and in themselves.

Section 7

THE DAEMONES

Saint Thomas consistently ascribes to the Platonists a doctrine of *daemones* which is neatly summarized in the definition of Apuleius: *animalia corpore aerea, mente rationabilia, animo passiva, tempore aeterna.*[1] They are stationed in the air below the celestial bodies.[2] Some are good; others are evil;[3] yet all must be worshipped with a religious cult[4] for they act as mediators[5] between gods and men and are agents of Providence.[6] The doctrine appears in many texts throughout the works and is generally attributed to the Platonists,[7] frequently to Apuleius by name.[8] Plato himself often enough – and even as late as the *De Substantiis Separatis* – is cited as its patron.[9] All these attributions are in close accord with Saint Augustine's extensive discussion in the *De Civitate Dei.*[10] The most significant fact is, however, that the *daemones* are featured in the earliest[11] as well as in the latest of the Thomistic presentations of the Platonic hierarchy of being.[12] The doctrine, however, is never reduced to prior principles or related directly to the *via Platonica.* It is merely reported and repeated. It is, however, definitely Saint Thomas' view that this doctrine is an authentic Platonic position, resting, at least in general, on the authority of Plato himself.[13]

Section 8

THE FINAL SYNTHESIS

The most extended and probably the latest of Saint Thomas' presentations of the Platonic hierarchy is to be found in the *De Substantiis Separatis*.[1] This elaborate synthesis of data drawn from many sources rests the total position squarely on the principles of the *via Platonica* and, in fact, lays out the details of the highest level of being in studied dependence on them. After the complete presentation, the *radix* of the integrated position is said to be 'ea quae intellectus separatim intelligit, separatim esse ea in rerum natura.'[2] No reduction could be more formal.

The *mathematica* appear in a paragraph that is preliminary to the systematic pattern of substances. The subsistence of the triangles, lines and so forth of mathematical demonstration is, as we have seen, consistently stated as resulting from the transposition of abstractions to reality and is regularly attributed to Plato, but in no text are these entities clearly assigned a definite level in the hierarchy.

The upper level is occupied by God Who is the One and the Good of Platonism, standing first in virtue of conceptual priority. As was pointed out, no mention of Being or of *per se vivere* and *per se intelligere* is here made. Immediately beneath the One and the Good stand the other separated species and beneath them the order of separated intellects.

The description of the separated intelligences relies heavily upon Proclus, but they are fitted into the basic Platonic framework through knowledge. For, like the human intellect, they are *actu intelligentes* and have knowledge in virtue of their participation in the separated species. Like all other things, they have goodness and unity by participation in the first One and Good.

Below these intellects is a double order of souls, the proper mark of a soul being, as Saint Thomas has always said of Plato's view, that it moves itself.[3] The souls move the heavenly bodies. This, too, Saint Thomas consistently attributed to Plato; namely, that the heavenly bodies were animated.[4] Animation here, though, must be understood in accordance with the general theory of the soul, as consisting in the relationship of a mover to the moved.[5] Beneath these souls is the level of the *daemones* which are described in accordance with the general view derived from Saint Augustine.

Now all these entities which lie between us and God, that is, the separated species, the separated intelligences, the souls of the heavenly bodies and the *daemones*, would have to be designated 'angels' from a Christian viewpoint.

Thus, in final synthesis, the data derived from so many sources is sifted, selected and organized. It is indeed a far development from the pattern of the *De Potentia;* the view of Macrobius has disappeared, the influence of the text of Nemesius is scarcely to be recognized; all the detail from Proclus, Augustine and others is put together under the sign of the *via Platonica*, which, to a large extent, appears to guide the selection and to provide the philosophical rationale, with an eye, of course, to the total strategy of the *De Substantiis Separatis.*

CHAPTER XI

SUMMARY AND CONCLUSIONS

The general conclusions which emerge from this study are of two kinds. Some are the direct result and the main import of the ordered presentation of the evidence. Such will be the general conclusion concerning the doctrinal analysis of the Platonic theories studied. In this case we need only summarize the conclusions already reached. Others, however, depend upon points which have been treated in different sections and as subordinate to other primary topics and yet which converge to indicate a separate conclusion. Such will be many of the points which have to do with methodology and with Saint Thomas' polemical strategy. These conclusions may be regarded as by-products of the main line of the study, yet, despite that, are nonetheless of considerable importance.

The conclusions will be divided into three groups: (1) those relating to Saint Thomas' methodology; (2) those relating to the doctrinal analysis and critique; (3) those relating to Saint Thomas' polemical strategy.

Section 1

SAINT THOMAS' METHODOLOGY

We are now in a position to elaborate somewhat the type division of texts with which this study began. We may distinguish these general groupings:

1. Texts which are unique, isolated and of little intrinsic doctrinal importance.[1]

2. Texts which appear almost solely within commentaries and are not used by Saint Thomas in his personal works. These may be (a) simple explanations or paraphrases of a given text [e.g. the explanation of the rivers and so forth in the

commentary on the *Meteors*][2] or (b) rather elaborate explanations of an analytic and constructed nature [*e.g.* the explanation of the identification of the Ideas and numbers which appears in many passages but is of relatively little importance outside the commentaries].[3]

3. Texts which are conventional tag-quotations, attached to a standard problem or context, but are not, as such, worked into any of Saint Thomas' analytic texts or larger syntheses. These may be merely vehicles for presenting an objection [such as the 'optimi est optima adducere'][4] or reporting a theory [such as the texts which merely repeat Nemesius' outline of Plato's theory of Providence and which are used to raise the problem of mediated Providence].[5]

4. Texts which present a *ratio-positio* analysis in which a position is determined by a reduction to principles and in which a definite critique of these principles may[6] or may not appear.[7]

5. Texts in which a *positio* is understood as determined, wholly or in part, by principles, but in which a critique is directed against the *positio* rather than against the principles.[8]

6. Texts in which *positiones*, which originally depend upon other principles, are 'determined' by a reading in the light of principles approved by Saint Thomas. This involves the *positio-auctoritas* treatment in its purest form.[9]

7. Texts in which *positiones*, which originally depend upon other principles, are transferred to a Thomistic context and are read, at least partially, in the light of Saint Thomas' own principles, yet in which some objectionable point is retained and made the central point of a criticism.[10]

8. Texts in which principles or *positiones*, which in their pure consideration Saint Thomas rejects, are used in positive philosophical or theological development. Here must be included a wide variety of texts displaying delicately nuanced variations of treatment. Sometimes a simple argumentation is used to transform the direction of the position or to bring it beyond its original form;[11] sometimes, apparently on the principle that even those in error have dimly seen the truth, a position, otherwise unacceptable, is forced to contribute its modicum of truth.[12]

It is obvious that these categories are not rigid or mathematically precise. They do indeed overlap, and many texts could easily be placed in several of them. Yet the reading of the texts throughout this study presents the evidence on which the classification is based. Again, the listing is not offered as complete, but at least *these* classes do emerge from previous considerations.

Section 2

THE DOCTRINAL ANALYSIS AND CRITIQUE

We have seen that Saint Thomas achieved a reduction to principles of the central theses of Plato's theory of knowledge, theory of Ideas and theory of Separated Substances and developed a point by point critique of these principles, of the *rationes* and *via Platonica*. In the theory of the soul, we have seen a basic position underlying the general theory and leading to positions which in many cases harmonize with the *via Platonica*. These central theses and these principles Saint Thomas has attributed to Plato and the *Platonici*, although he recognizes certain positional differences among the *Platonici* and avoids attributing certain positions to Plato. Despite these recognized positional differences, the central doctrinal synthesis is presented as Platonic in a general and pervasive sense.

Moreover, we have seen that the critique of principles, while drawing from many different sources, does not exist in any discovered source as such but is the result of progressive construction and synthesis. The study has indicated that the most important single source is the *Metaphysics* of Aristotle and especially its first book. If this is true, then it may be said that the most important single piece of analysis is the reduction of the *rationes Platonicae* presented – explicitly or implicitly – in the Aristotelian text to the fundamental synthesis and critique which first appears, in the commentary, in *In Meta.* [12]. For thus all the previous lines of criticism were integrated with the Aristotelian critique (as interpreted by Saint Thomas) and thus provided Saint Thomas with a solidly organized interpretation of Platonism and a battery of interrelated counterarguments. And his selection from and reading of other sources (even of Proclus) is dominated (in *ratio-positio* texts, explicitly or implicitly such) by this integrated view. We have seen, for example, that the wide use of the *homo per se* example (which is elaborated in *Lectio* 10 of the commentary on the first book) was a token and an instrument of this interpretation.

If the terms, expressions and even principles of the critique are derived from many diverse sources, we have seen that, on the other hand, they are solidly grounded on and consistent with Saint Thomas' exposition of his own views. In fact, certain parts of the critique appear at first almost as simple by-products of a positive exposition of theory.[13]

Saint Thomas' lapidary formulations of the points of criticism – so in keeping with his terse style – bring to sharp focus the precise places at which uncompromising opposition appears. He is thus able to line up the two theories in a set of principles and starting points which are opposed as 'yes' and 'no'; 'Necessarium est....' – 'Non necessarium est....' But behind these focal points are the implications of wider theory. We have seen that the theories involved are: (1) the interpretation of both the immediate evidence and the principles of human knowledge; (2) the philosophical understanding of Being; (3) the theory of the causes; (4) the interpretation of the immediate evidence for the operational and ontological unity of man and the consequent application of ontological principles in a theory of man and his operations. The theory of knowledge has a particularly important position, since, largely because of it, there runs through the entire body of doctrinal difference, a fundamental opposition in the mode of philosophizing, the opposition which we have exposed in the general statement of the *via Platonica*.

It is from the background of this body of doctrine that Saint Thomas points his criticism and it is within this background that he re-determines or re-interprets Platonic or Platonizing positions.

Section 3

SAINT THOMAS' POLEMICAL STRATEGY

We have seen too that the study of Platonic doctrines is not conducted by Saint Thomas as a pure investigation into the history of philosophy or even as a purely philosophical enterprise. On the contrary, it is definitely related to the general pattern of his polemics and to the strategy imposed by the situation in which he found himself. The two most important *Sancti* whose *auctoritates* were universally recognized and with which he had to deal, were Saint Augustine and Dionysius. In both cases, Saint Thomas expressly recognizes, in terms of his own analysis of Platonism, the Platonic background. When critical issues are at point, he consistently uses the Platonic background as a reason for a clear determination within the framework of his own theories. The entire commentary on the *Divine Names* is a sort of general determination of *auctoritates*, in which, text by text, Dionysius becomes an *auctor* of Thomistic positions and in which he is, on critical issues, freed from the force of Platonic principles. The strategy of Saint Thomas thus alligns the *auctoritates* of Saint Augustine and Dionysius on his side of the argument. Moreover, by reducing the alternative interpretations to Platonic principles, he is in the advantageous position of being able to attack the opposition through a critique of a non-Christian philosopher and to avoid a direct discussion of, say, Saint Augustine.

One of the most influential of non-Christian *auctores* was the author of the *Liber De Causis*. Saint Thomas approaches the critical study of this work armed with three important instruments: (1) his *ratio-positio* analysis of Platonism; (2) his previous redetermination of Dionysius; (3) Moerbeke's translation of the *Elementatio Theologica*. Although he does, of course, on occasion refer to the Faith, to Aristotle, or simply to *Veritas*, it is primarily in function of these three instruments that he handles his text. The text is rendered intelligible through the use of Proclus and the reduction of both the text and Proclus to the *suppositiones Platonicae;* the resulting positions are distinguished; some are found to agree with Proclus and to fall under the condemnation of the *ratio-positio* analysis; some are freed and given a saving interpretation. It is significant that Dionysius is so regularly invoked in both situations, to support the position where it is saved, to correct and counterpoise the position when it is erroneous. Saint Thomas, we may recall, explicitly selected Dionysius as his main *auctoritas* in the theological critique at the end of the *De Substantiis Separatis*. It is impressive – and almost amusing – to find the Platonizing Dionysius selected to speak for Saint Thomas against the Platonizers. No polemical device could be more effective, and perhaps one is justified in conjecturing, at least, that this is deliberate and conscious strategy.

But we must note that the study indicates that Saint Thomas' flexible treatment of Platonic positions allows an even wider play of polemical strategy. The reduction of positions to the rejected *via Platonica* allows Saint Thomas to turn the full force of his critique of Plato against others by assimilating, to a greater or lesser degree, their positions to Platonic ones. Thus positions of Avicenna, Avempace and Avicebron are brought under the general condemnation. On the other hand, the *positio-auctoritas* treatment of Plato enables him to use the great names of both the outstanding Greeks – Plato and Aristotle – in constructing his own doctrines and defending his own views. The most extended example of this is in the second part of the *De Substantiis Separatis* where Aristotle and Plato are played off against the errors of subsequent and lesser philosophers. But perhaps the most striking case is the double use of Plato against the Averroistic doctrine of the separated agent intellect. For, in some points, Saint Thomas is able to assimilate Averroistic positions to objectionable Platonic ones[14] while in others he can appeal to Plato in direct opposition to Averroes[15] and thus assist him in his effort to deprive Averroes of the support of the Greek tradition.[16] On this point it is significant that Siger de Brabant accepted Saint Thomas' fundamental critique of Platonism.[17]

If the argument of this study has been sound, if the evidence presented adequately supports that argument, if the future studies suggested by the points treated herein confirm that argument and its evidence, we will have a clear grasp of the principles in the light of which Saint Thomas approached, organized, analyzed, used and criticized what he himself designates as the theories, either directly or by reduction, belonging to Plato and the *Platonici*. Moreover, we will be equipped with the fundamental principles of interpretation necessary for the proper reading of the Plato and *Platonici* texts of Saint Thomas.

All the conclusions of this chapter are, of course, subject to the limitations imposed (1) by the present imperfect state of Thomistic scholarship; (2) by the limitations of area set up for the study itself; and (3) by the inevitable shortcomings of an individual effort.

NOTES: PART II

INTRODUCTION

1. *In S. Mt.* [2].
2. *In Meteor.* [1].
3. See 'Delectatio.'
4. These four areas include the following entries: 'Abstractio,' 'Anima,' 'Bonum,' 'Causa,' 'Communis,' 'Corpus' (in part), 'Dei,' 'Deus,' 'Esse,' 'Essentia,' 'Exemplar,' 'Forma,' 'Genus,' 'Homo,' 'Idea,' 'Intellectus,' 'Intelligere,' 'Intelligibilia,' 'Materia' (in part), 'Participare,' 'Participatio,' 'Praedicatio,' 'Ratio,' 'Scientia,' 'Species,' 'Substantia,' 'Unitas' (in part), 'Universalis,' 'Unum' (in part).
5. See 'Corpus' (in part), 'Dualitas,' 'Linea,' 'Mathematica' (in part), 'Numerus,' 'Punctus,' and 'Unum' (in part).
6. Compare, for example, *De Ver.* [17] and *S.T.* [3].
7. Compare *De Sub. Sep.* [1] and *S.T.* [3].
8. *E.g. Optimi est optimum adducere* in *De Ver.* [14] and in *Comp. Th.*, 72.
9. *E.g. De Sub. Sep.* [1] and *S.T.* [71].
10. For a general review of the methods appropriate to the proper reading of St. Thomas, see Chenu, *Introduction à l'Étude de Saint Thomas d'Aquin.* Chenu presents the main works on chronology, methods and technique and so forth. Many studies of special problems in St. Thomas contain valuable reflections on methodology. For example, Geiger, *La Participation dans la philosophie de S. Thomas d'Aquin*, pp. 17–26. Despite all of this, however, the student of St. Thomas is still handicapped by lack of necessary instruments – texts, editions, indices, background studies, and so forth. Chenu points out a number of these needs in his 'Notes de Travail' which follow the chapters of his book (*e.g.* pp. 197–198). On problems relating to the Aristotelian commentaries, see Isaac, 'Saint Thomas interprète des oeuvres de Aristote' (*Acta Congressus Scholastici Internationalis*, 1950).

    All of this places limitations on any current study of St. Thomas and leaves it open to inevitable future revision.

CHAPTER I

1. Since this text is used as a prime example, it is here given with its full context: 'Dicendum quod, quia nostra cognitio a sensu incipit, sensus autem corporalium est, a principio homines de veritate inquirentes, solam naturam corpoream, capere potuerunt in tantum quod primi naturales philosophi nihil esse nisi corpora aestimabant; unde et ipsam animam corpus esse dicebant. Quos etiam secuti videntur Manichaei haeretici, qui Deum lucem quamdam corpoream, per infinita distensam spatia esse existimabant. Sic etiam et Anthropomorphitae, qui Deum lineamentis humani corporis figuratum esse construebant, nihil ultra corpora esse suspicabantur.

    Sed posteriores philosophi, rationabiliter per intellectum corporalia transcendentes, ad cognitionem incorporeae substantiae pervenerunt.

Quorum Anaxagoras primus, quia ponebat a principio omnia corporalia in invicem esse immixta, coactus fuit ponere supra corporalia aliquod incorporeum non mixtum, quod corporalia distingueret et moveret. Et hoc vocabat intellectum distinguentem et moventem omnia, quem nos dicimus Deum. Plato vero est alia via usus, ad ponendum substantias incorporeas. Aestimavit enim quod ante esse participans, necesse est ponere aliquid abstractum non participatum. Unde cum omnia corpora sensibilia participent ea quae de ipsis praedicantur, scil. naturas generum et specierum et aliorum universaliter de ipsis dictorum, posuit huiusmodi naturas abstractas a sensibilibus per se subsistentes, quas substantias separatas nominabat.

Aristoteles vero processit ad ponendum substantias separatas ex perpetuitate caelestis motus. Oportet enim caelestis motus aliquem finem ponere. Si autem finis alicuius motus non semper eodem modo se habeat, sed moveatur per se vel per accidens, necesse est motum illum non semper uniformiter se habere; unde motus naturalis gravium et levium magis intenditur, cum appropinquaverit ad hoc quod est esse in loco proprio. Videmus autem in motibus caelestium corporum semper uniformitatem servari, ex quo existimavit huius uniformis motus perpetuitatem. Oportebat igitur ut poneret finem huius motus non moveri nec per se nec per accidens. Omne autem corpus vel quod est in corpore, mobile est per se vel per accidens. Sic ergo necessarium fuit quod poneret aliquam substantiam omnino a corpore separatam, quae esset finis motus caelestis.

In hoc autem videntur tres praedictae positiones differre, quod Anaxagoras non habuit necesse ponere, secundum principia ab eo supposita, nisi unam substantiam incorpoream. Plato autem necesse habuit ponere multas et ad invicem ordinatas, secundum multitudinem et ordinem generum et specierum, et aliorum quae abstracta ponebat; posuit enim primum abstractum, quod essentialiter esset bonum et unum, et consequenter diversos ordines intelligibilium et intellectuum. Aristoteles autem posuit plures substantias separatas. Cum enim in caelo appareant multi motus, quorum quemlibet ponebat esse uniformem et perpetuum; cuiuslibet autem motus oportet esse aliquem proprium finem: ex quo finis talis motus debet esse substantia incorporea, consequens fuit ut poneret multas substantias incorporeas, ad invicem ordinatas secundum naturam et ordinem caelestium motuum. Nec ultra in eis ponendis processit, quia proprium philosophiae eius fuit a manifestis non discedere.

Sed istae viae non sunt multum nobis accommodae: quia neque ponimus mixtionem sensibilium cum Anaxagora, neque abstractionem universalium cum Platone, neque perpetuitatem motus cum Aristotele. Unde oportet nos aliis viis procedere ad manifestationem propositi,' *De Sp. Creat.*, 5, *c.* [K 64–66].

2. The best known example of this use of *via* is in the *quinque viae* of *S.T.*, I, 2, 3, *c.*: 'Dicendum quod Deum esse quinque *viis* probari potest ... ergo est necesse *ponere* aliquam causam efficientem primam.... Ergo necesse est *ponere* aliquid quod sit per se necessarium.' Another striking and formal instance is the discussion of Plato's position in the *De Sub. Sep.* [1] where we find the following pattern of terms: 'Unde Plato sufficientiori *via* processit ... posuit ... ponebat ... ponebant ... ponebant ulterius.... Unde *ponebant* ... ponebant ... ponebant ... ponebant.... Hujus autem *positionis radix* ... et ideo Aristoteles manifestiori et certiori *via processit* ... scilicet per *viam* motus.' Cf. *S.T.* [22]; *In I Sent.*, 35, 1, 1, *sol.*; *In S. Pauli ad Romanos*, 1, 6; *De Sp. Creat.*, 3, *c.*; *In IV Meta.*, 10 [663]. *Positio* may, of course, be used for any statement or assertion, not only for one which concludes an argument but even for those from which the argument proceeds (*Thomas-Lexikon, s. positio, c.*). *Positio* here, however, is being determined with regard to its use in a pattern of analysis.

3. *Q.U. De Anima*, 6, *c.*

4. The *ratio* [*rationes*] – *positio* pattern is extremely common. For examples see *In* I *Meta.*, 4 [79]; *In* IX *Meta.*, 3 [1795]; *De Sub. Sep.*, 10 [P 64]; *De Ver.*, 21, 4, *c.*; *In* I *De An.*, 6 [P 71]; *In* I *De C. et M.*, 6 [S 60]. For *ratio* in this sense, see *Thomas-Lexikon*, *s. ratio, m.*
5. Other examples are to be found in *In Meta.* [5] [20]; *In* I *Meta.*, 3 [61–63].
6. *In* I *Meta.*, 5 [C 97].
7. *De Sp. Creat.*, 3, *c.* [K 40–41].
8. *De Sub. Sep.* [1]. Cf. *De Sub. Sep.*, 7 [P 49]; *In* I *Meta.*, 3 [61–63]; *C.G.* [10]; *S.T.*, I, 118, 3, *c.*; *S.T.* [26]; *S.T.*, I, 49, 3, *c.*; *Contra Retra. a Rel. Ingr.*, 6; Averroes: 'Et est *positio* falsa … et hoc secundum *radices* eorum, quoniam ipsi dicunt (*Dest. Dest.*, 14 [119B]); … haec positio est ex radicibus....' (*Ibid.* [118C]).
9. *In Sent.* [20]; cf. Averroes: 'Et hoc manifestum est ei qui considerat *fundamentum* Aristotelis,' *De Sub. Orb.*, 1 [5vK].
10. Cf. Geiger: 'En fait, historiquement, S. Thomas s'est trouvé en présence de deux systèmes, sinon entièrement purs, du moins nettement différenciés.... Nous montrerons qu'elles représentent des systèmes achevés, parfaitement cohérents, qui développent avec une rigueur lucide les dernières conséquences de leur position initiale,' *Participation*, p. 30.
11. *In* I *De An.*, 6 [P 71].
12. *In Meta.* [32]; cf. *In Eth.* [21]; *In Meta.* [34]; *In De An.* [31]; *In* I *De An.*, 6 [P 71].
13. For critique and rejection of the *positio*, see *e.g. S.T.* [3]; *In De Div. Nom.* [1]; *De Ver.*, 3, 1, *ad* 4; *C.G.* [4]. For critique of the *rationes*, see *e.g. In Meta.* [12]; *S.T.*, I, 44, 3, *ad* 3; [52]; *De Sub. Sep.* [1].
14. *De Sp. Creat.*, 3, *c.* [K 42–45].
15. *De Sub. Sep.* [1].
16. *In Sent.* [20].
17. *E.g. S.T.*, I, 3, 8, *c.*
18. With regard, for example, to the Platonic *primum bonum*: (a) Rejection of *via* and *rationes*: *De Ver.* [17] (first part); *De Sub. Sep.* [1]; *In Eth.* [4] [7]; (b) Acceptance of the *positio*: *S.T.* [3]; *In De Div. Nom.* [1].
19. Fabro, *La Nozione Metafisica di Partecipazione secondo S. Tomaso D'Aquino*, pp. 58–59.
20. *S.T.* [3].
21. See Chapter II.
22. 'A primo igitur per suam essentiam ente et bono, unumquodque potest dici bonum et ens, inquantum participat ipsum per modum cuiusdam assimilationis, licet remote et deficienter, ut ex superioribus patet. Sic ergo unumquodque dicitur bonum bonitate divina, sicut primo principio exemplari, effectivo et finali totius bonitatis. Nihilominus tamen unumquodque dicitur bonum similitudine divinae bonitatis sibi inhaerente, quae est formaliter sua bonitas denominans ipsum. Et sic est bonitas una omnium; et etiam multae bonitates,' *S.T.* I, 6, 4, *c.*
23. 'Dicendum quod aliquid cui non fit additio potest intelligi dupliciter. Uno modo, ut de ratione eius sit quod non fiat ei additio, sicut de ratione animalis irrationalis est, ut sit sine ratione. Alio modo intelligitur aliquid cui non fit additio, quia non est de ratione eius quod sibi fiat additio; sicut *animal commune* est sine ratione, quia non est de ratione animalis communis ut habeat rationem, sed nec de ratione eius est ut careat ratione. Primo igitur modo, esse sine additione est esse divinum; secundo modo, esse sine additione est esse commune,' *S.T.*, I, 3, 4, *ad* 1.
24. 'Adhuc. Quod est commune multis, non est aliquid praeter multa nisi sola ratione: sicut animal non est aliud praeter Socratem et Platonem et alia animalia nisi intellectu, qui apprehendit formam animalis exspoliatam ab omnibus individuantibus et specificantibus; homo enim est quod vere est animal; alias sequeretur quod in Socrate et Platone essent plura animalia, scilicet ipsum animal commune, et homo communis, et ipse Plato.

Multo igitur minus et ipsum esse commune est aliquid praeter omnes res existentes nisi in intellectu solum. Si igitur Deus sit esse commune, Deus non erit aliqua res nisi quae sit in intellectu tantum. Ostensum autem est supra Deum esse aliquid non solum in intellectu, sed in rerum natura. Non est igitur Deus ipsum esse commune omnium,' *C.G.*, I, 26.

25. Chenu, 'Auctor, actor, autor,' *Arch. Lat. Medii Aevi*, 1927, pp. 81–86; *Introduction a l'Etude de Saint Thomas D'Aquin*, pp. 106–125; Riquet, 'Saint Thomas D'Aquin et les 'Auctoritates' en philosophie,' *Arch. de Phil.*, Vol. 3, No. 2 (1925), pp. 122–155.
26. *S.T.* [56].
27. *S.T.* [58].
28. *C.G.* [5].
29. *S.T.* [3].
30. *De Ver.* [17].

CHAPTER II

1. *S.T.* [52].
2. *S.T.*, I, 84, 4, *c.*; 5, *c.*
3. *S.T.*, I, 44, 2, *c.*
4. *Ibid.*
5. *In* I *Meta.*, 4 [C 72].
6. *In* II *Meta.*, 1 [C 287].
7. *De Sub. Sep.*, 1 [P 1].
8. The Augustinian moment is omitted from *S.T.*, I, 84, 1, *c.*, since the historical pattern is spread through the entire question. The Augustinian moment appears in a separate article [5].

CHAPTER III

Section 1

1. 'Dicendum, ad evidentiam huius quaestionis, quod primi philosophi qui de naturis rerum inquisiverunt, putaverunt nihil esse in mundo praeter corpus,' *S.T.*, I, 84, 1, *c.*; 'Dicendum quod antiqui philosophi paulatim et quasi pedetentim intraverunt in cognitionem veritatis. A principio enim quasi grossiores existentes, non existimabant esse entia nisi corpora sensibilia,' *S.T.*, I, 44, 2, *c.*; '... sciendum est quod quidam antiqui philosophi, non ponentes aliam viam cognoscitivam praeter sensum, neque aliqua entia praeter sensibilia,' *De Sp. Creat.*, 10, *ad* 8; 'Primi quidem igitur philosophantium de rerum naturis sola corpora esse aestimaverunt, ponentes prima principia aliqua corporea elementa, aut plura aut unum,' *De Sub. Sep.*, 1. In the *De Sub. Sep.* Anaxagoras is excepted from the charge of materialism and is, in fact, one of the three ancient opponents: 'Huic autem opinioni triplici via (=Anaxagorae, Platonis, Aristotelis) restiterunt antiqui philosophi.' In the shorter and sharper sketches Anaxagoras is omitted; cf. *In* III *De An.*, 2 [P 595]; *C.G.*, I, 20; *In* I *Meta.*, 7 [C 181]; *In* IV *Meta.*, 5 [C 593]; *S.T.*, I, 84, 2, *c.*
2. '... cum ipsi intenderent cognoscere veritatem de entibus, et videretur eis quod sola sensibilia entia essent, totius veritatis doctrinam dijudicaverunt ex natura sensibilium rerum,' *In* IV *Meta.*, 12 [C 681].
3. 'Dicendum, ad evidentiam huius quaestionis, quod primi philosophi qui de naturis rerum inquisiverunt, putaverunt nihil esse in mundo praeter

corpus. Et quia videbant omnia corpora mobilia esse, et putabant ea in continuo fluxu esse, existimaverunt quod nulla certitudo de rerum veritate haberi posset a nobis. Quod enim est in continuo fluxu, per certitudinem apprehendi non potest, quia prius labitur quam mente diiudicetur; sicut Heraclitus dixit quod 'non est possibile aquam fluvii currentis bis tangere,' ut recitat Philosophus in IV Metaph.,' *S.T.*, I, 84, 1, *c.*; '... antiqui philosophi ... dixerunt quod nulla certitudo de veritate a nobis haberi potest; et hoc propter duo. Primo quidem, quia ponebant *sensibilia semper esse in fluxu et nihil in rebus esse stabile,*' *De Sp. Creat.* [17]; 'Unde Plato sufficientiori via processit ad opinionem primorum Naturalium evacuandam. Cum enim apud antiquos Naturales poneretur ab omnibus certam rerum veritatem sciri non posse, tum propter rerum corporalium continuum fluxum, tum propter deceptionem sensuum, quibus corpora cognoscuntur; posuit naturas quasdam a materia fluxibilium rerum separatas, in quibus esset veritas fixa; et sic eis inhaerendo anima nostra veritatem cognosceret,' *De Sub. Sep.*, 1; 'Et dicit quod quidam, scilicet Heraclitus et eius sequaces, dixerunt quod omnia quae sunt, semper moventur, non solum quaedam, aut aliquando; sed motus latet sensum nostrum. Qui si loquerentur de aliquibus motibus, eorum dictum sustineri posset: sunt enim aliqui motus qui nos latent. Sed quia non determinant de quali motu loquantur, sed dicunt de omnibus motibus, ideo non est difficile contra illos obiicere; quia multi motus sunt, de quibus manifestum est quod non possunt semper esse,' *In* VIII *Phy.*, 5 [4]. Cf. *In Meta.* [6] [7]; *In* II *Meta.*, 1 [C 281]; *In* IV *Meta.*, 12 [C 681–684]; *In* XI *Meta.*, 6 [C 2238–2240]; *In* V *Phy.*, 6 [7]; *In* VI *Phy.*, 13 [1–4]; *In* VIII *Phy.*, 5 [4–10]; 19 [5]; *In De Trin.* [4]; *In* I *De An.*, 3 [P 39]; 5 [P 60]; *In* III *De C. et M.*, 2 [S 555].

4. 'Et hanc opinionem habuit Cratylus, qui ad ultimum ad hanc dementiam devenit, quod opinatus est quod non oportebat aliquid verbo dicere, sed ad exprimendum quod volebat, movebat solum digitum. Et hoc ideo, quia credebat quod veritas rei quam volebat enuntiare, primo transibat, quam oratio finiretur. Breviori autem spatio digitum movebat. Iste autem Cratylus reprehendit vel increpavit Heraclitum. Heraclitus enim dixit quod non potest homo bis intrare in eodem flumine, quia antequam intret secundo, aqua erat quae fluminis jam defluxerat. Ipse autem existimavit, quod nec semel potest homo intrare in eumdem fluvium, quia ante etiam quam semel intret, aqua fluminis defluit et supervenit alia. Et ita non solum etiam non potest homo bis loqui de re aliqua antequam dispositio mutetur, sed etiam nec semel,' *In* IV *Meta.*, 12 [C 684]. See 3 above.

5. As we shall see, St. Thomas himself will maintain that some points of stability and determination must be found in material beings if knowledge of them is to be possible. 'Et ideo si natura rerum sensibilium semper permutatur et 'omnino,' idest quantum ad omnia, ita quod nihil in ea est fixum, non est aliquid determinate verum dicere de ipsa,' *In* IV *Meta.*, 12 [C 683].

6. 'Secundo, quia inveniuntur circa idem aliqui diversimodi iudicantes, sicut aliter vigilans et aliter dormiens, et aliter infirmus, aliter sanus; nec potest accipi aliquid quod discernatur quis horum verius existimet, cum quilibet aliquam similitudinem veritatis habeat,' *De Sp. Creat.* [17]. 'Cum enim apud antiquos naturales poneretur ab omnibus certam rerum veritatem sciri non posse, tum propter rerum corporalium continuum fluxum, tum propter deceptionum sensuum quibus corpora cognoscuntur;...' *De Sub. Sep.* [1]. Cf. *In* IV *Meta.*, 11 [C 669–670]; 14 [C 692–707].

7. 'His autem superveniens Plato, ut posset salvare certam cognitionem veritatis a nobis per intellectum haberi....' *S.T.* [52].

8. 'Unde Plato sufficientiori via processit ad opinionem primorum Naturalium evacuandam,' *De Sub. Sep.* [1].

9. 'Nam ipse [Plato] ut studiosus erat ad veritatis inquisitionem, ubique terrarum philosophos quaesivit, ut eorum dogmata sciret,' *In Meta.* [5].

10. 'Hoc autem rarum erat apud antiquos ut aliquis amore veritatis contemplandae ab omni delectatione venerea abstineret: quod solus Plato legitur fecisse,' *S.T.* [95].

11. 'Cum enim naturales philosophos, qui in Graecia fuerunt, sequi videret, et intra eos aliqui posteriores ponerent omnia sensibilia semper esse in fluxu, et quod scientia de eis esse non potest, quod posuerunt Heraclitus et Cratylus, hujusmodi positionibus tamquam novis Plato consuetus, et *cum eis conveniens* in *hac positione* ipse posterius ita esse suscepit, unde dixit particularium scibilium scientiam esse relinquendam. Socrates etiam qui *fuit magister Platonis,' In Meta.* [6]; 'Unde et Plato tamquam ejus *auditor,* 'recipiens Socratem,' idest *sequens,' ibid.* [7]. Cf. *De Sp. Creat.* [17]; *In Meta.* [35] [48] [113] [150]; *In Post. Anal.* [3]; *In De Trin.* [4]; also implied in *De Sub. Sep.* [1]; *S.T.* [52].

12. 'Plato vero, discipulus eius [*sc.* Socratis] *consentiens antiquis philosophis* quod sensibilia semper sint in fluxu, et *quod virtus sensitiva non habet certum iudicium de rebus,' De Sp. Creat.* [17].

13. *S.T.* [52].

14. 'Plato ... posuit quidem ex una parte species rerum separatas a sensibilibus et immobiles, de quibus dixit esse scientias; ex alia parte posuit in homine virtutem cognoscitivam supra sensum, scil. mentem vel intellectum,' *De Sp. Creat.* [17]. In this text the 'ex una parte' refers to the difficulty of finding objects for scientific knowledge; the 'ex alia parte' refers to the unreliability of sense knowledge. Cf. *De Sub. Sep.* [1]; *S.T.* [52] [59]; *In* I *Meta.,* 10; 15–17 *passim.*

15. 'Plato vero e contrario [refers to Democritus] posuit intellectum differre a sensu et intellectum quidem esse virtutem immaterialem organo corporeo non utentem in suo actu,' *S.T.* [59]. Cf. *ibid.* [37].

16. 'Sic ergo [Plato] dicebat scientias et definitiones et quidquid ad actum intellectus pertinet non referri ad ista corpora sensibilia sed ad illa immaterialia et separata,' *S.T.* [52].

Section 2

1. 'Aristoteles autem per aliam viam perrexit. Primo enim multipliciter ostendit in sensibilibus esse aliquid stabile. Secundo, quod judicium sensus verum est de sensibilibus propriis, sed decipitur circa sensibilia communia, magis autem circa sensibilia per accidens. Tertio, quod supra sensum est virtus intellectiva quae judicat de veritate,' *De Sp. Creat.* [17]; cf. *S.T.* [52].

2. *In* IV *Meta.,* 11–14 [C 669–691]. Cf. *S.T.* [52] in which this section is explicitly referred to.

3. *In* IV *Meta.,* 12 [C 681–684]; cf. *In* XI *Meta.,* 6 [2234–2240].

4. 'Assignat causam praemissae opinionis ex parte sensibilium; scilicet quae causa praedictae opinionis etiam ex parte sensibilium ponebatur. Nam, cum sensibile sit prius sensu naturaliter, oportet quod dispositio sensuum sequatur sensibilium dispositionem. Assignat autem ex parte sensibilium duplicem causam; quarum secunda ponitur, ibi, 'Amplius autem omnium etc.' Dicit ergo primo, quod causa opinionis praedictorum philosophorum fuit, quia cum ipsi intenderent cognoscere veritatem de entibus, et videretur eis quod sola sensibilia entia essent, totius veritatis doctrinam dijudicaverunt ex natura sensibilium rerum. In rebus autem sensibilibus multum est de natura infiniti sive indeterminati, quia in eis est materia, quae quantum est de se non determinatur ad unum, sed est in potentia ad multas formas: et est in eis natura entis similiter ut diximus, videlicet quod esse rerum sensibilium non est determinatum, sed ad diversa se habens. Unde non est mirum si non determinatam cognitionem ingerit sensibus, sed huic sic, et alteri aliter.

Et propter hoc praedicti philosophi decenter sive verisimiliter loquuntur ratione praedicta. Non tamen verum dicunt in hoc quod ponunt nihil determinatum esse in rebus sensibilibus. Nam licet materia quantum est de se indeterminate se habeat ad multas formas, tamen per formam determinatur ad unum modum essendi. Unde cum res cognoscantur per suam formam magis quam per materiam, non est dicendum quod non possit haberi de rebus aliqua determinata cognitio. Et tamen quia verisimilitudinem aliquam habet eorum opinio, magis congruit dicere sicut ipsi dicebant, quam sicut dicit Epicharmus ad Xenophanem, qui forte dicebat omnia immobilia et necessaria esse, et per certitudinem sciri,' *In* IV *Meta.*, 12 [C 681–682].

5. 'Et ideo Aristoteles manifestiori et certiori via processit ad investigandum substantias a materia separatas, scilicet per viam motus,' *De Sub. Sep.*, 2. 'Prima autem et manifestior via est, quae sumitur ex parte motus. *Certum est enim et sensu constat* aliqua moveri in hoc mundo,' *S.T.*, I, 2, 3, *c.*

6. 'Deinde cum dicit: Fere autem etc., excludit secundum membrum, quo ponebatur ab Heraclito omnia semper moveri. Et primo comparat hanc opinionem praecedenti opinioni, quae ponebat omnia semper quiescere: et dicit quod dicere omnia moveri semper, ut Heraclitus dixit, est quidem falsum et contra principia scientiae naturalis; sed tamen minus repugnat arti haec positio quam prima. Et quod quidem repugnet arti manifestum est: quia tollit suppositionem scientiae naturalis, in qua ponitur quod natura non solum est principium motus, sed etiam quietis; et sic patet quod similiter naturale est quies, sicut et motus. Unde sicut prima opinio, quae destruebat motum, erat contra scientiam naturalem; ita et haec positio quae destruit quietem. – Ideo autem dixit hanc opinionem esse minus praeter artem, quia quies nihil est aliud quam privatio motus: quod autem non sit privatio motus, magis potest latere quam quod non sit motus,' *In* VIII *Phy.*, 5 [4].

7. 'Sed contra est quod scientia est in intellectu. Si ergo intellectus non cognoscit corpora, sequitur quod nulla scientia sit de corporibus. Et sic peribit scientia naturalis, quae est de corpore mobili,' *S.T.*, I, 84, 1, *sed contra*; 'Sed hoc dupliciter apparet falsum. Primo quidem, quia cum illae species sint immateriales et immobiles, excluderetur a scientiis cognitio motus et materiae quod est proprium scientiae naturalis, et demonstratio per causas moventes et materiales,' *ibid.*, *c.*

8. 'Ponit secundam causam ex parte sensibilium sumptam: dicens quod philosophi viderunt omnem hanc naturam, scilicet sensibilem, in motu esse. Viderunt etiam de permutante, idest de eo quod movetur, quod nihil verum dicitur inquantum mutatur. Quod enim mutatur de albedine in nigredinem, non est album nec nigrum inquantum mutatur. Et ideo si natura rerum sensibilium semper permutatur, et 'omnino,' idest quantum ad omnia, ita quod nihil in ea est fixum, non est aliquid determinate verum dicere de ipsa. Et ita sequitur quod veritas opinionis vel propositionis non sequatur modum determinatum essendi in rebus, sed potius id quod apparet cognoscenti: ut hoc sit esse verum unumquodque quod est alicui apparere.

Et quod ista fuerit eorum ratio, ex hoc patet. Nam ex hac susceptione sive opinione pullulavit opinio dictorum philosophorum 'summa vel extrema,' idest quae invenit quid summum vel extremum hujus sententiae, quae dicebat 'heraclizare,' idest sequi opinionem Heracliti, vel sequentium Heraclitum secundum aliam literam, idest qui dicebant se opinionem Heracliti sequi qui posuit omnia moveri, et per hoc nihil esse verum determinate. Et hanc opinionem habuit Cratylus, qui ad ultimum ad hanc dementiam devenit, quod opinatus est quod non oportebat aliquid verbo dicere, sed ad exprimendum quod volebat, movebat solum digitum. Et hoc ideo, quia credebat quod veritas rei quam volebat enuntiare, primo transibat, quam oratio finiretur. Breviori autem spatio digitum movebat. Iste autem Cratylus reprehendit vel increpavit Heraclitum. Heraclitus enim dixit quod non potest homo bis intrare in eodem flumine, quia antequam intret secundo, aqua quae erat fluminis jam defluxerat. Ipse autem existimavit, quod nec semel potest homo intrare in eumdem fluvium, quia ante etiam quam semel intret, aqua fluminis defluit et supervenit alia. Et ita non solum etiam non potest homo bis loqui de re aliqua antequam dispositio mutetur, sed etiam nec semel,' *In* IV *Meta.*, 12 [C 683–684].

9. '... Socrates etsi non semper sedeat, tamen immobiliter est verum quod quando sedet, in uno loco manet,' *S.T.*, I, 84, 1, *ad* 3.

10. 'Quae (veritas intellectus) quidem consistit in conformitate intellectus et rei. Qua quidem subtracta, mutatur veritas opinionis, et per consequens veritas propositionis. Sic igitur haec propositio: Socrates sedet, eo sedente vera est et veritate rei, inquantum est quaedam vox significativa; et veritate significationis inquantum significat opinionem veram. Socrate vero surgente, remanet prima veritas, sed mutatur secunda,' *S.T.*, I, 16, 8, *ad* 3.

11. *In* IV *Meta.*, 13 [C 688]; *In* VIII *Phy.*, 5 [4].

12. *In* IV *Meta.*, 13 [C 689].

13. *In* IV *Meta.*, 13 [C 690].

14. 'Secundam rationem ponit, quae talis est. Omne quod permutatur, habet jam aliquid de termino ad quem permutatur; quia quod mutatur, dum mutatur, partim est in termino ad quem, et partim in termino a quo, ut probatur in sexto Physicorum; vel secundum aliam literam 'abjiciens habet aliquid ejus quod abjicitur.' Et ex hoc datur intelligi, quod in eo quod movetur, sit aliquid de termino a quo: quia quamdiu aliquid movetur, tamdiu terminus a quo abjicitur; non autem abjiceretur nisi aliquid ejus inesset subjecto mobili. Et ejus quod fit, necesse est jam aliquid esse: quia omne quod fit fiebat, ut probatur sexto Physicorum. Patet etiam, quod si aliquid corrumpitur, quod adhuc aliquid sit; quia si omnino non esset, jam esset omnino in corruptum esse, et non in corrumpi. Similiter autem si aliquid generatur, oportet quod sit materia ex qua generatur, et agens a quo generatur. Hoc autem non est possibile procedere in infinitum; quia ut probatur in secundo, nec in causis materialibus, nec in agentibus, in infinitum proceditur. Sic igitur est magna dubitatio contra eos qui dicunt, quod de eo quod movetur nihil potest vere dici: tum quia in eo quod movetur et generatur est aliquid de termino ad quem: tum quia in omni generatione et motu oportet ponere aliquid ingenitum et immobile ex parte materiae et agentis,' *In* IV *Meta.*, 13 [C 686]; cf. *In* VI *Phy.*, 13 [1–4].

15. 'Dicendum quod omnis motus supponit aliquid immobile; cum enim transmutatio fit secundum qualitatem, remanet substantia immobilis; et cum transmutatur forma substantialis, remanet materia immobilis. Rerum etiam mutabilium sunt immobiles habitudines; sicut Socrates etsi non semper sedeat, tamen immobiliter est verum quod quando sedet, in uno loco manet. Et propter hoc nihil prohibet de rebus mobilibus immobilem scientiam habere,' *S.T.*, I, 84, 1, *ad* 3; 'Secundam rationem ponit, quae talis est. Omne quod permutatur, necessario est ens; quia omne quod permutatur, ex aliquo in aliud permutatur; et omne quod in aliquo permutatur, inest ei quod permutatur. Unde non oportet dicere quod quicquid est in re permutata, mutetur, sed quod aliquid sit manens; et ita non omnia moventur,' *In* IV *Meta.*, 17 [C 747].

16. 'Dicendum quod contingentia dupliciter possunt considerari. Uno modo, secundum quod contingentia sunt. Alio modo, secundum quod in eis aliquid necessitatis invenitur; nihil enim est adeo contingens, quin in se aliquid necessarium habeat. Sicut hoc ipsum quod est Socratem currere, in se quidem contingens est; sed habitudo cursus ad motum est necessaria; necessarium enim est Socratem moveri, si currit. – Est autem unum-

quodque contingens ex parte materiae, quia contingens est quod potest esse et non esse; potentia autem pertinet ad materiam. Necessitas autem consequitur rationem formae, quia ea quae consequuntur ad formam, ex necessitate insunt,' *S.T.*, I, 86, 3, *c.*

17. 'Nam licet materia quantum est de se indeterminate se habeat ad multas formas, tamen per formam determinatur ad *unum modum essendi*,' *In* IV *Meta.*, 12 [C 682].

18. This complete analysis is carried on, of course, throughout the *Physics* of Aristotle and the corresponding Thomistic commentary.

19. *S.T.*, I, 86, 3, *c.*

20. *Ibid.* Cf.: 'Concludit idem de necessariis, quod concluserat de sempiternis; quia etiam in ipsis rebus corruptibilibus sunt quaedam necessaria, ut hominem esse animal, omne totum esse majus sua parte,' *In* IX *Meta.*, 9 [C 1873]; 'Quartum modum ponit ibi 'amplius quod.' Dicit quod necessarium etiam dicimus sic se habere, quod non contingit aliter se habere: et hoc est necessarium absolute. Prima autem necessaria sunt secundum quid. Differt autem necessarium absolute ab aliis necessariis: quia necessitas absoluta competit rei secundum id quod est intimum et proximum ei; sive sit forma, sive materia, sive ipsa rei essentia; sicut dicimus animal necesse esse corruptibile, quia hoc consequitur ejus materiam inquantum ex contrariis componitur. Dicimus etiam animal necessario esse sensibile, quia consequitur ejus formam: et animal necessario esse substantiam animatam sensibilem, quia est ejus essentia,' *In* V *Meta.*, 6 [C 832–833].

21. 'Sic autem non est necessarium Socratem sedere. Unde non est necessarium absolute, sed potest dici necessarium ex suppositione; supposito enim quod sedeat, necesse est eum sedere dum sedet,' *S.T.*, I, 19, 3, *c.* This necessity is really the same as that generalized in the principle of contradiction: 'Dicit ergo primo, quasi ex praemissis concludens, quod si praedicta sunt inconvenientia, ut scilicet omnia ex necessitate eveniant, oportet dicere ita se habere circa res, scilicet quod omne quod est, necesse est esse quando est, et omne quod non est necesse est non esse quando non est. Et haec necessitas fundatur super hoc principium: impossibile est simul esse et non esse. Si enim aliquid est impossibile, dum est, illud simul non esse, ergo necesse est tunc illud esse. Nam impossibile non esse idem significat ei quod est necesse esse, ut in secundo dicetur. Et similiter, si aliquid non est, impossibile est illud simul esse: ergo necesse est non esse, quae etiam idem significant. Et ideo manifeste verum est, quod omne quod est, necesse est esse quando est; et omne quod non est, necesse est non esse pro illo tempore quando non est: et haec est necessitas non absoluta, sed ex suppositione. Unde non potest simpliciter et absolute dici quod omne quod est necesse est esse, et omne quod non est necesse est non esse: quia non idem significant, quod omne ens quando est sit ex necessitate, et quod omne ens simpliciter sit ex necessitate: nam primum significat necessitatem ex suppositione secundum autem necessitatem absolutam. Et quod dictum est de esse, intelligendum est similiter de non esse: quia aliud est simpliciter ex necessitate non esse, et aliud est ex necessitate non esse quando non est,' *In* I *Perih.*, 15.

22. *S.T.*, I, 84, 1, *ad* 3.

23. *Ibid.*; cf. *S.T.*, I, 103, 1, *ad* 2; *ad* 3.

24. 'Dicendum quod, sicut supra dictum est, quoddam necessarium est quod habet causam suae necessitatis. Unde non repugnat necessario nec incorruptibili, quod esse eius dependeat ab alio sicut a causa. Per hoc ergo quod dicitur quod omnia deciderent in nihilum nisi continerentur a Deo et etiam angeli, non datur intelligi quod in angelis sit aliquod corruptionis principium; sed quod esse angeli dependeat a Deo sicut a causa. Non autem dicitur aliquid esse corruptibile, per hoc quod Deus possit illud in non esse redigere, subtrahendo suam conservationem; sed per hoc quod

in seipso aliquod principium corruptionis habet, vel contrarietatem, vel saltem potentiam materiae,' *S.T.*, I, 50, 5, *ad* 3. Cf. *S.T.*, I, 103, 1, *ad* 3; *De Sub. Sep.*, 7 [P 53]; *S.T.*, I, 44, 1, *ad* 2.

25. 'Secundo, (Aristoteles ostendit) quod judicium sensus verum est de sensibilibus propriis, sed decipitur circa sensibilia communia, magis autem circa sensibilia per accidens,' *De Sp. Creat.* [17].

26. 'Si autem [sensus] comparetur ad intellectum secundum quod est repraesentativum alterius rei, cum quandoque repraesentet ei aliter rem quam sit, secundum hoc sensus falsus dicitur, in quantum natus est facere falsam existimationem in intellectu, quamvis non necessario faciat, sicut et de rebus dictum est: quia intellectus sicut iudicat de rebus, ita et de his quae a sensibus offeruntur,' *De Ver.*, 1, 11, *c.*

27. 'Dicendum quod sensum affici est ipsum eius sentire. Unde per hoc quod sensus ita nuntiant sicut afficiuntur, sequitur quod non decipiamur in iudicio quo iudicamus nos sentire aliquid,' *S.T.*, I, 17, 2, *ad* 1; cf. *De Ver.*, 1, 11, *c.*

28. 'Similitudo autem alicuius rei est in sensu tripliciter. Uno modo, primo et per se sicut in visu est similitudo colorum et aliorum propriorum sensibilium ... et circa propria sensibilia sensus non habet falsam cognitionem, nisi per accidens, et in paucioribus, ex eo scilicet quod propter indispositionem organi non convenienter recipit formam sensibilem ... et inde est quod propter corruptionem linguae infirmis dulcia amara esse videntur,' *S.T.*, I, 17, 2, *c.* Cf. *De Ver.*, 1, 11; *In* II *De An.*, 13 [P 384]; *In* III *De An.*, 6 [P 661]; *In* IV *Meta.*, 14 [C 692–698]; *S.T.*, I, 17, 3, *c.*; 85, 6, *c.*

29. *In* II *De An.*, 13 [P 386].

30. 'Similitudo autem alicuius rei est in sensu tripliciter.... Et alio modo per se, sed non primo, sicut in visu est similitudo figurae vel magnitudinis et aliorum communium sensibilium omnium.... De sensibilibus vero communibus et per accidens potest esse falsum iudicium etiam in sensu recte disposito,' *S.T.*, I, 17, 2, *c.* Cf. *In* II *De An.*, 13 [P 386]; *In* III *De An.*, 1 [P 577]; 6 [P 663]; *De Ver.*, 1, 11, *c.*; *In* IV *Meta.*, 14 [C 702].

31. 'Similitudo autem alicuius rei est in sensu tripliciter.... Tertio modo, nec primo nec per se, sed per accidens; sicut in visu est similitudo hominis, non inquantum est homo, sed inquantum huic colorato accidit esse hominem.... De sensibilibus vero communibus et per accidens potest esse falsum iudicium etiam in sensu recte disposito; quia sensus non directe refertur ad illa, sed per accidens, vel ex consequenti, inquantum refertur ad alia,' *S.T.*, I, 17, 2, *c.* Cf. *De Ver.*, 1, 11, *c.*; *In* II *De An.*, 13 [P 387–388]; *In* III *De An.*, 6 [P 662]; *In* IV *Meta.*, 14 [C 701].

32. For the nature of *phantasia*, cf. *In* III *De An.*, 5 and 6. 'Sed circa apprehensionem sensus sciendum est, quod est quaedam vis apprehensiva, quae apprehendit speciem sensibilem sensibili re praesente, sicut sensus proprius; quaedam vero apprehendit eam re absente, sicut imaginatio; et ideo sensus semper apprehendit rem ut est, nisi sit impedimentum in organo, vel in medio; sed imaginatio apprehendit ut plurimum rem ut non est, quia apprehendit eam ut praesentem, cum sit absens; et ideo dicit Philosophus in IV Metaph., quod sensus non est dominus falsitatis, sed phantasia,' *De Ver.*, 1, 11, *c.* 'Motus autem phantasiae qui est factus ab actu sensus, differt ab istis tribus sensibus, id est actibus sensus, sicut effectus differt a causa. Et propter hoc etiam quia effectus est debilior causa, et quanto magis aliquid elongatur a primo agente, tanto minus recipit de virtute et similitudine ejus; ideo in phantasia facilius adhuc quam in sensu potest incidere falsitas, quae consistit in dissimilitudine sensus ad sensibile. Tunc enim est falsus sensus quando aliter recipitur forma sensibilis in sensu, quam sit in sensibili. Et dico aliter secundum speciem, non secundum materiam; puta si sapor dulcis recipiatur in lingua secundum amaritudinem; secundum vero materiam semper

aliter recipit sensus, quam habeat sensibile. Omnis igitur motus phantasiae, qui fit a motu propriorum sensibilium, est verus, ut in pluribus. Et hoc dico quantum ad praesentiam sensibilis, quando motus phantasiae est simul cum motu sensus,' *In* III *De An.*, 6 [P 664]. Cf. *S.T.*, I, 17, 2, *ad* 2; *In* IV *Meta.*, 16 [C 692–693].

33. 'Haec autem ratio non solum deficit in hoc, quod ponit sensum et intellectum idem, sed et in hoc quod ponit judicium sensus nunquam falli de sensibilibus. Fallitur enim de sensibilibus communibus et per accidens, licet non de sensibilibus propriis, nisi forte ex indispositione organi. Nec oportet, quamvis sensus alteretur a sensibilibus, quod judicium sensus sit verum ex conditionibus rei sensibilis. Non enim oportet quod actio agentis recipiatur in patiente secundum modum agentis, sed secundum modum patientis et recipientis. Et inde est quod sensus non est quandoque dispositus ad recipiendum formam sensibilis secundum quod est in ipso sensibili; quare aliter aliquando judicat quam rei veritas se habeat,' *In* IV *Meta.*, 12 [C 673].

34. 'Dicendum quod circa istam quaestionem triplex fuit philosophorum opinio. Democritus enim posuit quod 'nulla est alia causa cuiuslibet nostrae cognitionis, nisi cum ab his corporibus quae cogitamus, veniunt atque intrant imagines in animas nostras,' ut Augustinus dicit in epistola sua Ad Diosc. Et Aristoteles etiam dicit in libro De Somno, quod Democritus posuit cognitionem fieri 'per idola et defluxiones.' Et huius positionis ratio fuit, quia tam ipse Democritus quam alii antiqui Naturales non ponebant intellectum differre a sensu, ut Aristoteles dicit in libro De An. Et ideo quia sensus immutatur a sensibili, arbitrabantur omnem nostram cognitionem fieri per solam immutationem a sensibilibus. Quam quidem immutationem Democritus asserebat fieri per imaginum defluxiones.

Plato vero e contrario posuit intellectum differre a sensu; et intellectum quidem esse virtutem immaterialem organo corporeo non utentem in suo actu,' *S.T.*, I, 84, 6, *c.*

35. *S.T.* [52].

CHAPTER IV

1. *In Sent.* [20].
2. *In De Trin.* [4].
3. *De Ver.* [17].
4. *In Meta.* [12].
5. *S.T.* [52].
6. *Ibid.*
7. *De Sp. Creat.* [17].
8. *De Sub. Sep.* [1].
9. *Ibid.*

Section 1

1. *In* I *De An.*, 4.
2. *E. g. In Meta.* [12].
3. 'Hoc enim animis omnium communiter inditum fuit quod 'simile simili cognoscitur',' *S.T.*, I, 84, 2, *c.*; 'Et quia dixerat, quod omnes conveniunt in hoc, quod dicunt animam componi ex principiis, quia oportet cognosci simile simili: praeter unum, scilicet Anaxagoram: Ideo cum dicit: 'Anaxagoras autem solus' ostendit qualiter differt ab eis: dicens quod Anaxagoras solus dixit intellectum esse impassibilem, nec habere aliquid commune alicui, idest nulli eorum quae cognoscit similem. Sed qualiter cognoscit intellectus, neque Anaxagoras dixit, neque est manifestum ex his

quae dicta sunt,' *In* I *De An.*, 5 [P 66]; '... dicens quod Plato etiam facit animam ex principiis constitutam esse.... Et ratio hujus erat, sicut dictum est, simile cognoscitur simili...,' *In De An.* [5]. Cf. *In* I *De An.*, 4 [P 45]; 5 [P 59]; [P 65]; *In* II *De An.*, 10 [P 351]; [P 352]; [P 357]; *In* III *De An.*, 7 [P 677–678]; *In* III *Meta.*, 11 [C 476]; *S.T.*, I, 50, 2, *ad* 2; 85, 2, *c.*; *De Un. Intell.*, 1 [K 19]; *De Sp. Creat.*, 8, *ad* 14.

4. 'Dicit ergo primo, quod omnes quicumque venerunt in cognitionem animae quantum ad cognoscere et sentire, idest per cognitionem et sensum, in hoc conveniebant, quia dicebant animam esse ex principiis: quae quidem principia alii 'faciebant,' idest ponebant, esse plura, alii vero unum tantum. Ad ponendum autem animam esse ex principiis constitutam movebantur, quia ipsi antiqui philosophi quasi ab ipsa veritate coacti, somniabant quodammodo veritatem. Veritas autem est, quod cognitio fit per similitudinem rei cognitae in cognoscente: oportet enim quod res cognita aliquo modo sit in cognoscente. Antiqui vero philosophi arbitrati sunt, quod oportet similitudinem rei cognitae esse in cognoscente secundum esse naturale, hoc est secundum idem esse quod habet in seipsa: dicebant enim quod oportebat simile simili cognosci; unde si anima cognoscat omnia, oportet, quod habeat similitudinem omnium in se secundum esse naturale, sicut ipsi ponebant. Nescierunt enim distinguere illum modum, quo res est in intellectu, seu in oculo, vel imaginatione, et quo res est in seipsa: unde quia illa, quae sunt de essentia rei, sunt principia illius rei, et qui cognoscit principia hujusmodi cognoscit ipsam rem, posuerunt quod ex quo cognoscit omnia, esset ex principiis rerum. Et hoc erat omnibus commune,' *In* I *De An.*, 4 [P 43].

5. See note 15 below.

6. Aristotle, *De An.*, I [404b 8–27].

7. *In* I *De An.*, 4 [P 44–45]; *S.T.*, I, 84, 2, *c.*

8. *In* I *De An.*, 4 [P 45;] *S.T.*, I, 84, 2, *c.*

9. *S.T.*, I, 84, 2, *c.*

10. *In De An.* [5]. Two other developments (one involving the Theory of Ideas) appear in this context (5–7) both showing that Plato reduced the soul to numerical elements. In these, however, the *simile-simili* principle is not explicitly appealed to.

11. *S.T.* [52]; I, 84, 2, *c.*

12. *In Meta.* [12].

13. *S.T.* [53].

14. 'E contrario tamen Platonici posuerunt. Plato enim, quia perspexit intellectualem animam immaterialem esse et immaterialiter cognoscere, posuit formas rerum cognitarum immaterialiter subsistere,' *S.T.* [53]; cf. *S.T.* [52].

15. (a) In knowledge in general: *De Ver.*, 10, 4, *c.*; 7, *c.*; *C.G.*, I, 72; *In* II *De An.*, 12 [P 377]; *In* V *Meta.*, 19 [C 1048]; *In* VI *Meta.*, 4 [C 1234]; *In S. Jo.*, 1, 11; 6, 5; 7, 3; *S.T.*, I, 16, 1, *c.*; 2, *c.*; 17, 2, *c.*; 3, *c.*; 27, 4, *c.*; 76, 2, *ad* 4; *In L. De Causis*, 8, 10.

(b) In divine knowledge: *Quodlib.*, 12, 8, 11, *c.*; *S.T.*, I, 14, 11, *c.*; 15, 1, *c.*; 57, 2, *c.*

(c) In angelic knowledge: *In* II *Sent.*, 3, 3, *sol.*; *Quodlib.*, 7, 1, 3, *c.*; *S.T.*, I, 56, 2, *c.*; *ad* 2; *ad* 3; 57, 2, *c.*; *ad* 2; *De Sp. Creat.*, 8, *ad* 14.

(d) In the separated soul's knowledge: *S.T.*, I, 12, 9, *c.*; 89, 4, *c.*

(e) In the beatific vision: *In* IV *Sent.*, 49, 2, 1, *ad* 16.

(f) In human intellectual cognition: *In* III *Sent.*, 27, 1, 4, *sol.*; *De Ver.*, 10, 4, *ad* 4; *C.G.*, I, 72; *In* II *De An.*, 12 [P 377]; *S.T.*, I, 14, 12, *c.*; 17, 3, *c.*; 76, 2, *ad* 4; 85, 1, *ad* 3; *ad* 4; 85, 2, *ad* 1; 8, *ad* 3; 105, 3, *ad* 2.

(g) In human sense cognition: *C.G.*, I, 72; *In* II *De An.*, 12 [P 377]; *S.T.*, I, 17, 2, *c.*; 3, *c.*; 85, 1, *ad* 3; 2, *ad* 2.

16. 'Dicendum quod non est necessarium quod similitudo rei cognitae sit actu in natura cognoscentis: sed si aliquid sit quod prius est cognoscens in

potentia et postea in actu, oportet quod similitudo cogniti non sit actu in natura cognoscentis, sed in potentia tantum; sicut color non est actu in pupilla, sed in potentia tantum. Unde non oportet quod in natura animae sit similitudo rerum corporearum in actu; sed quod sit in potentia ad huiusmodi similitudines. Sed quia antiqui Naturales nesciebant distinguere inter actum et potentiam, ponebant animam esse corpus, ad hoc quod cognosceret omnia corpora, et quod esset composita ex principiis omnium corporum,' *S.T.*, I, 75, 1, *ad* 2. Cf. *In* III *De An.*, 13 [788–789]; *S.T.*, I, 84, 2, *ad* 2; *De Un. Intell.*, 1 [K 19]; *De Sp. Creat.*, 8, *ad* 14. For the Aristotelian criticism, see *De An.*, II, 5 [416b 32 - 417a 21]; III, 8 [431b 20 - 432a 1].

17. 'Ad ponendum autem animam esse ex principiis constitutam movebantur, quia ipsi antiqui philosophi quasi ab ipsa veritate coacti, somniabant quodammodo veritatem. Veritas autem est, quod cognitio fit per similitudinem rei cognitae in cognoscente: oportet enim quod res cognita aliquo modo sit in cognoscente. Antiqui vero philosophi arbitrati sunt, quod oportet similitudinem rei cognitae esse in cognoscente secundum esse naturale, hoc est secundum idem esse quod habet in seipsa: dicebant enim quod oportebat simile simili cognosci; unde si anima cognoscat omnia, oportet, quod habeat similitudinem omnium in se secundum esse naturale, sicut ipsi ponebant. Nescierunt enim distinguere illum modum, quo res est in intellectu, seu in oculo, vel imaginatione, et quo res est in seipsa: unde quia illa, quae sunt de essentia rei, sunt principia illius rei, et qui cognoscit principia hujusmodi cognoscit ipsam rem, posuerunt quod ex quo anima cognoscit omnia, esset ex principiis rerum,' *In* I *De An.*, 4 [P 43]. Cf. *In* III *De An.*, 2 [P 589–590]; *Q.U. De An.*, 18, *ad* 6; *S.T.*, I, 85, 8, *ad* 3; 88, 1, *ad* 2.

18. 'Relinquitur ergo quod oportet materialia cognita in cognoscente existere non materialiter sed magis immaterialiter. Et huius ratio est, quia actus cognitionis se extendit ad ea quae sunt extra cognoscentem. Cognoscimus enim etiam ea quae extra nos sunt,' *S.T.*, I, 84, 2, *c.*

19. *In* VII *Meta.*, 8 [C 1445]; *In* II *De An.*, 12 [P 378]; *In* III *De An.*, 2 [P 589]; *S.T.*, I, 18, 4, *ad* 2; 56, 2, *c.*; *ad* 3; *Q.U. De An.*, 18, *ad* 6; *De Sp. Creat.*, 1, *ad* 11.

20. *S.T.*, I, 84, 2, *c.*

21. *Ibid.*

22. 'Non autem anima est ipsae res sicut illi [*sc.* antiqui] posuerunt, quia lapis non est in anima, sed species lapidis,' *In* III *De An.*, 13 [P 789]; cf. *S.T.*, I, 76, 2, *ad* 4; Aristotle, *De An.*, III, 8 [431b 29].

23. *In Meta.* [12]; *S.T.* [52].

24. *S.T.*, I, 84, 2, *c.*; cf. *S.T.*, I, 14, 1, *c.*; 75, 5, *c.*; 76, 1, *ad* 2; *ad* 3; 79, 3, *ad* 2; *ad* 5; *Q.U. De An.*, 2, *ad* 5; 3, *ad* 7; *ad* 8; *ad* 17; 14, *c.* Cf. also the reworking of an Augustinian argument for the immortality of the soul in *In* I *Sent.*, 19, 5, 3, *ad* 3.

25. *S.T.* [52].

Section 2

1. *In Meta.* [12].
2. *Ibid.*
3. *In Isag.*, ed. sec., I, 10 [CSEL 48, 163.14–22]. Cf. 'Omnis intellectus intelligens rem aliter quam sit, est falsus,' *S.T.*, I, 13, 12, *arg.* 3; also *In* I *Sent.*, 30, 1, 3, *ad* 1; *In De Trin.*, 5, 3, *arg.* 1; *S.T.*, I, 85, 1, *arg.* 1.
4. *In Isag.*, ed. sec., I, 10 [CSEL 48, 167.7–11].
5. *Glossae super Porphyrium* [Beiträge 21, 25.15–16].
6. *Ibid.* [25.31–32].
7. *Glossulae super Porphyrium* [Beiträge 21, 530.19].
8. *Metalogicus*, II, 20 [W 93.7–9].

9. *Ibid.* [99.4–6].
10. Cf. Marechal, *Le Point de Depart de la Metaphysique*, cah. 1, pp. 73–75.
11. 'Cognitio autem cujuslibet cognoscentis est secundum modum substantiae ejus, sicut et quaelibet operatio est secundum modum operantis,' *De Sub. Sep.*, 12 [P 72]; '... quod ex ipsa operatione intellectus apparet, qui intelligit universaliter et per modum necessitatis cuiusdam; modus enim actionis est secundum modum formae agentis,' *S.T.* [52]. Cf. *Quodlib.*, 3, 1, 1; 3, 7, *c.*; *C.G.*, I, 28; 49; II, 16; *S.T.*, I, 12, 11, *c.*; 14, 1, *c.*; 14, 1, *ad* 3; 46, 1, *ad* 9; 50, 2, *c.*; 76, 2, *ad* 3; 89, 6, *c.*; *Q.U. De An.*, 1, *c.*; *In Ps. Dav.*, 2; *De Sub. Sep.*, 7, 53; Santeler, *Der Platonismus in der Erkenntnislehre des hl. Thomas*, pp. 88–91.
12. *In Meta.* [12].
13. *S.T.* [52]; *In Meta.* [12].
14. *E.g.*: (a) In God's knowledge of things: *C.G.*, I, 54; *S.T.*, I, 14, 1, *ad* 3; *De Sub. Sep.*, 12 [P 72]; (b) In our knowledge of God: *In* I *Sent.*, 4, 2, 1, *sol.*; *In* IV *Sent.*, 49, 2, 4, *ad* 1; *C.G.*, II, 10; 13 and 14; (c) In human knowledge: *S.T.*, I, 12, 11, *c.*; 14, 1, *c.*; 44, 3, *ad* 3; 76, 2, *ad* 3; *In* III *Meta.*, 9 [C 455]; *Q.U. De An.*, 1, *c.*; (d) In the beatific vision: *S.T.*, I, 12, 7, *ad* 3; (e) In the knowledge of the separated soul: *S.T.*, I, 89, 6.

Section 3

1. *Quodlib.*, 7, 1, 1, *c.* The principle occurs in numerous contexts throughout the writings of St. Thomas. Cf. *In* I *Sent.*, 8, 2, 1, *sol.*; 10, 1, 2, *arg.* 2; 17, 1, 1, *contra*; *In* II *Sent.*, 3, 3, 1, *sol.*; 3, 3, 3, *ad* 1; 12, 1, 3, *sol.*; 15, 1, 2, *ad* 3; 15, 1, 2, *ad* 6; 17, 2, 1, *arg.* 3; 18, 2, 2, *ad* 2; 30, 1, 2, *ad* 5; 32, 2, 3, *sol.*; *In* III *Sent.*, 14, 1, 1, *sol.* 3; 15, 2, 1, *sol.* 2; 20, 1, 1, *quaestiun.* 3, *ad* 3; *In* IV *Sent.*, 1, 4, *quaestiun.* 2, *arg.* 4; 36, 1, 4, *sol.*; 44, 3, 1, *sol.* 3; 44, 2, 1, *quaestiun.* 3, *ad* 2; 44, 2, 3, *sol.* 1; 44, 2, 1, *quaestiun.* 3, *ad* 2; 44, 3, 3, *quaestiun.* 3, *arg.* 4; 48, 1, 3, *arg.* 4; 49, 2, 2, *sol.*; 50, 1, 2, *contra* 3; *C.G.* I, 28; 43; II, 51; *De Ver.*, 5, 9, *ad* 17; 10, 11, *arg.* 8; *Quodlib.*, 3, 9, 21, *c.*; 7, 1, 1, *c.*; 9, 6, 13, *c.*; 9, 4, 6, *c.*; 10, 3, 6, *c.*; *In* II *De An.*, 12 [P 377]; 24 [P 552]; *In* III *De An.*, 3 [P 612]; *Super* I *Ep. S. Pauli ad Cor.*, 13, 3; *Super* 2 *Ep. S. Pauli ad Cor.*, 3, 1; *S.T.*, I, 50, 2, *ad* 2; 62, 5, *c.*; 75, 5, *c.*; 75, 6, *c.*; 76, 2, *arg.* 3; 79, 3, *arg.* 3; *ad* 3; 79, 6, *c.*; 89, 4, *c.*; *Q.U. De An.*, 2, *arg.* 19; 4, *arg.* 3; 10, *ad* 13; 19, *ad* 10; 20, *arg.* 7; 21, *arg.* 13; *De Sp. Creat.*, 9, *arg.* 16; *In L. De Causis*, 20; *De Sub. Sep.*, 5 [P 34]; *In* II *De C. et M.*, 1 [S 291]. There is a text in the *De Un. Intell.* (4 [98]) in which the principle is stated in an inverse sense, but the context shows that the text is defective: '... et iterum, cum omnis receptio sit secundum naturam *recepti*, irradiatio specierum intelligibilium quae sunt in intellectu possibili, non erit in phantasmatibus, quae sunt in nobis, *intelligibiliter* sed *sensibiliter* et *materialiter*.'
2. *S.T.*, I, 24, 3, *arg.* 2; cf. *In* I *Sent.*, 36, 1, 3, *ad* 2; 37, 2, 3, *ad* 3; *C.G.*, II, 23; *S.T.*, I, 14, 5, *c.*; 24, 3, *arg.* 2; 26, 4, *ad* 2; 55, 1, *arg.* 3; 57, 1, *c.*; 87, 4, *c.*; 89, 2, *c.*; 105, 3, *c.*; 4, *c.*; *Q.U. De An.*, 13, *arg.* 6; 10, *arg.* 14 *et ad* 14; *In L. De Causis*, 8; *De Sub. Sep.* 12 [P 73].
3. *S.T.*, I, 12, 4, *c.*; cf. *In* I *Sent.*, 3, 1, 1, *sol.*; 3, 1, 1, *ad* 3; 3, 1, 1, *ad ult. contra*; 3, 1, 3, *arg.* 7; 8, 2, 3, *sol.*; 38, 1, 2, *sol.*; 38, 1, 5, *sol.*; *De Ver.*, 10, 4, *c.*; *In De Div. Nom.*, 2, 4 [P 191]; *Super* 1 *Ep. S. Pauli ad Cor.*, 2, 2; *S.T.*, I, 12, 4, *c.*; 12, 11, *c.*; 14, 1, *c.*; 14, 1, *ad* 3; 14, 6, *ad* 1; 84, 2, *c.*; *De Sp. Creat.*, 6, *ad* 10.
4. *In Meta.* [12].
5. *E.g.* 'unumquodque autem est in aliquo per modum ipsius et non per modum sui, ut patet ex libro De Causis,' *In* I *Sent.*, 38, 1, 2, *sol.*; 'Ut enim dicitur in libro De Causis, omne quod recipitur in aliquo est in eo per modum recipientis,' *De Pot.*, 3, 3, *arg.* 1.
6. 'Praeterea, omne quod recipitur in aliquo, recipitur in eo per modum

recipientis, et non per modum sui, ut ex Dionysio et ex lib. De Causis habetur,' *In* II *Sent.*, 17, 2, 1, *arg.* 3.

7. 'Et similiter aliqua ex rebus non recipit quod est supra eam nisi per modum secundum quem potest recipere ipsum, non per modum secundum quem est res recepta,' *Liber De Causis*, 9 [B 174.15–17]; cf. 19 [B 15–16]; 23 [B 185.9–10]. 'Et similiter omnis sciens non scit rem meliorem et rem inferiorem et deteriorem nisi secundum modum suae substantiae et sui esse, non secundum modum secundum quem res sunt,' *op. cit.*, 7 [B 171. 7–9].

8. 'Modus quidem rei cognitae non est modus cognitionis sed modus cognoscentis, ut dicit Boethius,' *In* I *Sent.*, 38, 1; cf. *In* I *Sent.*, 3, 1, 1, *ad ult. contra*; 8, 2, 3, *sol.*; 38, 1, 5, *sol.* It is found in Boethius thus: 'Omne enim quod cognoscitur non secundum sui vim sed secundum cognoscentium potius comprehenditur facultatem,' *De Con. Phil.*, V, *Prosa* IV, 16 [F 150. 71–73].

9. *E.g.* Matthew of Aquasparta, *Quaestiones Disputatae Selectae, Quaestiones de Christo*, 3 [Q 54]; *Quaestiones de Gratia*, 10, *arg.* 4 [Q 244]; Gonsalvus Hispanus, *Quaestiones Disputatae et de Quodlibet, Quodlib.* 7 [Q 405].

10. St. Thomas reads the reception principle in one text of Aristotle and finds it there attributed to Plato. See *Source* under *In Meta.* [12].

11. *In* II *Sent.*, 18, 2, 2, *ad* 2; *In* IV *Sent.*, 44, 2, 1, *quaestiun.* 3, *ad* 2; *In* II *De An.*, 24 [P 552].

12. *De Ver.*, 5, 9, *ad* 17.

13. *Super* 2 *Ep. S. Pauli ad Cor.*, 3, 1.

14. *S.T.*, I, 62, 5, *c.*

15. *De Sub. Sep.*, 5 [P 34].

16. *In* II *Sent.*, 12, 1, 3, *sol.*; *Quodlib.*, 3, 9, 21, *c.*; 10, 3, 6, *c.*; *S.T.*, I, 79, 3, *ad* 3; 79, 6, *c.*; 89, 4, *c.*; *In L. De Causis*, 20.

17. Clarkson, *The Principle of Reception in the Disputed Questions of Saint Thomas*, pp. 102–111.

18. (a) Participation terminology: 'Ipsum ... esse participatum ... non participatur secundum totam infinitatem universalitatis suae, sed secundum modum naturae participantis,' *In L. De Causis*, 5; '... omne quod est participatum in aluiqo est in eo per modum participantis,' *In* I *Sent.*, 8, 1, 2, *contra* 2. Cf. *In* III *Sent.*, 27, *quaestiun.* 4, *ad* 1; *ad* 5.

    (b) Matter and form terminology: '... nam formae in materia recipiuntur secundum materiae capacitatem,' *C.G.*, II, 92. Cf. *In* I *Sent.*, 8, 5, 2, *ad* 6; *S.T.*, I, 75, 5, *ad* 1.

    (c) Action and passion terminology: '... omne passivum recipit actionem agentis secundum modum suum,' *In* IV *Sent.*, 44, 2, 1, *quaestiun.* 3, *ad* 2. Cf. *In* II *Sent.*, 20, 2, 1, *arg.* 2; *In* III *Sent.*, 2, 1, 1, *sol.*

    (d) Forms of perfection and the perfectible: '... omnis perfectio recipitur in perfectibili secundum modum ejus,' *S.T.*, I, 62, 5, *c.*

19. *In Meta.* [12]. For diverse similitudes to an agent see *S.T.*, I, 79, 3, *ad* 3; for similitude in general see *De Ver.*, 10, 4, *ad* 4.

20. *De Ver.*, 10, 4, *ad* 4.

21. *S.T.*, I, 84, 1, *c.*

22. *In L. De Causis*, 20.

23. *In* II *De An.*, 24 [P 551–554]. Cf. *S.T.*, I, 84, 2, *c.*

24. *C.G.*, III, 42; *S.T.*, I, 5, 2, *ad* 2.

25. *S.T.*, I, 84, 1, *c.*; 79, 6, *c.*; *Quodlib.*, 3, 9, 21, *c.*; *In* II *De An.*, 12 [P 377].

26. *In De Trin.*, 5, 2, *c.*; *S.T.*, I, 84, 1, *c.*

27. *S.T.*, I, 75, 5, *c.*; 84, 1, *c.*

28. *S.T.*, I, 79, 6, *c.*; *Quodlib.*, 7, 1, 1, *c.*

29. *S.T.*, I, 84, 1, *c.*

30. *In Meta.* [12].

31. *S.T.* [52].

32. 'Dicendum quod individuatio intelligentis aut speciei per quam intelligit, non excludit intelligentiam universalium; alioquin cum intellectus separati sint quaedam substantiae subsistentes, et per consequens particulares, non possent universalia intelligere. Sed materialitas cognoscentis et speciei per quam cognoscitur, universalis cognitionem impedit. Sicut enim omnis actio est secundum modum formae qua agens agit, ut calefactio secundum modum caloris; ita cognitio est secundum modum speciei qua cognoscens cognoscit. Manifestum est autem quod natura communis distinguitur et multiplicatur secundum principia individuantia, quae sunt ex parte materiae. Si ergo forma per quam fit cognitio, sit materialis non abstracta a conditionibus materiae, erit similitudo naturae speciei aut generis, secundum quod est distincta et multiplicata per principia individuantia; et ita non poterit cognosci natura rei in sua communitate. Si vero species sit abstracta a conditionibus materiae individualis, erit similitudo naturae absque iis quae ipsam distinguunt et multiplicant; et ita cognoscetur universale,' *S.T.*, I, 76, 2, *ad* 3; cf. *C.G.*, I, 54.

Section 4

1. *De Ver.* [17]; cf. *In De Trin.* [5]; *In Phy.* [7]; *In De An.* [6] [48]; *In Meta.* [12] [184] [185]; *C.G.* [34]; *S.T.* [64]; *De Sp. Creat.* [1] [4] [7] [15]; *In De Div. Nom.* [20]; *De Sub. Sep.* [1] [18]; *In De Gen. et Cor.* [7].
2. Thus in *De Ver.* [17]; *De Sp. Creat.* [4] and *De Sub. Sep.* [1].
3. *In Meta.* [12]; *In De An.* [6].
4. Thus in *In De Trin.* [5]; *In De An.* [48]; *In Phy.* [7]; *S.T.* [64].
5. See Chapter IV, Section 2, Note 3.
6. *S.T.*, 1, 1, 13, 12, *arg.* 3; cf. *In I Sent.*, 30, 1, 3, *ad* 1; 38, 1, 2, *ad* 1; *In B. De Trin.*, 5, 3, *arg.* 1 *et ad* 1; *In II De An.*, 12 [P 379]; *S.T.*, I, 13, 12, *arg.* 3 *et ad* 3; 85, 1, *arg.* 1 *et ad* 1.
7. *In B. De Trin.*, 5, 3, *ad* 1; cf. *In I Sent.*, 30, 1, 3, *ad* 1; *In II Phy.*, 3; Abelard, *Glossae super Porphyrium* [Beiträge 5–6]; Boethius, *In Isag.*, ed. sec., I, 11 [CSEL 48, 164.5–8; 165.20–166.4].
8. 'Si enim dicamus colorem non inesse corpori colorato vel esse separatum ab eo, erit falsitas in opinione vel in oratione. Si vero consideremus colorem et proprietatem ejus, nihil considerantes de pomo colorato ... erit absque falsitate,...' *S.T.*, I, 85, 1, *ad* 1. Cf. Boethius, *In Isag.*, ed. sec., I, 11 [Beiträge 25–26].
9. 'Quamvis enim non sunt abstracta secundum esse non mentiuntur; quia *non asserunt* ea esse extra materiam sensibilem ... sed *considerant* de eis absque consideratione materiae sensibilis, quod absque mendacio fieri potest,...' *In II Phy.*, 3 [5].
10. 'Et quia veritas intellectus est ex hoc, quod conformatur [rei], patet quod secundum hanc secundam operationem intellectus non potest vere abstrahere, quod secundum rem coniunctum est, quia in abstrahendo significaretur esse separatio[nem] secundum ipsum esse rei, sicut si abstraho hominem ab albedine dicendo 'homo non est albus,' significo esse separationem in rei. Unde si secundum rem homo et albedo non sint separata, erit intellectus falsus,' *In B. De Trin.*, 5, 3, *c*. See also *In I Sent.*, 19, 4, 1, *ad* 7; *In III Sent.*, 2, 2, *sol.* 1.
11. 'Cum enim veritas intellectus sit adaequatio intellectus et rei, secundum quod intellectus dicit esse quod est vel non esse quod non est, ad illud in intellectu veritas pertinet quod intellectus dicit, non ad operationem qua illud dicit. Non enim ad veritatem intellectus exigitur ut ipsum intelligere rei aequetur, cum res interdum sit materialis, intelligere vero immateriale: sed illud quod intellectus intelligendo dicit et cognoscit, oportet esse rei aequatum, ut scilicet ita sit in re sicut intellectus dicit,' *C.G.*, I, 59. St. Thomas uses the same principle and method to distinguish the complex structure of the judgment from that of the real (not logical) subject:

'Dicendum quod similitudo rei recipitur in intellectu secundum modum intellectus, et non secundum modum rei. Unde compositioni et divisioni intellectus respondet quidem aliquid ex parte rei; tamen non eodem modo se habet in re sicut in intellectu. Intellectus enim humani proprium obiectum est quidditas rei materialis, quae sub sensu et imaginatione cadit. Invenitur autem duplex compositio in re materiali. Prima quidem formae ad materiam; et huic respondet compositio intellectus qua totum universale de sua parte praedicatur; nam genus sumitur a materia communi, differentia vero completiva speciei a forma, particulare vero a materia individuali. Secunda vero compositio est accidentis ad subiectum; et huic compositioni respondet compositio intellectus secundum quam praedicatur accidens de subiecto, ut cum dicitur, homo est albus. – Tamen differt compositio intellectus a compositione rei; nam ea quae componuntur in re, sunt diversa; compositio autem intellectus est signum identitatis eorum quae componuntur. Non enim intellectus sic componit, ut dicat quod homo est albedo; sed dicit quod homo est albus, idest habens albedinem. Et simile est de compositione formae et materiae: nam animal significat id quod habet materiam sensitivam, rationale vero quod habet naturam intellectivam, homo vero quod habet utrumque, Socrates vero quod habet omnia haec cum materia individuali; et secundum hanc identitatis rationem intellectus noster unum componit alteri praedicando,' *S.T.*, I, 85, 5, *ad* 3.

12. '... considerandum est quod multa sunt coniuncta secundum rem, quorum unum non est de intellectu alterius: sicut album et musicum coniunguntur in aliquo subiecto, et tamen unum non est de intellectu alterius, et ideo potest unum separatim intelligi sine altero,' *In II Phy.*, 3 [5]; 'Circa primum considerandum est, quod eorum quae sunt in rebus coniuncta, contingit unum sine altero intelligi, et vere, dummodo unum eorum non sit in ratione alterius,' *In III De An.*, 12 [P 781].

13. *S.T.*, I, 50, 2, *c*. The error is here attributed to Avicebron who is said in *De Sp. Creat.*, 3, *c*., to employ the Platonic *via*. Moreover, it is here related to the *modus* principles. Cf. *In Perih.* [4]; *In De An.* [41]; *In III De An.*, 12 [P 781–784]; *In I Phy.*, 1 [2]; *In II Phy.*, 3 [5–6]; *In III Meta.*, 8 [442]; *In VII Meta.*, 1 [1254]; *In XI Meta.*, 3 [2202]; *S.T.*, I, 76, 3, *ad* 4; *De Un. Intell.*, 5 [K 110–112]; *De Sp. Creat.*, 3, *ad* 3; *ad* 15; *ad* 17; *De Sub. Sep.* [1]; also Averroes, *In XII Meta.*, *com.* 39 [322v]: 'Intellectus enim natus est dividere adunata in esse in ea ex quibus componuntur, quamvis non dividantur in esse; sicut dividit materiam a forma et forma a composito ex materia et forma;' Avicenna, *Meta.*, VII, 2 [F 223–224]: 'Una est opinio eorum, quod cum res est expoliata ab aliquo nec est adjunctus ei respectus alius, profecto expoliata est inesse ab eo, quemadmodum si id cui aliquid adiunctum est considerans per se sine consideratione eius quod sibi adiunctum est. Iam enim considerasti illud non adjunctum illi, et omnino cum consideraveris illud sine conditione coiunctionis iam putabit te considerasse illud cum conditione non coniunctionis. Ita ut non oporteat considerare illud nisi non coniunctum, quamvis sit coniunctum. Sed quia intellectus apprehendit intellecta quae sunt in mundo sine consideratione eius cui adiungitur, ideo putaverunt quod intellectus non apprehendit nisi separata ab eis. Non est autem ita, ino omnis res secundum quod in seipsa est habet unum respectum, et secundum quod iuncta est alii habet alium respectum. Nos enim cum intelligimus verbi gratia formam hominis inquantum est forma hominis, solummodo iam intelligimus aliquid quod solummodo est secundum quod est in se. Sed ex hoc quod intelligimus non oportet quod sit solum et separatum. Coniunctum enim ex hoc quod est ipsum non est separatum secundum modum negationis, non secundum modum privationis qua intelligitur separatio existentiae. Non est autem nobis difficile intelligere secundum apprehensionem vel per reliquas dispositiones unum ex duobus, quorum unum est scilicet

quod non est de natura eius separari a sibi coniuncto in existentia, quamvis separetur ab eo in definitione et intentione et certitudine, cum fuerit eius certitudo non contenta intra certitudinem alterius, quoniam esse cum illo facit debere esse coniunctionem non contineri in intentionibus.'

14. 'Et quia Plato non consideravit quod dictum est de duplici modo (= modo compositionis et divisionis; modo simplicitatis),' *S.T.*, I, 85, 1, *ad* 1; '... omnia quae diximus abstrahi per intellectum posuit abstracta esse secundum rem,' *S.T.* [64].

15. *In Meta.* [12]; vide 'Mathematica: Separata.'

Section 5

1. 'Sciendum est autem, ad evidentiam hujus capituli, quod universale dupliciter potest accipi. Uno modo pro ipsa natura, cui intellectus attribuit intentionem universalitatis; et sic universalia, ut genera et species, substantias rerum significant, ut praedicantur in quid. Animal enim significat substantiam ejus, de quo praedicatur, et homo similiter. Alio modo potest accipi universale inquantum est universale, et secundum quod natura praedicta subest intentioni universalitatis: idest secundum quod consideratur animal vel homo, ut unum in multis. Et sic posuerunt Platonici animal et hominem in sua universalitate esse substantias,' *In VII Meta.*, 13 [C 1570]; cf. *S.T.*, I, 85, 3, *ad* 1, and see 'Universalia Separata.'

2. '... intentio universalitatis *consequitur modum intelligendi* qui est per abstractionem,' *S.T.*, I, 85, 3, *ad* 4; cf. *S.T.*, I, 76, 3, *ad* 4.

3. 'Sic igitur patet, quod naturae communi non potest attribui intentio universalitatis nisi *secundum esse quod habet in intellectu;* sic enim solum est unum de multis, prout intelligitur praeter principia, quibus unum in multis dividitur; unde relinquitur, quod *universalia, secundum quod sunt universalia,* non sunt nisi in anima,' *In II De An.*, 12 [P 380].

4. 3 [R 23–29].

5. *Ibid.*, footnotes, *passim.*

6. 'Natura autem uel essentia sic accepta potest dupliciter considerari,' *ibid.* [R 24.1–2].

7. 'Uno modo secundum rationem propriam, et hec est absoluta consideratio ipsius, et hoc modo nichil est uerum de ea nisi quod conuenit sibi secundum quod huiusmodi,...' *ibid.* [R 23.2–5].

8. 'Ergo patet quod natura hominis absolute considerata abstrahit a quolibet esse, ita tamen quod non fiat precisio alicuius eorum,' *ibid.* [R 26.8–10].

9. 'Verbi gratia homini in quantum est homo conuenit rationale et animal et alia que in diffinitione eius cadunt,...' *ibid.* [R 23.6–8].

10. 'Hec autem natura habet duplex esse: unum in singularibus et aliud in anima; et secundum utrumque consequitur dictam naturam accidens,...' *ibid.* [R 25.9–11].

11. '... sicut dicitur quod homo est albus quia Socrates est albus, quamuis hoc non conueniat homini in eo quod est homo,' *ibid.* [R 25.6–8].

12. 'Ipsa enim natura humana in intellectu habet esse abstractum ab omnibus indiuiduantibus; et ideo habet rationem uniformem ad omnia indiuidua que sunt extra animam.... Et ex hoc quod talem relacionem habet ad omnia indiuidua, intellectus *adinuenit rationem speciei* et attribuit sibi,...' *ibid.* [R 28.2–10].

13. 'Vnde ratio predicabilitatis potest claudi in ratione huiusmodi intentionis que est genus, que similiter per actum intellectus completur. Nichilominus tamen id cui intellectus intentionem predicationis attribuit, componens illud cum alio, non est ipsa intentio generis, set potius illud cui intellectus intentionem generis attribuit sicut quod significatur hoc nomine animal. Sic ergo patet qualiter essentia uel natura se habet ad rationem speciei, quia ratio speciei non est de hiis que conueniunt. ei secundum absolutam suam considerationem, nec eciam de accidentibus que consecuntur ipsam

secundum esse quod habet extra animam ... set est de accidentibus que
consecuntur eam secundum esse quod habet in intellectu, et secundum
hunc modum conuenit eciam sibi ratio generis et differentie,' *ibid.* [R
29.16–30].

14. *De Ente et Essentia* [1].

15. 'Aliquando autem hoc quod significat nomen est similitudo rei existentis
extra animam, sed est aliquid quod consequitur ex modo intelligendi rem
quae est extra animam; et hujusmodi sunt intentiones quas intellectus
noster adinvenit; sicut significatum hujus nominis 'genus' non est similitudo alicujus rei extra animam existentis; sed ex hoc quod intellectus
intelligit animal ut in pluribus speciebus, attribuit ei intentionem generis
et hujusmodi intentionis licet proximum fundamentum non sit in re, sed
in intellectu, tamen remotum fundamentum est res ipsa. Unde intellectus
non est falsus, qui has intentiones adinvenit. Et simile est de omnibus
aliis qui consequuntur ex modo intelligendi, sicut est abstractio mathematicorum et hujusmodi,' *In* I *Sent.*, 2, 1, 3, *sol.*

16. *E.g.* '... quia sic genus et species non predicarentur de hoc indiuiduo;
non enim potest dici quod Socrates sit hoc quod ab eo separatum est, nec
iterum illud separatum proficiet in cognitionem huius singularis,' *De Ente
et Essentia, c.* 3 [R 23.22–25]; 'Uno modo secundum rationem propriam,
et hec est absoluta consideratio ipsius, et hoc modo nichil est uerum de ea
nisi quod conuenit sibi secundum quod huiusmodi, vnde quicquid aliorum attribuatur sibi falsa est attributio. Verbi gratia homini in quantum
est homo conuenit rationale et animal et alia que in diffinitione eius
cadunt; album uero aut nigrum, aut quicquid huiusmodi quod non est
de ratione humanitatis, non conuenit homini in quantum quod homo.
Vnde si queratur utrum ista natura sic considerata possit dici una uel
plures neutrum concedentum est, quia utrumque extra intellectum humanitatis, et utrumque potest sibi accidere. Si enim pluralitas esset de intellectu eius, nunquam posset esse una cum tamen una sit secundum quod
est in Socrate. Similiter si unitas esset de ratione eius, tunc esset una et
eadem Socratis et Platonis et non posset in pluribus plurificari. Alio modo
consideratur secundum esse quod habet in hoc uel in illo, et sic de ipsa
aliquid predicatur per accidens, ratione eius in quo est, sicut dicitur quod
homo est albus quia Socrates est albus, quamuis hoc non conueniat homini in eo quod est homo,' *ibid.* [R 24.2–25.8]; 'Si enim communitas
esset de intellectu hominis, tunc in quolibet inueniretur humanitas inueniretur communitas, et hoc falsum est quia in Socrate non inuenitur
communitas aliqua, sed quicquid in eo est est indiuiduatum,' *ibid.* [R
27.2–6].

17. *Ibid.* [R 23.22–25]; *vide* 16 *supra.*

18. 'Et quia nature humane secundum absolutam suam considerationem
conuenit quod predicetur de Socrate, et ratio speciei non conuenit sibi
secundum absolutam suam considerationem, set est de accidentibus que
consecuntur eam secundum esse quod habet in intellectu, ideo nomen
speciei non predicatur de Socrate ut dicatur Socrates est species, quod de
necessitate accideret si ratio speciei conueniret homini secundum esse
quod habet in Socrate, uel secundum suam considerationem absolutam,
scilicet in quantum est homo: quicquid enim conuenit homini in quantum
est homo predicatur de Socrate,' *ibid.* [R 29.1–11].

19. 'Predicatio enim est quiddam quod completur per actionem intellectus
componentis et diuidentis, habens fundamentum in re ipsa unitatem eorum quorum unum de altero dicitur,' *ibid.* [R 29.13–16]; cf. *S. T.*, I, 85, 5, *ad* 3.

20. '... et hoc falsum est quia in Socrate non inuenitur communitas aliqua,
sed quicquid in eo est est indiuiduatum,' *ibid.* [R 27.4–6].

21. The distinction is implied throughout the chapter. Cf. *In* I *Sent.*, 8, 4,
2, *sol.*

22. *De Ente et Essentia,* 3 [R 28.1–9].

23. *S.T.*, I, 85, 3, *ad* 4. Cf. within the same question: *S.T.*, I, 85, 2, *ad* 2; 3, *ad* 1.
24. *De Pot.*, 9, 2, *ad* 1; *S.T.*, I, 76, 3, *ad* 4; 85, 2, *ad* 2; 3, *ad* 1; 3, *ad* 4; *De Sp. Creat.*, 3, *ad* 3; *In* I *Perih.*, 10; *In* I *De An.*, 1 [13]; *In* II *De An.*, 12 [378]; 12 [380].
25. *S.T.* [67].
26. *De Sp. Creat.* [4] [7].

Section 6

1. *De Ver.* [17].
2. *In De Trin.* [5].
3. 'Cum ergo dicitur quod intellectus est falsus qui intelligit rem aliter quam sit, verum est si ly aliter referatur ad rem intellectam. Tunc enim intellectus est falsus, quando intelligit rem esse aliter quam sit. Unde falsus esset intellectus, si sic abstraheret speciem lapidis a materia, ut intelligeret eam non esse in materia, ut Plato posuit. Non est autem verum quod proponitur, si ly aliter accipiatur ex parte intelligentis. *Est enim absque falsitate ut alius sit modus intelligentis in intelligendo, quam modus rei in essendo;* quia intellectum est in intelligente immaterialiter per modum intellectus, non autem materialiter per modum rei materialis,' *S.T.*, I, 85, 1, *ad* 1.
4. *In Meta.* [12].
5. *S.T.* [52].
6. *In Meta.* [12].
7. *S.T.*, I, 76, 3, *ad* 4; *In* II *De An.*, 12 [P 378–380].
8. *S.T.* [52].
9. *In Sent.* [20].
10. The examples include the one of Parmenides as a common predicate, the numbers of the Pythagoreans and Plato, 'man' as a common predicate and the unity of matter in Avicebron. *Ibid.*
11. In De Trin. [4].
12. It does appear as a particularized critique of the origin of substantial forms from separated principles. *S.T.* [26].
13. *In B. De Trin.*, 5, 2, *c.*

Section 7

1. Aristotle, *Metaphysics*, I, 6 [987a 29 - 987b 20].
2. *In* I *Meta.*, 10 [C 151–157].
3. *In Meta.* [12].
4. *De Sub. Sep.* [1].
5. E.g. *In Meta.* [18] [22] [78] [184] [186].
6. 'Nec oportet, sicut *multoties* dictum est, quod aliquid eundem modum essendi habeat in rebus per quem modum ab intellectu scientis comprehenditur,' *In* III *Meta.*, 9 [C 446].
7. *In Meta.* [6] [7] [11] [18] [26] [34] [35] [36] [37] [41] [42] [48] [49] [113] [125] [130] [132] [150] [167] [175].
8. *In Meta.* [6] [7] [18] [22] [78] [97] [98] [103] [142] [143] [144] [145] [148] [156] [171] [172] [184] [189] [192] [193].
9. *In Meta.* [33] [35] [43] [147].
10. *In Meta.* [8] [33] [95] [146] [147].
11. *In Meta.* [109] [146] [155] [173].
12. *In Meta.* [48] [55] [66] [67] [74] [75] [136].
13. *In Meta.* [37] [39] [40] [41] [42] [44] [49] [50] [54] [67] [68] [69] [71] [136] [144] [150] [154] [165] [167] [171] [174] [193].
14. *In Meta.* [34] [35] [36] [37] [56] [175].
15. In speaking here of the *Metaphysics* we are, of course, considering it as it lies under St. Thomas' interpretation, as it was read by him and not as it must be understood historically in itself.

16. *In Meta.* [47]; cf. [132].
17. *In Meta.* [48].
18. *In Meta.* [49–51].
19. *In Meta.* [52–54].
20. *In* I *Meta.*, 15 [236].
21. *In Meta.* [55].
22. *In Meta.* [56].
23. *In Meta.* [12].

Section 8

1. *S.T.*, I, 86, 3, *c.*
2. Geiger therefore rightly considers this a basic thesis in St. Thomas' own doctrine.
3. The abstraction principle is attributed to or attached to the *Platonici* in *De Sp. Creat.* [4] [15]; *In De Gen. et Cor.* [7]; *In De Div. Nom.* [20]; *C.G.* [34]; *De Sub. Sep.* [1] [18]; *In De Causis* [3]. In the commentary on the *Metaphysics* the primary analysis is attributed to Plato (*In Meta.* [12]), but throughout the *rationes* and *positiones* are assigned now to Plato, now to the *Platonici*. In *De Ver.* [17] and *De Sub. Sep.* [1] the *via* is Plato's but it is the basis for the *positiones* of the *Platonici*.
4. *In S. Jo.* [1] distinguishes the opinion of 'alii' *Platonici* from that of Plato himself. For 'aliqui' or 'quidam Platonici,' see *De Ver.* [11]; *De Sp. Creat.* [5]; *In Phy.* [27]; *In Meta.* [137]; *In De C. et M.* [9]; *In De Div. Nom.* [3] [14]; *S.T.* [46] [82]; *C.G.* [20] [24]. In *In Meta.* [137] and [185] two groups of Platonists are distinguished. No text, however, points to a difference in the *via*.
5. As we shall see, the fundamental thesis with regard to the soul is not reducible to this analysis. There are also two other generalized errors which are said to underlie Platonic positions. One of these is the confusion of the one of being with the one of number: '... non distinguebat inter unum quod est principium numeri et unum quod convertitur cum ente,...' *In Meta.* [13]; see also *De Pot.* [24]; *In Phy.* [23]; *In Post. Anal.* [8] [9]; *In Meta.* [13] [14] [107] [116]; *In De An.* [6]; *In De C. et M.* [30]; *S.T.* [5]. In this error St. Thomas sees the ground for the reduction of the separated species, of the substance of things and of material entities to numbers and mathematicals. The other generalized error is the failure to distinguish privation and matter: 'Platonici ... non distinguentes inter ipsam [*sc.* materiam] et privationem,' *In Phy.* [4]; see also *In Phy.* [5]; *In Meta.* [76] [127]; *In Perih.* [7]; *In De Div. Nom.* [5] [8]; *In De Causis* [8]; *S.T.* [1].
6. St. Thomas explicitly states certain positions in which Aristotle and Plato are found to be in agreement. The agreement is achieved in various ways. In some cases, a position of Plato is interpreted as being only verbally different. Thus the Aristotelian arguments of the *De Anima* against the conception of the soul as a 'magnitudo' are said to be against the 'verba' of Plato, not against his meaning (*In De An.* [17]). For the same type of interpretation, see *In Phy.* [19] [26]; *In Meta.* [100]; *In De C. et M.* [8] [11] [13] [14] [25] [33]. St Thomas found the principle of these interpretations in Themistius and Simplicius; see *Sources* under texts cited. Related to this sort of interpretation is that found in the texts reporting Plato's theory that the first mover or the soul moved itself: '... Plato posuit quod Deus movet seipsum,...' *S.T.* [11]; '... anima movet seipsam secundum Platonem,...' *In De An.* [46]. See *In Sent.* [5] [35]; *In De Trin.* [6]; *De Pot.* [25]; *De An.* [2] [19]; *In Phy.* [19] [29] [31]; *In Meta.* [195]; *In De An.* [46]; *In De C. et M.* [32]; *In De Causis* [3] [18]; *C.G.* [1] [6]; *S.T.* [11]; *De Sub. Sep.* [1]. Here the apparent opposition is removed by distinguishing the meaning of 'movere': 'Sciendum autem quod Plato, qui posuit omne movens moveri, communius accepit nomen motus quam

Aristoteles. Aristoteles enim proprie accepit motum, secundum quod est actus existentis in potentia secundum quod huiusmodi: qualiter non est nisi divisibilium et corporum, ut probatur in VI Physic. Secundum Platonem autem movens seipsum non est corpus: accipiebat enim motum pro qualibet operatione, ita quod intelligere et opinari sit quoddam moveri; quem etiam modum loquendi Aristoteles tangit in III de Anima. Secundum hoc ergo dicebat primum movens seipsum movere quod intelligit se et vult vel amat se. Quod in aliquo non repugnat rationibus Aristotelis: nihil enim differt devenire ad aliquod primum quod moveat se, secundum Platonem; et devenire ad primum quod omnino sit immobile, secundum Aristotelem,' *C.G.* [1]. Sometimes the concordance of positions is simply given in the sources; thus, both Aristotle and Plato hold that the heavenly bodies are animated (*De Sp. Creat.* [9]), though animation must be differently understood ('Et sic per hoc quod Plato ponit corpora caelestia animata, nihil aliud datur intelligi quam quod substantiae spirituales uniuntur corporibus caelestibus ut motores mobilibus,' *S.T.* [35]). Again the agreement may be brought about by the *auctoritas-positio* technique as in *S.T.* [3]. In all these cases, however, the basic *ratio-positio* analysis remains untouched. In principle the opposition stands and, indeed, if anything, becomes clearer in the later works. Fabro appeals to a number of texts to maintain on the contrary that St. Thomas shows an increasingly benevolent attitude towards Plato. Fabro, however, ignores the distinction between the *ratio-positio* analysis and a positional treatment and, moreover, clearly misreads some texts (for example, *In* IV *Meta.*, 4 [C 584] which only makes for his point through the omission of the subsequent lines of the text).

7. *In Meta.* [22].
8. *In Meta.* [18].
9. *De Sp. Creat.* [4].
10. *De Sp. Creat.* [15].
11. *In Meta.* [12].
12. *De Sub. Sep.* [1].
13. *De Sp. Creat.* [4] [7].
14. *In De Gen. et Cor.* [4].

CHAPTER V

1. See Chapter VII.
2. On this point see Geiger, *op. cit.*, p. 119.
3. *In De Trin.* [4]; *In Meta.* [12]; *S.T.* [52].
4. *In B. De Trin.*, 5, 2, *c.*; 3, *c.*; *S.T.*, I, 75, 4, *c.*; 85, 1, *ad* 2.
5. *S.T.*, I, 85, 1, *ad* 2; 75, 4, *c.*; *In* I *Phy.*, 1; *In* VII *Meta.*, 9–11; *Quodlib.*, 2, 2, 4, *c.*
6. *In* VII *Meta.*, 11; cf. *In Meta.* [136] [161]; *De Ver.*, 9.
7. *In* VII *Meta.*, 11 [C 1507–1509].
8. *In De An.* [3] [6]; *De Un. Intell.* [9]; *In Meta.* [152]; *In Perih.* [5]; *De Sp. Creat.* [8].
9. *S.T.* [7] [10].
10. *In Meta.* [8] [9]; *In De Gen. et Cor.* [4].
11. *In Meta.* [8] [9].
12. *In Meta.* [7] [174]; *C.G.* [21] [24]; *S.T.* [22] [27] [72] [75]; *De Sub. Sep.* [6].
13. *S.T.*, I, 88, 2, *c.*
14. *In Meta.* [33].
15. *In Eth.* [9].
16. *In Meta.* [33] [154].

17. *De Pot.* [23]; *De Sp. Creat.* [12] [15]; *De An.* [7] [14]; *In Post. Anal.* [6]; *In Meta.* [7] [12] [97] [111] [125] [143] [144] [145] [156] [167] [172] [190] [192]; *In Perih.* [4] [6]; *In De An.* [1] [6] [35]; *In De Trin.* [5]; *In De Causis* [4]; *S.T.* [66]; *De Sub. Sep.* [1]; *De Nat. Gen.* [1].
18. *De Ver.* [17]; *In Meta.* [23]; *In De An.* [39] [41] [43].
19. *In Meta.* [95] [146] [147].
20. *In Meta.* [146].
21. *De Ver.* [6] [7]; *In Eth.* [8]; *In Meta.* [95].
22. *De Ver.* [6] [7]; *In Eth.* [8].
23. *In Phy.* [21]; *In Meta.* [171]; cf. *In* X *Meta.*, 1 [C 1920–1936]; 2 [C 1937–1960].
24. *In Phy.* [22]; *In Meta.* [171] [173].
25. *In Eth.* [8].
26. *De Sp. Creat.* [7]; *S.T.* [26].
27. *De Sub. Sep.* [1].
28. *De Sp. Creat.* [4] [7]; *S.T.* [26]; *In De Causis* [3] [7] [23]; *In De Div. Nom.* [20]; *De Sup. Sep.* [1] [18].
29. *De Sub. Sep.* [1].
30. See Note 13, Chapter IV, Section 4.
31. *In* VII *Meta.*, 14; cf. *In* II *Phy.*, 3 [5–6]; *In* III *Meta.*, 8 [C 442]; *S.T.*, I, 76, 3, *ad* 4; *De Sp. Creat.*, 3, *ad* 3; *ad* 15; *ad* 17.
32. *De Ver.* [10] [12]; *In De An.* [6] [43] [49]; *In De S. et S.* [6]; *Quodlib.* [4]; *C.G.* [4] [10] [11] [17]; *S.T.* [49] [59] [65] [70] [71]; *De Sp. Creat.* [12]; *Comp. Th.* [1].
33. *In Meta.* [190] [198].
34. No separate listings have been given for this point in the *Analytic Index*, since it runs through most of the texts; see, however, 'Forma: Separata,' 'Species: Separata' and 'Universalia Separata.'
35. *In De Div. Nom.* [1]; *S.T.* [3] [58].
36. '… ut Aristoteles multipliciter improbat,' *S.T.* [3]; cf. *S.T.* [6] [22]; I, 84, 4, *c.*
37. *In De Div. Nom.* [1]; *S.T.* [3].
38. *In Eth.* [7] [11] [13] [15]; *In Meta.* [119] [129] [130].
39. *De Sp. Creat.* [7]; *S.T.* [84].
40. *In Eth.* [4].
41. *In Eth.* [7] [11] [15]; *In Meta.* [119].
42. *In De Causis* [9]; *In Meta.* [190].
43. *In Meta.* [190] [198]; *In Phy.* [21].
44. *S.T.*, I, 3, 4; *C.G.*, I, 26.
45. *In S. Jo.* [3]; *In Eth.* [14]; *In Post. Anal.* [10]; *S.T.* [85].
46. This point will be discussed in Chapter X, Section 6.
47. *E.g.* see *De Sub. Sep.* [18].
48. *S.T.*, I, 4, 2, *c.*
49. *In Eth.* [7].
50. *S.T.*, I, 3, 4, *c.*; 4, 2, *c.*; *De Pot.*, 7, 2, *ad* 9; *C.G.*, I, 28.
51. *In* I *Sent.*, 35 and 36.
52. *De Ver.*, 2 and 3.
53. *S.T.*, I, 14 and 15.
54. *C.G.*, I, 44 to 72; 51 to 53 covers the Divine Ideas.
55. 'Unde cum Deus sit in summo immaterialitatis … sequitur quod ipse sit in summo cognitionis,…' *S.T.*, I, 14, 1, *c.*; '… perfectiones … altiori modo sunt in Deo … unde scientia non est qualitas in Deo vel habitus sed substantia et actus purus,' *ibid.*, *ad* 1; 'Cum igitur Deus nihil potentialitatis habeat, sed sit actus purus, oportet,…' *S.T.*, I, 14, 2, *c.*; 'Tanta est autem virtus Dei in cognoscendo, quanta est actualitas in existendo,…' *ibid.*, 3, *c.*; cf. *In* I *Sent.*, 35, 1, 1, *c.*; 5, *c.*; *De Ver.*, 2, 1, *c.*; 2, *c.*; *S.T.*, I, 14, 2, *ad* 2; *ad* 3; 11, *c.*; 15, *c.*
56. 'Deus scit omnia quaecumque sunt quocumque modo,' *S.T.*, I, 14, 9, *c.*;

cf. *In* I *Sent.*, 35, 1, 1, *c.*; 5, *c.*; 36, 2, 2, *c.*; *De Ver.*, 2, 7, *c.*; 9, *c.*; 12, *c.*; 13, *c.*; *S.T.*, I, 14, 7, *c.*; 10, *c.*; *ad* 4.

57. 'Quamvis in Deo non sit aliquid materiale, sed essentia ejus sit actus tantum, tamen ille actus est causa omnium quae sunt in re ... quem actus imitatur quantum potest omnis res et quidquid in re est; et ideo essentia divina est similitudo non tantum formalium, sed etiam materialium rei; et ideo per ipsam possunt cognosci singularia etiam in quantum hujusmodi,' *In* I *Sent.*, 36, 1, 1, *ad* 3; cf. *De Ver.*, 2, 1, *c.*; *C.G.*, I, 54; *S.T.*, I, 14, 6, *c.*; 8, *c.*; 9, *ad* 2; 12, *c.*

58. '... Deus absque dubio omnium et universalium et singularium cognitionem habet ... ideo per essentiam suam sicut per causam, totum quod est in re cognoscit, et formalia et materialia; unde non tantum cognoscit res secundum naturas universales, sed secundum quod sunt individuatae per materiam.... Deus particularia cognoscit neque universaliter neque particulariter ex parte cognoscentis sed universaliter et particulariter ex parte rei cognita,' *In* I *Sent.*, 36, 1, 1, *c.*; *ibid.*, ad 1. The argument depends on the universal causality of God: '... Deus non tantum sit causa esse rerum sed omnium quae in rebus sunt.... Deus ... eodem modo cognoscit res quo modo esse rebus tradidit ... quia nos ponimus Deum immediate operantem in rebus omnibus, et ab ipso esse non solum principia formalia sed etiam materiam rei,...' *In* I *Sent.*, 36, 1, 1, *c.* Same argument *ibid.*, *ad* 2; *ad* 3; *ad* 4; cf. *ibid.*, 35, 1, 1, *c.*; 2, *c.*; 3, *c.*; 36, 2, 3, *c.*; *C.G.*, I, 50; *De Ver.*, 2, 3, *c.*; 4, *c.*; 5, *c.*; 8, *c.*; 14, *c.*; *S.T.*, I, 14, 8, *c.*; 11, *c.*

59. '... et ideo scientia Dei est una numero omnium rerum quia per unum medium simplicissimum quod est sua essentia omnia cognoscit,' *In* I *Sent.*, 35, 1, 2, *ad* 4; '... ita etiam proprie conveniunt Deo propter unicum et simplex suum esse, quod omnium in se virtute uniformiter praeaccipit ... cum enim in aliis creaturis inveniatur esse, vivere et intelligere, et omnia hujusmodi secundum diversa in eis existentia; in Deo tamen unum suum simplex esse habet omnium horum virtutem et perfectionem,' *ibid.*, 1, 1, *ad* 2; '... ea quae sunt divisim et multipliciter in creaturis, in Deo sunt simpliciter et unite,...' *S.T.*, I, 14, 1, *ad* 2; 'Et sic patet ... quod in Deo intellectus, et id quod intelligitur et species intelligibilis et ipsum intelligere sunt omnino unum et idem,' *ibid.*, 4, *c.*; cf. *C.G.*, I, 53; 54.

60. The double source is indicated by the parallels running through the *contra's*; *e.g.* 'Contra est quod dicitur ad Colos. 11, 3: In ipso sunt omnes thesauri sapientiae et scientiae absconditi et Commentator XI Metaph. text. com. 39 dicit, quod vita et scientia proprie esse in Deo dicuntur.

Praeterea, nulla perfectio deest ei qui perfectissimus est. Sed scientia est nobilissima perfectio. Ergo Deo, in quo omnium generum perfectiones adunatur, ut in V Meta. text. 21 dicitur scientia deesse non potest,' *In* I *Sent.*, 35, 1, 1, *contra.*; cf. *ibid.*, 1, 2, *contra*; 36, 1, 1, *contra*; 2, *contra.*

61. *In* I *Sent.*, 35, 1, 1, *c.*; *C.G.*, I, 54 (with 31); *S.T.*, I, 14, 2, *c.*
62. *S.T.*, I, 14, 2.
63. *S.T.*, I, 14, 3.
64. *S.T.*, I, 14, 1, *ad* 2; *In* I *Sent.*, 35, 1, 5, *c.*
65. See Note 58 above.
66. *In* I *Sent.*, 36, 2, 1, *c.*; *De Ver.*, 3, 1, *c.*; *S.T.*, I, 15, 1, *c.*
67. *In* I *Sent.*, 36, 2; *De Ver.*, 3; *S.T.*, I, 15.
68. *C.G.*, I, 51–53.
69. The Christian tradition is represented principally by St. Augustine and Dionysius; of the philosophers, St. Thomas says: 'Unde apud omnes philosophos communiter dicitur quod omnia sunt in mente Dei, sicut artificiata in mente artificis; et ideo formas rerum in Deo existentes ideas dicimus,...' *In* I *Sent.*, 36, 2, 1, *c.*
70. 'Respondeo dicendum, quod duplex est pluralitas. Una quidem est pluralitas rerum; et secundum hoc non sunt plures ideae in Deo. Nominat enim idea formam exemplarem; est autem una res quae est omnium

exemplar; scilicet divina essentia, quam omnia imitantur, in quantum sunt et bona sunt,' *Quodlib.*, 4, 1, 1, *c.*; cf. *S.T.*, I, 44, 3, *c.*; *In* I *Sent.*, 36, 2, 1, *ad* 2.

71. 'Hoc autem quomodo divinae simplicitati non repugnet, facile est videre, si quis consideret ideam operati esse in mente operantis sicut quod intelligitur; non autem sicut species qua intelligitur, quae est forma faciens intellectum in actu. Forma enim domus in mente aedificatoris est aliquid ab eo intellectum, ad cuius similitudinem domum in materia format. Non est autem contra simplicitatem divini intellectus, quod multa intelligat; sed contra simplicitatem eius esset, si per plures species eius intellectus formaretur,' *S.T.*, I, 15, 2, *c.*; cf. *C.G.*, I, 53–54.

72. '... relinquitur quod rationes rerum in intellectu divino non sint plures vel distinctae *nisi secundum quod Deus cognoscit res pluribus et diversis modis esse assimilabiles sibi,*' *C.G.*, I, 54; 'Dicendum quod sapientia et ars significantur ut quo Deus intelligit, sed idea ut quod Deus intelligit. Deus autem uno intellectu intelligit multa; et non solum secundum quod in seipsis sunt, sed etiam secundum quod intellecta sunt; quod est intelligere plures rationes rerum. Sicut artifex, dum intelligit formam domus in materia, dicitur intelligere domum; dum autem intelligit formam domus ut a se speculatam, ex eo quod intelligit se intelligere eam, intelligit ideam vel rationem domus. *Deus autem non solum intelligit multas res per essentiam suam, sed etiam intelligit se intelligere multa per essentiam suam. Sed hoc est intelligere plures rationes rerum; vel, plures ideas esse in intellectu eius ut intellectas,*' *S.T.*, I, 15, 2, *ad* 2; 'Ad secundum dicendum, quod cum dicitur: secundum hoc res sunt distinctae, prout Deus earum distinctionem cognoscit; haec locutio est duplex: quod enim dicitur: secundum quod Deus cognoscit, potest referri ad cognitionem divinam ex parte cogniti, vel ex parte cognoscentis. Si ex parte cogniti, sic vera est locutio: est enim sensus, quod hoc modo res sunt distinctae sicut Deus cognoscit eas esse distinctas. Si vero referatur ad cognitionem ex parte cognoscentis, sic locutio falsa est; erit enim sensus, quod res cognitae illum modum distinctionis habent in intellectu divino quem habent in seipsis; quod falsum est; quia in seipsis res sunt diversae essentialiter, non autem in intellectu divino; sicut etiam res in seipsis sunt materialiter, in intellectu autem divino immaterialiter; et in hoc ultimo sensu procedebat objectio,' *Quodlib.*, 4, 1, 1, *ad* 2.

73. *E.g.* 'Dico ergo, quod Deus per intellectum omnia operans, omnia ad similitudinem essentiae suae producit; unde essentia sua est idea rerum; non quidem ut essentia, sed ut est intellecta. Res autem creatae non perfecte imitantur divinam essentiam; unde essentia non accipitur absolute ab intellectu divino ut idea rerum, sed cum proportione creaturae fiendae ad ipsam divinam essentiam, secundum quod deficit ab ea, vel imitatur eam.

Diverse autem res diversimode ipsam imitantur; et unaquaeque secundum proprium modum suum, cum unicuique sit proprium esse distinctum ab altera; et ideo ipsa divina essentia, cointellectis diversis proportionibus rerum ad eam, est idea uniuscuiusque rei.

Unde, cum sint diversae rerum proportiones, necesse est esse plures ideas; et est quidem una omnium ex parte essentiae; sed pluralitas invenitur ex parte diversarum proportionum creaturarum ad ipsam,' *De Ver.*, 3, 2, *c.*

74. *In* I *Sent.*, 35, 1, 1, *c.*; cf. *ibid.*, 2, *c.*; 3, *c.*; *De Ver.*, 2, 3, *c.*; 4, *c.*; *S.T.*, I, 15, 1, *c.*; *C.G.*, I, 44 (*post medium*).

75. 'Sciendum autem quod illa ratio, etsi destruat exemplaria separata a Platone posita, non tamen removet divinam scientiam esse rerum omnium exemplarem. Cum enim res naturales naturaliter intendant similitudines in res generatas inducere, oportet quod ista intentio ad aliquod principium dirigens reducatur, quod est in finem ordinans unumquodque. Et hoc non potest esse nisi intellectus cujus sit cognoscere finem et proportionem

rerum in finem. Et sic ista similitudo effectuum ad causas naturales reducitur, sicut in primum principium, in intellectum aliquem. Non autem oportet quod in aliquas alias formas separatas: quia ad similitudinem praedictam sufficit praedicta directio in finem, qua virtutes naturales diriguntur a primo intellectu,' *In* I *Meta.*, 15 [C 233].

76. St. Thomas himself sometimes emphasizes this; *e.g.* 'Dicendum quod Plato, qui invenitur primo locutus fuisse de ideis, non posuit materiae primae aliquam ideam, quia ipse ponebat ideas ut causas ideatorum; materia autem prima non erat causatum ideae, sed erat ei causa. Posuit enim duo principia ex parte materiae, scilicet magnum et parvum; sed unum ex parte formae, scilicet ideam. *Nos autem ponimus materiam causatam esse a Deo; unde necesse est ponere quod aliquo modo sit eius idea in Deo, cum quidquid ab ipso causatur, similitudinem ipsius utcumque retineat,*' *De Ver.*, 3, 5, *c.*; cf. *S.T.*, I, 15, 3, *ad* 3.

'Dicendum, quod Plato non posuit ideas singularium, sed specierum tantum; cuius duplex fuit ratio.... *Nos autem ponimus Deum esse causam singularis et quantum ad formam et quantum ad materiam. Ponimus etiam, quod per divinam providentiam definiuntur omnia singularia;* et ideo oportet nos singularium ponere ideas,' *De Ver.*, 3, 8, *c.*; cf. *S.T.*, I, 15, 3, *ad* 4.

77. See Note 70 above.
78. *S.T.*, I, 15, 3, *ad* 4.
79. *S.T.*, I, 15, 3, *ad* 3.
80. See Note 72 above.

CHAPTER VI

1. 'Posito prooemio, in quo ostendit intentionem hujus scientiae et dignitatem et terminum, incipit prosequi scientiam praefatam,' *In* I *Meta.*, 4 [C 69].
2. '... et dividitur in duas partes. Primo ostendit quid priores philosophi de causis rerum tradiderunt. Secundo veritatem hujus scientiae incipit prosequi *in secundo libro,...*' *ibid.*
3. *Ibid.* [C 70–71].
4. *In* I *Meta.*, 10.
5. *In Meta.* [5].
6. *In Meta.* [29].
7. Exceptions may be found: *In Meta.* [194] [195].
8. *In* I *Meta.*, 10 (*passim*); but see [23] [28] [85]. (The concordance of Aristotle and Plato on this point is also stated in *In De Div. Nom.* [8] and *De Sub. Sep.* [11] [12]).
9. *In Meta.* [2] [5].
10. *In Meta.* [23].
11. *In Meta.* [24] [27] [66].
12. *In Meta.* [48] [55] [133] [134] [136] [193].
13. *In Meta.* [48].
14. *In Meta.* [55].
15. *In Meta.* [193]; *In* VII *Meta.*, 7 [C 1428].
16. Geiger, *op. cit.*, pp. 91–92. Geiger rightly stresses the imaginative schemata employed in Platonic exposition; yet, back of these lies a rational conception. It is to this latter that we are directing our attention.
17. *In Meta.* [50] [51]; see Chapter VII.
18. *In* I *Meta.*, 15 [C 231–232]; cf. *In Meta.* [7] [53] [54] [133] [135] [136].
19. 'Sciendum autem quod illa ratio, etsi destruat exemplaria separata a Platone posita, non tamen removet divinam scientiam esse rerum omnium exemplarem. Cum enim res naturales naturaliter intendant similitudines

in res generatas inducere, oportet quod ista intentio ad aliquod principium dirigens reducatur, quod est in finem ordinans unumquodque. Et hoc non potest esse nisi intellectus cujus sit cognoscere finem et proportionem rerum in finem. Et sic ista similitudo effectuum ad causas naturales reducitur, sicut in primum principium, in intellectum aliquem. Non autem oportet quod in aliquas alias formas separatas: quia ad similitudinem praedictam sufficit praedicta directio in finem, qua virtutes naturales diriguntur a primo intellectu,' *In I Meta.*, 15 [C 233]. It should be noted that this is the same argument which was discussed in the previous chapter.

20. *In Meta.* [49–50].
21. *S.T.* [52] [56]; *In Meta.* [7].
22. *In Meta.* [23].
23. The best explanation of Thomistic 'existentialism' is to be found in Gilson, *Being and Some Philosophers*, Chapter V, 'Being and Existence,' pp. 154–189. Cf. Smith, *Natural Theology*, pp. 25–52; Maritain, *Existence and the Existent;* Henle, 'Existentialism and the Judgment,' *Proceedings of the American Catholic Philosophical Association*, Vol. XXI (1946), pp. 40–52.
24. 'Unde posuerunt [*sc.* Platonici] hominem abstractum ab his hominibus, et sic deinceps usque ad ens et unum et bonum, quod posuerunt summam rerum virtutem,' *De Sp. Creat.* [4].
25. *De Ver.* [17].
26. *In De Trin.* [5]; *S.T.* [64].
27. *In I Sent.*, 8, 1, 1, *c.*; 19, 5, 1, *ad* 7; *In B. De Trin.*, 5, 3, *c.*; *Quodlib.*, 9, 2, 3, *c.*; *S.T.*, I, 85, 1, *ad* 1.

CHAPTER VII

1. The two principal works on the general topic of participation and Thomism are Geiger, *La Participation dans la Philosophie de S. Thomas D'Aquin*, and Fabro, *La Nozione Metafisica di Partecipazione secondo S. Tomaso D'Aquino*. Both of these have a much broader scope than our present investigation.
2. *S.T.* [3] [56]; *In Meta.* [50] [109] [147] [154] [155] [169] [174] [188].
3. *In Sent.* [22]; *De Vir. in Com.* [1]; *Quodlib.* [5]; *In Meta.* [98]; *S.T.* [26] [78] [81]; *De Occ. Oper. Nat.* [1]; *C.G.* [23]; *In De S. et S.* [5].
4. *De Ver.* [16]; *De An.* [16]; *C.G.* [9] [10]; *S.T.* [56] [89]; *De Vir. in Com.* [1]; *In Post. Anal.* [1]; *In Meta.* [75].
5. *De Sp. Creat.* [12]; *De An.* [7]; *In De An.* [48]; *C.G.* [11]; *S.T.* [49]; *Comp. Th.* [1].
6. *In De Div. Nom.* [19]; *S.T.* [75]; *De Ver.* [7].
7. *In Sent.* [20].
8. *S.T.*, I, 85, 2.
9. *De Sp. Creat.* [15]; *De Malo* [5]; *In De An.* [41]; *S.T.* [52] [62] [68] [71].
10. *In Meta.* [7]; *C.G.* [21] [24]; *S.T.* [22] [72] [75]; *De Sub. Sep.* [6]; *S.T.* [31].
11. *In VII Meta.*, 5 [C 1362].
12. *De Ver.* [17].
13. *In Meta.* [49–50]; *S.T.*, I, 84, 1, *c.*
14. *In Meta.* [50].
15. *In Sent.* [20].
16. 'Praeterea, illud quod participatur ab esse cujuslibet rei est de essentia cujuslibet rei. Sed, sicut dicit Dionysius in IV cap. De divin. nomin., participatione divinae bonitatis anima et omnes aliae res sunt, et bonae sunt. Ergo videtur quod divina bonitas sit essentia cujuslibet animae. Sed divina bonitas est sua essentia. Ergo essentia divina est ipsa essentia animae, vel aliquid ejus,' *In II Sent.*, 17, 1, 1, *arg.* 6.

17. 'Videtur quod Deus sit esse omnium rerum per id quod dicit Dionysius, IV cap. Caelest. hier.: 'Esse omnium est superesse divinitatis.' Hoc etiam idem dicit, V cap. De div. nom.: 'Ipse Deus est esse existentibus,' *In I Sent.*, 8, 1, 2, *arg.* 1; cf. *S.T.*, I, 3, 8, *arg.* 1.

18. *S.T.* [56].

19. Evidence has already accumulated through this study to show that the opposition between the two causes (formal and material) of the Theory of Ideas and the Thomistic pattern of causes is basic. Since the relationship between God and creatures or between the Ideas as causes and the *sensibilia* involves a relationship of *principium* to *principiatum* ('Deus non potest habere aliquam relationem ad nos, nisi per modum principii,' *In I Sent.*, 18, 1, 5, *sol.*), that relationship will be explicated according to the master causal pattern. We have seen St. Thomas proposing an argument for divine exemplarity, based on the causal pattern, as a substitute for the Platonic argument (*In I Meta.*, 15 [C 233]). A similar argument stood at the very beginning of the discussion of God's knowledge in the commentary on the *Sentences* (*In I Sent.*, 35, 1, 1, *c.*). It reappears in the *De Ver.* (2, 3, *c.*; 3, 1, *c.*; 3, 2, *c.*), in the *C.G.* (I, 49 and 50) and in the *Summa Theologiae* (*S.T.*, I, 15, 1, *c.*; 2, *c.*). It is only by reading the texts together that the pattern can be seen as consisting in the mutual involvement of formally distinct causalities.

'Dicendum quod omne agens agit propter finem; alioquin ex actione agentis non magis sequeretur hoc quam illud, nisi a casu. Est autem idem finis agentis et patientis, inquantum huiusmodi, sed aliter et aliter; unum enim et idem est quod agens intendit imprimere, et quod patiens intendit recipere. Sunt autem quaedam quae simul agunt et patiuntur, quae sunt agentia imperfecta; et his convenit quod etiam in agendo intendant aliquid acquirere. Sed primo agenti, qui est agens tantum, non convenit agere propter acquisitionem alicuius finis; sed intendit solum communicare suam perfectionem, quae est eius bonitas. Et unaquaeque creatura intendit consequi suam perfectionem, quae est similitudo perfectionis et bonitatis divinae. Sic ergo divina bonitas est finis rerum omnium,' *S.T.*, I, 44, 4, *c.*

'Dicendum quod Deus est prima causa exemplaris omnium rerum. Ad cuius evidentiam, considerandum est quod ad productionem alicuius rei ideo necessarium est exemplar, ut effectus determinatam formam consequatur; artifex enim producit determinatam formam in materia, propter exemplar ad quod inspicit, sive illud sit exemplar ad quod extra intuetur, sive sit exemplar interius mente conceptum. Manifestum est autem quod ea quae naturaliter fiunt, determinatas formas consequuntur. Haec autem formarum determinatio oportet quod reducatur, sicut in primum principium, in divinam sapientiam, quae ordinem universi excogitavit, qui in rerum distinctione consistit. Et ideo oportet dicere quod in divina sapientia sunt rationes omnium rerum, quas supra diximus ideas, id est formas exemplares in mente divina existentes. Quae quidem licet multiplicentur secundum respectum ad res, tamen non sunt realiter aliud a divina essentia, prout eius similitudo a diversis participari potest diversimode. Sic igitur ipse Deus est primum exemplar omnium. Possunt etiam in rebus creatis quaedam aliorem exemplaria dici, secundum quod quaedam sunt ad similitudinem aliorum, vel secundum eandem speciem, vel secundum analogiam alicuius imitationis,' *S.T.*, I, 44, 3, *c.*

'Secunda via, quae est per causalitatem, est haec. Omne enim agens habet aliquam intentionem et desiderium finis. Omne autem desiderium finis praecedit aliqua cognitio praestituens finem, et dirigens in finem ea quae sunt ad finem. Sed in quibusdam ista cognitio non est conjuncta ipsi tendenti in finem; unde oportet quod dirigatur per aliquod prius agens, sicut sagitta tendit in determinatum locum per determinationem sagittantis; et ita est in omnibus quae agunt per necessitatem naturae; quia horum operatio est determinata per intellectum aliquem instituentem naturam; unde Philosophus, II Physic., dicit, quod opus naturae est opus intelligentiae. In aliquibus autem ista cognitio est conjuncta ipsi agenti, ut patet in animalibus; unde oportet quod primum non agat per necessitatem naturae, quia sic non esset primum, sed dirigeretur ab aliquo priori intelligente. Oportet igitur quod agat per intellectum et voluntatem; et ita, quod sit intelligens et sciens,' *In* I *Sent.*, 35, 1, 1, *c.*

'Respondeo, sicut dicit Bernardus, Serm. IV super Cant., Deus est esse omnium non essentiale, sed causale. Quod sic patet. Invenimus enim tres modos causae agentis. Scilicet causam aequivoce agentem, et hoc est quando effectus non convenit cum causa nec nomine nec ratione: sicut sol facit calorem qui non est calidus. Item causam univoce agentem, quando effectus convenit in nomine et ratione cum causa, sicut homo generat hominem et calor facit calorem. Neutro istorum modorum Deus agit. Non univoce, quia nihil univoce convenit cum ipso. Non aequivoce, cum effectus et causa aliquo modo conveniant in nomine et ratione, licet secundum prius et posterius; sicut Deus sua sapientia facit nos sapientes, ita tamen quod sapientia nostra semper deficit a ratione sapientiae suae, sicut accidens a ratione entis, secundum quod est in substantia. Unde est tertius modus causae agentis analogice. Unde patet quod divinum esse producit esse creaturae in similitudine sui imperfecta: et ideo esse divinum dicitur esse omnium rerum, a quo omne esse creatum effective et exemplariter manat,' *In* I *Sent.*, 8, 1, 2, *sol.*

'Sciendum autem quod illa ratio, etsi destruat exemplaria separata a Platone posita, non tamen removet divinam scientiam esse rerum omnium exemplarem. Cum enim res naturales naturaliter intendant similitudines in res generatas inducere, oportet quod ista intentio ad aliquod principium dirigens reducatur, quod est in finem ordinans unumquodque. Et hoc non potest esse nisi intellectus cujus sit cognoscere finem et proportionem rerum in finem. Et sic ista similitudo effectuum ad causas naturales reducitur, sicut in primum principium, in intellectum aliquem. Non autem oportet quod in aliquas alias formas separatas: quia ad similitudinem praedictam sufficit praedicta directio in finem, qua virtutes naturales diriguntur a primo intellectu,' *In* I *Meta.*, 15 [C 233].

It should be noted that these texts move exemplarity, finality and efficiency to an absolutely transcendent and strictly metaphysical plane.

20. *In* I *Sent.*, 18, 1, 5, *sol.*
21. *Ibid.*, 38, 1, 1, *sol.*
22. *De Ver.* [17].
23. *E.g. S.T.*, I, 6, 4, *c.*; *De Ver.* [17]; 21, 4, *ad* 3; *S.T.*, I, 3, 8, *ad* 1; *In* I *Sent.*, 19, 5, 2, *c.*; *ad* 3.
24. *In Sent.* [16]; *De Ver.* [18]; *De Pot.* [20]; *S.T.* [25] [31] [58] [91]; *De Malo* [1] [2] [3].
25. *De Ver.* [18]; *S.T.* [58] [91]; *De Sp. Creat.* [17].
26. *S.T.* [24] [25] [48].
27. *De Ver.*, 21, 4, *arg.* 3.
28. *Ibid., ad* 3. It is significantly indicative of the development of St. Thomas' awareness of Platonism that when this Augustinian text appears in the commentary on the *Sentences*, it is handled without reference to Plato: 'Praeterea, sicut se habet bonitas ad bona, ita se habet veritas ad vera. Sed omnia sunt bona una bonitate. Unde Augustinus, lib. VIII De Trinit.: 'Bonus est homo, bona est facies, bonum est hoc et illud. Tolle hoc et illud, et videbis bonum omnis boni.' Unde videtur quod sit una bonitas numero in omnibus participata, secundum quam dicuntur bona. Ergo videtur quod similiter omnia dicantur vera una veritate, quae est veritas increata,' *In* I *Sent.*, 19, 5, 2, *arg.* 3; 'Ad tertium dicendum, quod similiter dico de bonitate, quod est una bonitas, qua sicut principio effectivo exemplari omnia sunt bona. Sed tamen bonitas qua unumquodque formaliter

est bonum, diversa est in diversis. Sed quia bonitas universalis non invenitur in aliqua creatura, sed particulata, et secundum aliquid; ideo dicit Augustinus, quod si removeamus omnes retiones particulationis ab ipsa bonitate, remanebit in intellectu bonitas integra et plena, quae est bonitas divina, quae videtur in bonitate creata sicut exemplar in exemplato,' *ibid., ad* 3.

29. *In De Div. Nom.* [17].
30. *In De Div. Nom.* [17]; cf. [20].
31. *In De Div. Nom.* [3]; 'Deinde, cum dicit: Et vere laudatur ... *excludit quorumdam errorem.* Fuerunt enim quidam Platonici qui....' The error is excluded precisely on the basis of the *littera* ('Et ad hoc excludendum dicit....' *In De Div. Nom.*, 1, 3 [P 100]) and in terms of causality and of God's simplicity: 'Et ad hoc excludendum, dicit quod Deus vere laudatur ut principalis substantia omnium, inquantum est principium existendi omnibus; et dicitur causa perfectiva omnium, inquantum dat omnes perfectiones rebus; et dicitur causa contentiva, custodia et cibus, quae tria ad conservationem rerum pertinere videntur. Quaedam enim sunt quae non indigent nisi ut in suis principiis conserventur, quia ab exteriori corrumpi non possunt, ut corpora coelestia; et quantum ad hoc dicit quod est causa contentiva, quia haec continet in esse. Quaedam vero sunt quae, etsi non deficiant ex suis principiis, corrumpi possunt ab exteriori sicut aqua ab igne et quantum ad hoc dicit: custodia, quia haec defenduntur a Deo, ne, praeter ordinem suae rationis, ab illis corrumpantur. Quaedam autem sunt quae ad sui conservationem indigent supplementis, sicut homines et animalia cibis et quantum ad hoc dicit: cibus, quia scilicet omnibus administrat ea quae sunt necessaria ad suam conservationem. Est etiam et causa conversiva ad ipsum, quia hoc ipsum quod res convertuntur in Deum, desiderando Ipsum sicut finem, est eis a Deo. Et haec omnia conveniunt Deo unitive, idest non secundum diversas virtutes, sed secundum unam simplicem virtutem; et communicabiliter segregate, quia ita communicat aliis causalitates praedictas, quod tamen quidam singularis modus causandi separatim remanet apud Eum.' *Ibid.* [11]: 'natura universalis' is given an Aristotelian meaning in explicit opposition to the possible Platonic interpretation. *Ibid.* [12]: *Materia* is said to be without evil and in this Dionysius follows Aristotle rather than Plato. *Ibid.* [14]: 'Deinde, cum dicit: Non autem... excludit errorem quorumdam Platonicorum....' The error is excluded by the *littera* and is opposed by the unity of the first cause ('Et omnia nomina quae hic exponuntur dicit praesens sermo, esse *unius Principii*....'). *Ibid.* [16]: This is a very important text for (1) it is inserted without immediate reference to the *littera* ('Considerandum autem hic occurrit, quod hic dicatur per se esse vel per se vita et huiusmodi'); (2) it explains the Platonic interpretation; (3) it provides a general rule (and thus has a broad scope, looking back, for example, to the otherwise non-committal text [15]) for the reading of Dionysian texts including *per se vita* and the like: 'Dionysius autem in aliquo eis consentit et in aliquo dissentit: consentit quidem cum eis in hoc quod ponit vitam separatam per se existentem et similiter sapientiam et esse et alia huiusmodi; dissentit autem ab eis in hoc quod ista principia separata non dicit esse diversa, sed unum principium quod est Deus, sicut supra dixit. Cum ergo dicitur per se vita, secundum sententiam Dionysii, dupliciter intelligi potest: uno modo, secundum quod per se importat discretionem vel separationem realem et sic per se vita est ipse Deus. Alio modo, secundum quod importat discretionem vel separationem solum secundum rationem et sic per se vita est quae inest viventibus, quae non distinguitur secundum rem, sed secundum rationem tantum a viventibus. Et eadem ratio est de per se sapientia et sic de aliis; et istam expositionem ponit infra in 6° cap. Hic autem per se vitam accepit pro vita quae inest viventibus: loquitur enim hic de participationibus, vita autem per se

existens non est participatio.' *Ibid.* [19]: Again, references to texts of Dionysius himself are used to exclude the Platonic view: 'Sed Dionysius, sicut dixerat Deum esse causam totius esse communis, ita dixerat eum esse causam proprietatis uniuscuiusque, unde consequebatur quod in ipso Deo essent omnium entium exemplaria.' The entire *lectio* interprets in conformity with the pattern of the causes (cf. *ibid.*, 5, 3 [P 665–666; 672]) and concludes: '... sunt *per* Ipsum, quia similitudinem Eius habent sicut primi exemplaris *et ab* ipso, sicut a primo activo Principio,' *ibid.* [P 673]. *Ibid.* [20]: 'Deinde, cum dicit: Hoc autem ... excludit erroneum intellectum. Ad cuius evidentiam sciendum est quod Platonici....' The error again is said to be deliberately rejected: 'Hoc ergo excludere intendens, dicit quod id....' The doctrine likewise rests once again on the unity and causality of God. *Ibid.* [22]: The same pattern is displayed though more briefly (*e.g.* again thus: 'Sed ad hoc excludendum, Dionysius subdit quod....').

Although in all these cases St. Thomas sees Dionysius 'excluding' a Platonic error, in no case does Dionysius himself mention the *Platonici* or the Platonic background. The text of St. Thomas identifies the opposition and supplies the background. The corrections turn on the absolute and simple perfection of God and His relationship to creatures through efficiency, finality and exemplarity. And in each case the corrective, or at least clarifying, interpretation, is supported by a citation from Dionysius himself. Thus, under St. Thomas' interpretation, the *De Divinis Nominibus* becomes an explicitly anti-Platonic document precisely on those points which are central in this study.

Moreover, in the *Contra Gentiles* St. Thomas gives us a clear warning against the dangers of bad interpretation and in a sample text sets this very pattern of comment which we have verified in the commentary itself: 'Huic autem errori quatuor sunt quae videntur praestitisse fomentum. Primum est quarundam auctoritatum intellectus perversus. Invenitur enim a Dionysio dictum, IV cap. Cael. Hier.: Esse omnium est super-essentialis divinitas. Ex quo intelligere voluerunt ipsum esse formale omnium rerum Deum esse, non considerantes hunc intellectum ipsis verbis consonum esse non posse. Nam si divinitas est omnium esse formale, non erit super omnia, sed inter omnia, immo aliquid omnium. Cum ergo divinitatem super omnia dixit, ostendit secundum suam naturam ab omnibus distinctum et super omnia collocatum. Ex hoc vero quod dixit quod divinitas est esse omnium, ostendit quod a Deo in omnibus quaedam divini esse similitudo reperitur. – Hunc etiam eorum perversum intellectum alibi apertius excludens, dixit in II cap. de Div. Nom., quod ipsius Dei neque tactus neque aliqua commixtio est ad res alias, sicut est puncti ad lineam, vel figurae sigilli ad ceram,' *C.G.*, I, 26.

32. *In De Causis* [1] *et passim.*
33. *Ibid.* [3] [4] [6] [7] [8] [9] [10] [11] [13] [14] [15] [16] [17] [19] [20] [21] [22] [23].
34. 'Exemplum autem videtur pertinere ad causas formales.... Est autem considerandum in quibus causis haec propositio habeat virtutem [sic.]. Et si quidem ad genera causarum quaestio referatur, manifestum est quod habet veritatem in quolibet genera causarum suo modo' (there follows a careful determination for each genus), *In L. De Causis*, 1 [Parma, 718–719]. Cf. 16 [Parma, 746]; 24 [Parma, 753].
35. *E.g. In De Causis* [3] [13] [16] [20].
36. *E.g. ibid.*, 2 [Parma, 721]; 3 [Parma, 722; 723]; 4 [Parma, 724]; 6 [Parma, 729; 730]; 9 [Parma, 733]; 10 [Parma, 736; 737]; 15 [Parma, 743]; 16 [Parma, 744]; 18 [Parma, 746]; 19 [Parma, 747].
37. *E.g.* 'Sed etiam haec propositio si non sane intelligatur repugnat veritati et sententiae Aristotelis,' *ibid.*, 3 [Parma, 723]. '... praedicta positio veritatem non habet et contrariatur sententiae Aristotelis,' *ibid.*, 5 [Parma,

727]; cf. 2 [Parma, 721]; 10 [Parma, 736]; 13 [Parma, 741]; 15 [Parma, 743]; 18 [Parma, 746].

38. *De Sp. Creat.*, 8, *ad* 14; cf. *S.T.*, I, 14, 6, *ad* 1; 75, 5, *c.*; 76, 2, *ad* 4; 89, 6, *c.*
39. *In Meta.* [8] [9].
40. See *Analytic Index:* 'Homo: Separatus.'
41. *In De Div. Nom.* [1].
42. *In De Causis* [7].
43. *De Ver.* [17].

<h3 style="text-align:center">CHAPTER VIII</h3>

1. 'Utrum anima cognoscat corpora per intellectum,' *S.T.*, I, 84, 1.
2. 'Utrum anima per essentiam suam corporalia intelligat,' *ibid.*, 2.
3. 'Utrum anima intelligat omnia per species sibi naturaliter inditas,' *ibid.*, 3.
4. 'Utrum species intelligibiles effluant in animam ab aliquibus formis separatis,' *ibid.*, 4.
5. 'Utrum anima intellectiva cognoscat res materiales in rationibus aeternis,' *ibid.*, 5.
6. 'Utrum intellectiva cognitio accipiatur a rebus sensibilibus,' *ibid.*, 6. 'Utrum intellectus possit actu intelligere per species intelligibiles quas penes se habet non convertendo se ad phantasmata,' *ibid.*, 7. 'Utrum iudicium intellectus impediatur per ligamentum sensus,' *ibid.*, 8.
7. The questions 'De Ideis' in the commentary on the *Sentences* (*In* I *Sent.*, 36, 2) and in the *Summa Theologiae* (*S.T.*, I, 15) both contain three articles, the first dealing with the existence of ideas, the second with their plurality, and the last with the question whether there are ideas of all things known by God.
8. *De Ver.*, 10, 6.
9. *Ibid.*, 11, 1.
10. *Ibid.*, 18, 7.
11. *Ibid.*, 19, 1.
12. *C.G.*, II, 83.
13. *Q.U. De An.*, 15.
14. *De Ver.*, 10, 6.
15. *S.T.*, I, 84, 1.
16. *Ibid.*, 2.
17. *Ibid.*, 3.
18. *Ibid.*, 4.
19. *Ibid.*, 7.
20. *Ibid.*, 85, 1.
21. *Ibid.*, 2.
22. Particularly *S.T.*, I, 84, *c.*; 85, *ad* 1 *et ad* 2.
23. *S.T.* [52] [53] [56] [65]; cf. *In De Trin.* [3] [4]; *In Meta.* [35] [74]; *De Sp. Creat.* [15]; *De Un. Intell.* [10].
24. *S.T.* [52] [62] [68] [71]; cf. *In De An.* [41]; *De Sp. Creat.* [15]; *De Malo* [5].
25. *S.T.* [65]; cf. *De Ver.* [12]; *De Sp. Creat.* [12]; *In De An.* [43].
26. *S.T.* [49]; *De Sp. Creat.* [12]; *De An.* [7]; *In De An.* [48]; *C.G.* [11].
27. *S.T.* [8] [49] [56] [57] [58] [59] [62] [69] [81] [97]; *De Ver.* [12]; *In Meta.* [7] [74] [75]; *In Eth.* [10]; *In Phy.* [20]; *In De An.* [1] [6]; *In Post. Anal.* [1] [5]; *C.G.* [10] [17]; *De An.* [16]; *Comp. Th.* [1]; *De Sp. Creat.* [17]; *De Malo* [10]; *De Vir. in Com.* [1]; *In De Causis* [15]; *De Sub. Sep.* [1] [22].
28. *S.T.* [56].
29. 'per contactum': *C.G.* [22]; *In De An.* [22]; *In Meta.* [200].
30. *In Meta.* [199].

31. '... formae intelligibiles sint per se existentes, ad quas comparetur intellectus possibilis noster sicut speculum ad res quae videntur in speculo,...'
C.G. [10].
32. De An. [16]; Comp. Th. [1]; C.G. [10].
33. In Eth. [10]; In Post. Anal. [1]; S.T. [59].
34. S.T. [49] [56] [58] [59] [62] [68] [69] [70] [81] [97]; De Sp. Creat. [17];
De Malo [10]; De An. [16]; De Vir. in Com. [1]; In Eth. [10]; In Meta. [200];
In Phy. [20]; In Post Anal. [5]; In De Causis [15].
35. S.T. [56]; De Ver. [12].
36. S.T. [56].
37. The relationship is described as one of similitude but without benefit of
an efficient cause. The theory is precisely distinguished as not having the
'intelligentia agens' of Avicenna. S.T. [56].
38. S.T. [56]; C.G. [10].
39. S.T. [55]; cf. In Sent. [5] [32]; De Ver. [15]; De An. [15] [16] [17]; De
Vir. in Com. [1]; In Post. Anal. [1] [2]; In De An. [42]; C.G. [10] [16] [17];
S.T. [56] [81] [89].
40. S.T. [56] [69] [81] [89] [97]; De Ver. [15]; De Vir. in Com. [1]; In De An.
[28] [42]; De An. [16]; In Meta. [75]; C.G. [16] [17].
41. S.T. [56] [89]; De Ver. [16]; In Post. Anal. [1]; In Meta. [75]; De An. [16];
C.G. [9] [10].
42. S.T. [81]; In Sent. [32]; De Ver. [16]; In Meta. [75]; In De An. [42];
C.G. [10].
43. S.T. [81] [89]; De Vir. in Com. [1]; In Post. Anal. [1].
44. Cf. S.T. [97].
45. S.T. [73].
46. S.T. [71].
47. See Geiger, op. cit., pp. 106–110, for a similar resume but from the standpoint of participation.
48. S.T., I, 84, 1, arg. 1; 2, arg. 1; 5, arg. 3; 6, arg. 1; arg. 2; 85, 7, arg. 1;
87, 1, arg. 1; 2, arg. 1; 4, arg. 3; 88, 1, arg. 1; 3, arg. 1; arg. 3; 89, 7, arg.
1; arg. 2.
49. S.T., I, 84, 2; 5; 85, 6; 87, 3.
50. 'Dicendum quod verbum Augustini est intelligendum quantum ad ea
quibus intellectus cognoscit, non autem quantum ad ea quae intellectus
cognoscit. Cognoscit enim corpora intelligendo, sed non per corpora,
neque per similitudines materiales et corporeas, sed per species immateriales et intelligibiles, quae per sui essentiam in anima esse possunt,' S.T.,
I, 84, 1, ad 1.
51. 'Quod autem Augustinus non sic intellexerit omnia cognosci in rationibus
aeternis, vel in incommutabili veritate, quasi ipsae rationes aeternae videantur, patet per hoc quod ipse dicit in libro Octog. trium. Quaest.,
quod 'rationalis anima non omnis et quaecumque, sed quae sancta et
pura fuerit, asseritur illi visioni,' scilicet rationum aeternarum, esse idonea; sicut sunt animae bonorum,' S.T., I, 84, 5, c.
52. 'Dicendum quod Augustinus ibi loquitur secundum opinionem illam qua
aliqui posuerunt quod daemones habent corpora naturaliter sibi unita;
secundum quam positionem, etiam potentias sensitivas habere possunt,
ad quarum cognitionem requiritur determinata distantia. Et hanc opinionem etiam in eodem libro Augustinus expresse tangit, licet hanc opinionem magis recitando quam asserendo tangere videatur, ut patet per ea
quae dicit XXI libro De Civit. Dei,' S.T., I, 89, 7, ad 2.
53. 'Dicit enim Augustinus in libro Octog. trium Quaest., quod 'non est expectanda sinceritas veritatis a corporis sensibus.' Et hoc probat dupliciter.
Uno modo, per hoc quod 'omne quod corporeus sensus attingit, sine ulla
intermissione temporis commutatur; ... quod autem non manet, percipi
non potest.' Alio modo, per hoc quod 'omnia quae per corpus sentimus,
etiam cum non adsunt sensibus, imagines tamen eorum patimur, ut in

somno vel furore; non autem sensibus discernere valemus utrum ipsa
sensibilia, vel imagines eorum falsas sentiamus. Nihil autem percipi potest
quod a falso non discernitur.' Et sic concludit quod non est expectanda
veritas a sensibus. Sed cognitio intellectualis est apprehensiva veritatis.
Non ergo cognitio intellectualis est expectanda a sensibus,' *S.T.*, I, 84, 6,
arg. 1.

54. 'Dicit enim Augustinus, in II Solil. quod 'corpora intellectu comprehendi
non possunt; nec aliquod corporeum nisi sensibus videri potest.' Dicit
etiam, XII Super Genesim ad Litt., quod visio intellectualis est eorum
quae sunt per essentiam suam in anima. Huiusmodi autem non sunt corpora. Ergo anima per intellectum corpora cognoscere non potest,' *S.T.*,
I, 84, 1, *arg.* 1.

55. 'Rationes aeternae nihil aliud sunt quam ideae; dicit enim Augustinus,
in libro Octog. trium Quaest., quod 'ideae sunt rationes stabiles rerum
in mente divina existentes.' Si ergo dicatur quod anima intellectiva cognoscit omnia in rationibus aeternis, redibit opinio Platonis, qui posuit
omnem scientiam ab ideis derivari,' *S.T.*, I, 84, 5, *arg.* 3.

56. 'Dicit enim Augustinus, in IX De Trin.: 'Mens ipsa, sicut corporearum
rerum notitias per sensus corporis colligit, sic incorporearum rerum per
semetipsam.' Huiusmodi autem sunt substantiae immateriales. Ergo mens
substantias immateriales intelligit,' *S.T.*, I, 88, 1, *arg.* 1.

57. 'Augustinus dicit, XII Super Genesim ad Litt.: 'Non est putandum facere
aliquid corpus in spiritum, tanquam spiritus corpori facienti materiae vice
subdatur; omni enim modo praestantior est qui facit, ea re de qua aliquid
facit.' Unde concludit quod imaginem corporis non corpus in spiritu, sed
ipse spiritus in seipso facit. Non ergo intellectualis cognitio a sensibus
derivatur,' *S.T.*, I, 84, 6, *arg.* 2.

58. *De Sp. Creat.* [17].

59. 'Ad cuius evidentiam considerandum est quod supra animam intellectivam humanam necesse est ponere aliquem superiorem intellectum, a quo
anima virtutem intelligendi obtineat. Semper enim quod participat aliquid, et quod est mobile, et quod est imperfectum, praeexigit ante se aliquid quod est per essentiam suam tale et quod est immobile et perfectum.
Anima autem humana intellectiva dicitur per participationem intellectualis virtutis, cuius signum est, quod non tota est intellectiva, sed secundum aliquam sui partem. Pertingit etiam ad intelligentiam veritatis cum
quodam discursu et motu arguendo. Habet etiam imperfectam intelligentiam, tum quia non omnia intelligit, tum quia in his quae intelligit, de
potentia procedit ad actum. Oportet ergo esse aliquem altiorem intellectum, quo anima iuvetur ad intelligendum. Posuerunt ergo quidam hunc
intellectum secundum substantiam separatum esse intellectum agentem,
qui quasi illustrando phantasmata, facit ea intelligibilia actu. – Sed dato
quod sit aliquis talis intellectus agens separatus, nihilominus tamen oportet ponere in ipsa anima humana aliquam virtutem ab illo intellectu
superiori participatam, per quam anima humana facit intelligibilia in
actu. Sicut et in aliis rebus naturalibus perfectis, praeter universales causas agentes, sunt propriae virtutes inditae singulis rebus perfectis, ab universalibus agentibus derivatae; non enim solus sol generat hominem, sed
est in homine virtus generativa hominis; et similiter in aliis animalibus
perfectis. Nihil autem est perfectius in inferioribus rebus anima humana.
Unde oportet dicere quod in ipsa sit aliqua virtus derivata a superiori
intellectu, per quam possit phantasmata illustrare.

Et hoc experimento cognoscimus, dum percipimus nos abstrahere formas universales a conditionibus particularibus, quod est facere actu intelligibilia. Nulla autem actio convenit alicui rei, nisi per aliquod principium formaliter ei inhaerens; ut supra dictum est, cum de intellectu po-
tentiali ageretur. Ergo oportet virtutem quae est principium huius actionis,
esse aliquid in anima. Et ideo Aristoteles comparavit intellectum agentem

lumini, quod est aliquid receptum in aere. Plato autem intellectum separatum imprimentem in animas nostras comparavit soli, ut Themistius dicit in Commentario III De An.

Sed intellectus separatus, secundum nostrae fidei documenta, est ipse Deus, qui est creator animae, et in quo solo beatificatur, ut infra patebit. Unde ab ipso anima humana lumen intellectuale participat, secundum illud Psalmi iv: 'Signatum est super nos lumen vultus tui, Domine',' *S.T.*, I, 79, 4, *c.*; cf. *De Sp. Creat.*, 10, *c.*

60. 'Quia tamen praeter lumen intellectuale in nobis exiguntur species intelligibiles a rebus acceptae ad scientiam de rebus materialibus habendam; ideo non per solam participationem rationum aeternarum de rebus materialibus notitiam habemus, sicut Platonici posuerunt quod sola idearum participatio sufficit ad scientiam habendam,' *S.T.*, I, 84, 5, *c.*; 'Dicendum quod species intelligibiles quas participat noster intellectus, reducuntur sicut in primam causam in aliquod principium per suam essentiam intelligibile, scilicet in Deum. Sed ab illo principio procedunt mediantibus formis rerum sensibilium et materialium, a quibus scientiam colligimus, ut Dionysius dicit,' *S.T.*, I, 84, 4, *ad* 1; cf. *De Sp. Creat.* [17]; *De An.*, 5, *ad* 6.

61. *De Sp. Creat.* [17]. It seems to us that Fabro (*op. cit.*, p. 51) misreads the import of this text precisely because he has not placed it adequately in the contextual and doctrinal background.

62. *S.T.*, I, 84, 5, *c.*

63. Veuthey, 'L'Augustinisme Néo-Platonicien' (*Acta Congressus Scholastici Internationalis*, 1951, pp. 633–639).

CHAPTER IX

1. *In Sent.* [35]; *De Pot.* [6]; *De An.* [1] [2] [4] [12].
2. *In Sent.* [21] [30]; *De Pot.* [5] [6] [17]; *In De An.* [28].
3. *De Pot.* [5]; *De Sp. Creat.* [3]; *C.G.* [6] [7].
4. *S.T.* [39] [40]; *De Un. Intell.* [6] [7]; *In S. Pauli* [2].
5. *In Sent.* [15] [30]; *De Pot.* [5]; *De Sp. Creat.* [3]; *In S. Pauli* [2]; *C.G.* [6] [7]; *S.T.* [38]; *De Un. Intell.* [6].
6. *In Sent.* [15] [21] [29] [30]; *De Pot.* [17]; *De Sp. Creat.* [3]; *De An.* [1] [14]; *In De An.* [34]; *C.G.* [6]; *De Sub. Sep.* [1].
7. *In Sent.* [21] [28] [29] [30]; *De Pot.* [5] [17]; *De An.* [1]; *C.G.* [6] [19]; *De Un. Intell.* [6] [7].
8. *In Sent.* [21] [29]; *De Pot.* [17]; *C.G.* [19]; *De Un. Intell.* [6].
9. *In Sent.* [15] [35]; *De Sp. Creat.* [10]; *De An.* [14]; *In De An.* [34]; *C.G.* [6] [8]; *S.T.* [35] [43] [44] [45] [47]; *De Un. Intell.* [1].
10. *In Sent.* [23]; *De Pot.* [6]; *De An.* [2]; *In S. Pauli* [3]; *In De An.* [33]; *C.G.* [15]. The general argument for immortality turns on the self-movement of the soul; see *C.G.* [14] [15].
11. *In Sent.* [23] [35]; *De Pot.* [5] [6]; *In S. Mt.* [4]; *C.G.* [13] [15] [19] [25]; *De Un. Intell.* [4].
12. *De Ver.* [15]; *In Meta.* [187]; *C.G.* [18] [19].
13. Thus especially Origen; see *C.G.* [15].
14. 'Dicendum quod cum forma non sit propter materiam, sed potius materia propter formam; ex forma oportet rationem accipere quare materia sit talis, et non e converso. Anima autem intellectiva, sicut supra habitum est, secundum naturae ordinem, infimum gradum in substantiis intellectualibus tenet; intantum quod non habet naturaliter sibi inditam notitiam veritatis, sicut angeli, sed oportet quod eam colligat ex rebus divisibilibus per viam sensus, ut Dionysius dicit, VII cap. De Div. Nom. Natura autem

nulli deest in necessariis; unde oportuit quod anima intellectiva non solum haberet virtutem intelligendi, sed etiam virtutem sentiendi. Actio autem sensus non fit sine corporeo instrumento. Oportuit igitur animam intellectivam corpori uniri, quod possit esse conveniens organum sensus. Omnes autem alii sensus fundantur supra tactum. Ad organum autem tactus requiritur quod sit medium inter contraria quae sunt calidum et frigidum, humidum et siccum, et similia, quorum est tactus apprehensivus; sic enim est in potentia ad contraria, et potest ea sentire. Unde quanto organum tactus fuerit magis reductum ad aequalitatem complexionis, tanto perceptibilior erit tactus. Anima autem intellectiva habet completissime virtutem sensitivam; quia quod est inferioris praeexistit perfectius in superiori, ut dicit Dionysius in libro De Div. Nom. Unde oportuit corpus cui unitur anima intellectiva, esse corpus mixtum, inter omnia alia magis reductum ad aequalitatem complexionis. – Et propter hoc homo inter omnia animalia melioris est tactus. Et inter ipsos homines, qui sunt melioris tactus, sunt melioris intellectus. Cuius signum est, quod 'molles carne bene aptos mente videmus,' ut dicitur in II De An,.' *S.T.*, I, 76, 5, *c.*; cf. *Q.U. De An.*, 8, *c.*

15. *In De An.* [28].
16. *In De C. et M.* [17].
17. 'Maxime autem videtur corpus esse necessarium animae intellectivae ad eius propriam operationem quae est intelligere,' *S.T.*, I, 84, 4, *c.*
18. See Note 14 above.
19. *S.T.* [56].
20. *S.T.* [37] [38] [48] [59]; *In Sent.* [35] [36]; *C.G.* [14]; *In De An.* [33]; *De An.* [19]. The immateriality of sense knowledge leads to the thesis that the souls of animals are likewise immortal; see *S.T.* [37]; *De An.* [19]; *In Phy.* [30]; *C.G.* [6] [14].
21. *In Sent.* [5].
22. *De An.* [16].
23. *In De An.* [28].
24. *S.T.* [56].
25. *S.T.* [62].
26. *S.T.* [43] [44] [45]; *De An.* [14]; *De Sp. Creat.*, 2, *c.*; 3, *c.*
27. *De An.* [14]; *De Sp. Creat.*, 3, *c.* In this latter text the theory is explicitly related to the *via Platonica*.
28. *In De An.* [1] [6] [7].
29. *S.T.* [45]; *De Sp. Creat.*, 2, *c.*
30. *S.T.* [47].
31. *In Sent.* [35]; *In Post. Anal.* [9]; *De An.* [2] [19] [30]; *In Phy.* [19] [31]; *In Meta.* [195]; *In De An.* [7] [10] [16] [46]; *In De Causis* [18]; *C.G.* [6].
32. *In Sent.* [35]; *C.G.* [6].
33. There are several apparently pertinent series of texts. A common text in which forms are said to be given to matter by the 'Dator' is repeated in a number of objections; this is a stock presentation of a difficulty concerning the complete liberality of grace. (*E.g. In Sent.* [25]; *De An.* [9]; cf. *In Sent.* [4]; *De Pot.* [7]; *De An.* [11].) There is also a series depending originally on a text of Averroes (*In Sent.* [22]) in which Plato and Avicenna are grouped together as holding that substantial forms in matter are caused by separated forms. In all but one of these texts Plato's Theory of Ideas is contrasted with the *Dator formarum* of Avicenna, and in the later texts, especially in *S.T.* [78], shows the influence of the *Metaphysics*. The one exception is *De Pot.* [4] where the *Dator formarum* is attributed to Plato. This text stands alone; even in *De Pot.* [15] the distinction is maintained: '... quod formae in materia sint a formis sine materia, secundum sententiam Platonis, vel a datore formarum, secundum sententiam Avicennae.'
34. *E.g. S.T.* [42].
35. *E.g. S.T.* [46].

36. 'Dicendum quod necesse est dicere quod intellectus, qui est intellectualis operationis principium, sit humani corporis forma. Illud enim quo primo aliquid operatur, est forma eius cui operatio attribuitur; sicut quo primo sanatur corpus, est sanitas, et quo primo scit anima, est scientia; unde sanitas est forma corporis, et scientia animae. Et huius ratio est, quia nihil agit nisi secundum quod est actu; unde quo aliquid est actu, eo agit. Manifestum est autem quod primum quo corpus vivit, est anima. Et cum vita manifestetur secundum diversas operationes in diversis gradibus viventium, id quo primo operamur unumquodque horum operum vitae, est anima; anima enim est primum quo nutrimur, et sentimus, et movemur secundum locum; et similiter quo primo intelligimus. Hoc ergo principium quo primo intelligimus, sive dicatur intellectus sive anima intellectiva, est forma corporis,' S.T., I, 76, 1, c.; 'Primo quidem, quia animal non esset simpliciter unum, cuius essent animae plures. Nihil enim est simpliciter unum nisi per formam unam, per quam habet res esse; ab eodem enim habet res quod sit ens, et quod sit una; et ideo ea quae denominantur a diversis formis, non sunt unum simpliciter, sicut homo albus. Si igitur homo ab alia forma haberet quod sit vivum, scilicet ab anima vegetabili; et ab alia forma quod sit animal, scilicet ab anima sensibili; et ab alia quod sit homo, scilicet ab anima rationali; sequeretur quod homo non esset unum simpliciter; sicut et Aristoteles argumentatur contra Platonem in VIII Metaph., quod si alia esset idea animalis, et alia bipedis, non esset unum simpliciter animal bipes. Et propter hoc, in I De An., contra ponentes diversas animas in corpore inquirit quid contineat illas, idest quid faciat ex eis unum. Et non potest dici quod uniantur per corporis unitatem, quia magis anima continet corpus, et facit ipsum esse unum, quam e converso,' S.T., I, 76, 3, c.; cf. ibid., 4, c.; 5, c.; 7, c.

37. 'Sed quia anima unitur corpori ut forma, necesse est...,' S.T., I, 76, 8, c.; 'Si vero anima unitur corpori ut forma ... impossibile est...,' ibid., 7, c.; 'Sed si anima intellectiva unitur corpori ut forma ... impossibile est...,' ibid., 6, c.; 'Dicendum quod cum forma non sit propter materiam,' ibid., 5, c.; 'Sed si anima intellectiva unitur corpori ut forma ... impossibile est...,' ibid., 4, c.; 'Sed si ponamus animam corpori uniri sicut formam...,' ibid., 3, c. Thus all these articles are reduced to the conclusion of S. T., I, 76, 1, wherein the operational unity of man is the central argument.

38. This is the precise defense of the argument of S.T., I, 76, 1, c., against Plato: 'Cum igitur dicimus Socratem aut Platonem intelligere, manifestum est quod non attribuitur ei per accidens; attribuitur enim ei inquantum est homo, quod essentialiter praedicatur de ipso. Aut ergo oportet dicere quod Socrates intelligit secundum se totum, sicut Plato posuit dicens hominem esse animam intellectivam; aut oportet dicere quod intellectus, sit aliqua pars Socratis. Et primum quidem stare non potest, ut supra ostensum est, propter hoc quod ipse idem homo est qui percipit se intelligere et sentire; sentire autem non est sine corpore; unde oportet corpus aliquam esse hominis partem. Relinquitur ergo quod intellectus quo Socrates intelligit, est aliqua pars Socratis; ita quod intellectus aliquo modo corpori Socratis uniatur.'

39. S.T., I, 76, 8, c.; cf. S.T. [43] [44] [45].

40. S.T., I, 76, 1, c.; see subsequent note.

41. 'Alio vero modo potest intelligi sic, quod etiam haec anima sit hic homo. Et hoc quidem sustineri posset, si poneretur quod animae sensitivae operatio esset eius propria sine corpore,' S.T., I, 75, 4, c.; 'Aut ergo oportet dicere quod Socrates intelligit secundum se totum, sicut Plato posuit dicens hominem esse animam intellectivam; aut oportet dicere quod intellectus sit aliqua pars Socratis. Et primum quidem stare non potest, ut supra ostensum est, propter hoc quod ipse idem homo est qui percipit se intelligere et sentire; sentire autem non est sine corpore; unde oportet corpus aliquam esse hominis partem. Relinquitur ergo quod intellectus

quo Socrates intelligit, est aliqua pars Socratis; ita quod intellectus aliquo modo corpori Socratis uniatur,' *ibid.*, 76, 1, *c.*
42. See Notes 34 and 36 above.
43. See the *Analytic Index:* 'Anima: Corpori unitur.'

CHAPTER X

1. *De Pot.*, 3, 5; 6, 6; *De Sp. Creat.*, 5, *c.*; *De Sub. Sep.*, 1 [4–7]; *In II De C. et M.*, 4 [S 334].
2. *De Sub. Sep.* [1].

Section 1

1. *In II Sent.*, 1, 2 (cf. *De Pot.*, 3, 5); *In II Sent.*, 8, 1 (cf. *De Pot.*, 6, 6; *De Sp. Creat.*, 5, *c.*; *De Sub. Sep.*, 1 [4–7]); *In II Sent.*, 37, 1, 1 (cf. *De Pot.*, 3, 5).
2. *De Div. Nom.*, 13, 2–3 [P 362–363; 366–367].
3. '... quod cum omnis multitudo procedat ab unitate aliqua, ut dicit Dionysius, oportet universitatis multitudinem ad unum principium entium primum reduci, quod est Deus,' *In I Sent.*, 2, 1, 1, *sol.*
4. 'Unde et Plato dixit quod necesse est ante omnem multitudinem ponere unitatem,' *S.T.* [18].
5. 'Dicendum, quod communis intentio omnium fuit reducere multitudinem in unitatem, et varietatem in uniformitatem, secundum quod possibile est,' *De Ver.*, 5, 9, *c.* In the subsequent discussion St. Thomas introduces by name the *antiqui naturales*, the *Platonici*, and Avicenna.
6. '... unde, cum *esse* et *reliquae perfectiones et formae* inveniantur in corporibus ... oportet praeexistere aliquam substantiam incorpoream quae non particulariter sed cum quadam universali plenitudine *perfectionem essendi* in se habeat,' *De Pot.* [19].
7. 'Unde Plato sufficientiori via processit ad opinionem ... evacuandam ... posuit.... Unde Plato ... ponebat ... etc.,' *De Sub. Sep.* [1].
8. *Ibid.*
9. 'Hujus autem positionis radix invenitur efficaciam non habere. Non enim necesse est ut ea quae intellectus separatim intelligit, separatim esse in rerum natura,' *De Sub. Sep.* [1].
10. *C.G.* [21].
11. *De Ver.* [10].
12. *De Sub. Sep.* [1]; *De Sp. Creat.* [7]; *De Malo* [4]; (by implication) *S.T.* [75]; (by implication, cf. *In De Div. Nom.*, 11, 4 [931–933]). *In De Div. Nom.* [1]; *In De Causis* [3] [7]; *In Meta.* [12] may be included here since the Theory of Ideas includes separated substances.
13. *De Sub. Sep.* [1]; *De Sp. Creat.* [4]; *In De Causis* [3] [7]; *In De Div. Nom.* [1]. The Platonic argument thus becomes a fundamental background which can be constantly presupposed and referred to.
14. *S.T.* [52] [62] [63] [64].
15. Since St. Thomas himself has so reduced them in *In Meta.* [12]: 'Patet autem diligenti intuenti rationes Platonis....'
16. As in *De Ver.* [17].
17. As in *S.T.* [3] and [18].
18. As in *De Sub. Sep.* [15]; *In De Div. Nom.* [17].

Section 2

1. *De Civ. Dei*, X, 23 [B]; 24 [A]; 28 [C]; 29 [D]; *Conf.*, VII, 9.
2. *In Som. Scip.*, I, 6, 8 [E 486]; 20 [E 488]; 14, 5–6 [E 526]; 15 [E 530]; 17, 11–13 [E 542].

3. *Intro. ad Theologiam*, 1 [PL 178, 1012–1013]; cf. Robert de Melun, *Sententie*, I, 2, 8 [Martin, 294–295].
4. Albertus Magnus, *In* I *Sent.*, 3, F, 18 [B 25, 113]; St. Bonaventure, *In* I *Sent.*, 3, 1, 4 [Q I, 75–77]; Hales, *Sum. Th.*, *Tr. Intro.*, 2, 3 [Q I, 18–19].
5. *In Sent.* [2].
6. *De Ver.* [13]; *In De Trin.* [1] [2]; *C.G.* [32]; *In S. Pauli* [8]; *De Pot.* [19]; *S.T.* [16–17]; *In S. Jo.* [1].
7. All except *De Pot.* [19].
8. *In Sent.* [2]; *De Ver.* [13]; *De Pot.* [19].
9. 'Per hoc etiam excluduntur errores philosophorum. Quidam enim philosophorum antiqui, scilicet naturales, ponebant, mundum non ex aliquo intellectu, neque per aliquam rationem, sed a casu fuisse: et ideo a principio rationem non posuerunt seu intellectum aliquam causam rerum, sed solam materiam fluitantem, utpote athomos, sicut Democritus posuit, et alia hujusmodi principia materialia, ut alii posuerunt. Contra hos est quod Evangelista dicit: In principio erat Verbum, a quo res scilicet principium sumpserunt, et non a casu. Plato autem posuit rationes omnium rerum factarum subsistentes separatas in propriis naturis, per quarum participationem res materiales essent: puta per rationem hominis separatam, quam dicebat per se hominem, haberent quod sint homines. Sic ergo ne hanc rationem, per quam omnia facta sunt, intelligas rationes separatas a Deo, ut Plato ponebat, addit Evangelista: Et Verbum erat apud Deum. Alii etiam Platonici, ut Chrysostomus refert, ponebant Deum Patrem eminentissimum, et primum, sub quo ponebant mentem quamdam, in qua dicebant esse similitudines et ideas omnium rerum,' *In S. Jo.* [1].
10. 'Tertia autem ratio potest sumi ad hoc ex sententiis Platonicorum; oportet enim ante esse determinatum et particulatum, praeexistere aliquid non particulatum; sicut si ignis natura particulariter et quodammodo participative invenitur in ferro, oportet prius inveniri igneam naturam in eo quod est per essentiam ignis; unde, cum esse et reliquae perfectiones et formae inveniantur in corporibus quasi particulariter, per hoc quod sunt in materia receptae, oportet praeexistere aliquam substantiam incorpoream, quae non particulariter, sed cum quadam universali plenitudine perfectionem essendi in se habeat....

His opinionibus abjectis, Plato et Aristoteles posuerunt aliquas substantias esse incorporeas; et earum quasdam esse corpori conjunctas, quasdam vero nulli corpori conjunctas. Plato namque posuit duas substantias separatas, scilicet Deum patrem totius universitatis in supremo gradu; et postmodum mentem ipsius, quam vocabat paternum intellectum, in qua erant rerum omnium rationes vel ideae, ut Macrobius narrat, substantias autem incorporeas corporibus unitas ponebat multiplices; quasdam quidem conjunctas caelestibus corporibus, quas Platonici deos appellabant; quasdam autem conjunctas corporibus aereis, quas dicebant esse daemones. Unde Augustinus in VIII de Civ. Dei introducit hanc definitionem daemonum ab Apulejo datam: Daemones sunt animalia mente rationalia, animo passiva, corpore aerea, tempore aeterna. Et omnibus praedictis substantiis incorporeis ratione suae sempiternitatis gentiles Platonici dicebant cultum divinitatis exhibendum. Ponebant etiam ulterius substantias incorporeas grossioribus terrae corporibus unitas, terrenis scilicet et aqueis, quae sunt animae hominum et aliorum animalium. Aristoteles autem in duobus cum Platone concordat et in duobus differt.... Si autem habent alias potentias (quod videntur Platonici sensisse de daemonibus, dicentes eos esse animo passivos; cum tamen passio non sit nisi in parte animae sensitiva, ut probatur in VII Phys.), oportet quod tales substantiae corporibus organicis uniantur, ut actiones talium potentiarum per determinata organa exequantur.... Sed in hoc certissime a doctrina tam Platonis quam Aristotelis, doctrina fidei discordat, quod ponimus multas substantias penitus corporibus non unitas, plures quam aliquis eorum ponat,' *De Pot.* [19].

Section 3

1. Nemesius, *De Nat. Hom.*, 44 [PG 40, 793 and 796].
2. *C.G.* [28]; *S.T.*, I, 22, 3, *c.*; 103, 6, *arg.* 1 *et ad* 1.
3. 'Sed hoc non est ponendum propter hoc quod secundum suam naturam unus angelus magis se habeat ad praesidendum animalibus quam plantis...,' *S.T.*, I, 110, 1, *ad* 3.
4. 'Plato enim posuit substantias immateriales esse rationes et species sensibilium corporum, et quasdam aliis universaliores, et ideo posuit substantias immateriales habere praesidentiam immediatam circa omnia sensibilia corpora, et diversas circa diversa,' *S.T.*, I, 110, 1, *ad* 3.
5. *De Sub. Sep.* [5].
6. 'Ab hac autem providentiae ratione Aristotelis non discordat.... Secundum igitur haec tria circa substantias separatas invenitur Platonis opinio cum Aristotelis opinione concordare,' *De Sub. Sep.*, 3 [17].

Section 4

1. *E.g. De Malo* [8]; *In De Causis* [24]; *In De C. et M.* [18]; *De Sub. Sep.* [6] [24]; *In De Div. Nom.* [20]; *De Sp. Creat.* [4]; *S.T.* [3].
2. *De Ver.* [17].
3. In accordance with St. Thomas' practice of using a standard example to epitomize a doctrine, the *homo – homo separatus* example summarizes and introduces the view of separated species worked out in the commentary on the *Metaphysics*. By basing the present exposition on this model, therefore, St. Thomas integrates the theory of separated good into the background of the commentary on the *Metaphysics* and thus also effects a synthesis of that commentary and the one on the *Ethics*. The latter commentary maintains exactly the same background and exploits the same parallel (*In Eth.* [2] [12] [20]).
4. *De Sp. Creat.* [4]; *De Sub. Sep.* [1] [4] [5] [6]; *In De Div. Nom.* [1] [20]; *In De Causis* [4].
5. *In Eth.* [7] [8] [11] [15].
6. *In Eth.* [13].
7. *In Eth.* [7] [20]; *In De Causis* [13] [14]; *De Sub. Sep.* [24]; *In De C. et M.* [18].
8. *In Meta.* [128].
9. *In Meta.* [130].
10. *De Sub. Sep.* [6].
11. *In Eth.* [9].
12. *De Sp. Creat.* [7].
13. This expression, a brief reference to the *via Platonica*, is taken from *De Malo* [8]. See also *De Sub. Sep.* [18] where the same expression refers back to the elaborate description of the *via Platonica* in *De Sub. Sep.* [1].
14. *De Ver.* [17]; cf. *In Eth.* [8] [9] [15]; *In Meta.* [128] [130].
15. Expressly in *De Sp. Creat.* [7]; *De Sub. Sep.* [1].
16. *In Eth.* [7].
17. '... tamen hoc absolute verum est, quod aliquid est primum, quod per suam essentiam est ens et bonum, quod dicimus Deum, *ut ex superioribus patet*,' *S.T.* [3]; cf. *In De Div. Nom.* [1].
18. 'A primo igitur per suam essentiam ente et bono, unumquodque potest dici bonum et ens, inquantum participat ipsum per modum cuiusdam assimilationis, licet remote et deficienter, ut ex superioribus patet. Sic ergo unumquodque dicitur bonum bonitate divina, sicut primo principio exemplari, effectivo et finali totius bonitatis. Nihilominus tamen unumquodque dicitur bonum similitudine divinae bonitatis sibi inhaerente, quae est formaliter sua bonitas denominans ipsum,' *S.T.*, I, 6, 4, *c.*; 'Specialiter tamen quantum ad propositum pertinet, apparet falsitas praedictae positionis ex hoc quod omne agens invenitur sibi simile agere;

unde si prima bonitas sit effectiva omnium bonorum, oportet quod similitudinem suam imprimat in rebus effectis; et sic unumquodque dicetur
bonum sicut forma inhaerente per similitudinem summi boni sibi inditam,
et ulterius per bonitatem primam, sicut per exemplar et effectivum omnis
bonitatis creatae. Quantum ad hoc opinio Platonis sustineri potest,' *De
Ver.*, 21, 4, *c.*

19. This is the proposition discussed in *De Ver.*, 21, 4. *S.T.*, I, 6, 4, has 'utrum
omnia sint bona bonitate divina.'
20. *De Ver.*, 21, 4, *arg.* 3; *S.T.*, I, 6, 4, *arg.* 1.
21. *In I Sent.*, 18, 1, 5, *sol.*
22. As in *S.T.* [3].
23. As in *De Sub. Sep.* [3].
24. As in *De Ver.* [17].

Section 5

1. *De Malo* [4]; *In De Div. Nom.* [1] [16]; *De Sub. Sep.* [1]; *De Sp. Creat.* [4];
S.T. [84]; *In Meta.* [190].
2. Approved in *De Sub. Sep.* [3]; *In De Div. Nom.* [1]; rejected in *In Meta.*
[171] [190] [198]; *De Sub. Sep.* [1]; *De Sp. Creat.* [4].
3. *In Meta.* [126] [171] [189].
4. *In Meta.* [171].
5. *In Meta.* [190] [198].
6. *In Meta.* [103].
7. *De Sp. Creat.* [4] [7].
8. *De Sub. Sep.* [1].
9. *In Meta.* [107].
10. *In Meta.* [171].
11. *In Meta.* [12].
12. *De Malo* [4]; *De Sub. Sep.* [1]; *De Sp. Creat.* [4] [7]; *In De Div. Nom.* [1] [16].

Section 6

1. *De Div. Nom.*, 11, 6 [P 421–426].
2. '... et hic videtur fuisse error gentilium, ut dicit Dionysius ... quod etiam
patet ex hoc quod ponebant unum deum sapientiae, et aliam deam pa-
cem, et sic de aliis,' *In I Sent.*, 2, 1, 1, *arg.* 1.
3. *In De Div. Nom.* [20].
4. *S.T.* [26]; *In De Div. Nom.* [3] [16] [20] [22]; *In De Causis* [6] [8] [13]
[16]; *De Sub. Sep.* [18] [24]; *In S. Pauli* [6].
5. The triad in Proclus is *ens – vita – intellectus;* this becomes standard; the
per se pax of the early report (*In I Sent.*, 2, 1, 1, *arg.* 1) disappears; the *per
se sapientia* recurs in comment on Dionysius.
   The commentary on the *De Divinis Nominibus* is variously dated: 1260
(Durantel, Dyroff, Walz); 1261 (Mandonnet, Walz); 1265–1266 (Pera);
before 1268 (Feder); 1259–1269 (Bacic). An examination of the arguments advanced creates the impression that no real extrinsic evidence
exists and that no one has made a thorough comparative study of the
commentary. Because of the comparisons developed in this study, I incline
to the 1268 dating. Most of the authorities agree that the work is too
mature for the period of the *Sentences* commentary; Dryoff states (pp. 158–
159) that the work shows a masterful knowledge of the *Physics*, the *Metaphysics* and the *De Anima;* Feder (p. 322) bases his dating on certain
comparisons with the *Summa Theologiae.*
6. The most striking example is *S.T.* [26] where Plato is introduced at first
but is replaced explicitly by 'Platonici' when the *per se vita* is added.
7. Cf. *S.T.* [26].
8. *S.T.* [26]; *In De Div. Nom.* [16]; *In De Causis* [13].

9. *De Sp. Creat.* [4]; *S.T.* [3]; 'unum et ens,' *In Meta.* [171]; 'ens et bonum,' *In De Div. Nom.* [3].

10. 'Ad primum dicendum, quod Dionysius tractat de divinis Nominibus secundum quod habent rationem causalitatis, prout scilicet manifestantur in participatione creaturarum; et ideo bonum ante existens determinat,' *In I Sent.*, 8, 1, 3, *ad* 1; 'Ad secundum dicendum, quod bonum est communius non secundum ambitum praedicationis, quia sic convertitur cum ente, sed secundum rationem causalitatis; causalitas enim efficiens exemplaris extenditur tantum ad ea quae participant formam actu suae causae exemplaris; et ideo causalitas entis, secundum quod est divinum nomen, extenditur tantum ad entia, et vitae ad viventia; sed causalitas finis extenditur etiam ad ea quae nondum participant formam, quia etiam imperfecta desiderant et tendunt in finem nondum participantia rationem finis, quia sunt in via ad eum. Vocat enim Dionysius non ens materiam propter privationem adjunctam; unde etiam dicit quod ipsum non ens desiderat bonum,' *In I Sent.*, 8, 1, 3, *ad* 2; cf. *S.T.*, 1, 5, 2, *ad* 1 *et ad* 2; *In De Div. Nom.*, 3, 1 [226]; 5, 1 [606]; 5, 1 [612].

11. Proclus, *The Elements of Theology, Prop.* 138 [D 122.7–20]. That the Good is distinct from and superior to Being is explicitly stated in *De Sub. Sep.* [24]; *In De Causis* [8] [20]; *In De Div. Nom.* [16] [20] [22]. The first principle is said to be *unum et bonum*, without mention of *ens* in *De Malo* [4]; *In De C. et M.* [18]; *In De Div. Nom.* [16]; *De Sub. Sep.* [1] [4] [6]; *S.T.* [85]; *In De Causis* [24]. The texts in which the *per se bonum* is explicitly put prior (ontologically and not merely in causality) to the *per se ens* appear to be subsequent to the translation [1268] of Proclus' *Elementatio Theologica*.

12. *In De Div. Nom.*, 5, 1 [639]. [The question might here be raised why the argument is not pushed all the way, resulting in a separation of *unum* and *bonum*. While St. Thomas does not raise this question, he is aware that this unification was due to the reduction of unity and goodness to a single *ratio* (*In S. Jo.* [3]; *In Eth.* [14]; *In Post Anal.* [10]; *S.T.* [85])].

13. '... incipiendum videtur ab his quae de Angelis antiquitus humana conjectura existimavit, ut si quid invenerimus fidei consonum accipiamus, quae vero doctrinae repugnant Catholicae refutemus,' *De Sub. Sep.*, 1 [P 1]; 'Quia igitur ostensum est quid de substantiis spiritualibus praecipui philosophi Plato et Aristoteles senserunt quantum ad earum originem, conditionem naturae, distinctionis et gubernationis ordinem et in quo alii ab eis errantes dissenserunt...,' *ibid.*, 16 [P 92].

14. '... in quo alii *ab eis* errantes...,' *ibid.*, 16 [P 92].

15. 'Unde Plato sufficientiori via processit...,' *ibid.*, 1 [P 4]; 'Et ideo Aristoteles manifestiori et certiori via processit...,' *ibid.*, 2 [P 8].

16. *Ibid.* [1].

17. *Ibid.* [4].

18. *Ibid.* [6].

19. '... secundum se unum et bonum,' *ibid.* [3]; 'per se unum et per se bonum,' *ibid.* [4]; 'ipsum unum et ipsum bonum,' *ibid.* [5]; 'ipsa idea unius et boni,' *ibid.* [6].

20. *Ibid.* [3].

21. *Ibid.* [15].

22. *Ibid.*, 8 [P 59].

23. *Ibid.* [18].

24. '... Platonici posuerunt quidem omnium immaterialium substantiarum et universaliter omnium existentium Deum esse immediate causam essendi.... Et hoc est primum principium quod est Deus, *de quo jam dictum est* quod est suum esse,' *ibid.* [18].

25. 'Ut enim supra dictum est, posuerunt abstracta principia secundum ordinem intelligibilium conceptionum ... primum ... quod est ipsum ens et ipsum unum,' *ibid.* [18].

26. *De Sub. Sep.*, 16 [P 94]; *In S. Pauli* [5].
27. Aristotle, *Meta.*, III, 6 [1003a 9–11]; VII, 14; 16 [1039a 30–32; 1040b 32–34].
28. *In VII Meta.*, 14; cf. *S.T.*, I, 76, 3, *c.*; *In De Causis* [7].
29. *De Sub. Sep.*, 9 [P 61–62]; cf. *In De Causis* [16].
30. 'Dicendum quod, sicut in eodem capite idem Dionysius dicit, licet ipsum esse sit perfectius quam vita, et ipsa vita quam ipsa sapientia, si considerentur secundum quod distinguuntur ratione; tamen vivens est perfectius quam ens tantum, quia vivens etiam est ens; et sapiens est ens et vivens. Licet igitur ens non includat in se vivens et sapiens, quia non oportet quod illud quod participat esse, participet ipsum secundum omnem modum essendi; tamen ipsum esse Dei includit in se vitam et sapientiam, quia nulla de perfectionibus essendi potest deesse ei quod est ipsum esse subsistens,' *S.T.*, I, 4, 2, *ad* 3; cf. *De Pot.*, 7, 2, *ad* 9. The confrontation here involves an opposition in the understanding of both, both as to its structure in created things and as to its meaning as act of existence. Evidence of this opposition (which is rather implicit in the texts themselves) has been accumulated throughout this study. A valuable development of this point could probably be carried out by an analysis of all the Thomistic texts on the Augustinian levels of being, the *esse – vita – intellectus* of Proclus and Dionysius and the *vivere est esse viventium* of Aristotle.
31. 'Quia igitur ostensum est quid de substantiis spiritualibus praecipui philosophi Plato et Aristoteles senserunt ... ostendere oportet quid de singulis habeat Christianae religionis assertio. Ad quod utemur praecipue Dionysii documentis,' *De Sub. Sep.*, 16 [P 92].
32. '... in quo [*sc.* Dionysius] removet opinionem Platonicorum qui ponebant quod ipsa essentia bonitatis erat summus Deus sub quo erat alius Deus qui est ipsum esse et sic de aliis,' *ibid.*, 16 [P 94]. An exactly parallel treatment in a purely theological context occurs in *Super Ep. S. Pauli ad Coloss.*, 1, 4.
33. *In De Div. Nom.* [3].
34. *Ibid.* [16] [20] [22].
35. *Ibid.* [17].
36. For example, *ibid.* [20] is clearly dictated by the *littera.*
37. For example, *ibid.* [20].
38. *In De Causis* [6] [8] [13] [16] [22] [23].
39. *Ibid.* [13].
40. For example, *ibid.* [8].

Section 7

1. *De Pot.* [19]; *De Malo* [2]; *In Meta.* [115]; *In De An.* [52]; *In De C. et M.* [22]; *C.G.* [20]; *De Sub. Sep.* [26].
2. *S.T.* [25].
3. *In Eth.* [19]; *S.T.* [25]; *De Sub. Sep.* [5] [27].
4. *De Malo* [6]; *In S. Pauli* [1].
5. *In Eth.* [19]; *S.T.* [14]; *De Sub. Sep.* [5].
6. *S.T.* [14].
7. *In Sent.* [16]; *De Ver.* [11]; *C.G.* [20]; *De Pot.* [19] [20]; *In Eth.* [19]; *S.T.* [14] [24] [25] [80] [93]; *In Phy.* [27]; *In Meta.* [101] [115] [120]; *De Malo* [1] [2] [3] [4] [6] [9]; *In De An.* [52] [54]; *In De C. et M.* [22]; *De Sub. Sep.* [1] [2] [5] [26].
8. *C.G.* [20]; *S.T.* [80]; *In Meta.* [115]; *De Malo* [2]; *In De An.* [52]; *In De C. et M.* [22]; *De Sub. Sep.* [26].
9. *De Pot.* [19] [22]; *In S. Pauli* [1]; *S.T.* [14]; *De Malo* [4]; *De Sub. Sep.* [5].
10. See *Sources* under texts cited in Notes 1–9.
11. *De Pot.* [19].
12. *De Sub. Sep.* [1]

13. St. Thomas thinks to find references to the doctrine in the Aristotelian texts. Cf. *In De An.* [52] [54]; *In Meta.* [101] [115] [120].

Section 8

1. *De Sub. Sep.* [1].
2. *Ibid.*
3. *In Sent.* [35]; *In Post. Anal.* [9]; *De An.* [2] [19]; *In Phy.* [19] [31]; *In Meta.* [195]; *In De An.* [46]; *In De Causis* [18]; *C.G.* [6]; *De Sub. Sep.* [1].
4. *In Meta.* [195]; *In De C. et M.* [16] [17]; *In De Causis* [5]; *De Pot.* [19] [22]; *De Sp. Creat.* [9]; *De An.* [10]; *S.T.* [34] [93].
5. *S.T.* [35].

CHAPTER XI

1. *E.g. In S. Mt.* [2].
2. *In Meteor.* [1].
3. *E.g. In Meta.* [13] [14].
4. *In Sent.* [9]; *De Ver.* [14]; *De Pot.* [1] [9] [10] [16]; *S.T.* [90].
5. *E.g. S.T.* [74].
6. *E.g. In Meta.* [12]; *S.T.*, I, 84, 1, *c.*
7. *E.g. De Ver.* [17].
8. *E.g. De Sp. Creat.*, 3, *c.*
9. *E.g. S.T.* [3].
10. *E.g. De Sub. Sep.* [18].
11. *E.g. De Sub. Sep.* [3].
12. *E.g. In I De An.*, 4 [P 43]; see *S.T.*, I, 85, 2, *c.*
13. *E.g. In De Trin.* [5].
14. *E.g. De Un. Intell.* [10].
15. This is no doubt the reason why St. Thomas so frequently cites the text of Themistius ('Plato autem pònens intellectum unum separatum, comparavit ipsum soli, ut Themistius dicit,' *De Un. Intell.* [8]). Cf. *De Sp. Creat.* [16] [17]; *De Malo* [11]; *S.T.* [50] [51]; *De Un. Intell.* [11].
16. 'Haec autem praemisimus, non quasi volentes ex philosophorum auctoritatibus reprobare suprapositum errorem; sed ut ostendamus, quod non soli Latini, quorum verba quibusdam non sapiunt, sed etiam Graeci et Arabes hoc senserunt, quod intellectus sit pars vel potentia seu virtus animae quae est corporis forma,' *De Un. Intell.*, 2 [K 59].
17. Siger de Brabant, *Quaestiones in Metaphysicam*, III, 12, *Commentum* (Graiff, p. 113); III, 20, *Commentum* (Graiff, p. 159). For the use of St. Thomas' commentary in this work, see 'Introduction' (Graiff, p. xxii).

BIBLIOGRAPHY

PRIMARY SOURCES

Peter Abelard, *Opera*, PL CLXXVIII.
  – , *Peter Abaelards Philosophische Schriften*, ed. Bernhard Geyer, Beiträge,
      Baeumker, Münster: Aschendorff, Band XXI, Heft 1–4, 1919–1933.
St. Albert the Great, *Opera Omnia*, ed. August Borgnet, Paris: Vives, 1890:
      36 vols.: *Metaphysicorum Libri* XIII, vol. VI.
Alexander of Aphrodisia, *In De Sensu et Sensato*, ed. Paulus Wendland, *Commen-
      taria in Aristotelem Graeca*, Berlin: 1901: vol. III, part 1.
Algazel, *Algazel's Metaphysics*, ed. J. T. Muckle, C.S.B., Toronto: St. Michael's
      College, 1933.
Ammonius, *In Categorias*, ed. Adolfus Busse, *Commentaria in Aristotelem Graeca*,
      Berlin: 1895: vol. IV, part 4.
  – , *In De Interpretatione*, ed. Adolfus Busse, *Commentaria in Aristotelem Graeca*,
      Berlin: 1897: vol. IV, part 5.
Aristotle, *Aristotelis Categoriae et Liber de Interpretatione*, critical ed. L. Minio
      Paluello, Oxford: Clarendon Press, 1949.
  – , *Metaphysics*, text with commentary, W. D. Ross, Oxford: Clarendon
      Press, 1924: 2 vols.
  – , *Physics*, text with commentary, W. D. Ross, Oxford: Clarendon Press,
      1936.
  – , *Prior and Posterior Analytics*, text with commentary, W. D. Ross, Oxford:
      Clarendon Press, 1949.
  – , The Ethics of Aristotle, *Ethica Nicomachea*, text with notes, John
      Burnet, London: Methuen, 1900.
St. Augustine, *Opera Omnia*, PL XXXII–XLVII.
  – , *De Civitate Dei contra Paganos Libri* XXII, ed. J. E. C. Weldon, D.D.,
      London: S.P.C.K., 1924: 2 vols.
Averroes (Ibn-Rouschd), *Physicorum Octo Aristotelis Libri cum Averrois Commen-
      tario*, Lyons: Apud Juntas, 1542.
  – , *Aristotelis Omnia Opera* – Averroes – *Commentarii* – Venice: Apud Juntas,
      1573–1575: 11 vols. Microfilm.
  – , *Die Epitome der Metaphysik des Averroes*, tr. S. Van den Bergh, Leiden:
      E. J. Brill, 1924.
Avicebrol (Ibn Gebirol), *Fons Vitae*, ed. Clemens Baeumker, Beiträge, Baeum-
      ker, Münster: Aschendorff, Band I, Heft 2–4, 1895.
Avicenna (Ibn Sina), *Metaphysica*, transcript of 1520 Venice edition, The
      Franciscan Institute, St. Bonaventure, N.Y., 1948.
Roger Bacon, *Questiones Altere Supra Libros Prime Philosophi Aristotelis* (*Meta
      I–IV*). *Questiones Supra De Plantis. Metaphysica Vetus Aristotelis*, ed. Robert
      Steele, Oxford: Clarendon Press, 1932.
Boethius, *Opera Omnia*, PL LXIII–LXIV.

Boethius, *Boetii – De Institutione musica libri quinque*, ed. Godofredus Friedlein, Leipsig: Teubner, 1867.

– , *De Consolatione Philosophiae*, critical ed. Adrian Fortescue, London: Burns, Oates and Washburn, 1925.

– , *De Consolatione Philosophiae*, ed. Guilelmus Weinberger, CSEL, vol. LXVII, Vienna: 1934.

– , *In Isagogen Porphyrii Commenta*, ed. Samuel Brandt, vol. XXXXVIII, CSEL, Vienna: 1906.

St. Bonaventure, *Opera Omnia*, Quaracchi: Ex Typographia Collegii S. Bonaventurae, 1882–1902: 10 vols.

De Spiritu et Anima, PL XL.

Eustratius, *In Ethica Nicomachea*, ed. Gustavus Heylbut, *Commentaria in Aristotelem Graeca*, Berlin: 1892: vol. XX.

Fragmenta Philosophorum Graecorum, ed. G. A. Mullachius, Paris: Didot, 1867: vol. II.

Liber de Causis. O. Bardenhewer: *Die Pseudo-Aristotelische Schrift 'Über das Reine Gute' Bekannt unter dem Namen 'Liber de Causis*,' Freiburg I. B.: Herder, 1882.

Macrobius, *Conviviorum Primi Diei Saturnaliorum; Commentarium in Somnium Scipionis*, ed. Franciscus Eyssenhardt, Leipzig: Teubner, 1868.

– , *Commentary on the Dream of Scipio*, tr. W. H. Stahl, New York: Columbia University Press, 1952.

Moses Maimonides, *The Guide for the Perplexed*, tr. M. Friedländer, 2nd ed., London: Routledge, 1936.

Nemesius, *De Natura Hominis*, PG XL.

Porphyrius, *Isagoge et In Categorias*, ed. Adolfus Busse, *Commentaria in Aristotelem Graeca*, Berlin: 1907: vol. IV, part 1.

Proclus, *The Elements of Theology*, ed. E. R. Dodds, Oxford: Clarendon Press, 1933.

– , *Procli Elementatio Theologica translata a Guilelmo de Moerbeke*, ed. C. Vansteenkiste, *Tijdschrift voor Philosophie*, Leuven, Belgium: N.V. Vereniging voor Wijsgerige Uitgaven: vol. XIII (1951), 261–302, 491–531.

Robert de Melun, *Oeuvres de Robert de Melun*, tome III, *Sententie*, vol. I, ed. Raymond M. Martin, O.P., Louvain: Spicilegium Sacrum Lovaniense, 1947.

John of Salisbury, *Metalogicon*, critical ed. Clemens C. I. Webb, Oxford: Clarendon Press, 1929.

Siger de Brabant, *Textes inédites*, ed. P. Mandonnet in *Siger de Brabant et l'Avérroisme Latin au XIIIe Siècle*, 2nd ed., P. II, Louvain: 1931.

– , *Siger de Brabant Questions sur la Métaphysique*, ed. Cornelio Andrea Graiff, O.S.B., Louvain: Éditions de L'Institut Supérieur de Philosophie, 1948.

Simplicius, *In Categorias*, ed. Carolus Kalbfleisch, *Commentaria in Aristotelem Graeca*, Berlin: 1907: vol. VIII.

– , *In De Caelo*, ed. I. L. Heiberg, *Commentaria in Aristotelem Graeca*, Berlin: 1894: vol. VII.

Themistius, *In De Anima Paraphrasis*, ed. Ricardus Heinze, *Commentaria in Aristotelem Graeca*, Berlin: 1899: vol. V, part 3.

St. Thomas Aquinas, *Opera Omnia*, jussu edita Leonis XIII P.M., Rome: Typis R. Garroni, 1882–.

– , *Opera Omnia*, Parma, 1852–1873, Photolithograph reprint, New York: Musurgia, 1948–1950.

– , *Opera Omnia*, ed. E. Fretté et P. Maré, Paris: Vives, 1872–1880: 34 vols

–, *Commentarium in Aristotelis Libros de Anima*, ed. Angelo Pirotta, O.P., Turin: Marietti, 1936.

St. Thomas Aquinas, *Commentarium in De Sensu et Sensato, De Memoria et Reminiscentia Aristotelis*, ed. Angelo Pirotta, O.P., Turin: Marietti, 1928.

–, *Commentaria in Metaphysicam Aristotelis*, ed. M. R. Cathala, O.P., Turin: Marietti, 1926.

–, *Expositio in De Caelo et Mundo Aristotelis*, ed. R. M. Spiazzi, O.P., Turin: Marietti, 1952.

–, *Expositio in Libros Ethicorum Aristotelis*, ed. Angelo Pirotta, O.P., Turin: Marietti, 1934.

–, *Expositio in Libros Politicorum Aristotelis*, ed. R. M. Spiazzi, O.P., Turin: Marietti, 1951.

–, *Commentaria in Omnes Epistolas S. Pauli Apostoli*, Turin: Marietti, 1929: 2 vols.

–, *Commentaria in Evangelia S. Matthaei et S. Joannis*, 4th ed., Turin: Marietti, 1925: 2 vols., vol. II.

–, *Lectura super Evangelium S. Matthaei*, ed. Raphaelis Cai, O.P., 5th ed. rev., Turin: Marietti, 1951.

–, *In Librum Beati Dionysii De Divinis Nominibus Expositio*, ed. C. Pera, O.P., Turin: Marietti, 1950.

–, *In Librum Boethii de Trinitate Quaestiones Quinta et Sexta*, ed. Paul Wyser, O.P., Fribourg: Société Philosophique, 1948.

–, *The Division and Methods of the Sciences* (Q. V and VI of his Commentary on the *De Trinitate* of Boethius), tr. Armand Maurer, C.S.B., Toronto: The Pontifical Institute of Mediaeval Studies, 1953.

– *Scriptum Super Libros Sententiarum*, ed. Pierre Mandonnet, O.P., and M. F. Moos, O.P., Paris: Lethielleux, 1929–1933: 4 vols.

–, *Summa Contra Gentiles*, Editio Leonina Manualis, Rome: Desclee, 1934.

–, *Quaestiones Disputatae*, ed. Raymund Spiazzi, O.P., Turin: Marietti, 1949: 2 vols.

–, *Quaestiones Quodlibetales*, ed. Raymund Spiazzi, O.P., Turin: Marietti, 1949.

–, *Opuscula Omnia*, ed. P. Mandonnet, O.P., Paris: Lethielleux, 1927: 2 vols.

–, *Opuscula Omnia necnon Opera Minora*, ed. J. Perrier, O.P., tome I, *Opuscula philosophia*, Paris: Lethielleux, 1949.

–, *Le 'De Ente et Essentia' de S. Thomas d'Aquin*, ed. M. D. Roland-Gosselin, Kain: Le Saulchoir, 1926.

–, *On Being and Essence*, tr. Armand A. Maurer, C.S.B., Toronto: The Pontifical Institute of Mediaeval Studies, 1949.

–, *De Unitate Intellectu Contra Averroistas*, ed. Leo W. Keeler, S.J., Rome: Gregorian University Press, 1936.

–, *De Spiritualibus Creaturis*, critical ed. Leo. W. Keeler, S.J., Rome: Gregorian University Press, 1937.

–, *On Kingship to the King of Cyprus*, tr. G. B. Phelan, rev. I. Th. Eschmann, O.P., Toronto: The Pontifical Institute of Mediaeval Studies, 1949.

–, *Basic Writings of Saint Thomas Aquinas*, ed. with introd. Anton C. Pegis, New York: Random House, 1945: 2 vols.

SECONDARY SOURCES

Anderson, F. H., *The Argument of Plato*, London: J. M. Dent, 1935.

Armstrong, A. H., *An Introduction to Ancient Philosophy*, Westminster, Maryland: The Newman Press, 1949.

Arnou, R., S.J., 'Platonisme des Pères,' *Dictionnaire de Théologie Catholique*, ed. A. Vacant and E. Mangenot, XII, col. 2258–2392.

Baeumker, Clemens, *Mittelalterlicher und Renaissance-Platonismus*, Beiträge, Baeumker, Münster: Aschendorff, Band XXV, Heft 1–2, 1927.

– , *Der Platonismus in Mittelalter*, Beiträge, Baeumker, Münster: Aschendorff, Band XXV, Heft 1–2, 1927.

Bardy, G., 'Notes sur les Sources Patristiques Grecques de S. Thomas dans la Première Partie de la Somme Théologique,' *Revue des Sciences Philosophiques et Théologiques* XII (1923), 493–502.

Bremond, A., S.J., 'La Synthèse Thomiste de l'Acte et de l'Idée,' *Gregorianum* XII (1931), 267–283.

Burnet, John, *Platonism*, Berkeley: University of California Press, 1928.

Carmody, Michael F., 'References to Plato and the Platonici in the Summa Theologiae of St. Thomas Aquinas,' Unpublished doctoral dissertation, University of Pittsburg, Pittsburg, 1948.

Chenu, M.-D., O.P., 'Auctor, actor, autor,' (*Bulletin du Cange*) *Archivum Latinitatis Medii Aevi*, Bruxelles: Sec. Ad. de Union Académique Internationale, 1927, pp. 81–86.

– , *Introduction a l'Étude de Saint Thomas d'Aquin*, Paris: J. Vrin, 1950.

– , 'Les Réponses de S. Thomas et de Kilwardby à la Consultation de Jean de Verceil,' *Mélanges Mandonnet*, Paris: Vrin, 1930: 2 vols., vol. I, pp. 191–222.

Cherniss, Harold, *Aristotle's Criticism of Plato and the Academy*, Baltimore: The Johns Hopkins Press, 1944, vol. I.

– , *The Riddle of the Early Academy*, Berkeley: University of California Press, 1945.

Clarkson, John F., S.J., 'The Principle of Reception in the Disputed Questions of St. Thomas,' Unpublished Master's thesis, Saint Louis University, 1951.

Cooper, Lane, *A Concordance of Boethius*, Cambridge: The Mediaeval Academy of America, 1928.

Cornford, Francis M., *Before and after Socrates*, Cambridge: University Press, 1932.

– , *Plato's Theory of Knowledge*, London: Routledge and Kegan Paul, 1935.

De Corte, M., 'Themistius et S. Thomas d'Aquin. Contribution à l'Étude des Sources et de la Chronologie du Commentaire de S. Thomas sur le *De Anima*,' *Archives*, Gilson and Thery, VII (1932), 47–84.

Dagneau, H., *Histoire de la Philosophie*, Paris: Retaux, 1900.

Deman, Th., O.P., 'Remarques Critiques de S. Thomas sur Aristotle interprète de Platon,' *Les Sciences Philosophiques et Théologiques*, Paris: Vrin, 1941–1942: vol. I, pp. 133–148.

Destrez, J., 'La Lettre de S. Thomas d'Aquin Dite Lettre au Lecteur de Venise, d'après la Tradition Manuscrite,' *Mélanges Mandonnet*, Paris: Vrin, 1930: 2 vols., vol. I, pp. 103–189.

Durantel, J., *Saint Thomas et le Pseudo-Denis*, Paris: Alcan, 1919.

Edman, Irwin, and Schneider, Herbert W., *Landmarks for Beginners in Philosophy*, New York: Reynal and Hitchcock, 1941.

Fabro, Cornelio, C. P. S., *La Nozione Metafisica di Partecipazione secondo S. Tomaso d'Aquino*, Milan: 'Vita e Pensiero,' 1939.

Feder, A., 'Des Aquinaten Kommentar zu Pseudo-Dionysius' *De Divinis Nominibus,*' *Scholastik* I (1926), 321–351.

Forest, Aimé, *La Structure Metaphysique du Concret selon Saint Thomas d'Aquin*, Paris: Vrin, 1931.

Fouillée, Alfred, *Histoire de la Philosophie*, 10th ed., Paris: Delagrave, n.d.

Von Fritz, Kurt, *Philosophie und Sprachlicher Ausdruck bei Demokrit, Plato und Aristoteles*, New York: Stechert, n.d.

Fuller, A. G., *A History of Philosophy*, New York: Henry Holt, 1938.

Gardeil, A., O.P., 'La Réforme de la Théologie Catholique: Les Procédés Exégétiques de Saint Thomas,' *Revue Thomiste* XI (1903), 428–457.

– , 'La Réforme de la Théologie Catholique: La Documentation de Saint Thomas,' *Revue Thomiste* XI (1903), 197–215.

– , 'La Documentation de Saint Thomas: Réponse a M. Turmel,' *Revue Thomiste* XII (1904), 207–211.

– , 'La Documentation de Saint Thomas: Réplique a M. Turmel,' *Revue Thomiste* XII (1904), 486–493, 587–592.

– , 'La Documentation de Saint Thomas: Un Dernier Mot a M. Turmel,' *Revue Thomiste* XIII (1905), 194–197.

Gaul, Leopold, *Alberts des Grossen Verhaeltnis zu Plato*, Beiträge, Baeumker, Münster: Aschendorff, Band XII, Heft 1, 1913.

Geiger, L.-B., O.P., *La Participation dans la Philosophie de S. Thomas d'Aquin*, Paris: Vrin, 1942.

Geny, Paulo, *Brevis Conspectus Historiae Philosophiae*, Rome: Gregorian University, 1932.

de Ghellinck, J., S.J., *Le Mouvement Théologique du XII*e *Siécle*, Paris: Lecoffre, 1914.

Gilson, E., 'Pourquoi S. Thomas a Critiqué S. Augustin,' *Archives*, Gilson and Thery, I (1926-1927), 5–127.

– , 'Les Sources Gréco-Arabes de l'Augustinisme Avicennisant,' *Archives*, Gilson and Thery, IV (1929), 5–149.

– , 'Réflexions sur la Controverse S. Thomas – S. Augustin,' *Mélanges Mandonnet*, Paris: Vrin, 1930: 2 vols., vol. I, pp. 371–383.

– , 'Sur Quelques Difficultés de l'Illumination Augustinienne,' *Revue Néoscholastique de Philosophie*, Louvain: Éditions de l'Institut Supérieur de Philosophie, 1934: vol. XXXVI, pp. 321–331.

– , *La Philosophie au Moyen Age*, 2nd ed., Paris: Payot, 1944 and 1947.

– , *Le Thomisme*, 5th ed., Paris: Vrin, 1947.

– , *Being and Some Philosophers*, Toronto: Pontifical Institute of Mediaeval Studies, 1949.

– , and Boehner, P., *Die Geschichte der Christlichen Philosophie*, Zurich: Goetchmann, 1937.

Gorce, M.-M., O.P., 'La Lutte *Contra Gentiles* à Paris au XIII*e* Siécle,' *Mélanges Mandonnet*, Paris: Vrin, 1930: 2 vols., vol. I, pp. 223–243.

Grabmann, Martin, *Die Werke des Heiligen Thomas von Aquin*, Beiträge, Baeumker, Münster: Aschendorff, Band XXII, Heft 1–2, 1926; 3rd ed., 1949.

Grube, G. M. A., *Plato's Thought*, London: Methuen, 1935.

De Guibert, J., S.J., *Les Doublets de S. Thomas. Leur Étude Méthodique. Quelques Réflexions, Quelques Exemples*. Paris: Beauchesne, 1926.

Hardie, W. F. R., *A Study in Plato*, Oxford: Clarendon Press, 1936.

Hauréau, B., *Histoire de la Philosophie Scholastique*, part II, tome I, Paris: Pedone-Lauriel, 1880.

Henle, R. J., S.J., *Method in Metaphysics*, Milwaukee: Marquette University Press, 1951.

– , 'Existentialism and the Judgment,' *Proceedings of the American Catholic Philosophical Association* XXI (1946), 40–53.

Hirschberger, J., *Geschichte der Philosophie*, Freiburg: Herder, 1949.

Huit, C., 'Le Platonisme au Moyen Âge: Le Platonisme au XIIIᵉ Siécle,' *Annales de Philosophie Chretienne*, Paris, 1890: vol. XXII, pp. 26–47.

– , 'Les Éléments Platoniciens de la Doctrine de St. Thomas,' *Revue Thomiste* XIX (1911), 724–766.

Isaac, Ioannes, O.P., 'Saint Thomas Interprète des Oeuvres d'Aristotle,' *Scholastica*, Rome: Pontificium Athenaeum Antonianum, 1951, 353–364.

Isaye, Gaston, S.J., *La Theorie de la Mesure et l'Existance d'un Maximum selon Saint Thomas*, Paris: Beauchesne, 1940.

Jackson, Henry, 'Plato and Platonism,' *Encyclopedia of Religion and Ethics*, ed. James Hastings, Edinburgh: Clark, 1918: vol. X, 54–61.

Klibansky, Raymond, *The Continuity of the Platonic Tradition during the Middle Ages*, Outlines of a *Corpus Platonicum Medii Aevi*, London: The Warburg Institute, 1939.

Klimke, F., *Institutiones Historiae Philosophiae*, Freiburg: Herder, 1923.

Kucharski, Paul, *Les Chemins du Savoir dans les Derniers Dialogues de Platon*, Paris: Press Univ. de France, 1949.

Lacombe, Georgius, *Aristotelis Latinus, Codices Descripsit*, Corpus Philosophorum Medii Aevi, Union Académique Internationale, Rome: La Libreria dello Stato, 1939.

Lipperheide, Victor, *Thomas von Aquino und die Platonische Ideenlehre*, München: M. Rieger, 1890.

Little, Arthur, S.J., *The Platonic Heritage of Thomism*, Dublin: Golden Eagle Books, 1950.

Lovejoy, Arthur O., *The Great Chain of Being, A Study of the History of an Idea*, Cambridge: Harvard University Press, 1936.

Lutoslawski, Wincenty, *The Origin and Growth of Plato's Logic*, London: Green and Company, 1905.

Mandonnet, Pierre, O.P., *Des Écrits Authentiques de S. Thomas d'Aquin*, 2nd ed., Fribourg (Suisse): Imprimerie de L'Oeuvre de Saint-Paul, 1910.

– , 'Les *Opuscules* de S. Thomas d'Aquin,' *Revue Thomiste* X (1927), 121–157.

– , et Destrez, J., O.P., *Bibliographie Thomiste*, Kain: Le Saulchoir, 1921.

Mansion, A., 'Le Commentaire de S. Thomas sur le *De Sensu et Sensato* d'Aristote. Utilisation d'Alexandre d'Aphrodise,' *Mélanges Mandonnet*, Paris: Vrin, 1930: 2 vols., vol. I, pp. 83–102.

– , 'Pour l'histoire du Commentaire de S. Thomas sur la Metaphysique d'Aristote,' *Revue Néoscholastique de Philosophie* XXVI (1925), 274–295.

Maréchal, J., S.J., *Le Point de Départ de la Métaphysique*, 2nd ed., Paris: Alcan, 1927.

More, Paul Elmer, *Platonism*, Princeton: Princeton University, 1917.

Muckle, J.T., C.S.B., 'Greek Works translated directly into Latin before 1350,' 2 parts, *Mediaeval Studies*, Pontifical Institute of Mediaeval Studies, Toronto: 1942: vol. IV; 1943: vol. V.

Muirhead, John H., *The Platonic Tradition in Anglo-Saxon Philosophy*, London: Allen and Unwin, 1931.

Pegis, Anton C., *St. Thomas and the Problem of the Soul in the Thirteenth Century*, Toronto: St. Michael's College, 1934.

Pegis Anton C., 'Scholasticism and History,' *Thought* XIII (1938), 206–225.
– , 'Necessity and Liberty: An Historical Note on St. Thomas,' *The New Scholasticism* XV (1941), 18–45.
– , 'The Dilemma of Being and Unity,' *Essays in Thomism*, New York: Sheed and Ward, 1942: pp. 151–183, 379–382.
– , 'Cosmogony and Knowledge. I. St. Thomas and Plato,' *Thought* XVIII (1943), 643–664; 'II. The Dilemma of Composite Essences,' *ibid.* XIX (1944), 269–290; 'III. Between Thought and Being,' *ibid.* XX (1945), 473–498.
– , *Saint Thomas and the Greeks*, Milwaukee: Marquette University Press, 1943.
Riquet, M., 'Thomas et les *Auctoritates* en Philosophie,' *Archives de Philosophie* III, 2, Paris: Beauchesne, 1925: pp. 117–155.
Rivaud, Albert, *Histoire de la Philosophie*, Paris: Presses Univ. de France, 1950.
Rogers, A. K., *A Student's History of Philosophy*, New York: Macmillan, 1911.
Santeler, Joseph, S.J., *Der Platonismus in der Erkenntnislehre des Heiligen Thomas von Aquin*, Innsbruck: F. Rauch, 1939.
Schedler, M., *Die Philosophie des Macrobius*, Beiträge, Baeumker, Münster: Aschendorff, Band XIII, Heft 1, 1916.
Schuetz, Ludwig, *Thomas Lexikon*, Paderborn: Schöningh, 1895. Photolithograph reprint, New York: Musurgia.
Schuleman, Guenther, *Das Kausalprinzip in der Philosophie des Hl. Thomas von Aquino*, Beiträge, Baeumker, Münster: Aschendorff, Band XIII, Heft 5, 1915.
Smith, Gerard, S.J., *Natural Theology*, New York: Macmillan, 1951.
Stewart, J. A., *Plato's Doctrine of Ideas*, Oxford: Clarendon Press, 1909.
Suermondt, Clemens, O.P., 'Il Contributo dell' Edizione Leonina per la Conoscenza di S. Tommaso,' *Scholastica*, Rome: Pontificium Athenaeum Antonianum, 1951, 233–282.
Synave, P., O.P., 'La Révélation des Vérités Divines Naturelles d'après S. Thomas d'Aquin,' *Mélanges Mandonnet*, Paris: Vrin, 1930: 2 vols., vol. I, pp. 327–370.
Taylor, A. E., *Platonism and Its Influence*, New York: Longmans, 1932.
Taylor, H. O., *The Mediaeval Mind*, London: Macmillan, 1930.
Thery, G., O.P., *Autour du Décret de 1210: – II. Alexandre S'Aphrodise. Aperçu sur l'Influence de sa Noétique (Bibliothèque Thomiste VII)*, Kain: Le Saulchoir, 1926.
Veuthey, Leo, O.F.M. Conv., 'Les Divers Courants de la Philosophie Augustino-Franciscaine au Moyen-Age,' *Scholastica*, Rome: Pontificium Athenaeum Antonianum, 1951, 627–652.
Walz, Angelus, O.P., *Saint Thomas Aquinas, a Biographical Study*, tr. Sebastian Bullough, O.P., Westminster, Maryland: The Newman Press, 1951.
– , 'Thomas d'Aquin. I. Vie. III. Ecrits de Saint Thomas,' *Dictionnaire de Theologie Catholique* XVI (1946).
Webert, J., O.P., 'Réflexio. Étude sur les Operations Réflexives dans la Psychologie de S. Thomas d'Aquin,' *Mélanges Mandonnet*, Paris: Vrin, 1930: 2 vols., vol. I, pp. 285–325.
Wild, John, *Plato's Theory of Man*, Cambridge: Harvard University Press, 1946.
de Wulf, Maurice, *History of Mediaeval Philosophy*, New York: Longmans, Green and Company, 1909.
Zeller, Eduard, *Outlines of the History of Greek Philosophy*, rev. Wilhelm Nestle, tr. L. R. Palmer, 13th ed., London: Routledge and Kegan Paul, 1931.

INDEXES

Note: Saint Thomas, Plato, and the *Platonici* do not appear in the general index except for a few indirect cases. Similarly, for the most part the material covered by the Table of Contents, etc. is not indexed.

There is a separate index of names from the sources to the texts, Part One, pages 7 to 252.

INDEX OF SOURCE REFERENCES

GENERAL INDEX

IMPRIMI POTEST

DANIEL H. CONWAY, S. J.
Praep. Prov. Missourian

EVULGETUR

Warmundae die 23 Martii 1955
A. J. VAN OOSTEROM, cens. a. h. d.